Marguerite Duras

Marguerite Duras

Laure Adler
Avec la collaboration de Delphine Poplin

Flammarion

Sommaire

CHAPITRE 1
1914-1932 : Les racines de l'enfance 8

CHAPITRE 2
1933 -1947 : Temps de guerre 46

CHAPITRE 3
1948 -1963 : La reconnaissance 84

CHAPITRE 4
1964 -1979 : L'effervescence de la création 136

CHAPITRE 5
1980 -1996 : La consécration 198

Je n'ai jamais menti dans un livre.
Ni même dans ma vie. Sauf aux hommes.
Jamais. Et ça parce que ma mère m'avait
fait peur avec le mensonge qui tuait
les enfants menteurs. *Écrire*, 1993

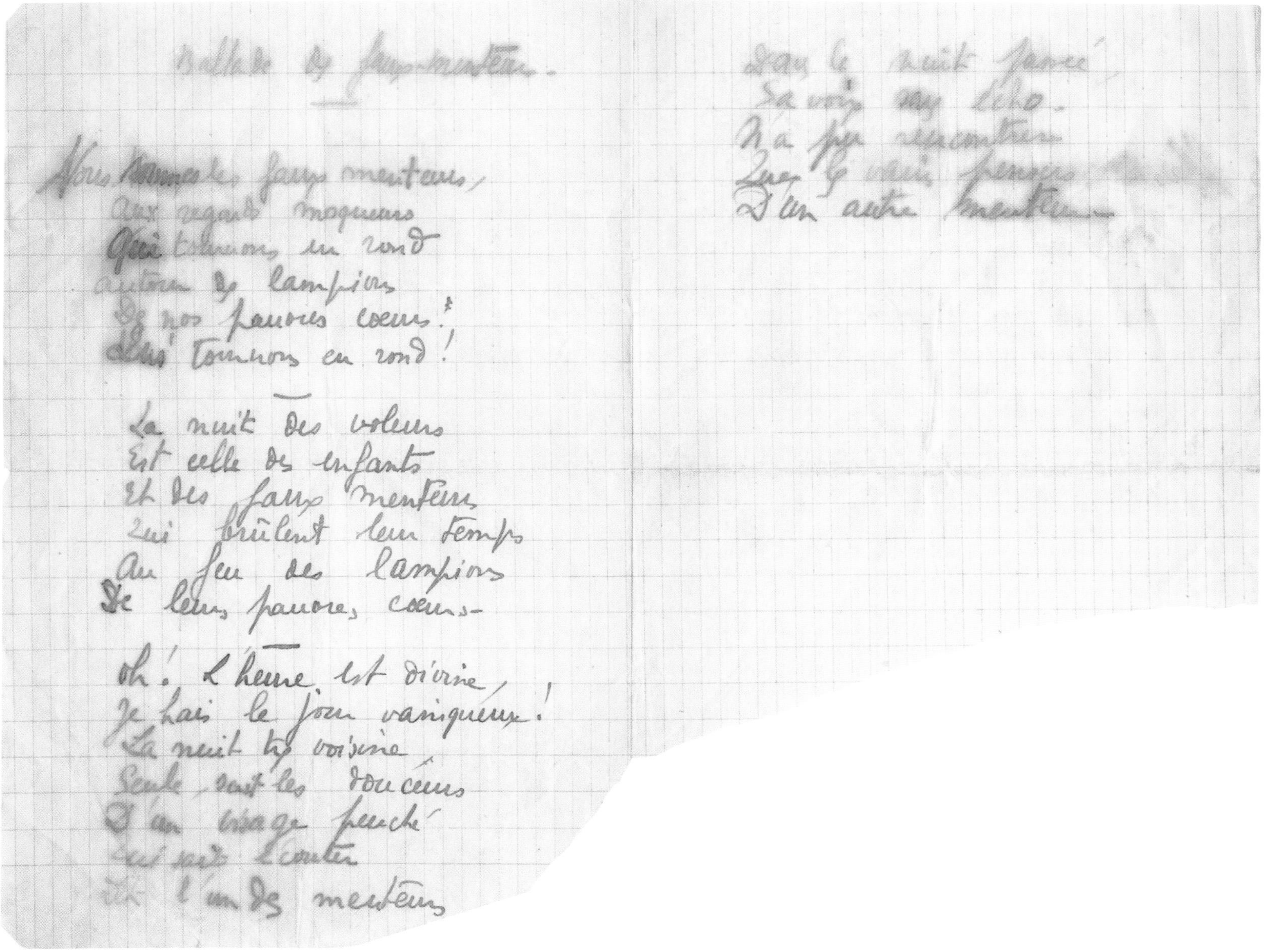

Ballade des faux-menteurs.

Nous sommes les faux menteurs,
Aux regards moqueurs
Qui tournons en rond
Autour des lampions
De nos pauvres cœurs !
Qui tournons en rond !

La nuit des voleurs
Est celle des enfants
Et des faux menteurs
Qui brûlent leur temps
Au feu des lampions
De leurs pauvres cœurs.

Oh ! l'heure est divine,
Je hais le jour vainqueur !
La nuit trop voisine
Seule sait les douceurs
D'un visage penché
Qui sait écouter
[illegible] l'un des menteurs

Dans la nuit fanée
Sa voix sans écho
N'a pu rencontrer
Que les vains pensers
D'un autre menteur.

Poème rédigé de la main de Marguerite Duras sur une feuille volante de cahier d'écolier. L'auteur a toujours aimé la poésie et pris plaisir à la recopier dans des cahiers d'écolier ou autres agendas. Trouvé parmi ses archives, non daté, non signé et jamais publié, on ne sait pas néanmoins si elle en est la créatrice.

1914

1932

Les racines de l'enfance

Je ne sais plus qui est Marguerite Duras. C'est une femme qui a eu différents visages selon les âges de la vie et ceux-ci se superposent sans cesse dans ma mémoire, créant un brouillard d'images, de stratifications, de sédimentations comme une coupe géologique.

Elle eut aussi de multiples identités – écrivain, metteur en scène, cinéaste, journaliste, mère, amante, épouse, camarade du PCF, révolutionnaire professionnelle – qu'elle revendiquait successivement ou simultanément, restant toujours fidèle à ce qu'elle fut, ne reniant jamais ses engagements.

Elle possède la caractéristique d'avoir voulu, tout au long de son existence, remettre en jeu, par le processus de l'écriture, le chantier que fut sa vie. Toujours elle a cherché au plus profond de sa mémoire à retrouver ce qui a fondé son rapport au monde et l'a construite jusqu'à son dernier souffle de vie : son enfance.

De son enfance, en effet, elle tirera des émotions, des sensations, des odeurs, des saveurs, un certain rapport du corps avec la nature, comme une sorte de fusion, qui alimenteront plusieurs cycles d'écriture.

Ainsi du *Barrage contre le Pacifique*, grande saga anticoloniale, qui marque le surgissement de Marguerite Duras sur la scène littéraire et qui raconte la lutte de sa mère : pour échapper à sa condition d'institutrice, celle-ci décide de faire confiance à l'administration coloniale et achète, en bordure du Pacifique, un terrain destiné à devenir rizière. L'océan en décidera autrement, les vagues venant détruire les digues censées protéger la terre de toute intrusion de salinité.

Ainsi de *L'Amant*, œuvre écrite pendant la vieillesse, à l'origine légendes d'un album de photographies familiales qui, par le miracle de l'invention de ces phrases courtes, saccadées, pures, simples, devint roman, promis, comme on le sait, à un immense succès.

Pourquoi Marguerite Duras a-t-elle voulu «descendre» à l'intérieur d'elle-même pour nous livrer des fragments de sa vie lorsqu'elle était jeune ? Non pas pour nous donner une autobiographie car, si l'écriture s'alimente de sa propre existence, elle dépasse ce genre littéraire qu'elle n'a jamais accepté, tant elle invente une forme de récit où elle transcende sa propre histoire pour en faire un chant, une romance, une odyssée aux accents universels.

C'est l'histoire d'une petite fille pauvre élevée en Indochine par une mère qui veut faire d'elle une bonne élève – particulièrement en français – et qui a éduqué seule ses trois enfants, son mari étant mort lorsque Marguerite avait quatre ans.Une petite fille entre deux garçons. Un aîné qui ne la protégera pas mais qui, au contraire, la harcèlera et, plus tard, la rouera de coups avant de l'instrumentaliser sur le marché des amants comme chair fraîche pourvoyeuse d'argent nécessaire pour assouvir ses besoins de drogue. Un frère plus petit mais plus âgé qu'elle, doux, rêveur, attentionné avec qui elle pouvait tout partager et avec qui elle pouvait se baigner dans les racs et manger, en cachette de la mère, les mangues juteuses et dangereuses.

Une enfant timide et maladroite qui ne parvenait jamais à attirer l'attention de la mère. À sa fille, celle-ci disait toujours : « peut mieux faire ». Celle qui n'eut jamais d'autre homme dans sa vie après le décès de son époux s'était réfugiée dans un statut de veuve ayant reporté son affection quasi exclusivement sur son fils aîné. La petite est perçue comme un garçon manqué. Entre elles deux, pas de transmission de valeurs féminines, pas de douceur corporelle, pas de caresses ni de signes de tendresse mais plutôt une autorité bougonne et fragile. La mère représente pour la petite le tout de l'univers. En échange elle aura la noirceur de la mélancolie et elle apprendra, très jeune, que celle qui lui a donné la vie ne lui apportera pas la tranquillité et encore moins la sérénité.

Duras a parlé de son enfance dans plusieurs de ses livres et elle a su faire passer son appartenance à la terre poreuse du barrage, à ses forêts avoisinantes où vivent des prédateurs. À la lire on pressent qu'elle a réussi à faire partie de la cohorte des enfants de la plaine. On peut parler d'une seconde naissance : être de là-bas, parler la langue, avoir un corps et une couleur de peau de petite Asiatique, savoir pêcher comme les enfants, savoir aussi respecter cette nature si proliférante, si sacrificielle.

Marguerite Duras, y compris à la fin de sa vie, se considérait comme une Blanche pas comme les autres. «L'origine indochinoise, je l'ai dans le sang, dans mon allure aussi», répétait-elle. Elle jouait de ses yeux légèrement bridés, de son teint mat, et savait confectionner des plats de cuisine vietnamienne dont raffolaient ses amis. L'expérience de trahison qu'a subie sa mère de la part de l'administration coloniale a forgé très tôt chez elle la conscience aiguë de la lutte des classes et de la nécessaire révolte contre toute forme de domination.

C'est l'éveil de l'adolescence, la nécessaire mue du corps, la transformation physique d'une enfant en jeune fille qui deviendra, au fil du temps, un des foyers incandescents de la matrice de son œuvre. Que l'on pense au *Barrage* ou à *L'Amant*, on y trouve la figure de l'incarnation de l'innocence qui va basculer dans une représentation du désir de l'Autre. Comment, quand on croit être soi, dans un rapport d'évidence et de connivence avec le monde, on va se retrouver coupé de soi-même, à la fois sujet encore un peu mais aussi objet de convoitise. Un corps fait pour jouer au bord de la rivière avec les garçons du voisinage, oublieux de lui-même et impulsif, se transforme, par l'habillement, la parure, les gestes, en incarnation d'une féminité qui connaît sa puissance par l'érotisme qu'elle sait faire naître. Dans *L'Amant*, la jeune fille fleur joue à l'amour en retrouvant la pureté de certaines sensations de l'enfance comme l'aspersion de l'eau qui brouille les codes et peut lui permettre de penser qu'elle ne s'est pas trahie elle-même en se donnant à l'Autre. Dans le *Barrage*, elle consent progressivement à se laisser regarder par celui qui la désire, manipulée par sa mère et son grand frère qui espèrent de l'argent en échange. Tous deux veulent de plus en plus d'argent. Mine pourtant inépuisable, le Chinois ne donnera jamais assez d'argent pour éteindre la soif de ces deux-là. La jeune fille en fleur est-elle pour autant devenue une marchandise? Non, car elle résiste. Elle a conscience d'être un appât et possède le savoir de ruser avec ceux qui s'approchent trop d'elle. Intacte, intègre. Impossible de lui demander de participer passivement au trafic des amants.

Une sensation de trouble nous prend à la lecture de certains de ses textes quand nous essayons de comprendre les différentes métamorphoses de l'amant. L'histoire est différente selon les cycles d'écriture. L'amant du *Barrage* – sa première apparition – est riche, certes, mais laid, presque difforme, pataud, obséquieux, sans charme. Celui de *L'Amant*, des décennies plus tard, est solaire, attirant, dangereux, séduisant. La figure évoquée dans *L'Amant de la Chine du Nord* inspire le respect et provoque un sentiment de nostalgie d'une période de bonheur englouti.

Comment faire de sa vie un roman ? Comment réinterpréter à l'infini des épisodes de sa vie d'enfant et de jeune adolescente? C'est comme si, en avançant en âge, Marguerite Duras retrouvait dans son arrière-mémoire de nouvelles pistes pour mieux appréhender ce qu'elle fut, ce qui lui est arrivé et la manière dont elle s'en est sortie.

Jamais d'apitoiement sur soi-même mais une opiniâtreté à vouloir tout nous dire. Comme si l'écriture était la voie principale de l'élucidation de ses tourments les plus profonds.

Marguerite quitte l'Indochine pour aller faire ses études en France. Lors de sa traversée en bateau un jeune homme se suicide en se jetant dans l'océan.

Tout ce qu'elle vit semble romanesque. Et nombreux furent ceux qui étaient persuadés qu'elle en rajoutait ou qu'elle inventait. Elle possède cette manière si particulière de construire un récit et de mettre le lecteur au centre de celui-ci, comme si CHAQUE lecteur était le destinataire unique de ses écrits.

Aurait-elle été écrivain si elle n'avait pas eu à sa disposition cette boîte à images, merveilleuse et cruelle à la fois, de l'enfance indochinoise?

De cette Indochine, elle est fière et elle la porte en elle dans ce quartier latin qu'elle découvre et où elle se fait de nouveaux amis à qui elle prépare des bo buns délicieux et des plats de riz parfumé envoyé par bateau par la mère.

Elle s'appelle encore Donnadieu.

Duras, c'est son nom d'écrivain.

Le nom du pays natal de son père défunt.

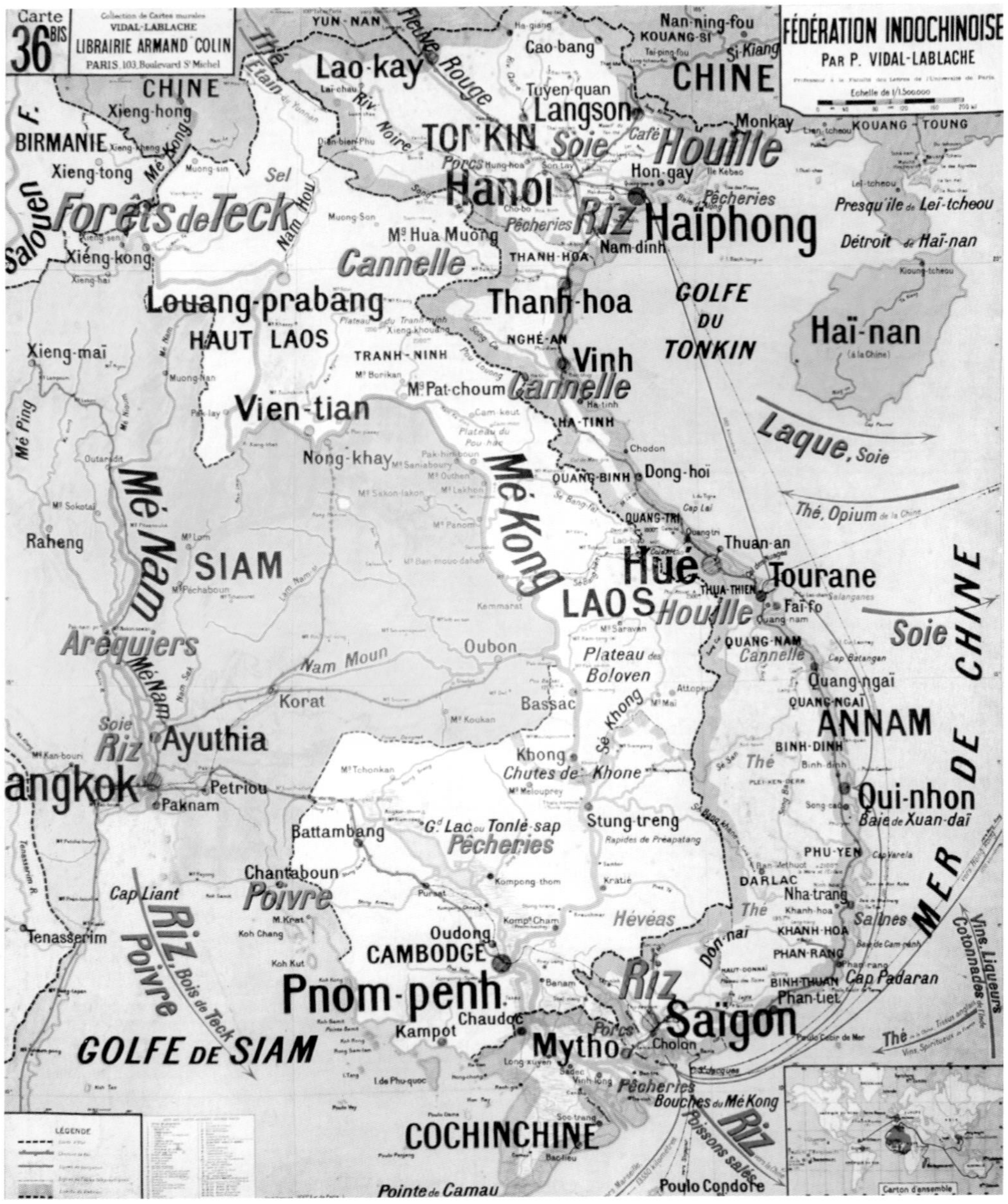

1

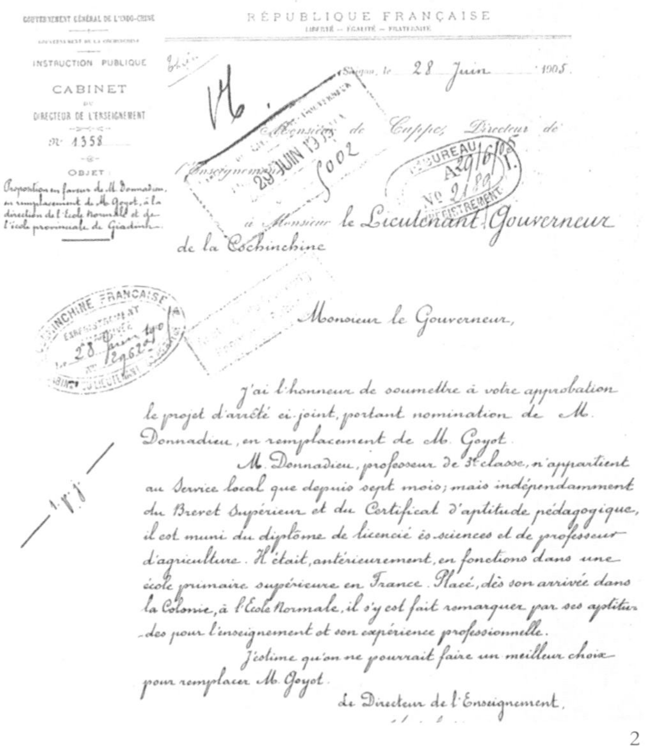

GOUVERNEMENT GÉNÉRAL DE L'INDO-CHINE

INSTRUCTION PUBLIQUE

CABINET DU DIRECTEUR DE L'ENSEIGNEMENT

N° 1358

OBJET : Proposition en faveur de M. Donnadieu, en remplacement de M. Goyot, à la direction de l'École Normale et de l'école provinciale de Giadinh.

RÉPUBLIQUE FRANÇAISE
LIBERTÉ — ÉGALITÉ — FRATERNITÉ

Saigon, le 28 Juin 1905.

Monsieur de Cuppé, Directeur de l'Enseignement à Monsieur le Lieutenant Gouverneur de la Cochinchine

Monsieur le Gouverneur,

J'ai l'honneur de soumettre à votre approbation le projet d'arrêté ci-joint, portant nomination de M. Donnadieu, en remplacement de M. Goyot.

M. Donnadieu, professeur de 3e classe, n'appartient au Service local que depuis sept mois ; mais indépendamment du Brevet Supérieur et du Certificat d'aptitude pédagogique, il est muni du diplôme de licencié ès sciences et de professeur d'agriculture. Il était, antérieurement, en fonctions dans une école primaire supérieure en France. Placé, dès son arrivée dans la Colonie, à l'École Normale, il s'y est fait remarquer par ses aptitudes pour l'enseignement et son expérience professionnelle.

J'estime qu'on ne pourrait faire un meilleur choix pour remplacer M. Goyot.

Le Directeur de l'Enseignement,

2

1 Carte de l'Indochine française Vidal Lablache numéro 36 *bis*. Durant ses années d'enfance en Indochine, Marguerite Donnadieu et ses frères se déplacent régulièrement dans la région entre Saigon, Hanoi, Phnom Penh, au gré des mutations de leur père Henri Donnadieu – puis de leur mère Marie Donnadieu quand, devenue veuve, elle occupera divers postes dans l'enseignement, puis plus tard à Sadec lorsqu'elle s'occupera de sa concession sur la côte pacifique.

2 Proposition du directeur de l'enseignement au gouverneur de Cochinchine en faveur de M. Donnadieu, 28 juin 1905.

3 Marguerite Donnadieu à quatre ans, entourée de ses deux frères Pierre et Paul, sur le balcon du collège du Protectorat-de-Hanoi, dont Henri Donnadieu, son père, est le directeur. Indochine, 1918.

Nous venions de loin, toujours de loin.
Départs et arrivées se succédaient dans notre vie
comme dans d'autres les années cimentées
les unes aux autres s'écoulent, régulières et lentes.
[...] *Nous faisions, nous, partie de ces familiers*
des wagons et des ports. *Cahiers de la guerre et autres textes*, 2006

Nous avons été très longtemps tout petits. Un temps inépuisable, inouï, qu'il me semble ne jamais pouvoir mesurer. Nous étions trois, mes deux frères Pierre et Paul, et moi la dernière – je ne me vois pas sous un nom quelconque – oui, nous avons été longtemps de tout petits enfants. Puis un jour, et d'un coup, l'un de nous, notre frère aîné, Pierre, nous fut étranger.
Cahiers de la guerre et autres textes, 2006

1 La mère de Marguerite, Marie Donnadieu, née Legrand, entourée de ses trois enfants, Pierre l'aîné, Paul, le cadet, que Marguerite Duras considérera toujours comme son «petit frère», et Marguerite, âgée de six ans. Indochine, 1920.

2 Ce pêle-mêle de diverses photographies de famille d'époques variées, de lettres, de cartes postales et de fleurs séchées a été composé par Marguerite Duras et se trouvait dans son appartement de la rue Saint-Benoît.

1

2

1

3

Je ne voudrais voir dans mon enfance que de l'enfance. Et pourtant, je ne le puis. Je n'y vois même aucun signe de l'enfance. Il y a dans ce passé quelque chose d'accompli et de parfaitement défini – et au sujet duquel aucun leurre n'est possible.
Cahiers de la guerre et autres textes, 2006

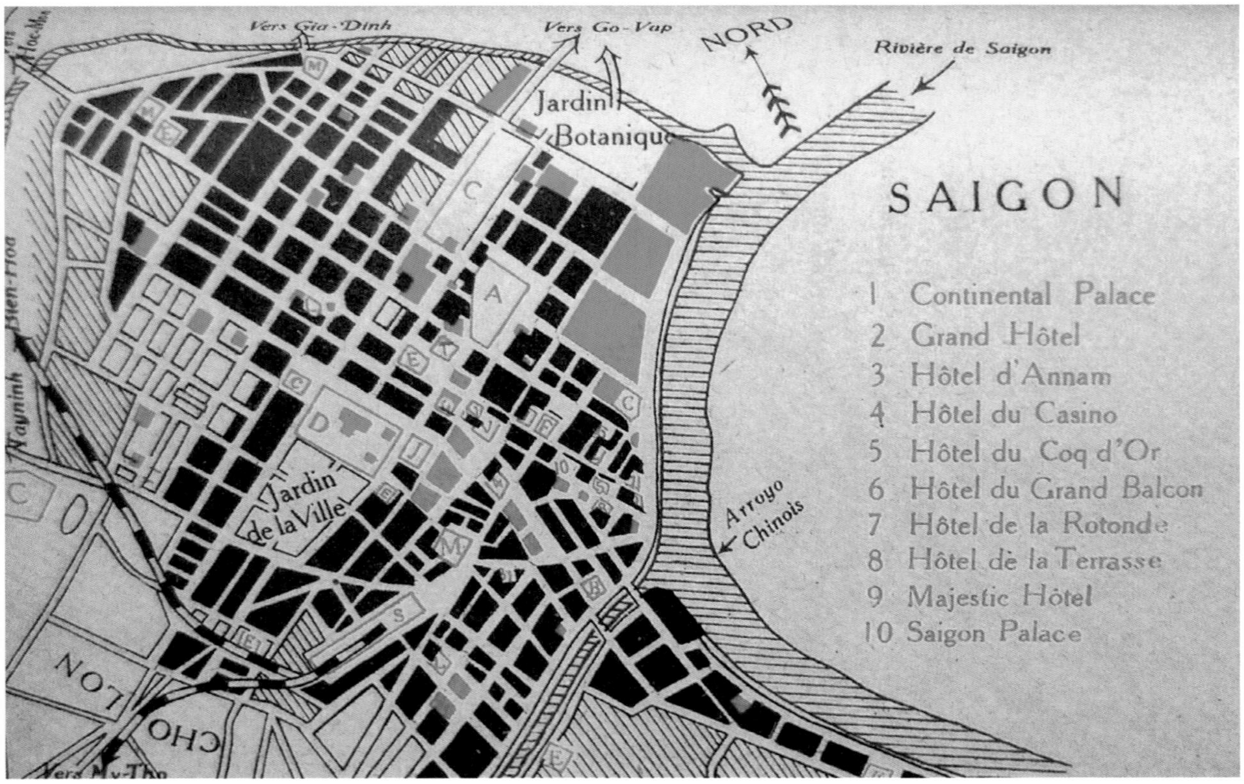

4

1 La rue Catinat, Saigon (1900-1910). Dans les années 1920, la rue Catinat était une sorte de «Canebière» à Saigon. C'est dans cette rue que se situait l'Éden Cinéma dans lequel la mère de Marguerite jouait parfois du piano le soir. Tous les grands hôtels, comme l'Hôtel Continental, où se retrouvent les colons de passage, sont dans la rue Catinat. C'est là que l'on sort, que l'on se croise et que l'on vient se faire photographier dans l'un des studios installés sur l'artère.

2 La rue d'Adran, Saigon. Indochine, 1910-1920.

3 Le port de Saigon. Indochine, 1955.

4 Plan de Saigon. Indochine, 1930.

5 Texte manuscrit inédit de Marguerite Duras dans lequel elle évoque son enfance. Rédigé sur les feuilles d'un cahier d'écolier, il fait partie de cahiers que l'auteur a rédigés pendant la guerre et qui ont été retrouvés des décennies plus tard dans sa maison de Neauphle-le-Château.

Je ne voudrais voir dans mon enfance que [illegible] de l'enfance – Et pourtant je ne le puis – Je n'y vois même aucun signe de l'enfance – Il y a dans ce passé quelque chose d'accompli et de parfaitement défini et aux aspects desquels aucun leurre n'est possible –

Je ne m'y retrouve en aucune façon – C'est la période de ma vie que je sens la plus aride, a fait quelques années qui sont pour elle comme une réserve, où j'ai puisé des forces pour toute ma vie – Rien de plus net, de plus vécu, de moins rêvé que ma toute enfance – Aucune imagination, rien de la légende et du conte bleu qui auréole l'enfance du nimbe des rêves –

Je ne veux rien m'expliquer – C'est ainsi pour moi et mes deux frères qui ont vécu les mêmes années. Cette enfance me tracasse pourtant et suit ma vie comme une ombre. Elle ne m'attire pas par son charme car elle n'en a guère à mes yeux

mais tout au contraire par son étrangeté – Elle n'a jamais conditionné ma vie. Elle a été solitaire et secrète – Jalousement gardée et ensevelie en [struck] pendant si longtemps. Je la dirai au gré du vent qui souffle en moi lorsque je la sens m'envahir et m'obséder comme une aventure oubliée – et non éclairée. Je n'ai pas eu de longues années d'habitudes ni cette douceur qui se dégage d'elles et de son rythme, de la lenteur [illegible] à faire son [illegible] – Non, je n'ai rien eu de tout cela, je n'ai eu ni maison familiale, ni jardins connus, ni greniers, ni grands-parents, [struck] ni lieux, ni camarades qu'on voit grandir – Rien de tout cela – Vous vous demandez ce qu'il reste ? – Il reste ma mère. Pourquoi me le cacher ? C'est d'elle que je veux dire l'histoire, l'étonnant mystère jamais connu –

ce mystère qui a été si longtemps ma joie, ma douleur, où je me retrouvais toujours et d'où je m'efforçais souvent pour y revenir –

Ma mère a été pour nous une vaste plaine où nous avons marché longtemps sans trouver sa mesure. Je ne la vois nullement avec ce halo de douceur et de vigilance qui marche à côté des souvenirs lorsqu'on [illegible] l'esprit – D'ailleurs ce n'est pas un souvenir – C'est une vaste marche qui n'a jamais fini –

J'ignore sa vie de femme, de jeune fille, d'épouse – [struck]

Je la vois notre mère c'est tout – ici je m'arrête car je voudrais pouvoir dire ce qu'a été et ce qu'est toujours cette maternité – et les mots me semblent insuffisants –

Je voudrais, pour la voir m'écarter d'elle, [struck] repousser un moment cette actualité absorbante qu'elle est ici – Voilà ! Elle devait être si impure avant nous, impure de fait de femme humaine, non sanctifiée – C'est tout ce que je puis dire –

Nous sommes venus, tous les trois, nous fûmes le sel de sa vie, le sel de cette terre qui fut des fois insuffisamment fécondée –

Elle vécut cette passion de nous, sans aucune [illegible] – sans cette patience, ce répit qui est versé aux mères comme une bénédiction – [struck]

Elle porta sa passion seule avec une violence jamais assouvie et ses épaules sont toujours aussi tendues et belles de porter –

Ces peines, nous avons participé à sa vie – Nous fûmes ses amis et je crois que c'est d'elle que

nous tenions ce sens de la réalité. Sa réalité était notre vie – Nous fûmes nourris d'elle [struck] comme les autres enfants le sont de chimères – Nous avons partagé ses malheurs et ses joies [struck] dans toute leur plénitude –

1

2

C'est la cour d'une maison sur le petit lac de Hanoi. Nous sommes ensemble, elle et nous, ses enfants. J'ai quatre ans. Ma mère est au centre de l'image. Je reconnais bien comme elle se tient mal, comme elle ne sourit pas, comme elle attend que la photo soit finie. À ses traits tirés, à un certain désordre de sa tenue, à la somnolence de son regard, je sais qu'il fait chaud, qu'elle est exténuée, qu'elle s'ennuie.

Nous dormons tous les quatre dans le même lit. Elle dit qu'elle a peur de la nuit. C'est dans cette résidence que ma mère apprendra la mort de mon père. Elle l'apprendra avant l'arrivée du télégramme, dès la veille, à un signe qu'elle était la seule à avoir vu et à savoir entendre, à cet oiseau qui en pleine nuit avait appelé, affolé, perdu dans le bureau de la face nord du palais, celui de mon père.

L'Amant, 1984

3

1 Vue générale de Hanoi. Indochine, 1931.

2 Marie Donnadieu et ses enfants. Indochine, Hanoi, 1919-1920.

3 Véranda de la maison du consul de France et de sa femme Elizabeth Striedter, à Saigon. La femme, très belle, de réputation sulfureuse, fascine littéralement Marguerite Donnadieu enfant. C'est elle qui lui inspirera plus tard le personnage d'Anne-Marie Stretter, A.-M. S., personnage central de son œuvre, incarnée par Delphine Seyrig dans *India Song*.

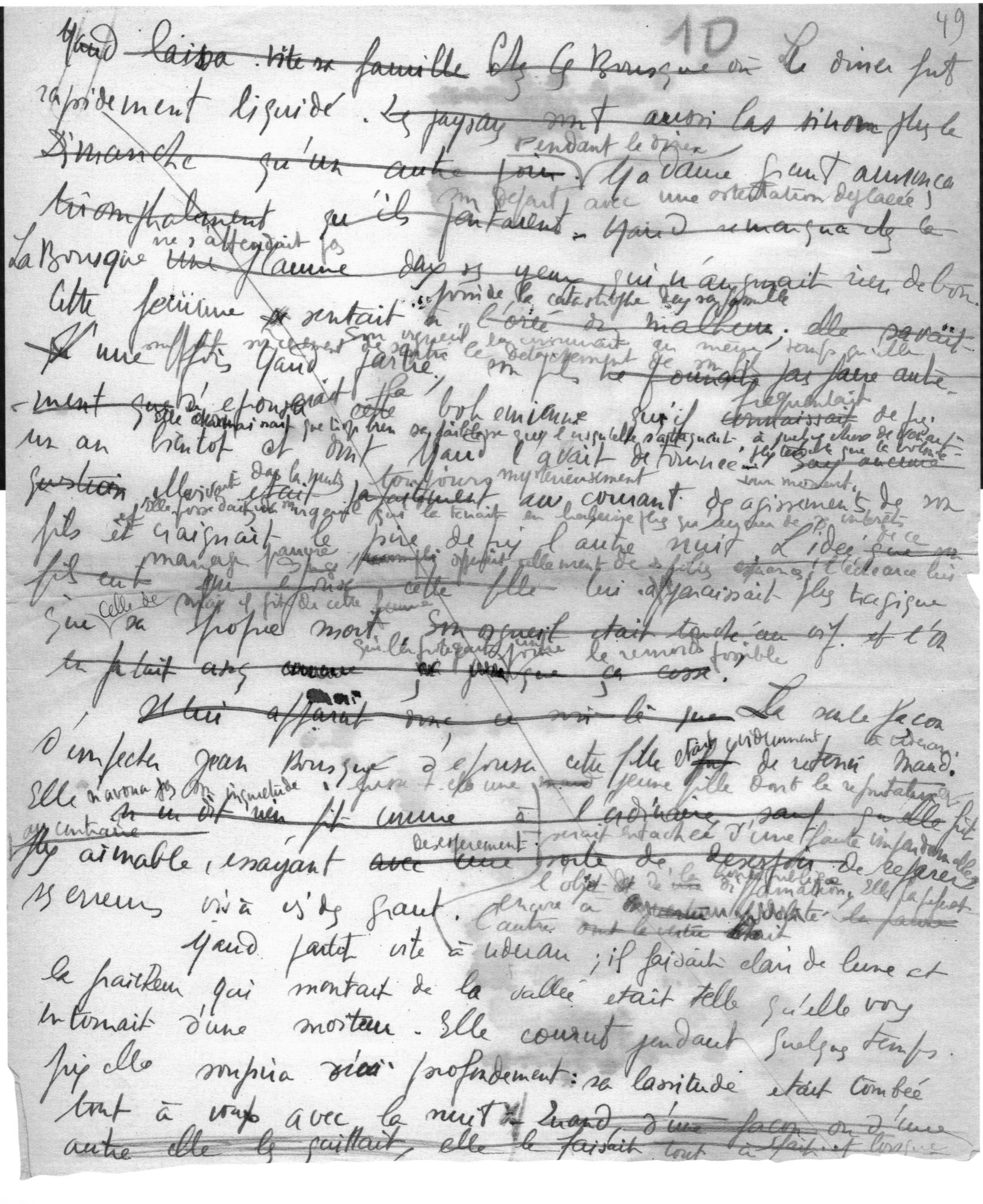
10 — 49

~~Maud laissa vite sa famille chez les Bousque où~~ Le dîner fut rapidement liquidé. ~~Les paysans [illegible] plus le dimanche qu'un autre jour.~~ Pendant le dîner Madame Grant annonça triomphalement qu'ils partaient. ~~Maud remarqua chez la~~ La Bousque ne s'attendait pas ~~une flamme dans ses yeux qui n'augurait rien de bon.~~ Cette femme sentait [illegible] proche la catastrophe dans sa famille. ~~Elle savait~~ qu'une fois Maud partie, son fils ~~ne pourrait pas faire autrement que~~ épouserait cette bohémienne qu'il fréquentait depuis un an bientôt et dont Maud l'avait détourné [illegible]. Marguerite était toujours mystérieusement au courant des agissements de son fils et craignait le pire depuis l'autre nuit. L'idée de ce mariage [illegible] ~~que son fils eût épousé~~ cette fille lui apparaissait plus tragique que celle de sa propre mort. ~~Son orgueil était touché au vif et il lui fallait [illegible]~~

~~Il lui apparut donc ce soir-là que~~ La seule façon d'empêcher Jean Bousque d'épouser cette fille était évidemment de retenir Maud. Elle n'avoua pas son inquiétude ~~et ne dit rien fit comme à l'ordinaire sauf qu'elle fut~~ au contraire plus aimable, essayant désespérément ~~avec une sorte de désespoir~~ de réparer ses erreurs vis-à-vis des Grant.

Maud partit vite à [illegible]; il faisait clair de lune et la fraîcheur qui montait de la vallée était telle qu'elle vous [illegible] d'une moiteur. Elle courut pendant quelques temps puis elle soupira profondément : sa lassitude était tombée tout à coup avec la nuit. ~~Quand d'une façon ou d'une autre elle les quittait, elle le faisait tout à fait lorsque~~

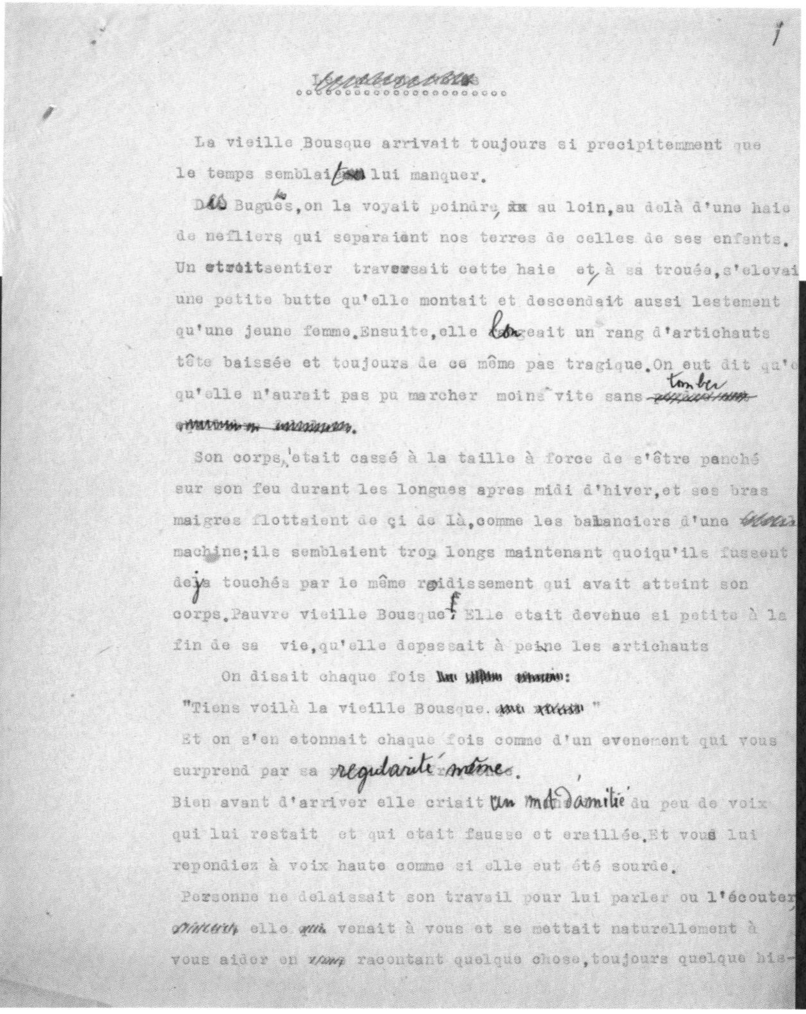
La vieille Bousque arrivait toujours si precipitemment que le temps semblait lui manquer.

Des Bugues, on la voyait poindre, au loin, au delà d'une haie de nefliers qui separaient nos terres de celles de ses enfants. Un sentier traversait cette haie et, à sa trouée, s'elevait une petite butte qu'elle montait et descendait aussi lestement qu'une jeune femme. Ensuite, elle longeait un rang d'artichauts tête baissée et toujours de ce même pas tragique. On eut dit qu'elle n'aurait pas pu marcher moins vite sans tomber.

Son corps, était cassé à la taille à force de s'être panché sur son feu durant les longues apres midi d'hiver, et ses bras maigres flottaient de çi de là, comme les balanciers d'une machine; ils semblaient trop longs maintenant quoiqu'ils fussent deja touchés par le même raidissement qui avait atteint son corps. Pauvre vieille Bousque! Elle etait devenue si petite à la fin de sa vie, qu'elle depassait à peine les artichauts

On disait chaque fois :

"Tiens voilà la vieille Bousque. "

Et on s'en etonnait chaque fois comme d'un evenement qui vous surprend par sa regularité même.

Bien avant d'arriver elle criait un mot d'amitié du peu de voix qui lui restait et qui etait fausse et eraillée. Et vous lui repondiez à voix haute comme si elle eut été sourde.

Personne ne delaissait son travail pour lui parler ou l'écouter; elle venait à vous et se mettait naturellement à vous aider en racontant quelque chose, toujours quelque his-

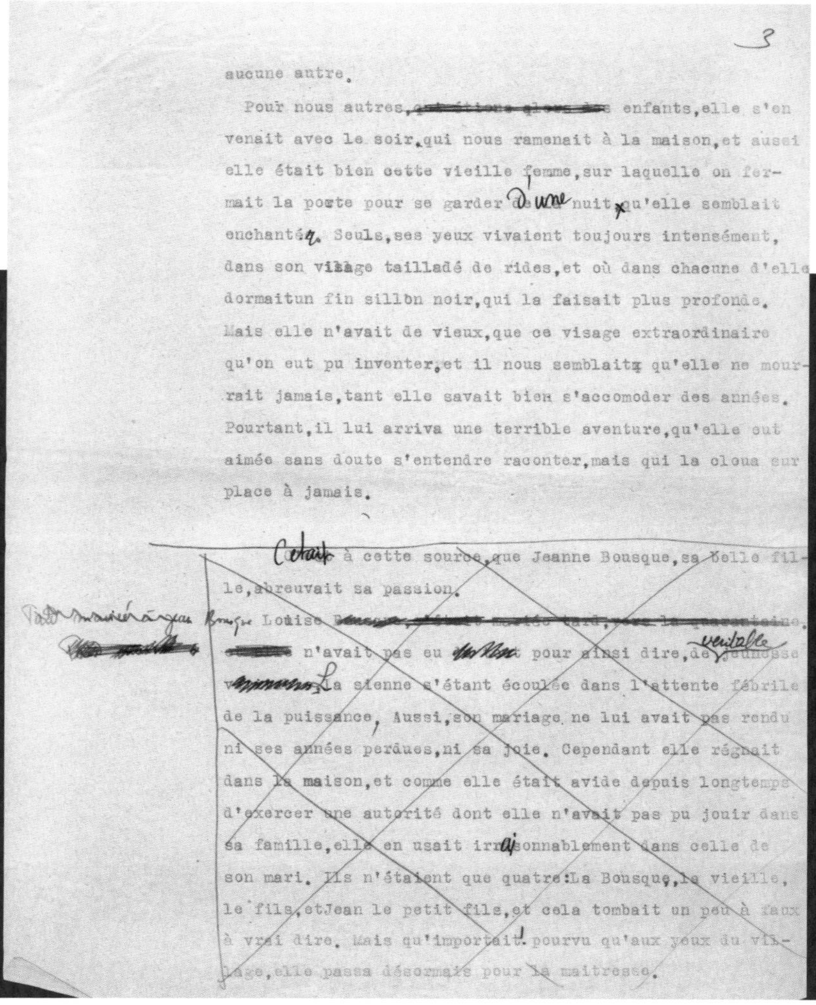
aucune autre.

Pour nous autres, enfants, elle s'en venait avec le soir, qui nous ramenait à la maison, et aussi elle était bien cette vieille femme, sur laquelle on fermait la porte pour se garder d'une nuit, qu'elle semblait enchanter. Seuls, ses yeux vivaient toujours intensément, dans son visage tailladé de rides, et où dans chacune d'elle dormait un fin sillon noir, qui la faisait plus profonde. Mais elle n'avait de vieux, que ce visage extraordinaire qu'on eut pu inventer, et il nous semblait qu'elle ne mourrait jamais, tant elle savait bien s'accomoder des années. Pourtant, il lui arriva une terrible aventure, qu'elle eut aimée sans doute s'entendre raconter, mais qui la cloua sur place à jamais.

C'était à cette source, que Jeanne Bousque, sa belle fille, abreuvait sa passion.

Louise n'avait pas eu pour ainsi dire, de véritable jeunesse. La sienne s'étant écoulée dans l'attente fébrile de la puissance. Aussi, son mariage ne lui avait pas rendu ni ses années perdues, ni sa joie. Cependant elle régnait dans la maison, et comme elle était avide depuis longtemps d'exercer une autorité dont elle n'avait pas pu jouir dans sa famille, elle en usait irraisonnablement dans celle de son mari. Ils n'étaient que quatre: La Bousque, la vieille, le fils, et Jean le petit fils, et cela tombait un peu à faux à vrai dire. Mais qu'importait pourvu qu'aux yeux du village, elle passa désormais pour la maitresse.

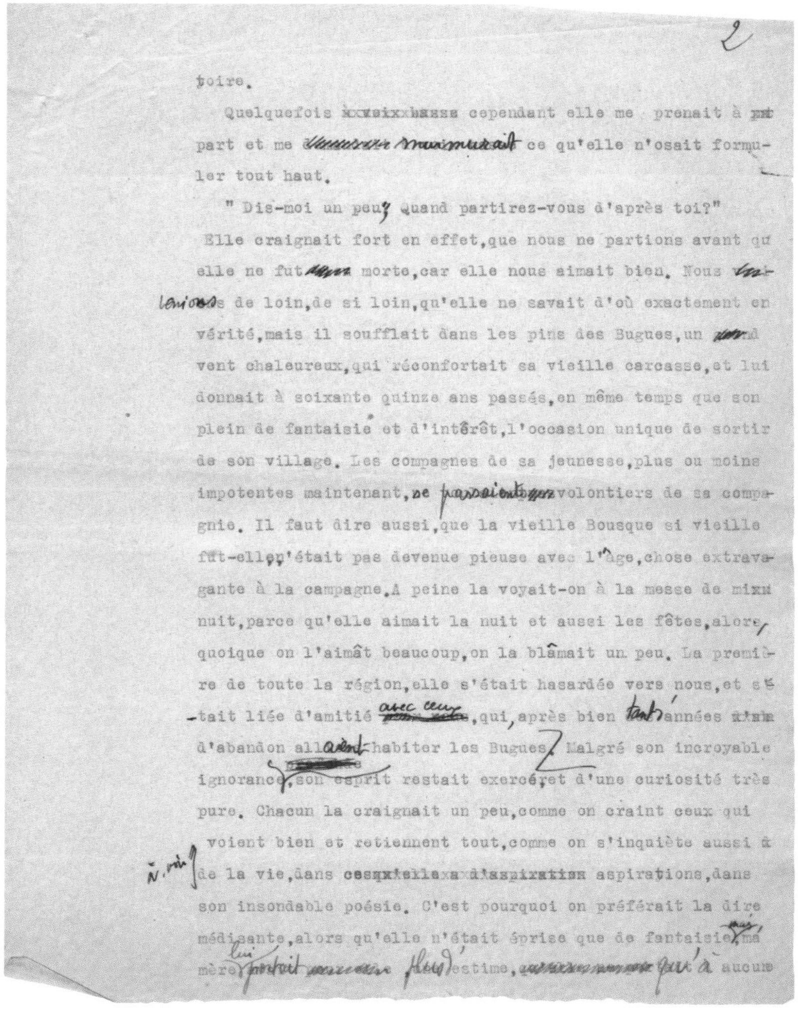
toire.

Quelquefois cependant elle me prenait à part et me ce qu'elle n'osait formuler tout haut.

" Dis-moi un peu, quand partirez-vous d'après toi?"

Elle craignait fort en effet, que nous ne partions avant qu'elle ne fut morte, car elle nous aimait bien. Nous venions de loin, de si loin, qu'elle ne savait d'où exactement en vérité, mais il soufflait dans les pins des Bugues, un vent chaleureux, qui réconfortait sa vieille carcasse, et lui donnait à soixante quinze ans passés, en même temps que son plein de fantaisie et d'intérêt, l'occasion unique de sortir de son village. Les compagnes de sa jeunesse, plus ou moins impotentes maintenant, ne passaient volontiers de sa compagnie. Il faut dire aussi, que la vieille Bousque si vieille fût-elle, n'était pas devenue pieuse avec l'âge, chose extravagante à la campagne. A peine la voyait-on à la messe de minuit, parce qu'elle aimait la nuit et aussi les fêtes, alors, quoique on l'aimât beaucoup, on la blâmait un peu. La première de toute la région, elle s'était hasardée vers nous, et s'était liée d'amitié avec ceux qui, après bien tant années d'abandon allaient habiter les Bugues. Malgré son incroyable ignorance, son esprit restait exercé, et d'une curiosité très pure. Chacun la craignait un peu, comme on craint ceux qui voient bien et retiennent tout, comme on s'inquiète aussi de la vie, dans ses aspirations, dans son insondable poésie. C'est pourquoi on préférait la dire médisante, alors qu'elle n'était éprise que de fantaisie. Ma mère lui portait plus d'estime, qu'à aucune

2

1 Brouillon d'un passage du manuscrit des *Impudents*, premier roman de Marguerite Donnadieu, alors âgée de vingt ans, publié en 1943. Elle va prendre sa nouvelle identité d'écrivain et se rebaptiser Duras en hommage à son père Henri Donnadieu, décédé en 1921 dans le canton de Duras, dans le Lot-et-Garonne. Dans ce premier roman, elle évoque cette parenthèse française quand, âgée de huit ans, elle accompagne leur mère à Duras avec ses frères, plus précisément à Pardaillan, le village où, peu de temps avant sa mort, son père a acquis le domaine du Platier.

2 Dans un autre récit de la même période, ici en version dactylographiée et annotée par Marguerite Duras, intitulé *La Vieille Bousque – les pigeons volés*, l'auteur évoque également cette période française de son enfance.

Double page suivante
Barrage, Caû Gio. Indochine, 1921-1935.

On a vu cette femme arriver seule, sans défenseur, complètement isolée et on lui a collé une terre incultivable. Elle ignorait complètement qu'il fallait soudoyer les agents du cadastre pour avoir une terre cultivable. On lui a donné une terre, ce n'était pas une terre, c'était une terre envahie par l'eau pendant six mois de l'année. Et elle a mis là-dedans vingt ans d'économies. Elle a fait construire ce bungalow, elle a semé, elle a repiqué le riz, au bout de trois mois le Pacifique est monté et on a été ruinés. *Les Lieux de Marguerite Duras*, 1977

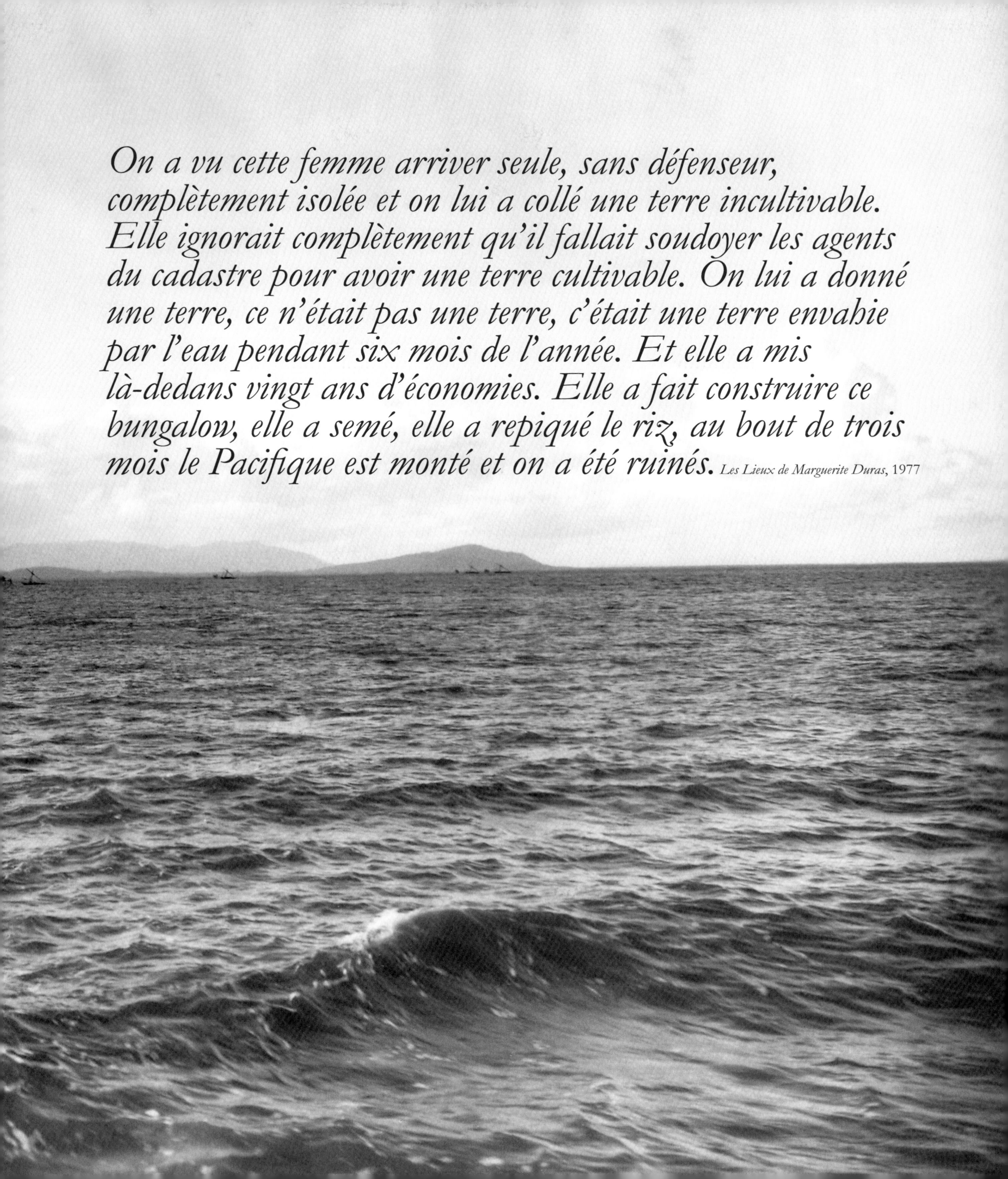

1

2

1 Scène de bain. Indochine, 1919. La légende du cliché, à l'époque, précise dans un style typiquement colonial : « L'Annamite aime l'eau, sa toilette est l'une de ses préoccupations quotidiennes. »

2 Ensemencement d'une rizière. Indochine, 1920-1940.

3 Travaux dans la rizière. Indochine, 1921-1935.

4 Cet extrait manuscrit, *Ballerines cambodgiennes*, est une des plus anciennes archives littéraires de Marguerite Duras. Il a été retrouvé dans les *Cahiers de la guerre* et daté de la fin des années 1930. L'auteur y évoque son enfance en Indochine, à la frontière du Siam.

3

Ballerines Cambodgiennes.

La première fois que je vis une danseuse Cambodgienne, c'était dans cette partie du haut Cambodge, prise entre la mer et la montagne, vers la frontière du Siam. Là, il n'y a plus qu'une seule route, de plus en plus mauvaise et qui s'arrête, vaincue, devant la mer.. La chaîne de l'Éléphant la longe jusqu'au bout et va plonger dans le paisible golfe de Réam où quelques îlots la signalent encore, de plus en plus rares. Des petits villages pauvres sont semés aux abords de la route, enfouis dans la forêt. Vers le soir, ils s'allument de grands feux de bois vert et de lourdes traînées de fumée résineuse embaument alors la campagne.

Cette "lokhon", cette danseuse allait de village en village. Lorsqu'elle arriva à Banteai, je m'y trouvais par hasard. Un petit tam-tam monotone l'annonça depuis le matin; sans répit il appela, il implora qu'on vint la voir, et à la nuit tombée les chemins furent pleins de curieux, d'hommes et de femmes venus d'autres villages.

— Lorsque j'y ~~a~~ vins la paillotte était sombre et déjà pleine de monde. Au milieu, sur une estrade nue la "lokhon" danse déjà. Des lampes fumeuses semblent l'isoler du reste du monde et de la nuit.

Une vieille cambodgienne, accroupie, dans ~~le~~ un coin de la paillotte chante une mélopée au rythme dur. Sa voix est creuse et éraillée, sa voix est laide, mais elle sait y mettre la passion d'un rythme implacable.

1 Les «dents» de Trian, province de Bien Hoa. Indochine, 1919-1926.

2 Village lacustre. Maisons sur pilotis. Indochine, 1921-1935.

2

1

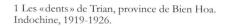

Mon pays natal c'est une patrie d'eau. Celle des lacs, des torrents qui descendaient de la montagne, celle des rizières, celle terreuse des rivières de la plaine dans lesquelles on s'abritait pendant les orages. La pluie faisait mal tellement elle était drue. En dix minutes le jardin était noyé. Qui dira jamais l'odeur de la terre chaude qui fumait après la pluie. Celle de certaines fleurs. Celle d'un jasmin dans un jardin. *La Vie matérielle*, 1987

Les enfants maigres et jaunes

... C'était pendant qu'elle faisait la sieste qu'on volait les mangues. Pour elle, les mangues, certaines mangues – trop vertes – étaient mortelles : dans le gros noyau plat, parfois, logeait une bête noire qu'on pouvait avaler et qui, avalée, s'installait et rongeait l'intérieur du ventre. Elle faisait peur, la mère, et on la croyait. Le père était mort, et la pauvreté, et ces trois enfants qu'elle essayait d'« élever » : c'était la reine, pourvoyeuse de nourriture, d'amour, incontestée. Mais pour les mangues, non, elle était moins forte, et on désobéit et lorsqu'elle nous retrouve après la sieste, dégoulinants du jus poisseux, elle nous bat. Mais on recommence. On a toujours recommencé. L'aîné des enfants est en Europe, nous, les deux plus jeunes, elle nous garde encore. Nous sommes des petits enfants maigres mon frère et moi, des petits créoles plus jaunes que blancs. Inséparables. On est battus ensemble : sales petits Annamites, elle dit. Elle, elle est française, elle n'est pas née là-bas. Je dois avoir huit ans. Je la regarde le soir, dans la chambre, elle est en chemise, elle marche dans la maison, je regarde les poignets, les chevilles, je ne dis rien, que c'est trop épais, que c'est différent, je trouve qu'elle est différente : ça pèse plus lourd, c'est plus volumineux, et cette couleur rose de la chair.

Mon seul parent ce petit frère agile, si mince, aux yeux bridés, fou, silencieux, qui à six ans monte dans les manguiers géants et à quatorze ans tue les panthères noires des rivières de la Chaîne de l'Éléphant. Enfant, que d'amour. Que d'amour pour toi petit frère mort. Non, elle, elle n'avait pas l'appétit forcené des mangues. Et nous, petits singes maigres, tandis qu'elle dort, dans le silence fabuleux des siestes, on se remplit le ventre d'une autre race que la sienne, elle, notre mère. Et ainsi, on devient des Annamites, toi et moi. Elle désespère de nous faire manger du pain. On n'aime que le riz. On parle la langue étrangère. On est pieds nus. Elle, elle est trop vieille, elle ne peut plus entrer dans la langue étrangère. Nous, on ne l'a même pas apprise. Elle, porte des chaussures. Et elle, une fois, elle attrape une insolation parce qu'elle n'a pas mis son chapeau et elle délire, elle hurle qu'elle veut retourner vers le nord du monde, dans le blé, le lait cru, le froid, vers cette famille d'agriculteurs, vers Frévent, Pas-de-Calais, qu'elle a abandonnée. Et nous, toi et moi, dans la pénombre de la salle à manger coloniale, on la regarde qui crie et pleure, ce corps abondant rose et rouge, cette santé rouge, comment est-elle notre mère, comment est-ce possible, mère de nous, nous si maigres, de peau jaune, que le soleil ignore, nous, Juifs ? Je me souviens, l'insolation c'est à Phnom Penh. Je regarde cette femme deux fois étrange, deux fois étrangère. Le souvenir est précis, sans doute décisif : oui mais l'interrogation s'intègre et circule dans le sang. Elle deviendra d'ailleurs extérieure. Plus tard, lorsque nous avons quinze ans, on nous demande : êtes-vous bien les enfants de votre père ? regardez-vous, vous êtes des métis. Jamais nous n'avons répondu. Pas de problème : on sait que ma mère a été fidèle et que le métissage vient d'ailleurs. Cet ailleurs est sans fin. Notre appartenance indicible à la terre des mangues, à l'eau noire du sud, des plaines à riz, c'est le détail. On sait ça. On se tient dans la profondeur muette de l'enfance, profondeur doublée, ici, bien sûr, de l'étonnement des autres qui nous regardent.

Quand on est plus grand, ensuite, on nous dit : réfléchissez bien, cherchez bien, votre mère vous a-t-elle dit où était votre père lorsqu'elle vous attendait ? N'était-il pas en cure à Plombières, en France ? jamais nous n'avons réfléchi : on sait que la mère a été fidèle au père et qu'il s'agit d'autre chose qui ne peut pas leur être dit. Je le sais encore : je ne sais rien. On nous dit : est-ce que ça n'est pas la nourriture, et le soleil ? La nourriture qui jaunit la peau, le soleil qui bride les yeux ? Non, les savants sont formels : ça n'existe pas, répondent les gens avertis. Nous, on ne se pose pas de questions. Comme à six ans, on ne se regarde pas : on est le même corps étranger, ensemble, soudés, faits de riz, de mangues désobéies, de poissons de vase, de ces saloperies cholériques interdites par elle. La seule chose claire, évidente : on n'est pas les enfants qu'elle a souhaités. Un jour, elle nous dit : j'ai acheté des pommes, fruits de la France, vous êtes français, il faut manger des pommes. On essaye, on recrache. Elle crie. On dit qu'on étouffe, que ça c'est du coton, qu'il n'y a pas de jus, que ça ne s'avale pas. Elle abandonne. La viande, on recrache aussi, on n'aime que la chair du poisson d'eau douce cuite à la saumure, au nuoc-mâm. On n'aime que le riz, la fadeur sublime à parfum de cotonnade du riz cargo, les soupes maigres des marchands ambulants du Mékong. Quand on passe les bacs, ma mère nous achète de ces soupes au canard, la nuit. Sur les sampans, les feux de charbon de bois sous les marmites de terre. Tout le fleuve est parfumé par le feu et les herbes bouillies. Ma mère, inquiète, nous rappelle qu'à Vinh Long, la semaine d'avant, une rue entière du poste a été atteinte par le choléra, que la rue est condamnée que les lazarets sont pleins... Nous, on dévore, sourds, sevrés.

1 *Les Enfants maigres et jaunes* est un texte écrit par Marguerite Duras en 1975, et dans lequel l'auteur, alors âgée de soixante-deux ans, revient sur son enfance. Il a d'abord été publié dans la revue féministe *Sorcières* en 1976, puis en 1984 dans *Outside*, aux éditions P.O.L.

2 Jeux d'enfants, Saigon. Indochine, 1919-1926.

1

2

1 Forêt de Bang-Lang. Indochine, 1921-1935.

2 Tigres royaux. Indochine, 1921-1935.

3 Paysage près de Cantho, Mékong. Indochine, 1921-1935.

Je suis quelqu'un qui ne sera jamais revenu de son pays natal. Sans doute parce qu'il s'agissait d'une nature, d'un climat, comme faits pour les enfants. Une fois qu'on a grandi, ça devient extérieur, on ne les prend pas avec soi ces souvenirs-là, on les laisse là où ils ont été faits. Je ne suis née nulle part. *La Vie matérielle*, 1987

1

2

1 Marguerite, âgée de quinze ans environ. Indochine, 1928-1929.

2 Pont sur le Rach Mu U. Indochine, province de Sadec, 1921-1935.

3 Convoi funèbre sur le Rach Sadec. Indochine, 1921-1935.

C'est la traversée du fleuve. […] *Et ce matin-là j'ai pris le car à Sadec où ma mère dirige l'école des filles. C'est la fin des vacances scolaires, je ne sais plus lesquelles. Je suis allée les passer dans la petite maison de fonction de ma mère.* […] *Le car pour indigènes est parti de la place du marché de Sadec. Comme d'habitude ma mère m'a accompagnée et elle m'a confiée au chauffeur, toujours elle me confie aux chauffeurs des cars de Saigon, pour le cas d'un accident, d'un incendie, d'un viol, d'une attaque de pirates, d'une panne mortelle du bac. Comme d'habitude le chauffeur m'a mise près de lui à l'avant, à la place réservée aux Blancs.*
L'Amant, 1984

3

1

2

Lorsque je rencontrai Léo, je portais entre autres le feutre d'homme bois de rose que maman affectionnait particulièrement et qu'elle me coiffait elle-même d'une façon assez inattendue, penchée sur le côté, et qui rappelait celle des cow-boys des films américains de 1900. Léo mit un bon mois pour essayer de me faire comprendre […] que ce chapeau ne convenait pas à une jeune fille. Mais la foi que j'avais dans le bon goût de ma mère était telle que, bien que je n'aie jamais vu quiconque porter un chapeau pareil, et bien que Léo finît par me dire carrément qu'il l'indisposait, je le portais quand même en cachette de Léo et sous les yeux et à la barbe de tout le lycée.
Cahiers de la guerre et autres textes, 2006

3

1 Photo de classe au lycée Chasseloup-Laubat de Saigon. Marguerite est au premier rang à gauche. Indochine, 1932-1933.

2 Marguerite Donnadieu adolescente avec son fameux chapeau d'homme incliné.

3 Le lycée Chasseloup-Laubat de Saigon, où Marguerite Donnadieu a étudié entre quinze et dix-sept ans. Elle y était pensionnaire et rentrait chez sa mère à Sadec chaque fin de semaine.

4 Marguerite vers quatorze ans, en robe de soie blanche. Indochine, 1927-1928. Sur de nombreuses photographies de l'époque, Marguerite Donnadieu porte cette robe blanche.

J'ai quinze ans [...].
Je porte une robe de soie naturelle, elle est unie, presque transparente [...].
Ce jour-là je dois porter cette fameuse paire de talons hauts en lamé or [...]. Je porte ces lamés or pour aller au lycée [...].
C'est ma volonté. Je ne me supporte qu'avec cette paire de chaussures-là.
Ces talons hauts sont les premiers de ma vie, ils sont beaux, ils ont éclipsé toutes les chaussures qui les ont précédés, celles pour courir et jouer, plates, de toile blanche.
L'Amant, 1984

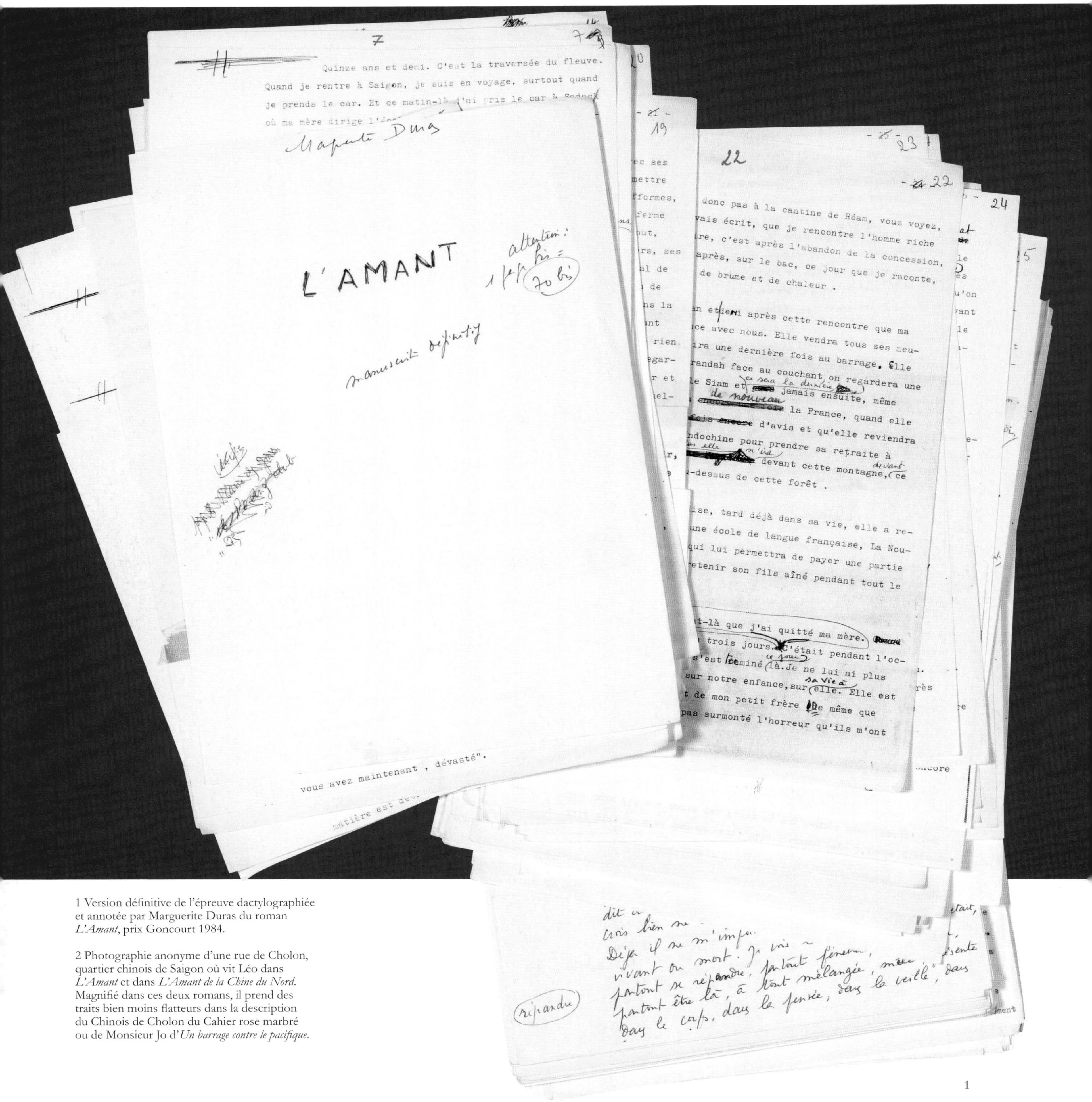

1 Version définitive de l'épreuve dactylographiée et annotée par Marguerite Duras du roman *L'Amant*, prix Goncourt 1984.

2 Photographie anonyme d'une rue de Cholon, quartier chinois de Saigon où vit Léo dans *L'Amant* et dans *L'Amant de la Chine du Nord*. Magnifié dans ces deux romans, il prend des traits bien moins flatteurs dans la description du Chinois de Cholon du Cahier rose marbré ou de Monsieur Jo d'*Un barrage contre le pacifique*.

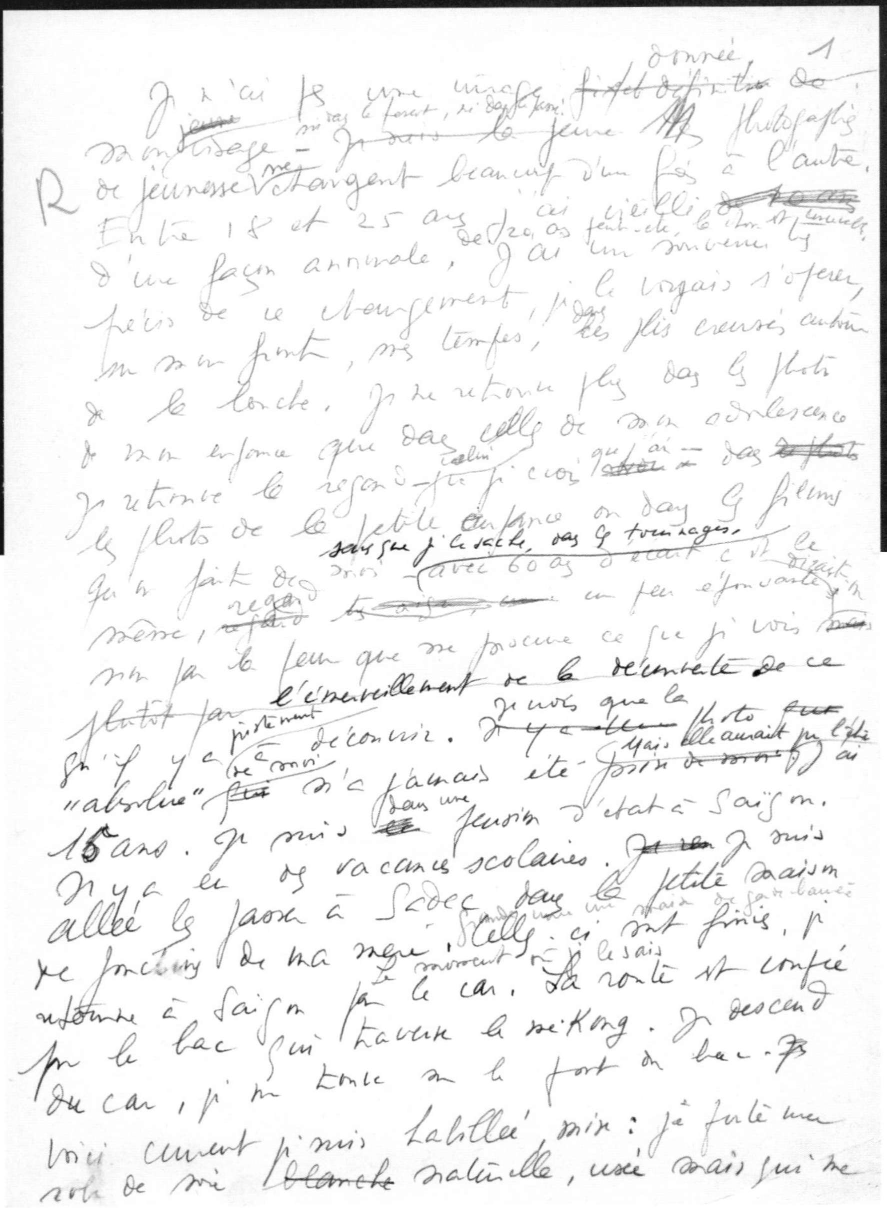

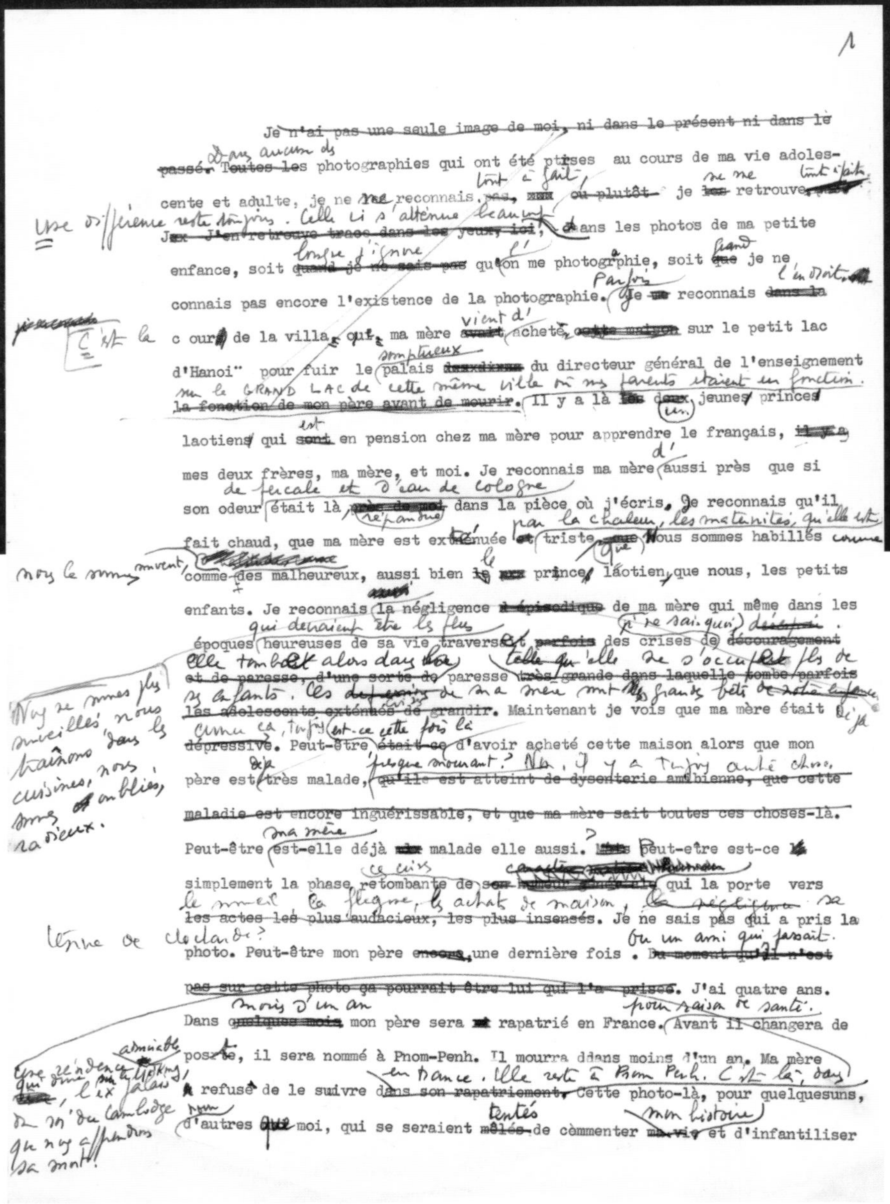

Je n'ai pas une seule image de moi, ni dans le présent ni dans le passé. Toutes les photographies qui ont été prises au cours de ma vie adolescente et adulte, je ne me reconnais pas, ou plutôt je les retrouve, J'en retrouve trace dans les yeux, ici, dans les photos de ma petite enfance, soit quand je ne sais pas qu'on me photographie, soit que je ne connais pas encore l'existence de la photographie. Je me reconnais dans la cour de la villa qui, ma mère avait acheté cette maison sur le petit lac d'Hanoi" pour fuir le palais du directeur général de l'enseignement la fonction de mon père avant de mourir. Il y a là les deux jeunes princes laotiens qui sont en pension chez ma mère pour apprendre le français, il y a mes deux frères, ma mère, et moi. Je reconnais ma mère aussi près que si son odeur était là près de moi dans la pièce où j'écris. Je reconnais qu'il fait chaud, que ma mère est exténuée et triste, que nous sommes habillés comme des malheureux, aussi bien le prince laotien que nous, les petits enfants. Je reconnais la négligence épisodique de ma mère qui même dans les époques heureuses de sa vie traversait parfois des crises de découragement et de paresse, d'une sorte de paresse très grande dans laquelle tombe parfois les adolescents exténués de grandir. Maintenant je vois que ma mère était dépressive. Peut-être était-ce d'avoir acheté cette maison alors que mon père est très malade, qu'il est atteint de dysenterie amibienne, que cette maladie est encore inguérissable, et que ma mère sait toutes ces choses-là. Peut-être est-elle déjà malade elle aussi. Mais peut-être est-ce simplement la phase retombante de son humeur qui la porte vers les actes les plus audacieux, les plus insensés. Je ne sais pas qui a pris la photo. Peut-être mon père encore, une dernière fois. Du moment qu'il n'est pas sur cette photo ça pourrait être lui qui l'a prise. J'ai quatre ans. Dans quelques mois mon père sera rapatrié en France. Avant il changera de poste, il sera nommé à Pnom-Penh. Il mourra ddans moins d'un an. Ma mère a refusé de le suivre dans son rapatriement. Cette photo-là, pour quelquesuns, d'autres que moi, qui se seraient mêlés de commenter ma vie et d'infantiliser

1

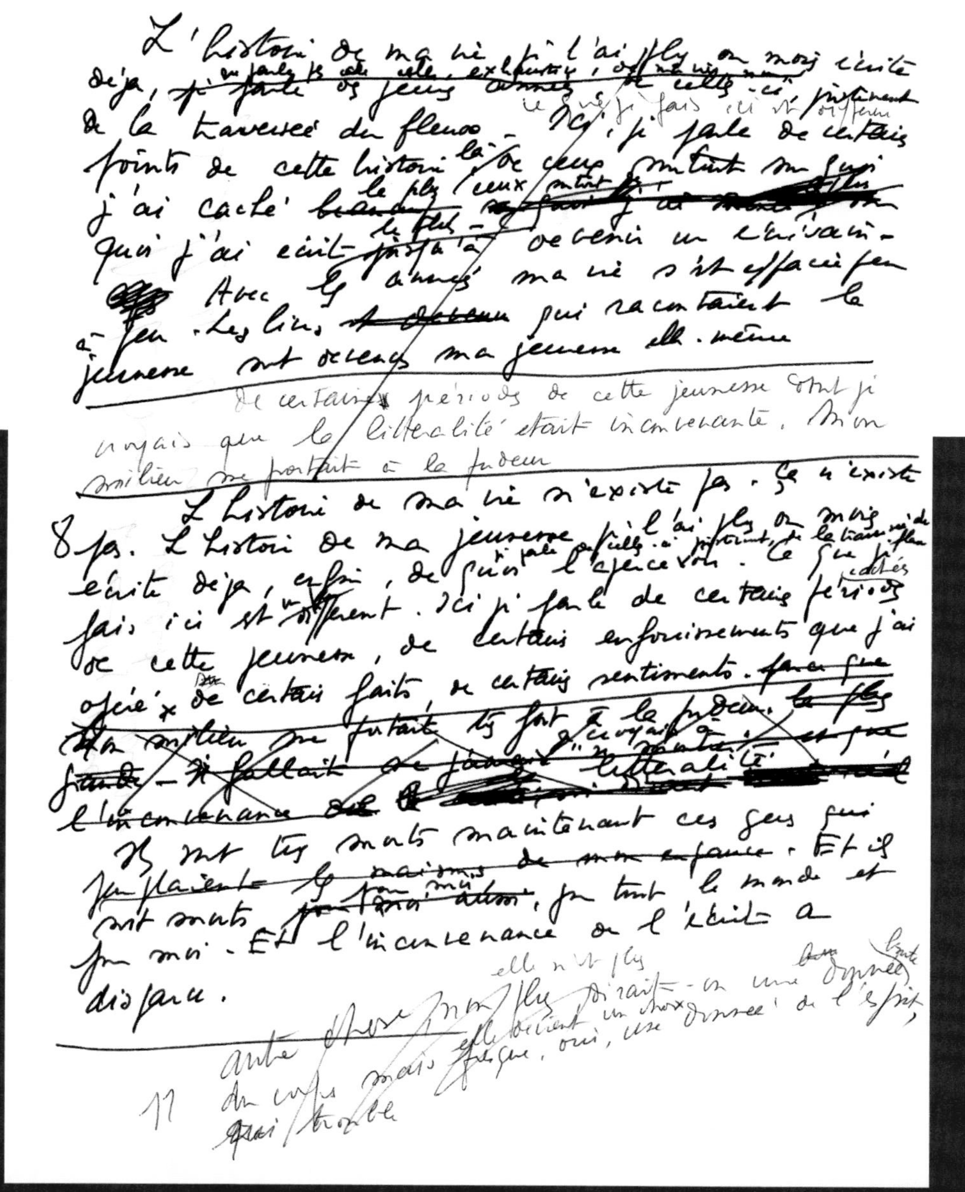
L'histoire de ma vie je l'ai plus ou moins écrite déjà, [...] de la traversée du fleuve. Ici, je parle de certains points de cette histoire, de ceux [...] j'ai caché [...] que j'ai écrit [...] devenir un écrivain. Avec les années ma vie s'est effacée peu à peu. Les livres qui racontaient la jeunesse sont devenus ma jeunesse elle-même.

De certaines périodes de cette jeunesse dont je voyais que la littéralité était inconvenante. Mon milieu me portait à la pudeur.

L'histoire de ma vie n'existe pas. Ça n'existe pas. L'histoire de ma jeunesse je l'ai plus ou moins écrite déjà, enfin, de quoi l'apercevoir. Ce que je fais ici est différent. Ici je parle de certaines périodes cachées de cette jeunesse, de certains enfouissements que j'ai opérés sur certains faits, de certains sentiments. [...]

Ils sont tous morts maintenant ces gens qui [...]. Et ils sont morts, pour tout le monde et pour moi. Et l'inconvenance de l'écrit a disparu.

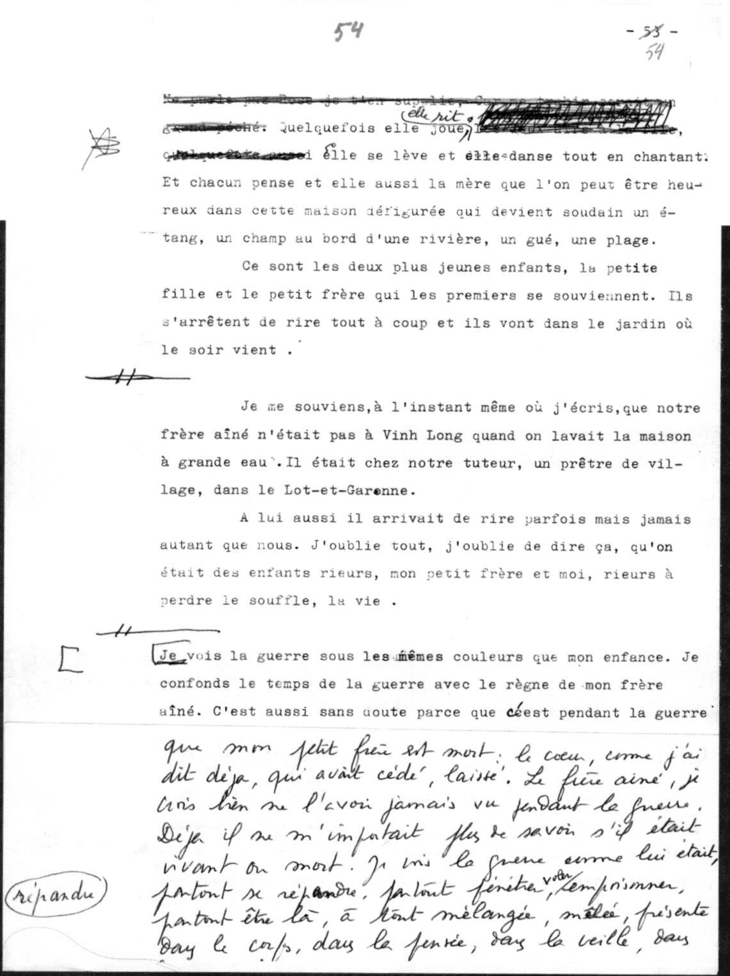
54

[redacted] Quelquefois elle joue, [redacted] elle se lève et danse tout en chantant. Et chacun pense et elle aussi la mère que l'on peut être heureux dans cette maison défigurée qui devient soudain un étang, un champ au bord d'une rivière, un gué, une plage.

Ce sont les deux plus jeunes enfants, la petite fille et le petit frère qui les premiers se souviennent. Ils s'arrêtent de rire tout à coup et ils vont dans le jardin où le soir vient.

Je me souviens, à l'instant même où j'écris, que notre frère aîné n'était pas à Vinh Long quand on lavait la maison à grande eau. Il était chez notre tuteur, un prêtre de village, dans le Lot-et-Garonne.

A lui aussi il arrivait de rire parfois mais jamais autant que nous. J'oublie tout, j'oublie de dire ça, qu'on était des enfants rieurs, mon petit frère et moi, rieurs à perdre le souffle, la vie.

Je vois la guerre sous les mêmes couleurs que mon enfance. Je confonds le temps de la guerre avec le règne de mon frère aîné. C'est aussi sans doute parce que c'est pendant la guerre que mon petit frère est mort : le cœur, comme j'ai dit déjà, qui avait cédé, laissé. Le frère aîné, je crois bien ne l'avoir jamais vu pendant la guerre. Déjà il ne m'importait plus de savoir s'il était vivant ou mort. Je vois la guerre comme lui était, partout se répandre, partout pénétrer, voler, emprisonner, partout être là, à tout mélangée, mêlée, présente dans le corps, dans la pensée, dans la veille, dans

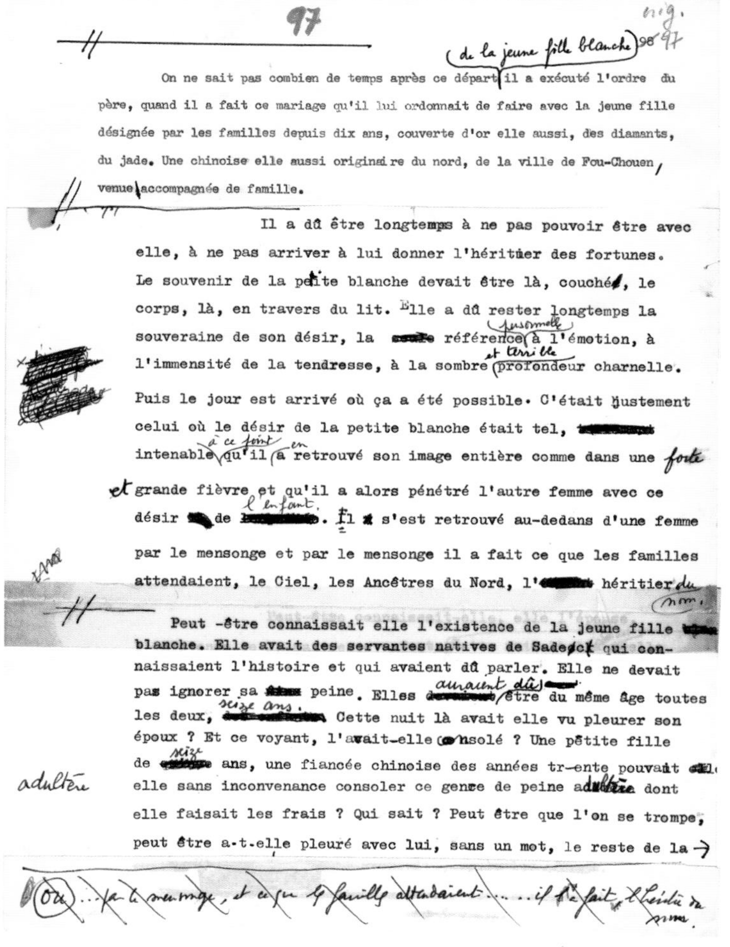
97

On ne sait pas combien de temps après ce départ (de la jeune fille blanche) il a exécuté l'ordre du père, quand il a fait ce mariage qu'il lui ordonnait de faire avec la jeune fille désignée par les familles depuis dix ans, couverte d'or elle aussi, des diamants, du jade. Une chinoise elle aussi originaire du nord, de la ville de Fou-Chouen, venue accompagnée de famille.

Il a dû être longtemps à ne pas pouvoir être avec elle, à ne pas arriver à lui donner l'héritier des fortunes. Le souvenir de la petite blanche devait être là, couché, le corps, là, en travers du lit. Elle a dû rester longtemps la souveraine de son désir, la [redacted] référence personnelle à l'émotion, à l'immensité de la tendresse, à la sombre et terrible profondeur charnelle. Puis le jour est arrivé où ça a été possible. C'était justement celui où le désir de la petite blanche était tel, [redacted] intenable à ce point qu'il en a retrouvé son image entière comme dans une forte et grande fièvre et qu'il a alors pénétré l'autre femme avec ce désir [redacted] de l'enfant. Il s'est retrouvé au-dedans d'une femme par le mensonge et par le mensonge il a fait ce que les familles attendaient, le Ciel, les Ancêtres du Nord, l'[redacted] héritier du nom.

Peut-être connaissait elle l'existence de la jeune fille blanche. Elle avait des servantes natives de Sadec qui connaissaient l'histoire et qui avaient dû parler. Elle ne devait pas ignorer sa [redacted] peine. Elles avaient dû être du même âge toutes les deux, seize ans. Cette nuit là avait elle vu pleurer son époux ? Et ce voyant, l'avait-elle consolé ? Une petite fille de seize ans, une fiancée chinoise des années trente pouvait elle sans inconvenance consoler ce genre de peine adultère dont elle faisait les frais ? Qui sait ? Peut être que l'on se trompe, peut être a-t-elle pleuré avec lui, sans un mot, le reste de la →

(ou) ... par le mensonge, et ce que les familles attendaient ... il l'a fait, l'héritier du nom.

1 Deux étapes d'un même passage extrait de la première version de *L'Amant*.

2 Trois étapes d'écriture de divers passages de *L'Amant*. Le premier est issu du premier jet. Les deux derniers documents sont issus de la version définitive. Ces archives montrent le travail littéraire exigeant auquel se livre Marguerite Duras.

2

1

1 et 4 Marguerite Donnadieu et sa mère autour de 1932.

2 et 3 La maison de l'amant chinois aujourd'hui, vue extérieure et vue intérieure. Longtemps inaccessible au public, la maison de l'amant chinois Huynh Thuy Le, à Sadec, fait désormais l'objet de visites guidées. Sur les murs, on a affiché des photographies du film de Jean-Jacques Annaud, adapté du roman, réalisé en 1993. Le lieu, poste de police au moment du tournage, n'a néanmoins pas servi de décor au film. La maison est dorénavant classée «site historique national», mais l'immense et majestueuse propriété a perdu de son éclat et de sa splendeur.

Double page suivante :
Vue aérienne du port de Saigon.
Tandis que Marguerite et ses frères avaient accompagné leur mère à bord du *Bernardin de Saint-Pierre*, ce qui l'avait obligée à se séparer de l'amant et à vivre ainsi sa première rupture avec son pays d'enfance, c'est à bord du *Porthos*, un des paquebots assurant la liaison Marseille-Saigon, qu'elle monte pour rentrer seule – et définitivement – en France, à l'âge de dix-sept ans.

2

3

Je n'ai eu ni maison familiale, ni jardins connus, ni greniers, ni grands-parents, ni livres, ni camarades qu'on voit grandir. Rien de tout cela. Vous vous demandez ce qu'il reste ? Il reste ma mère. Pourquoi me le cacher ?
Cahiers de la guerre et autres textes, 2006

J'ai eu cette chance d'avoir une mère désespérée d'un désespoir si pur que même le bonheur de la vie, si vif soit-il, quelquefois n'arrivait pas à l'en distraire tout à fait.
L'Amant, 1984

4

Alors, même ceux qui sont seuls, qui n'accompagnent personne, partagent l'étrange tragédie de « quitter », de « laisser » pour toujours, d'avoir trahi la destinée qu'ils se découvrent être la leur et qu'ils ont trahie de même, eux seuls.

L'Amant de la Chine du Nord, 1991

CITROËN

1

1 et 2 Marguerite Donnadieu en 1932 à Vanves.

3 Marguerite Donnadieu à Vanves, en 1932, quelques jours après son baccalauréat.

2

3

Rien de plus net, de plus vécu, de moins rêvé que ma toute enfance. Aucune imagination, rien de la légende et du conte bleu qui auréole l'enfance des rêves.

Cahiers de la guerre et autres textes, 2006

1933

-1947

Temps de guerre

Quand Marguerite débarque à Paris, elle ne connaît personne.Tout juste a-t-elle quelques adresses. Elle vit dans une pension et prend des cours à la faculté de droit. Elle rencontre Jean Lagrolet avec qui elle nouera une relation amoureuse. Celui-ci va lui présenter son meilleur ami avec qui ce sera le coup de foudre... Histoire classique. Avec Robert Antelme, ce sera l'éblouissement d'une relation amoureuse profonde et durable teintée d'admiration intellectuelle. Avec lui, elle entre en contact avec un groupe d'amis qui lui donne envie de connaître des écrivains étrangers et des essayistes européens.

Marguerite continue à recevoir régulièrement des colis de sa mère et en profite pour faire la cuisine et organiser chez elle des fêtes bien arrosées. Elle met sur le gramophone les disques d'une de ses chanteuses préférées dont elle connaît les chansons par cœur, Édith Piaf. Elle aime danser et ses soirées sont très prisées parmi les intellectuels de Saint-Germain-des-Prés. Elle gardera toujours ce sens de l'hospitalité et son goût pour s'occuper de ses amis et des personnes avec qui, au cours de ses tournages plus tard, elle aura du temps à partager.

Une fois sa licence terminée, elle réussit à décrocher un poste au ministère des Colonies pour un travail qu'on qualifierait aujourd'hui d'alimentaire. Mais bien vite elle se pique au jeu et accepte de rédiger, pour le compte du ministère, un ouvrage de commande avec l'un de ses collègues, Philippe Roques. Son premier livre s'intitulera *L'Empire français*. Il apparaît plus comme la cartographie d'une situation existante que comme une interrogation sur la légitimité de la colonisation.

Marguerite n'a alors rien d'une révoltée ; elle qui se montrera plus tard si courageuse pendant la Résistance et au moment de la guerre d'Algérie n'a pas encore de véritable conscience politique. C'est sans état d'âme qu'elle entre au Comité d'organisation du livre chargé de surveiller l'emploi du papier dans les maisons d'édition, organisme créé par le maréchal Pétain. Attentiste elle est, jusqu'à la rencontre avec un des amis de Robert, Jacques Benet, qui va les introduire tous deux dans son réseau de résistance dirigé par François Mitterrand – alias Morland. Elle y est agent de liaison et héberge des camarades. Robert sera arrêté en juin 1944, interné puis déporté. Le jour de l'arrestation, une réunion a lieu chez la sœur de Robert, Marie-Louise. Mitterrand téléphone de chez Lipp. Les Allemands sont déjà dans l'appartement ; Marie-Louise lui dit par deux fois: «Monsieur, vous vous êtes trompé de numéro», un SS braquant un revolver sur sa tête. Marguerite restera sans nouvelles de son mari jusqu'à la Libération et tentera, par tous les moyens, de savoir où il se trouve. Elle prendra des notes dans des cahiers qu'elle retrouvera bien après la guerre dans une armoire de sa maison de campagne, et publiera en 1985 sous le titre de *La Douleur* l'expérience mémorielle, sensorielle politique et psychique de cette période empreinte de peur et d'attente.Ce texte, édité par P.O.L, vibrant d'émotion ne fera pas l'unanimité lors de sa publication, et certains critiques ne voudront pas croire à l'histoire de ces cahiers retrouvés...

De Duras on pense toujours qu'elle en fait trop, qu'elle est dans la démesure, dans l'imitation d'elle-même. Dans *La Vie matérielle*, elle fait remarquer qu'on lui dit souvent qu'elle exagère... Elle répond à ses détracteurs : « Vous croyez que c'est le mot ? » En effet, ce n'est peut-être pas le mot. Duras n'exagère pas. Elle dit sa vérité. Elle a construit, au fil du temps, ses propres vérités qu'elle a amplifiées, puis saturé de matière romanesque, puis elle a cru à ce qu'elle avait élaboré à partir des fragments de sa propre existence. Duras, de sa vie, a fait un roman vrai qu'elle n'a cessé de modifier. Au fur et à mesure, le travail de l'écriture s'affirme : la construction narrative vole en éclats, le vocabulaire s'assèche et les thématiques deviennent des rengaines – les hommes, les femmes, l'amour, le sexe, la solitude, la mort, l'impossibilité de l'amour, l'interdiction de la jouissance, la volonté de transgresser les interdits.

Robert est revenu de l'enfer. À la limite de ses forces. Dans un état de maigreur extrême. Il a été retrouvé allongé dans le camp au milieu de déportés en train d'expirer. Un filet de voix sortait de son corps décharné. Quand il est revenu à Paris et qu'il a monté les escaliers de l'immeuble, Marguerite ne l'a pas reconnu. A commencé alors tout un cycle de reconstruction à la fois physique – il a dû apprendre à se réalimenter progressivement car la faim avait créé des désordres dangereux – et psychique pour reprendre des forces et confiance en lui-même. Très vite Robert décidera d'écrire sur son expérience et, ce faisant, de vouloir la penser intellectuellement, philosophiquement et politiquement. Cela donnera ce chef-d'œuvre qu'est *L'Espèce humaine*, texte fondamental à l'égal de celui de Primo Levi *Si c'est un homme*. Ce livre n'aura, à sa publication, qu'un très faible retentissement. Personne ne souhaitait alors entendre ce qu'avaient à dire les survivants et il faudra des décennies pour qu'il obtienne enfin une reconnaissance internationale.

Après ce long et lent réapprentissage, Marguerite et Robert partent rejoindre des amis – dont le couple Vittorini – au bord de la mer en Italie. Elle écrira quelques pages sur l'éblouissement de ce temps suspendu où elle se surprend à prendre conscience du miracle de voir Robert vivant.

Dans cette France libérée, les échos discordants sur la politique que mène le général de Gaulle se multiplient dans le monde intellectuel, et notamment à Saint-Germain-des-Prés. Robert et Marguerite ainsi que Dionys, devenu le compagnon de Marguerite et ami très proche de Robert, font partie des déçus. Ils pensaient qu'avec la fin de la guerre une ère nouvelle allait voir le jour. Or la puissance de la politique politicienne, la volonté de réunir tous les Français dans une seule et même nation ainsi que la domination idéologique de la droite reprennent le dessus. Comme nombre d'intellectuels engagés, ils croiront à la possibilité d'un avenir sous la bannière d'un communisme qui libérera le monde. Marguerite adhère au premier parti de France, celui des fusillés, et ira vendre *L'Humanité* tous les dimanches matin sur les marchés.

Tous trois ont adhéré à la cellule 722. Ils sont inséparables et tout le monde pense que Marguerite et Robert continuent à vivre ensemble. D'ailleurs c'est ce qui se passe. Mais Marguerite a avoué à Robert qu'elle était amoureuse de Dionys. Elle veut un enfant de lui.

Pendant la guerre, et peut-être à cause des restrictions causées par la guerre, Marguerite a perdu l'enfant de Robert à la naissance. La grossesse avait été très difficile. Pour l'accouchement, Marguerite avait décidé d'aller dans une clinique religieuse. Les sœurs lui annoncèrent que l'enfant était mort-né et, malgré l'insistance de la mère, ne l'autorisèrent pas à le voir. Sur ce drame, Marguerite a écrit quelques pages bouleversantes où elle insiste sur la douleur de ne pas avoir pu prendre son enfant dans les bras.

Avec Dionys, elle a la sensation qu'elle peut de nouveau devenir mère. Elle l'espère. Elle l'attend.

Marguerite a déjà décidé qu'elle serait écrivain. Dès le début de la guerre elle avait supplié Robert de l'aider à la publication de son premier roman *Les Impudents*, qui sera édité en 1943 par Plon, puis elle signera *La Vie tranquille* chez Gallimard en 1944. Ces deux livres n'obtiendront qu'un petit succès d'estime. Ils sont marqués par l'influence de la littérature américaine et, plus particulièrement, de Faulkner qu'elle dévore alors avec passion. Difficile de découvrir dans ces deux ouvrages le style de la future Duras...

On ne naît pas écrivain. On le devient.

1

2

3

1 Étudiants au jardin du Luxembourg dans le VIe arrondissement. Paris, vers 1930.

2 L'immeuble du Foyer international de jeunes filles, au 93, boulevard Saint-Michel dans le Ve à Paris, où loge Marguerite Donnadieu durant ses premières années d'études.

3 L'intérieur de la bibliothèque de l'École libre des sciences politiques, actuel Institut des sciences politiques, rue Saint-Guillaume, dans le VIIe, à Paris, dans les années 1930, où Marguerite Donnadieu étudie, parallèlement à ses études de mathématiques, et surtout de droit, rue Saint-Jacques.

4 Sortie des élèves du lycée Saint-Louis, boulevard Saint-Michel, fameux lycée parisien du quartier latin dans le VIe à Paris qui, avec les lycées Louis-le-Grand et Henri-IV, forme l'élite de la jeunesse intellectuelle française de l'époque. Paris, 1934.

5 Marguerite Donnadieu avec son frère aîné Pierre, dans les années 1930, à Paris. Étudiante, elle est heureuse et joyeuse, elle travaille, s'amuse et sort avec ses camarades. Contrairement à ce que laisse penser ce cliché d'époque, Marguerite continue d'entretenir avec son frère aîné, opiomane, violent et alcoolique, des relations conflictuelles et douloureuses. Elle le voit très peu. Il ne la rencontre que pour lui soutirer de l'argent.

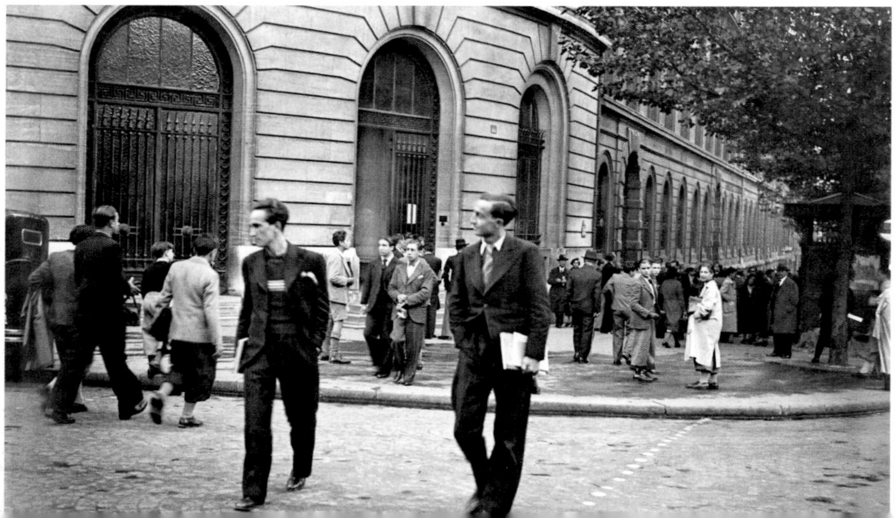

4

On suivait les cours, on se retrouvait dans les cafés pour manger des sandwichs et parler, puis le soir on allait dans des brasseries, on était tous jeunes, on n'avait pas le sou. Je ne me souviens pas de grand-chose de ces années-là. [...] *Elles me semblent parfois englouties dans le noir.*

Marguerite Duras, La Passion suspendue, entretiens avec L. Pallotta della Torre, 2013

1

2

3

1 Marguerite Donnadieu et Jean Lagrolet entre 1936 et 1937. Amoureux, Marguerite et Jean profitent de la vie culturelle parisienne, sortent au théâtre et vont aux concerts. C'est à cette époque qu'elle fait la connaissance de Georges Beauchamp et Robert Antelme, deux amis de Jean Lagrolet.

2 Dans sa jeunesse, Marguerite Donnadieu fréquente beaucoup les théâtres et apprécie particulièrement le couple d'acteurs Georges et Ludmilla Pitoëff. Georges Pitoëff, également metteur en scène, a une approche nouvelle du théâtre qui a certainement influencé celle de Marguerite Duras, quelques années plus tard. Premier metteur en scène à supprimer le rideau, il demande à ses acteurs d'être avant tout des voix qui disent le texte, pour mieux le servir, comme dans son *Roméo et Juliette* au théâtre des Mathurins, à Paris, en juin 1937.

3 Marguerite Donnadieu vers vingt ans, à Paris.

4 Manifestation des étudiants en droit de la faculté de Paris le 5 mars 1936 boulevard Saint-Germain, contre le professeur Jèze (1869-1953). Grand juriste et professeur de droit, Gaston Jèze est l'un des premiers de son sérail à protester contre les mesures antisémites du régime nazi. Il est conseiller auprès de Hailé Sélassié en Éthiopie contre Mussolini, et la jeunesse nationaliste française réclame sa démission. À droite sur la photographie, on aperçoit de profil François Mitterrand, alors volontaire national auprès du colonel François de La Rocque. C'est l'époque où Marguerite Donnadieu et François Mitterrand font connaissance. Marguerite ne participe pas à cette manifestation, et à cette époque elle ne prend encore position dans aucun mouvement étudiant.

Je n'étais alors pas vraiment engagée. La politique était quelque chose de très loin de moi. Je me sentais jeune, indifférente. Par exemple, l'éloquence et l'engagement de Malraux [...] me semblaient déjà alors un fleuve de paroles rhétoriques.

Marguerite Duras, La Passion suspendue, entretiens avec L. Pallotta della Torre, 2013

4

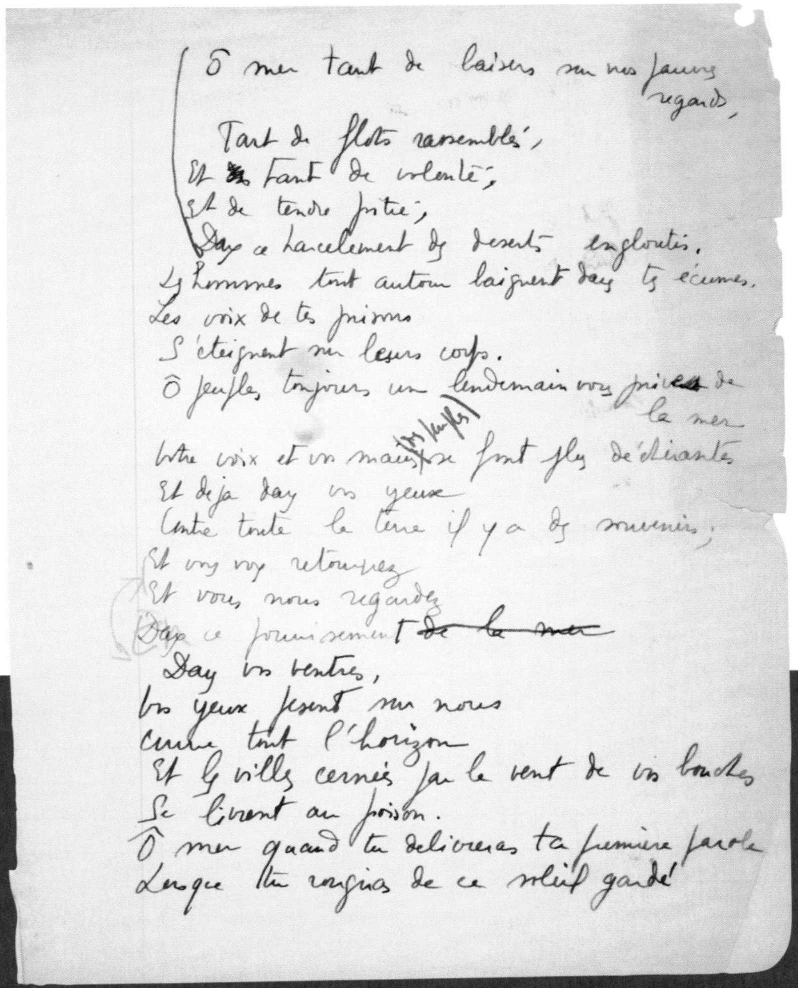
Ô mer tant de laisses sur nos pauvres regards,
Tant de flots rassemblés,
Et tant de volonté,
Et de tendre pitié,
Dans ce harcèlement des déserts engloutis.
Les hommes tout autour baignent dans tes écumes.
Les voix de tes prisons
S'éteignent sur leurs corps.
Ô peuples, toujours un lendemain vous prive de la mer
Votre voix et vos mains se font plus déchirantes
Et déjà dans vos yeux
Contre toute la terre il y a des souvenirs,
Et vous vous retournez
Et vous nous regardez
Dans ce frémissement ~~de la mer~~
Dans vos ventres,
Vos yeux pèsent sur nous
Comme tout l'horizon
Et les villes cernées par le vent de vos bouches
Se livrent au poison.
Ô mer quand tu délivreras ta première parole
Lorsque tu rougiras de ce soleil gardé

2

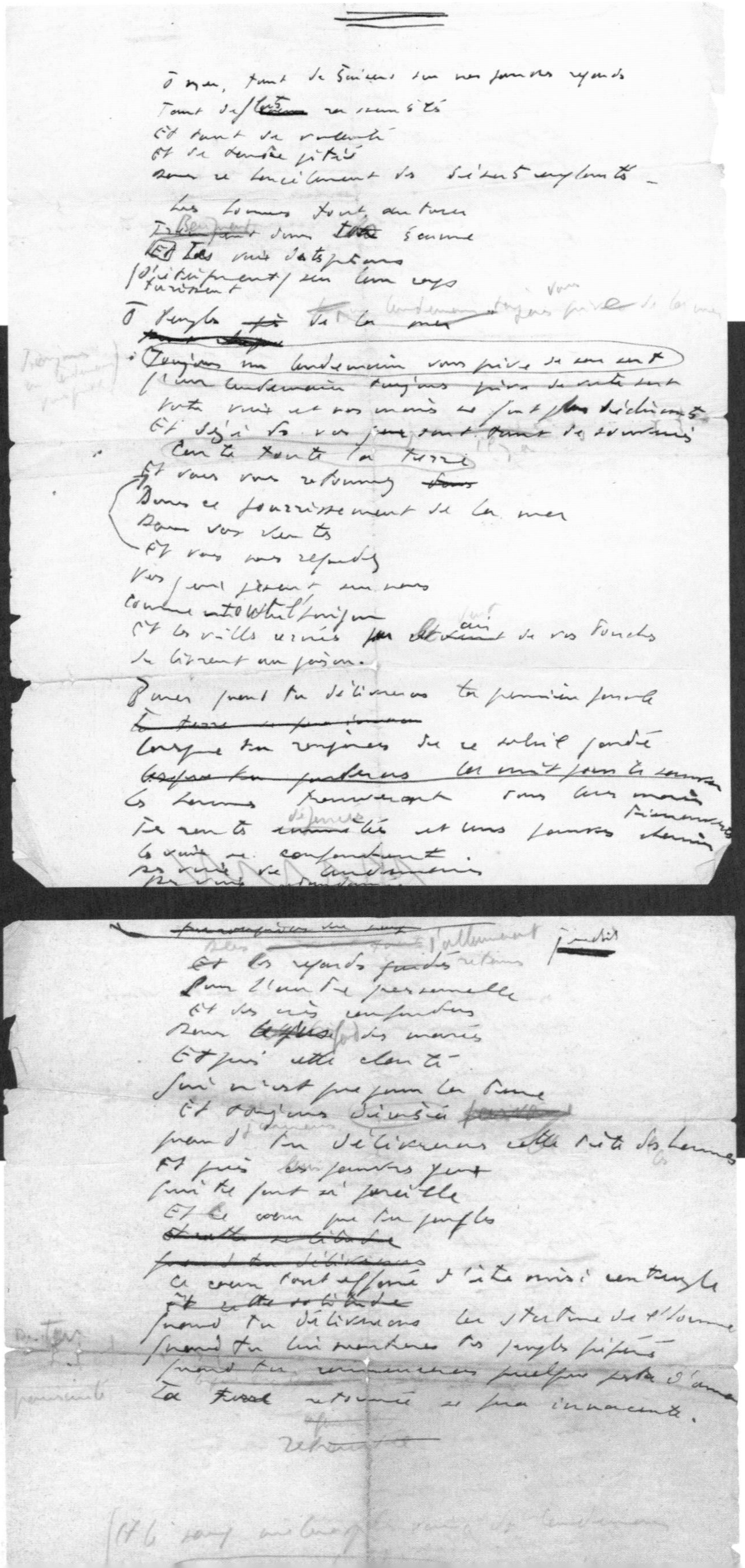

1

3

Robert a dans la vie, et à propos de ses moindres gestes, de la moindre de ses paroles, de ses pensées profondes aussi bien que de la façon dont il déambule dans une rue, une telle harmonie, que, inévitablement, on en recherche le secret.

Cahiers de la guerre et autres textes, 2006

1 et 2 Deux manuscrits du même poème intitulé «Ô mer», écrits par Robert et Marguerite Antelme, retrouvés dans les archives de Marguerite Duras et non datés. Il est possible que le poème ait été composé à quatre mains, écrit par Marguerite et repris par son mari.

3 Marguerite et son mari Robert Antelme, mariés depuis un an, en 1940.

4 Marguerite Antelme dans les années 1940.

4

1

3

2

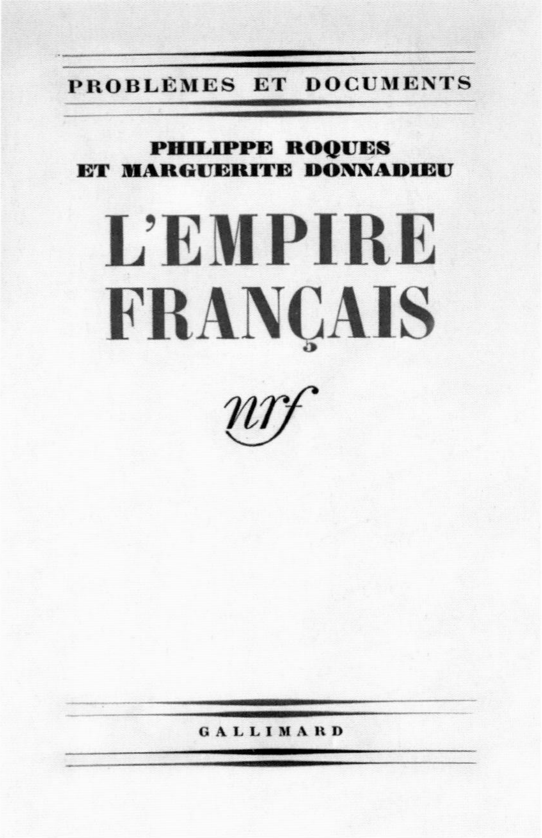

4

1 Portrait de Philippe Roques, journaliste parlementaire et collaborateur de Georges Mandel au ministère des Colonies, puis au ministère de l'Intérieur, avec qui Marguerite Donnadieu rédige *L'Empire français*, à la demande du ministre Mandel.

2 Georges Mandel, ministre des Colonies, Paul Reynaud, ministre des Finances, et César Campinchi, ministre de la Marine, à la sortie d'un Conseil des ministres en 1939.

3 Cercle de la Librairie au 17, boulevard Saint-Germain dans le Ve arrondissement à Paris. À partir de mai 1942, le cercle abrite le Comité d'organisation du livre. De septembre 1942 à janvier 1944, Marguerite Antelme y est employée comme secrétaire à la Commission de contrôle du papier d'édition, composée de cinq membres et d'une quarantaine de lecteurs. À ce poste, elle fait la connaissance de Dionys Mascolo, lui-même employé chez Gallimard.

4 Couverture du livre *L'Empire français*, commandé par Georges Mandel à Philippe Roques et Marguerite Donnadieu, édité chez Gallimard en 1939.

5 Portrait de Marguerite Antelme à Paris dans les années 1940.

Car ça n'a l'air
de rien de quitter
un emploi stable,
fût-il le dernier, celui
de rédacteur 2e classe,
ministère des Colonies,
eh bien, moi, je savais
que – surtout après
huit ans –, pour
ce faire il fallait,
ni plus ni moins,
de l'héroïsme.

Le Marin de Gibraltar, 1952

1

2

3

1 Étudiants à la terrasse d'un café, boulevard Saint-Michel. Paris, 1935.

2 Lecteur pour la maison d'édition Gallimard dès 1938, puis membre du comité de lecture, Raymond Queneau a su faire confiance à Marguerite Antelme. S'il a refusé son premier roman *Les Impudents*, publié chez Plon, il la soutient pour son deuxième roman, *La Vie tranquille*, publié en 1944 aux éditions Gallimard.

3 Affiche d'un spectacle d'Édith Piaf par Charles Kiffer. Paris, 1943. Édith Piaf et Cora Vaucaire sont des chanteuses que Marguerite Antelme aime énormément dès cette époque. Leurs airs l'accompagnent jusque dans certaines de ses œuvres.

4 Gaston Gallimard et Marguerite Duras dans les années 1940.

Dans cette période-là de ma première solitude, j'avais déjà découvert que c'était écrire qu'il fallait que je fasse. J'en avais déjà été confirmée par Raymond Queneau. Le seul jugement de Raymond Queneau, cette phrase-là : « Ne faites rien d'autre que ça, écrivez. » *Écrire*, 1993

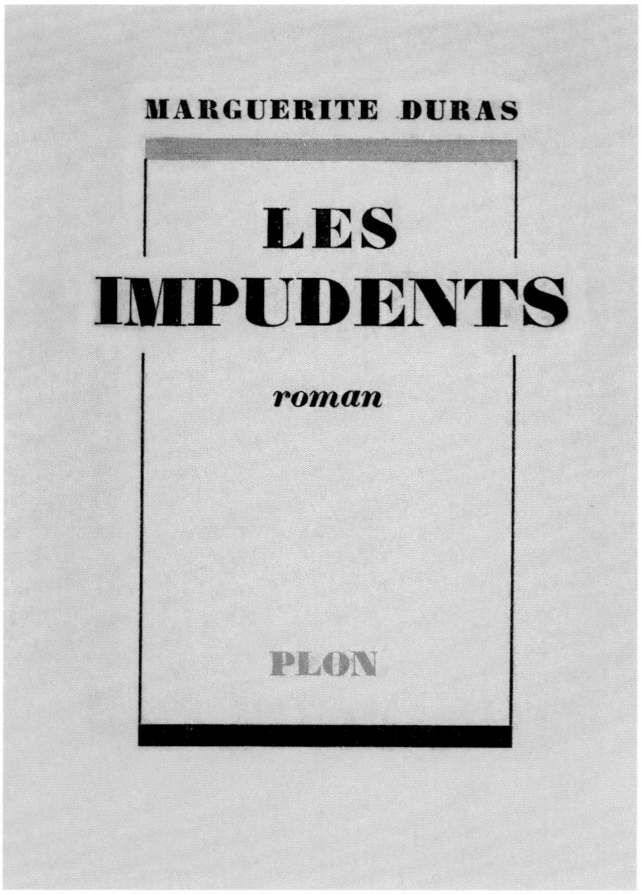

MARGUERITE DURAS

LES IMPUDENTS

roman

PLON

1

27-5-43

ETTRES

Les Impudents

de Marguerite Duras (1)

par RAMON FERNANDEZ

Les *Impudents* sont l'œuvre d'une jeune romancière qui témoigne dès l'abord d'un des dons essentiels de son art : celui de remuer de nombreux personnages, de les grouper, de les tenir en main et de les débrider soudain, et de suivre chacun d'eux au milieu de tous les autres sans être obligée de les distinguer sans cesse par des traits trop appuyés. Assurément, Madame Marguerite Duras doit plus ou moins rêver ses héros, se laisser obséder par eux. D'autre part, les personnages de Madame Marguerite Duras ne sont pas copiés sur place : elle semble séparée d'eux, quand elle écrit, par une certaine épaisseur de passé, d'où vient qu'ils sont déjà pris, quand elle les conçoit, dans la chimie du subconscient. Elle est maîtresse de les rêver, mais ils gardent, on le sent, la possibilité et comme le droit de la dérouter elle-même.

La famille Grant-Tanneran (ces deux noms correspondent à deux pères successifs, maris successifs de l'actuelle Madame Tanneran) composent une de ces familles originales et quelque peu désordonnées comme il s'en rencontre beaucoup plus qu'on ne croit dans notre petite moyenne bourgeoisie. Sur ce fond se détachent Jacques et sa sœur Maud. Jacques, qui vient de perdre sa femme, victime d'un accident, est « très intelligent sans avoir jamais connu les joies de l'esprit ». Mais il est bien plus compliqué que cela : « Jacques était méchant par une sorte de retournement sur lui-même. Le bien le décourageait à l'avance et il l'évitait soigneusement ; *il n'osait être meilleur, parce que tout commencement, fût-ce même celui d'une attitude*, est aride et désolé comme la pointe du jour. » Voilà de l'excellente psychologie, le contraire de cette psychologie de confection dont tant de romanciers, et non des moindres, se contentent. Jacques est dépensier, poursuivi par les traites : c'est un joueur de son destin.

Maud, au contraire, n'est pas constitutionnellement faite pour l'état de réfractaire. Repliée sur elle-même sans être sournoise, sa vie se compose sur le rythme alterné de sourds et profonds replis sur elle-même et d'une aspiration à la fuite (non à la fugue) qui est l'effet moins du désespoir que d'un subtil désir de vivre et de régner. C'est qu'il faut dire que les Grant-Tanneran, qui ne choisissaient jamais leurs meubles, qui vivaient comme distraits les uns des autres et à la fois prodigieusement présents les uns aux autres, où la haine et l'attachement étaient comme des masques tour à tour posés sur le mystère ou la confusion de leurs sentiments, étaient tout à fait propres à déséquilibrer un jeune être en quête de donner un sens à sa vie.

Le retour dans un domaine du Midi où Maud avait vécu enfant va faire éclater le drame. Prise entre les présences de Jean Pécresse et de Georges Durieux, Maud va s'orienter vers ce dernier par l'effet de ce qu'on pourrait appeler un psychotropisme. Les sentiments, les mouvements intérieurs de la jeune fille sont ici indiqués avec une belle et rare franchise qui exclut ces préciosités à retardement qu'on trouve trop souvent sous les plumes féminines : « Maud n'éprouvait aucune joie à voir Georges, puisqu'il restait aussi indifférent. Dans son opposition muette, elle engageait toute la volonté d'une femme décidée à triompher coûte que coûte d'un refus dont elle ignorait même la cause. Elle s'y appliquait sans orgueil. Retenir Georges quelques instants, prolonger son supplice, cela l'attachait à elle plus encore, sans qu'il le sût. Il y a là l'entêtement d'une petite sauvage civilisée qui jette d'un coup les cartes de sa vie.

Dans une atmosphère de chaleur et de tragédie (prise dans la tension des Grant, comme par une courroie, une jeune femme se suicide). Maud se donne à Durieux, et la notation des sentiments de Maud vis-à-vis de son amant, de sa famille, d'elle-même, de son frère et l'indication de la haine singulière qu'elle lui porte sont d'une excellent venue. Tout cela paraît à la fois étrange et naturel. Les hésitations mêmes de Georges, ses effacements devant elle, servent son destin. Et Maud, de son côté, doit retourner à Paris avant de repartir afin de le rejoindre. Il semble qu'elle ne puisse se décider qu'en isolant dans sa mémoire le jeune homme et le cadre de leurs singulières amours.

Le roman abonde en impressions très fines des paysages et des âmes, de ces impressions qu'en même temps on croyait ignorer et qu'on croit reconnaître. Certes, le roman est centré sur le personnage de Maud, l'univers des *Impudents* coïncide avec l'univers intérieur de la jeune femme. C'est un être vivant environné d'apparitions. Quand l'auteur aura raffermi son style qui parfois bronche et où la phrase parfois semble se distraire d'elle-même, elle aura tout à fait mis au point son incontestable talent.

(1) Plon, 1943.

RÉMY DE GOURMONT

VIENT DE PARAITRE

2

1 Couverture des *Impudents*, premier roman de Marguerite Antelme, qui signe désormais Marguerite Duras, publié en 1943 aux éditions Plon.

2 Article du critique littéraire Ramon Fernandez sur *Les Impudents*, paru dans le journal *Panorama* du 27 mai 1943. Personnalité politiquement ambiguë, communiste devenu collaborationniste, Ramon Fernandez est par ailleurs le propriétaire du 5, rue Saint-Benoît où loge le couple Antelme, habitant lui-même avec sa seconde femme Betty deux étages plus bas. Le couple, que Marguerite Duras est parfois amenée à fréquenter, est évoqué dans le roman *L'Amant*.

3 Photographie de Marguerite Antelme dans les années 1940.

Écrire, c'était ça la seule chose qui peuplait ma vie et qui l'enchantait. Je l'ai fait. L'écriture ne m'a jamais quittée. *Écrire*, 1993

Je ne sais pas ce que c'est un livre. Personne ne le sait. Mais on sait quand il y en a un. Et quand il n'y a rien, on le sait comme on sait qu'on est, pas encore mort.
Écrire , 1993

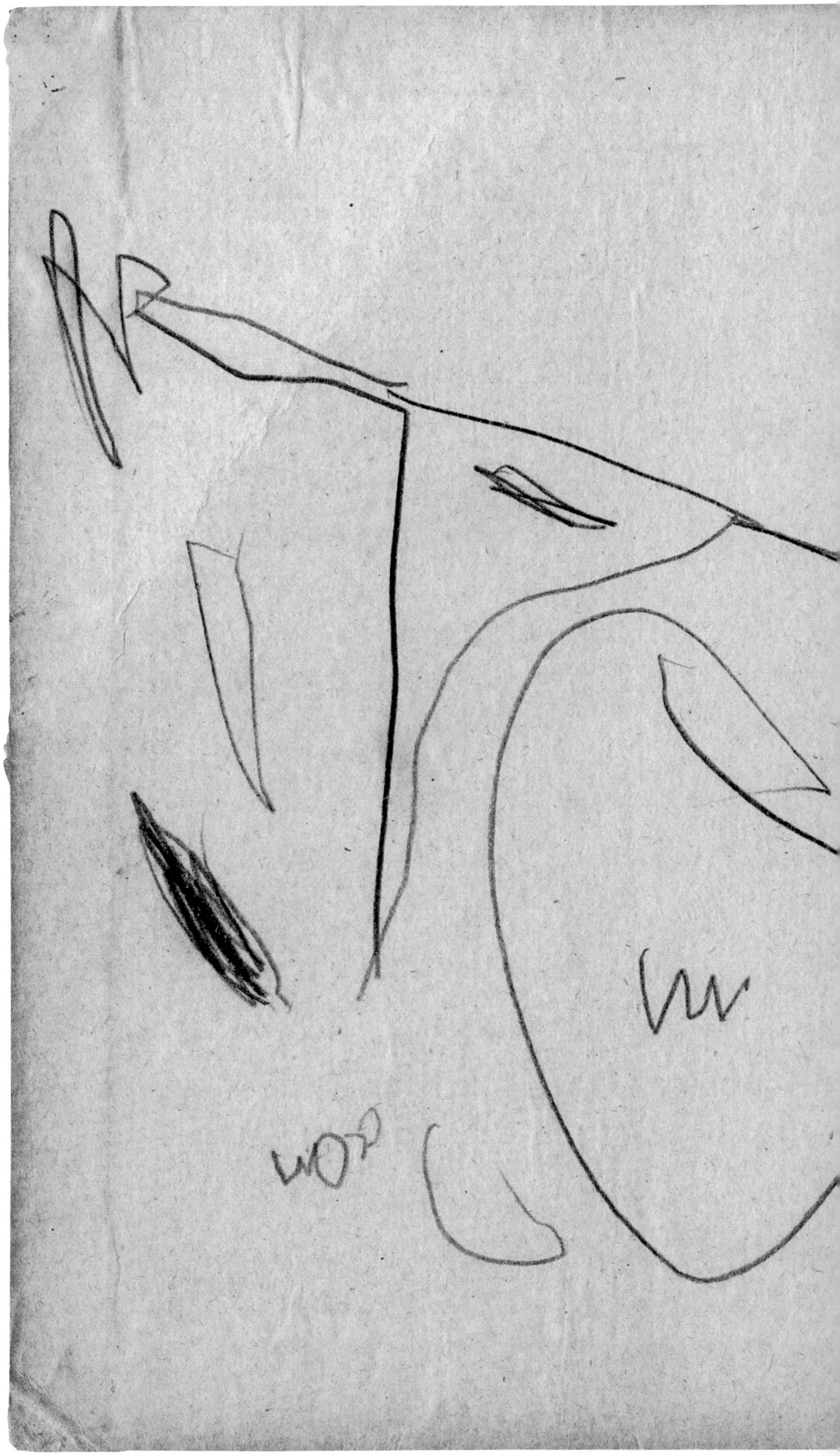

Deuxième de couverture et première page du Cahier rose marbré, issu des *Cahiers de la guerre*. Véritables archives dans les archives, ces cahiers ont été rédigés sur une période qui s'étend de 1943 à 1949. Après les avoir oubliés pendant de nombreuses années, Marguerite Duras les retrouve près de quarante ans plus tard à Neauphle-le-Château, dans les armoires bleues de son grenier. Les *Cahiers de la guerre* regroupent plusieurs cahiers et feuillets, parmi lesquels le Cahier rose marbré, le Cahier de 100 pages, le Cahier beige. Véritable ébauche de son œuvre, ils recèlent déjà les premières lignes de plusieurs romans et récits futurs de l'auteur. Rassemblés, renommés ainsi et édités sous l'égide des experts de l'Institut de la mémoire de l'écriture contemporaine (l'Imec) de Caen, où sont déposées les archives de Marguerite Duras depuis 1995, les *Cahiers de la guerre et autres récits* ont été publiés en 2006 en coédition P.O.L-Imec. Le Cahier rose marbré est le premier et le plus long des quatre *Cahiers de la guerre* et d'inspiration très autobiographique. C'est dans celui-ci que Marguerite Duras écrit dès 1943 un long récit autobiographique sur son enfance et son adolescence en Indochine. Les dessins d'enfants sont probablement ceux de son fils. Ce dernier, Jean, surnommé Outa, est né le 30 juin 1947.

Ce fut sur le bac qui se trouve entre Sadec et Saï que je rencontrai Léo pour la première fois. Je rentrais à la pension de Saïgon et quelqu'un je ne sais plus qui m'avait pris en charge dans son auto en même temps que Léo. Léo était indigène mais il s'habillait à la française, il parlait parfaitement le français il revenait de Paris. Moi ~~j'avais~~ je n'avais pas quinze ans, je n'avais été en France que fort jeune, je trouvais que Léo était très élégant. Il avait un gros diamant au doigt et il était habillé en tussor de soie grège. Je n'avais jamais vu pareil diamant que sur des gens qui jusqu'ici ne m'avaient pas remarquée et mes frères eux s'habillaient en cotonnade blanche. Étant donné notre fortune il m'était à peu près inimaginable qu'ils puissent un jour porter des complets de tussor.

Léo me dit que j'étais une jolie fille.

— « Vous connaissez Paris ? »

Je dis que non en rougissant. Lui connaissait Paris. Il habitait Sadec. Il y avait quelqu'un à Sadec qui connaissait Paris, je ne le savais pas jusqu'alors. Léo me fit la cour et mon émerveillement était immense. Le docteur me déposa à la pension de Saï et Léo se débrouillait pour me dire « qu'on se reverrait ». J'avais compris qu'il était d'une richesse extraordinaire et j'étais éblouie. Je ne répondis rien à Léo tant j'étais émue et incertaine. Je rentrais chez Mlle C où j'étais en pension avec trois autres personnes, deux professeurs et une fille de

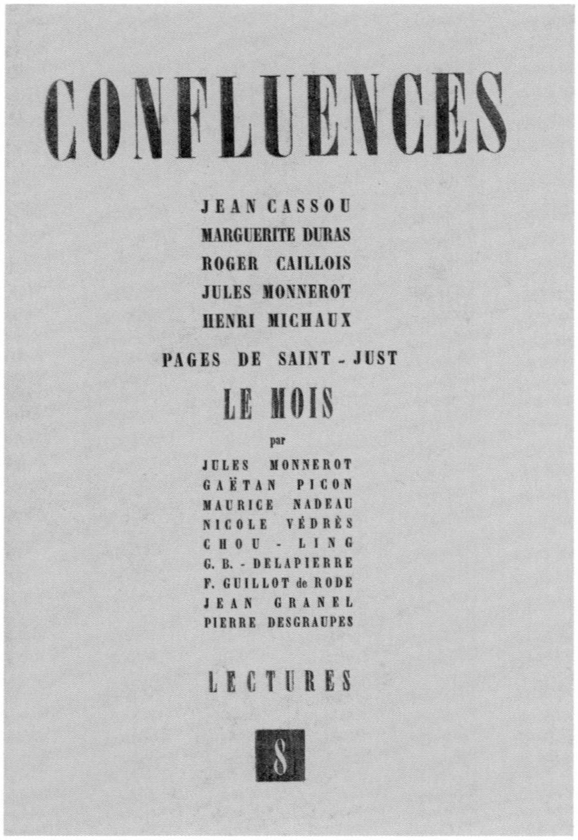

CONFLUENCES

JEAN CASSOU
MARGUERITE DURAS
ROGER CAILLOIS
JULES MONNEROT
HENRI MICHAUX

PAGES DE SAINT - JUST

LE MOIS

par

JULES MONNEROT
GAËTAN PICON
MAURICE NADEAU
NICOLE VÉDRÈS
CHOU - LING
G. B. - DELAPIERRE
F. GUILLOT de RODE
JEAN GRANEL
PIERRE DESGRAUPES

LECTURES

8

1

Autour de moi c'était une fantasmagorie silencieuse qui s'était déchaînée. Avec une rapidité folle – je n'osais pas regarder, mais je les devinais – une foule de formes devaient apparaître, s'essayer à moi, disparaître aussitôt, comme anéanties de ne pas m'aller. Il fallait que j'arrive à me saisir d'une, pas n'importe laquelle, une seule, de celle dont j'avais l'habitude à ce point que c'était ses bras qui m'avaient jusque-là servi à manger, ses jambes, à marcher, le bas de sa face, à sourire. Mais celle-ci aussi était mêlée aux autres. Elle disparaissait, réapparaissait, se jouait de moi. Moi cependant, j'existais toujours quelque part.

La Vie tranquille, 1944

La beauté d'Eda, chaque fois qu'il la ressentait à nouveau, donnait à Jean une envie de mourir. Entre toutes les choses qui pouvaient donner des idées de mourir, celle-ci était la première. Jusqu'à l'arrivée des autres, là, ce soir. De ces feuilles innocentes et nouvelles.

Cahiers de la guerre et autres textes, 2006

2

1 Couverture de *Confluences*, revue littéraire fondée en 1941 à Lyon par Jacques Aubenque et dirigée par René Tavernier. À cette époque, Marguerite Duras écrit énormément et publie de temps en temps. C'est dans le numéro 8 de la revue, d'octobre 1945, qu'est publié un de ses courts récits, *Eda ou les Feuilles*, paru sous le titre *Les Feuilles*.

2 et 3 Marguerite Duras pendant la guerre.

Un soir, j'ai été près de la mer. J'ai voulu qu'elle me touche de son écume. Je me suis étendue à quelques pas. Elle n'est pas arrivée tout de suite. C'était l'heure de la marée. Tout d'abord, elle n'a pas pris garde à ce qui se tenait couché là, sur la plage. Puis je l'ai vue, ingénument, s'en étonner, jusqu'à me renifler. Enfin, elle a glissé son doigt froid entre mes cheveux.
Je suis entrée dans la mer jusqu'à l'endroit où la vague éclate. Il fallait traverser ce mur courbé comme une mâchoire lisse, un palais que laisse voir une gueule en train de happer, pas encore refermée.
La Vie tranquille, 1944

3

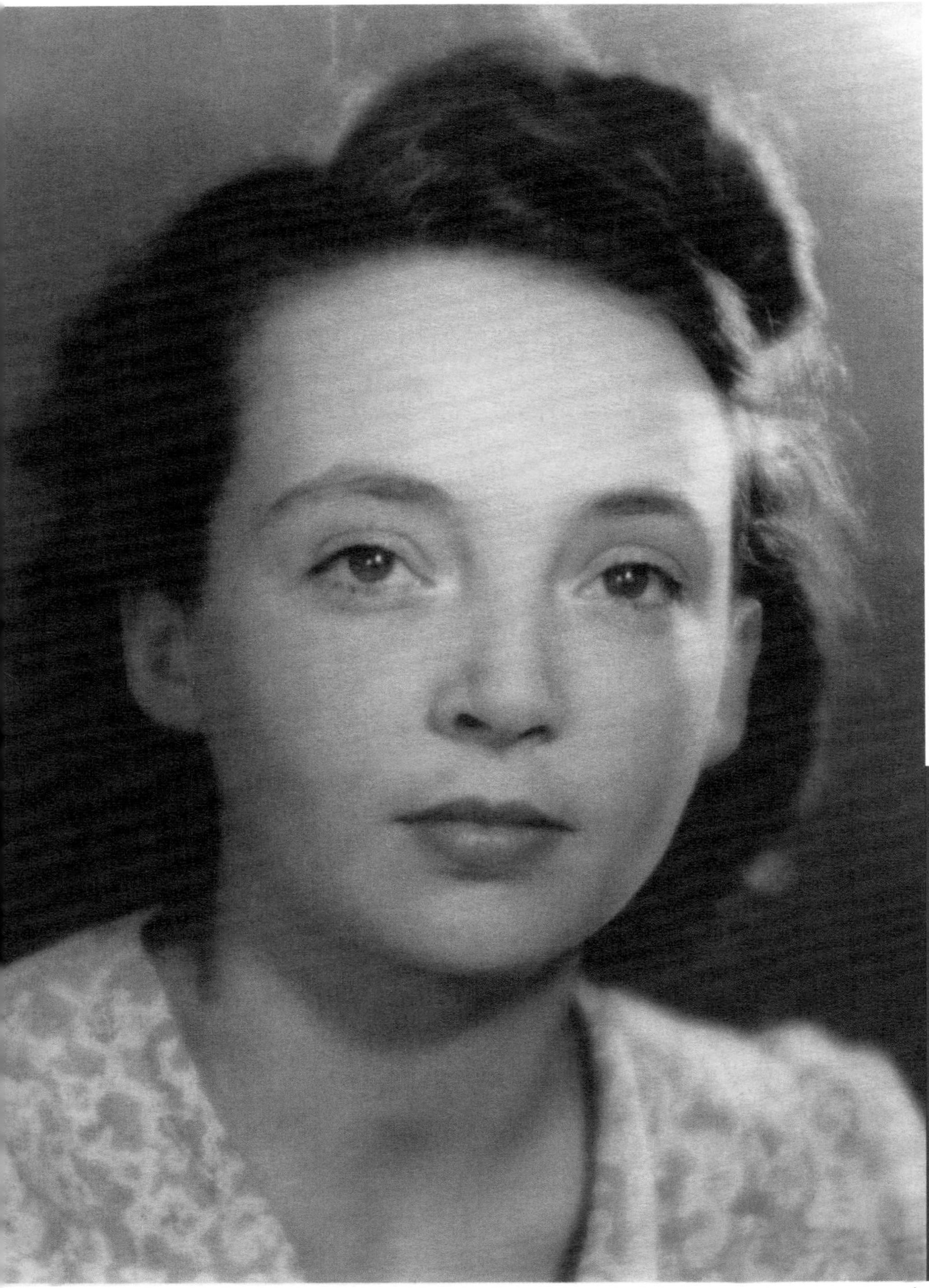

1

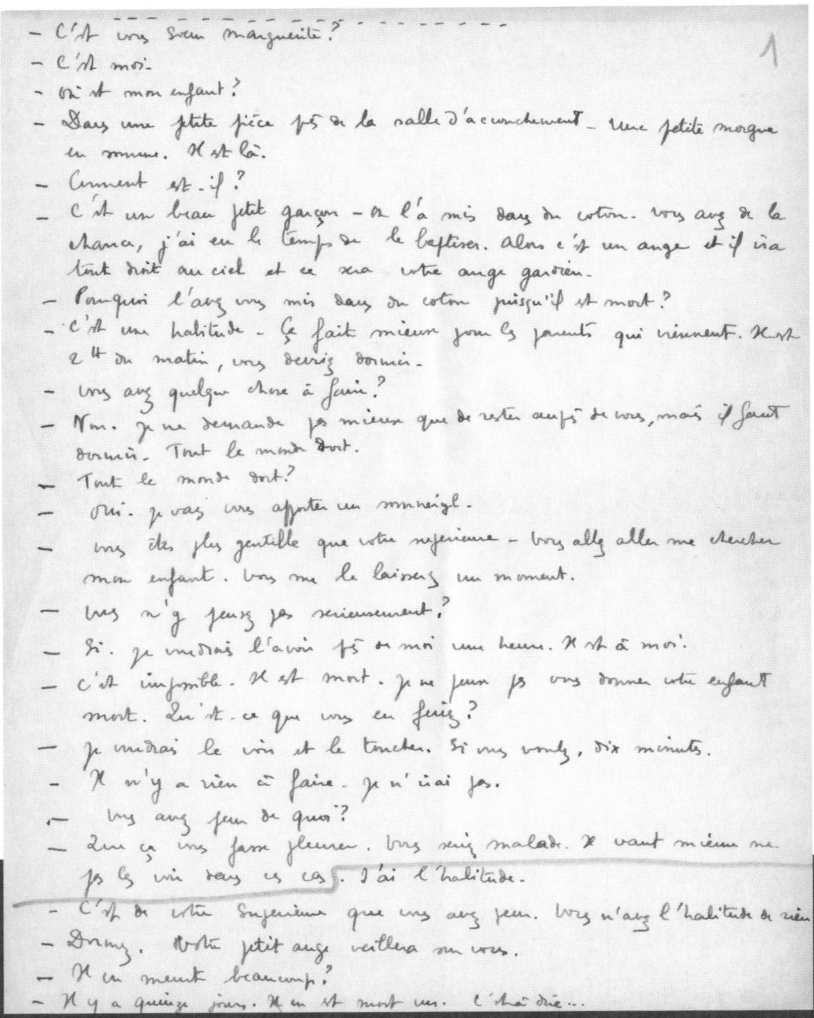

1

- C'est vous Sœur Marguerite ?
- C'est moi.
- Où est mon enfant ?
- Dans une petite pièce près de la salle d'accouchement. Une petite morgue en somme. Il est là.
- Comment est-il ?
- C'est un beau petit garçon. On l'a mis dans du coton. Vous avez de la chance, j'ai eu le temps de le baptiser. Alors c'est un ange et il va tout droit au ciel et ce sera votre ange gardien.
- Pourquoi l'avez-vous mis dans du coton puisqu'il est mort ?
- C'est une habitude. Ça fait mieux pour les parents qui viennent. Il est 2 h du matin, vous devriez dormir.
- Vous avez quelque chose à faire ?
- Non. Je ne demande pas mieux que de rester auprès de vous, mais il faut dormir. Tout le monde dort.
- Tout le monde dort ?
- Oui. Je vais vous apporter un somnifère.
- Vous êtes plus gentille que votre supérieure. Vous allez aller me chercher mon enfant. Vous me le laisserez un moment.
- Vous n'y pensez pas sérieusement ?
- Si. Je voudrais l'avoir près de moi une heure. Il est à moi.
- C'est impossible. Il est mort. Je ne peux pas vous donner votre enfant mort. Qu'est-ce que vous en feriez ?
- Je voudrais le voir et le toucher. Si vous voulez, dix minutes.
- Il n'y a rien à faire. Je n'irai pas.
- Vous avez peur de quoi ?
- Que ça vous fasse pleurer. Vous serez malade. Il vaut mieux ne pas les voir dans ces cas. J'ai l'habitude.
- C'est de votre Supérieure que vous avez peur. Vous n'avez l'habitude de rien.
- Dormez. Votre petit ange veillera sur vous.
- Il en meurt beaucoup ?
- Il y a quinze jours. Il en est mort un. C'est-à-dire...

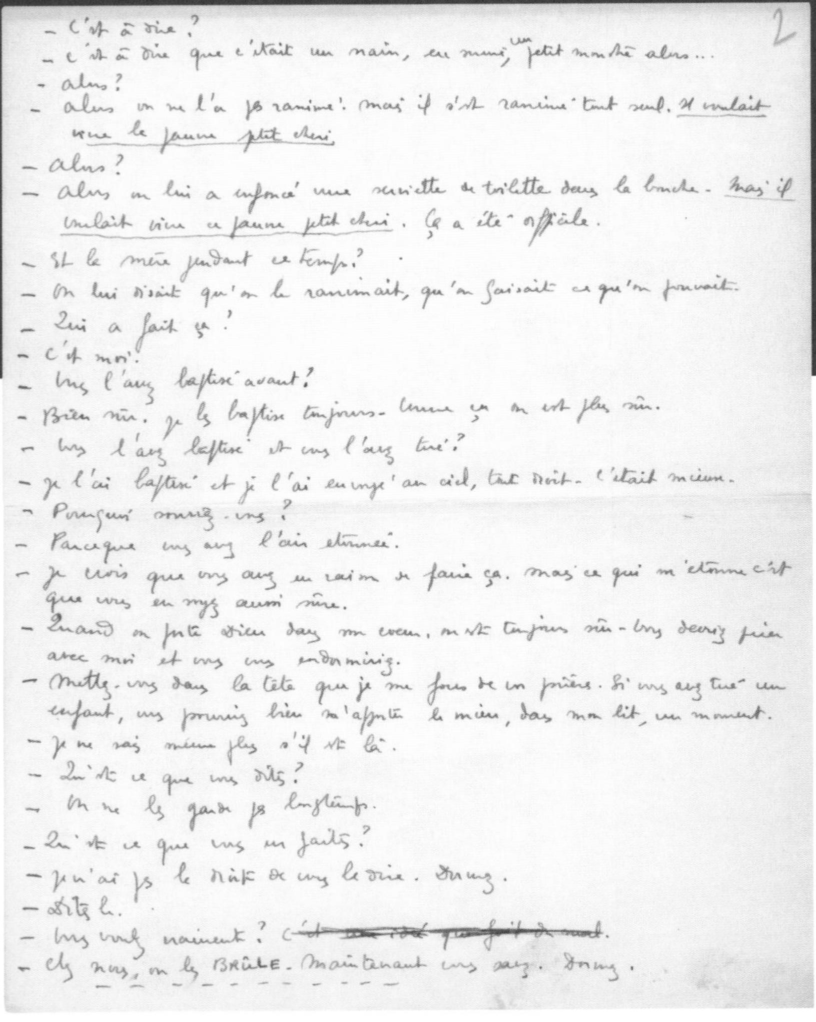

2

- C'est-à-dire ?
- C'est-à-dire que c'était un nain, un monstre, un petit monstre alors...
- Alors ?
- Alors on ne l'a pas ranimé. Mais il s'est ranimé tout seul. Il voulait vivre le pauvre petit chéri.
- Alors ?
- Alors on lui a enfoncé une serviette de toilette dans la bouche. Mais il voulait vivre ce pauvre petit chéri. Ça a été difficile.
- Et la mère pendant ce temps ?
- On lui disait qu'on le ranimait, qu'on faisait ce qu'on pouvait.
- Qui a fait ça ?
- C'est moi.
- Vous l'avez baptisé avant ?
- Bien sûr. Je les baptise toujours. Comme ça on est plus sûr.
- Vous l'avez baptisé et vous l'avez tué ?
- Je l'ai baptisé et je l'ai envoyé au ciel, tout droit. C'était mieux.
- Pourquoi souriez-vous ?
- Parce que vous avez l'air étonnée.
- Je crois que vous avez eu raison de faire ça. Mais ce qui m'étonne c'est que vous en soyez aussi sûre.
- Quand on porte Dieu dans son cœur, on est toujours sûr. Vous devriez prier avec moi et vous vous endormiriez.
- Mettez-vous dans la tête que je me fous de vos prières. Si vous avez tué un enfant, vous pouvez bien m'apporter le mien, dans mon lit, un moment.
- Je ne sais même plus s'il est là.
- Qu'est-ce que vous dites ?
- On ne les garde pas longtemps.
- Qu'est-ce que vous en faites ?
- Je n'ai pas le droit de vous le dire. Dormez.
- Dites-le.
- Vous voulez vraiment ? ~~[illegible]~~
- Eh bien, on les BRÛLE. Maintenant vous savez. Dormez.

2

1 Portrait de Marguerite Duras dans les années 1940.

2 Dans ce texte très personnel, Marguerite Antelme évoque l'épisode douloureux de la mort de son premier enfant, quelques mois avant le décès de son frère Paul. Sœur Marguerite, dont il est question dans ce manuscrit, est la religieuse qui l'a alors soignée. Ce texte est repris et édité trente ans plus tard, en 1976, dans la revue féministe *Sorcières*, sous le titre « L'horreur d'un pareil amour », puis en 1984 dans le recueil *Outside*, paru chez P.O.L. Ce manuscrit, retrouvé dans le Cahier beige des *Cahiers de la guerre*, est rédigé entre 1946 et 1949, comme en écho à un autre texte traumatique sur l'enfance, issu du même Cahier beige, et donc rédigé à la même période. Marguerite Duras y fait le récit de la mort dans ses propres bras, alors qu'elle même n'était encore qu'une enfant, de la fillette d'une mendiante que sa mère Marie Donnadieu lui avait confiée. Durant toute sa vie, Marguerite Duras, qui aura en 1947 un autre fils qu'elle adorera, entretient avec les enfants un rapport singulier, d'une curiosité amusée et d'une affection sincère, dont témoignent plusieurs livres de son œuvre.

3 Marguerite et son frère Paul au début des années 1930. Paul, le frère adoré, décède des suites d'une maladie infectieuse à Saigon en 1942, sans qu'elle ait pu le revoir. Sa perte est un grand drame pour elle.

Le petit frère. Mort. D'abord c'est inintelligible et puis, brusquement, de partout, du fond du monde, la douleur arrive, elle m'a recouverte, elle m'a emportée, je ne reconnaissais rien, je n'ai plus existé sauf la douleur, laquelle, je ne savais pas laquelle, si c'était celle d'avoir perdu un enfant quelques mois plus tôt qui revenait ou si c'était une nouvelle douleur. Maintenant je crois que c'était une nouvelle douleur, mon enfant mort à la naissance je ne l'avais jamais connu et je n'avais pas voulu me tuer comme là je le voulais. [...] *Personne ne voyait clair que moi. Et du moment que j'accédais à cette connaissance-là, si simple, à savoir que le corps de mon petit frère était le mien aussi, je devais mourir. Et je suis morte. Mon petit frère m'a rassemblée à lui, il m'a tirée à lui et je suis morte.*
L'Amant, 1984

Pour la première fois, je trouvais de la grandeur à mon frère Nicolas. Sa chaleur sortait en vapeur de son corps et je sentais l'odeur de sa sueur. Elle était la nouvelle odeur de Nicolas. Il ne regardait que Jérôme. Il ne me voyait pas. J'avais envie de le prendre dans mes bras, de connaître de plus près l'odeur de sa force. Moi seule pouvais l'aimer à ce moment-là, l'enlacer, embrasser sa bouche, lui dire : « Nicolas, mon petit frère, mon petit frère. »
La Vie tranquille, 1944

3

1

3

2

1 Vue de l'église Saint-Germain-des-Prés, et dans l'angle le café des Deux-Magots. Paris, 1948.

2 Brasserie Lipp, boulevard Saint-Germain, Paris.

3 François Mitterrand, de son nom de résistant Jacques Morland, pendant la guerre. Marguerite Donnadieu et François Mitterrand s'étaient croisés pendant leurs études, mais c'est à son retour de Londres en 1943 que, cherchant à monter un réseau de résistance, François Mitterrand se rend rue Saint-Benoît au domicile du couple Antelme, rencontrant ainsi Dionys Mascolo et Marie-Louise Antelme.

4 Marguerite Duras et Marie-Louise Antelme, sa belle-sœur, grande amie et camarade de lutte. Déportée le même jour que son frère Robert, elle ne reviendra pas des camps.

5 Marguerite Antelme, avec Robert Antelme et Dionys Mascolo. Marguerite Antelme adhère la première au Parti communiste français à la fin de l'année 1944. Très vite, elle fait adhérer son mari Robert Antelme et Dionys Mascolo, tous trois très liés par leurs idées et par une amitié sans faille.

J'ai raté tout des plaisirs du VIe arrondissement dont on parlait dans le monde entier. Le Tabou, j'y suis allée une fois je crois […]. J'ai regardé Les Deux Magots, le Flore, très peu, très peu. […] J'ai fréquenté Lipp à cause des Fernandez. Pourquoi ? À cause de l'orgueil. J'étais trop petite pour aller dans des lieux où les femmes étaient grandes. J'étais habillée chaque jour pareillement. Je n'avais qu'une robe noire, celle de la guerre, passe-partout.
La Vie matérielle, 1987

4

5

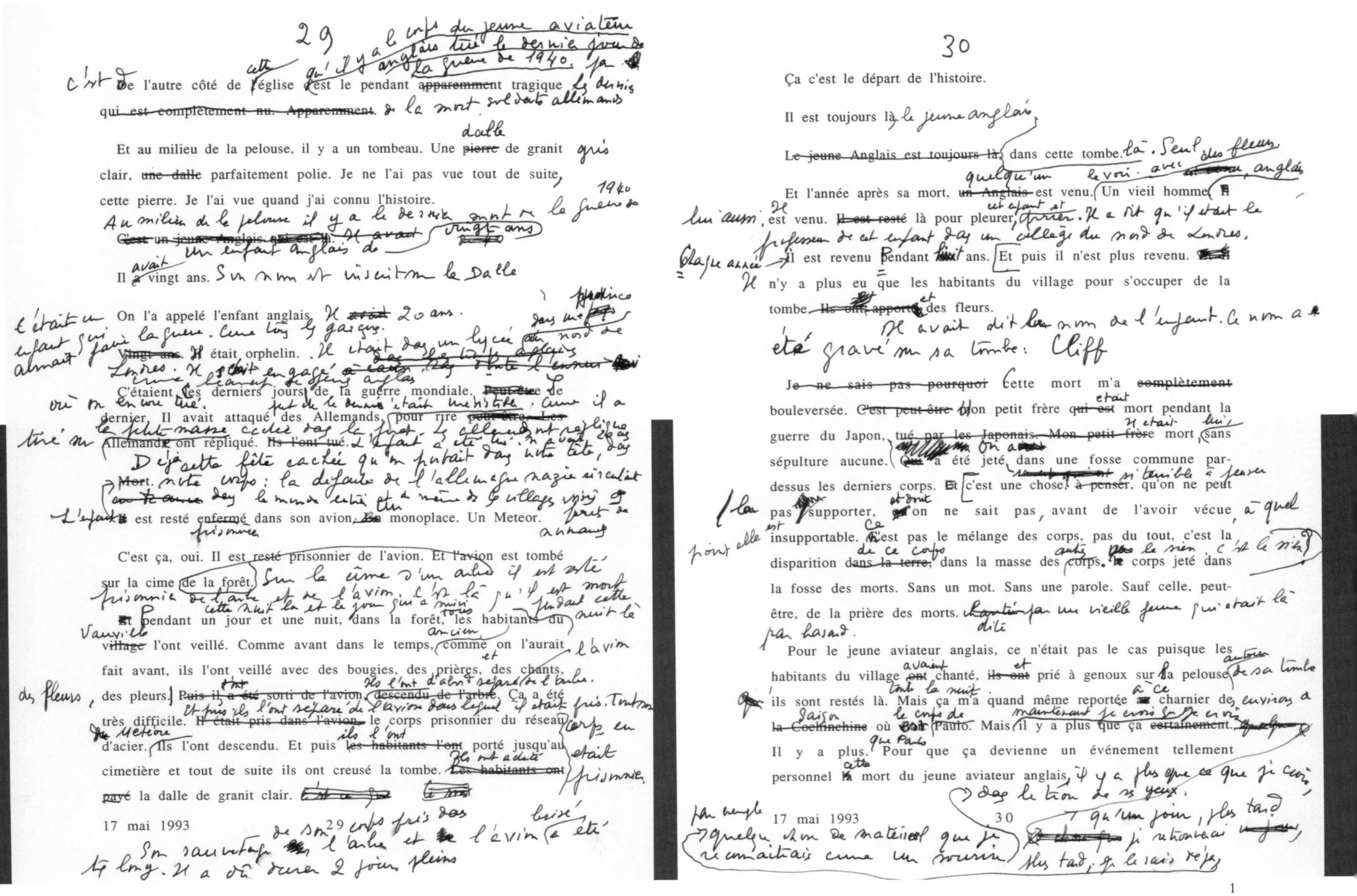

29

De l'autre côté de l'église c'est le pendant apparemment tragique qui est complètement nu. Apparemment.

Et au milieu de la pelouse, il y a un tombeau. Une pierre de granit clair, une dalle parfaitement polie. Je ne l'ai pas vue tout de suite, cette pierre. Je l'ai vue quand j'ai connu l'histoire.

C'est un jeune Anglais qui est là.

Il a vingt ans.

On l'a appelé l'enfant anglais.

Vingt ans. Il était orphelin.

C'étaient les derniers jours de la guerre mondiale. Peut-être le dernier. Il avait attaqué des Allemands, pour rire peut-être. Les Allemands ont répliqué. Ils l'ont tué.

Mort.

Il est resté enfermé dans son avion. Un monoplace. Un Meteor.

C'est ça, oui. Il est resté prisonnier de l'avion. Et l'avion est tombé sur la cime de la forêt.

Et pendant un jour et une nuit, dans la forêt, les habitants du village l'ont veillé. Comme avant dans le temps, comme on l'aurait fait avant, ils l'ont veillé avec des bougies, des prières, des chants, des pleurs. Puis il a été sorti de l'avion, descendu de l'arbre. Ça a été très difficile. Il était pris dans l'avion, le corps prisonnier du réseau d'acier. Ils l'ont descendu. Et puis les habitants l'ont porté jusqu'au cimetière et tout de suite ils ont creusé la tombe. Les habitants ont pavé la dalle de granit clair.

17 mai 1993

30

Ça c'est le départ de l'histoire.

Il est toujours là.

Le jeune Anglais est toujours là, dans cette tombe.

Et l'année après sa mort, un Anglais est venu. Un vieil homme. Il est venu. Il est resté là pour pleurer. Il est revenu pendant huit ans. Et puis il n'est plus revenu. Il n'y a plus eu que les habitants du village pour s'occuper de la tombe. Ils ont apporté des fleurs.

Je ne sais pas pourquoi cette mort m'a complètement bouleversée. C'est peut-être mon petit frère qui est mort pendant la guerre du Japon, tué par les Japonais. Mon petit frère mort sans sépulture aucune. Qui a été jeté dans une fosse commune par-dessus les derniers corps. Et c'est une chose, à penser, qu'on ne peut pas supporter, on ne sait pas, avant de l'avoir vécue, à quel point elle est insupportable. C'est pas le mélange des corps, pas du tout, c'est la disparition dans la terre, dans la masse des corps. Le corps jeté dans la fosse des morts. Sans un mot. Sans une parole. Sauf celle, peut-être, de la prière des morts.

Pour le jeune aviateur anglais, ce n'était pas le cas puisque les habitants du village ont chanté, ils ont prié à genoux sur la pelouse, ils sont restés là. Mais ça m'a quand même reportée au charnier de la Cochinchine où est Paulo. Mais il y a plus que ça certainement. Il y a plus. Pour que ça devienne un événement tellement personnel la mort du jeune aviateur anglais,

17 mai 1993

1

1 Extrait dactylographié et annoté par Marguerite Duras de *La Mort du jeune aviateur anglais*. Ce texte court, écrit après le film tourné par Benoît Jacquot en 1993, figure dans *Écrire*. Le récit est celui de la mort d'un jeune homme de vingt ans, W.J. Cliffe, aviateur tombé à Vauville, sur la côte normande, pendant la Seconde Guerre mondiale, et dont la pierre tombale découverte par hasard par Marguerite Duras inspire l'histoire.

2 Extrait dactylographié des quatre premières pages de *Ter le Milicien*, texte que l'on trouve également dans le Cahier rose marbré des *Cahiers de la guerre*, publié dans *La Douleur*. Écrit pendant la guerre, le texte est dactylographié au verso d'un papier à en-tête du commandement en chef français en Allemagne. Dans les archives de l'Imec, il n'est pas rare de trouver les premières pages de certains textes dactylographiés et annotés de Marguerite Duras sur ce type de papier ; parfois même des tracts sont également utilisés. On sait Marguerite Duras économe et le papier est ainsi recyclé, mais on peut imaginer que le choix n'a pas été laissé au hasard par l'auteur.

titre : TER

fait le 15-12-84

Le matin Maxime a dit :

« Il faudra q~~ue nous menions~~ Ter chezBeaupain »

Nane n'a pas demandé pourquoi. Maxime s'occupe de beaucoup de choses : des arrestations, des prisonniers, des camarades, des réquisitions ~~d'immeubles~~, des réquisitions d'autos, des réquisitions d'essence, des interrogatoires... Au centre Richelieu, c'est archi plein, Onze miliciens dont Ter, dans la Comptabilité. Trente collabos dans le hall, en bas les R.NP. une allemande, un agent de la rue des Saussaies, une bonne à tout faire et sa patronne, femme de lettres, un colonel russe, des journalistes, un poète, une femme d'avoué etc... C'est donc sans doute pour dégager la comptabilité que Maxime veut mener Ter rue de la Chaussée d'Antin ou se trouve le groupe Hernandez-Beaupin.

Nane a donc conduit Maxime et Ter rue de la Chaussée d'Antin ~~vers~~ trois heures de l'après-midi. Dès l'entrée de l'immeuble ils entendent crier les espagnols. La cour est encombrée de vélos et d'autos réquisitionnées ou ~~[illegible]~~ aux Allemands, ~~dont~~ une camionnette.

Le groupe Hernandez Beaupain se tient au rez-de-chaussée d'un immeuble qui donne sur deux cours, la première communique avec la rue par le couloir de l'immeuble, l'autre très petite, donne sur d'autres cours dont elle est séparée par une grille. Ces deux cours communiquent entre elles par un couloir qui traverse le rez-de-chaussée. Dès qu'on atteint la première cour on entend crier les espagnols dans l'immense rez-de-

- 2 -

chaussée vide.

Beaupain se tient à l'entrée du couloir. Beaupain est un type grand, il a de grandes jambes, de grands bras, une tête petite, des épaules de géant.

Maxime passe près de Beaupain et lui ~~sourit~~. Beaupain a un drôle d'air, ~~il regarde l'entrée vide~~, il ne dit pas bonjour à Maxime.

~~Beaupain~~ regarde tantôt l'entrée, tantôt ~~derrière lui~~, vers le fond du couloir ~~où~~ il se passe quelque chose.

Des paroles criées en Espagnol viennent par volées

du fond de ce couloir. Beaupain a l'air mal à l'aise.

Maxime, Ter et Nane s'arrêtent à ~~la porte~~ du couloir au ~~fond duquel~~ se passe quelque chose. Sur le fond ensoleillé de la petite cour intérieure il y a un groupe d'hommes, peut-être quinze, qui gesticulent et parlent haut en espagnol. Maxime, Ter et Nane ne vont pas plus loin, ils attendent, de même que Beaupain. ~~Et~~ le groupe d'hommes se défait, ~~et~~ les hommes s'écartent les uns des autres et alors on peut voir la chose autour de laquelle ils s'étaient coagulés en un bloc. Les hommes s'écartent et se rangent de chaque côté de la chose le long du couloir

La chose apparaît. Blanche. Blanche est allongée par terre. Deux ~~hommes~~ s'en emparent, la soulèvent et la portent.

Maxime, Nane et Ter, laissent Beaupain et pénètrent dans le couloir. La chose passe devant eux. Le couloir est silencieux. Deux chaussures de daim dépassent du drap. Des chaussures presque neuves, bien lacées, sur des chaussettes bleues. La chose est molle et frissonne a chacun des pas des porteurs, comme de la bouillie. Le ventre est plus haut que les pieds, à cause des mains

- 3 -

qu'on a posées dessus. Sous le drap, un tête se dessine et la pointe d'un nez.

Maxime s'avance rapidement vers le groupe d'espagnols, au fond du couloir. Nane et Ter suivent Maxime. Maxime prend le bras d'un des Espagnols.

- Qui c'est?

- U n salaud, dit l'espagnol.

Et il s'en va

Maxime, Nane et Ter repartent rapidement vers l'entrée du couloir sur la cour, Précédés par tous les espagnols. Les porteurs ont posé le cadavre sur les marches de l'escalier. La camionette qui était dans la cour fait marche arrière. Les deux portes de la camionette sont ouvertes. Les deux hommes enfournent le cadavre à l'intérieur. Les deux pieds chaussés de daim se découvrent et on voit le bas d'un pantalon bleu marine. Les deux hommes claquent les portes de la camionnette qui démarre aussitôt, sort par le couloir et disparait dans la rue.

Aussitôt tous les espagnols recommencent à crier, ils s'engouffrent dans le couloir et retournent dans l'appartement. Maxime, Ter et Nane en font autant, ils suivent les espagnols. Maxime une nouvelle fois prend un ~~nouvel~~ autre espagnol par le bras.

- Qui c'est?

- Un salaud.

La pièce des espagnols est très grande, lambrissée. ELle est complètement nue. Pas une chaise. Pas un tableau. Seulement dans les quatre coins des armes empilés qu'un homme garde. Une magnifique cheminée de marbre blanc surmontée d'une glace de deux mètres de haut. Il n'y a rien sur la cheminée, pas le moindre

COMMANDEMENT EN CHEF FRANÇAIS EN ALLEMAGNE

GOUVERNEMENT MILITAIRE
DE LA
ZONE FRANÇAISE
D'OCCUPATION

DIRECTION GÉNÉRALE
des
AFFAIRES ADMINISTRATIVES

Direction de l'Information

Baden-Baden, le .... 19...

Imprimerie Nationale. — 1227-J. 2591 (M.).

Je suis coupée du reste du monde avec un rasoir. *La Douleur*, 1985

Plus de battements aux tempes, je ne sens plus mon cœur. L'horreur monte lentement comme la mer. Je me noie. Il reste de moi une petite parcelle de rien – une pastille : la tête. Je n'attends plus. J'ai peur. C'est fini. Où es-tu ? Comment savoir ? Je ne sais pas où il se trouve. Je suis avec lui.
Cahiers de la guerre et autres textes, 2006

1 Marguerite Antelme pendant l'Occupation à Paris.

2 Paris sous l'Occupation, carrefour Montparnasse-Raspail dans le VIe arrondissement. Paris, 1939-1945.

3 Tract issu du Mouvement national des femmes de prisonniers de guerre et des déportés, auquel appartient Marguerite Duras, 1944.

4 Une du journal *Résistance* du 4 juillet 1945, qui relate des témoignages de rescapés et de leurs familles à l'hôtel Lutetia dans le VIe arrondissement à Paris, siège du service de renseignement des nazis pendant la guerre, transformé à la Libération en centre d'accueil des rescapés des camps nazis.

1

2

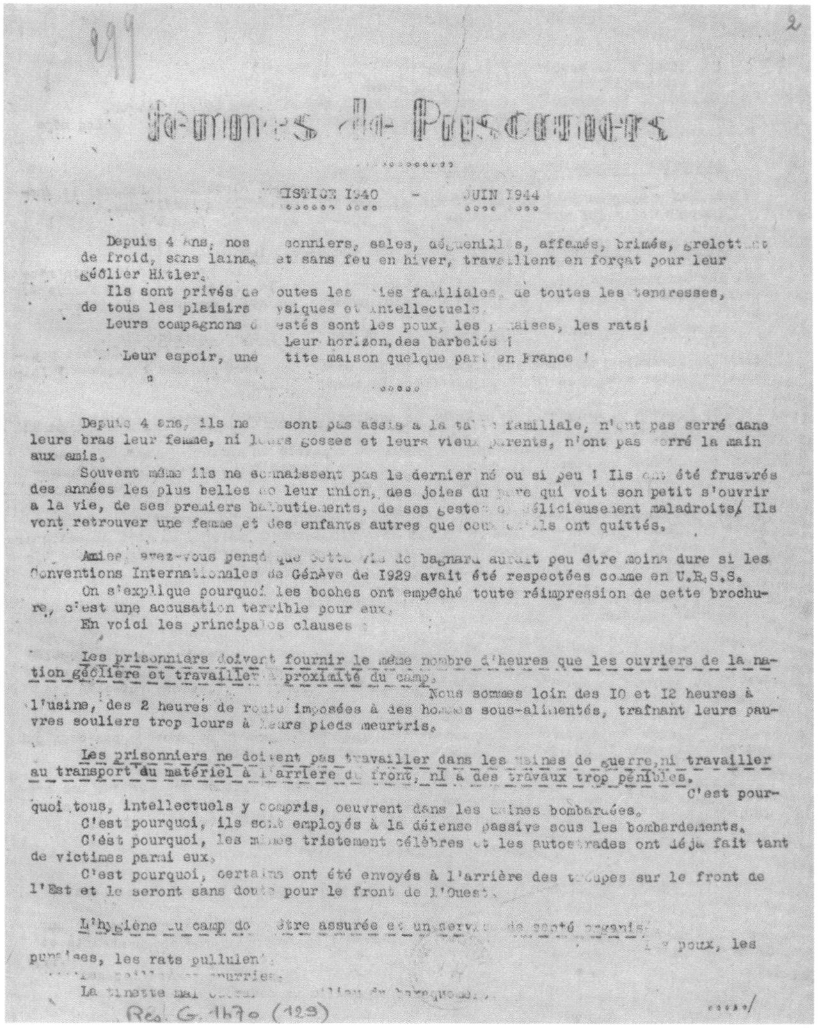

Femmes de Prisonniers

[illegible]ISTICE 1940 – JUIN 1944

Depuis 4 ans, nos [illegible]sonniers, sales, déguenill[illegible]s, affamés, brimés, grelott[illegible] de froid, sans laine[illegible] et sans feu en hiver, travaillent en forçat pour leur géôlier Hitler.

Ils sont privés de [illegible]outes les [illegible]ies familiales, de toutes les tendresses, de tous les plaisirs [illegible]ysiques et intellectuels.

Leurs compagnons d[illegible]estés sont les poux, les [illegible]aises, les rats!

Leur horizon, des barbelés !

Leur espoir, une [illegible]tite maison quelque part en France !

Depuis 4 ans, ils ne [illegible] sont pas assis à la ta[illegible] familiale, n'[illegible]nt pas serré dans leurs bras leur femme, ni l[illegible]s gosses et leurs vieu[illegible] parents, n'ont pas [illegible]rré la main aux amis.

Souvent même ils ne connaissent pas le dernier né ou si peu ! Ils [illegible] été frustrés des années les plus belles [illegible] leur union, des joies du [illegible]re qui voit son petit s'ouvrir à la vie, de ses premiers balbutiements, de ses geste[illegible] [illegible]élicieusement maladroits/ Ils vont retrouver une femme et des enfants autres que ceu[illegible] [illegible]ils ont quittés.

Amies, avez-vous pensé que [illegible] vi[illegible] de bagnard aurait peu être moins dure si les Conventions Internationales de Génève de 1929 avait été respectées comme en U.R.S.S.

On s'explique pourquoi les boches ont empêché toute réimpression de cette brochure, c'est une accusation terrible pour eux.

En voici les principales clauses :

Les prisonniers doivent fournir le même nombre d'heures que les ouvriers de la nation géôlière et travailler à proximité du camp.

Nous sommes loin des 10 et 12 heures à l'usine, des 2 heures de route imposées à des hommes sous-alimentés, traînant leurs pauvres souliers trop lours à leurs pieds meurtris.

Les prisonniers ne doivent pas travailler dans les usines de guerre, ni travailler au transport du matériel à l'arrière du front, ni à des travaux trop pénibles.

C'est pourquoi tous, intellectuels y compris, oeuvrent dans les usines bombardées.

C'est pourquoi, ils sont employés à la défense passive sous les bombardements.

C'est pourquoi, les mines tristement célèbres et les autostrades ont déjà fait tant de victimes parmi eux.

C'est pourquoi, certains ont été envoyés à l'arrière des troupes sur le front de l'Est et le seront sans doute pour le front de l'Ouest.

3

PARIS – 23, Rue Chauchat - PARIS-9e – TAItbout 50-43 et la suite – DIRECTEUR GENERAL JACQUES DESTREE

5 HEURES. — MATIN. — 2 FR.

Résistance

LA VOIX DE LA FRANCE

DERNIERE – MERCREDI 4 JUILLET 1945 – 4e ANNEE. — N° 291.

Tous les candidats anglais d'accord pour une entente avec la France

Londres, 3 juillet. — A la veille des élections il est symptomatique que tous les candidats soient d'accord sur les grandes questions extérieures, et que si personne ne conteste la nécessité d'une alliance avec l'U.R.S.S., chacun exprime la même volonté de rapprochement avec la France.

Du reste, les milieux diplomatiques jugent qu'une conversation directe entre Paris et les pays du Levant pourrait avoir des répercussions favorables sur les relations franco-anglaises. Du côté de Londres des efforts seront faits en vue de sortir de l'impasse actuelle.

ET L'ON PENSE QUE L'UN DES MOYENS SERAIT PRECISEMENT LA NEGOCIATION D'UN PACTE D'AMITIE FRANCO-BRITANNIQUE APPELE A COMPLETER LES PACTES QUI EXISTENT DEJA ENTRE LA FRANCE ET L'U.R.S.S. D'UN COTE, L'ANGLETERRE ET L'U.R.S.S. DE L'AUTRE

CHURCHILL A 7 CONTRE 4

Londres, 3 juillet (United Press). Dans les milieux de la Bourse, malgré l'interdiction, des paris sont engagés. On donne Winston Churchill gagnant à 7 contre 4. Il n'empêche que le Premier, au cours de sa tournée électorale dans les faubourgs de la capitale, s'est trouvé en présence d'une foule parfois violente.

Il ne suffit pas que le lecteur sache ce que pense son journal. Il faut aussi que le journal sache ce que pensent ses lecteurs.

Et c'est précisément de cette communication que les courants se créent, qui constituent, avec leurs impondérables, l'opinion publique.

Résistance LA VOIX DE LA FRANCE ORGANISE UN GRAND REFERENDUM auprès de ses lecteurs

DEMAIN les questions PROPOSÉES A VOTRE PATRIOTIQUE RÉFLEXION

L'ENQUÊTE DE M. TIXIER ministre de l'Intérieur EN ALGÉRIE

Ses conclusions devant le Conseil des ministres

Le Conseil des ministres a consacré la plus importante partie de ses débats à l'exposé de M. Tixier, retour d'Algérie où il avait procédé à une enquête approfondie sur les incidents du département de Constantine.

Ceux-ci doivent être ramenés à leur juste proportion. Ils ne présentent ni un caractère de mouvement arabe, ni même algérien. Ils ont été limités à Sétif et à Guelma.

Le ministre de l'Intérieur a ensuite donné des précisions sur les grandes lignes de la politique concernant l'intégration des Algériens et des Arabes dans la communauté française et il a précisé les points du projet qu'il défendra devant l'Assemblée consultative.

Le Conseil a également examiné la réorganisation du contrôle de l'Etat qui supprime les dualités entre les autres organismes et le comité juridique créé à Alger en 1943.

Sur la proposition de M. Tanguy-Prigent, le Conseil a adopté diverses mesures concernant l'institution d'organismes laitier qui prépareront tous les textes relatifs à l'augmentation de la production du lait et à sa répartition.

Une ordonnance a été également examinée qui attribue à l'Etat la liquidation des biens des groupements nationaux actuellement sous séquestre.

Hôtel LUTETIA, terminus des camps de la mort...

Hôtel LUTETIA ! Ce nom joyeux aux sonorités de flûte est devenu le symbole du désespoir.

Hôtel LUTETIA ! Peuplé de fantômes vivants et de l'armée immense des fantômes impalpables de ceux qui ne reviendront peut-être pas et qui sont là sur les murs matérialisés photographiquement. Le mur des recherchés... Et avec leur visage d'AVANT ; regards gais, sourires, soleil dans les chevelures.

Photos aux visages innocents, êtres qui ne savaient pas qu'ils auraient à mourir dans la douleur pour pouvoir accuser éternellement le génie du mal. Photos groupées sous les noms dantesques des camps d'Allemagne, comme si ceux qu'elles représentent ne s'en étaient pas échappés à jamais maintenant dans la vie ou dans la mort, mais libres.

Les survivants sont là, devant lesquels il ne doit pas être question de pitié, mais de respect et d'admiration. Ils regardent avidement les photos parfois plus vivantes qu'eux, cherchant l'ami cher, le père, la fille. Et puis ils vont demander quelques secours : devraient-ils avoir besoin de demander ?

Las de ces démarches, ils parlent, ils parlent de là-bas, de leur rancœur, de ce qu'ils espéraient, de ce qu'ils espèrent après avoir vu.

Un vieillard.

Quelle drôle de vie, il faut tout recommencer ! Mais rien n'a d'importance depuis que j'ai failli être enterré vivant ! Cela s'est passé une nuit. J'étais évanoui, on m'a emporté avec les morts. Je me suis réveillé avec trois rangs de cadavres sur moi.

Une jeune maman.

Je n'ai retrouvé que mon enfant, mon petit. C'est toute ma vie maintenant. Mais je dois aller en sanatorium. Comment vais-je le nourrir et puis, dites-moi que l'on ne va pas encore nous séparer ! Ne pourrait-on pas nous envoyer à la campagne ENSEMBLE ?

Un avocat.

J'étais avocat... mais je ne pense qu'à une chose, j'ai repris vingt kilos en Suisse. Là-bas j'étais arrivé à ne peser que trente-trois kilos et je mesure un mètre soixante-quinze, j'ai tant reçu de coups de nerfs de bœuf sur le crâne que je sens mon cerveau démoli qui fuit de plus en plus... J'étais avocat, que vais-je devenir ?

Un couple.

Nous nous sommes retrouvés. Après tant de souffrances, c'est l'essentiel, c'est une joie immense. Mais notre appartement est réquisitionné, alors nous allons de centre d'accueil en centre d'hébergement, comme des errants. Ne peut-on pas nous rendre simplement notre logis ?

Un jeune homme

Moi, la première nouvelle que j'ai apprise, ça a été la mort de mes parents. Fusillés ! Il paraît qu'il y a un trou à la place de notre maison en Normandie.

Un officier de réserve.

Je me suis évadé en 40. J'ai fait de la résistance dès le début. Ma femme et mes trois gosses ont été déportés en même temps que moi. Elle... est morte. A Ravensbruck. Eux, je les ai retrouvés miraculeusement. Mais ma maison est détruite et je n'ai plus rien, plus rien. Je n'ai rien, mais si c'était à recommencer, je recommencerai.

Une victime des miliciens.

J'ai l'air d'une momie, n'est-ce pas ? J'avais des cheveux et de belles dents, AVANT ! Seulement, j'ai travaillé trop longtemps dans l'usine souterraine. Là, j'ai vu des morts qui marchaient le regard fixe, les gestes mécaniques, jusqu'au moment où ils tombaient. On les enjambait et on continuait. Il en tombait jusqu'à cinquante par jour. Pendant ce temps, en France, les miliciens ont tout pillé chez moi. Ils ont torturé ma femme et ma sœur. Elles sont mortes. Je suis seul, je n'ai plus le goût de vivre...

Florise MARTINET.

PARADOXES DU CITADIN

(De notre envoyé spécial)

Le Mans, 3 juillet.

En apparence, dans la Sarthe, tout va très bien. Officiellement.

Pourtant...

La production des œufs n'a jamais été si abondante que durant le printemps. On en profite — sagement — pour faire des réserves pour l'hiver. Mais il faudrait diriger vers les villes tout ce qui n'est pas mis au frigo.

Or, voici M. X..., ramasseur à Sillé-le-Philippe. Chez lui des caisses d'œufs attendent depuis des semaines qu'on vienne les chercher.

— C'est qu'il faut de la paille d'orge pour emballer les œufs. La paille de blé, trop dure, brisant les coquilles. Et nous n'avons pas de paille d'orge.

Allons maintenant chez M. Y..., ramasseur de beurre au Mans.

— Le beurre est abondant, plus que nous osons l'espérer. Mais...

— ...

— Mais nous manquons de caisses. Pendant le mois de mai, j'ai expédié au Comité de répartition, rue de la Lingerie, à Paris, 4 tonnes, soit 160 caisses. Pas une seule ne m'a été renvoyée. Pour faire d'autres caisses, il faut des « bons matière ». Je n'en obtiens pas. La fabrique refuse de nous livrer des caisses, et je vais donc être obligé de suspendre ramassage et expéditions.

En somme, si on manque de beurre dans les villes, c'est faute de peupliers. Mais si on manque d'œufs, c'est faute d'orge.

— Faute d'ordre aussi, peut-être...

F. F.

Le général de GAULLE écrit à M. Herriot...

En réponse à l'allocution que M. Herriot, maire de Lyon, a prononcé le 18 juin devant le conseil municipal, le général de Gaulle vient de lui adresser une lettre dans laquelle il déclare notamment :

« L'appel du 18 juin n'a pu porter de fruit que parce qu'il s'est trouvé en France des hommes comme vous et un peuple tel que le peuple de Lyon, prêt à tout, plutôt qu'à consentir à perdre l'honneur et la liberté. Lyon, guidé par vous, continuera à être une ville-exemple ; aussi votre message renforce en moi-même cette confiance dans l'avenir de la patrie qui est, pour chacun de nous, la condition nécessaire de nos efforts pour refaire la France. »

...ET PARLE CE SOIR aux Américains

A l'occasion de l'« Independance Day », le général de Gaulle prononcera ce soir, en anglais, une allocution radiodiffusée qui sera retransmise par les antennes des Etats-Unis.

Le Werwolf dans la bergerie – ALLEMANDS serviles dociles... APPARENCES !

De notre envoyé spécial au P. C. de la 1re armée François-William BRANDON

On imagine aisément le rôle difficile, délicat et extrêmement important à l'heure actuelle du chef de la police française d'une ville allemande occupée.

Le capitaine X..., ex-commissaire de police parisien, auprès de qui je viens de passer quelques jours, est un de ces jeunes officiers de la 1re Armée française qui remplissent leur tâche à la fois d'administrateur et de justicier sans haine et sans parti pris, avec clairvoyance et fermeté, impartialement.

On interroge un S. S. depuis 48 heures. Il a été traqué pendant un mois. Visage de brute, mais de brute épuisée, effondrée, qui n'en peut plus et qui serait prête à vendre sa mère, son enfant, sa femme pour sauver sa peau, ou seulement pour pouvoir dormir douze heures.

Il « donne » ses copains, l'un après l'autre, presque sans qu'on le lui demande. Il va jusqu'à offrir d'aller les « cueillir » lui-même, de leur tendre des guet-apens.

Je pense aux jeunes de la Résistance et du maquis français, qui, neuf fois sur dix préférèrent mourir torturés plutôt que de parler. Ici, quatre-vingt-dix S.S. ou agents de la Gestapo sur cent parlent, trahissent avant qu'on leur pose la première question.

Nous accompagnons un camion de gendarmes qui doivent perquisitionner dans les caves d'une ancienne « école des cadres » nazie, aujourd'hui « désinfectée » et aménagée en hôpital pour déportés malades. Nous ne trouvons d'abord que des drapeaux à croix gammée, des portraits de Hitler — une cinquantaine — et des brochures. Le capitaine X... insiste. Il sait, « de source sûre », qu'il doit y avoir autre chose aussi.

SUITE PAGE 2

LES AMÉRICAINS A BERLIN

Berlin, 3 juillet. — Les troupes américaines sont entrées aujourd'hui dans Berlin, où elles ont été acclamées par les troupes russes. Les troupes britanniques y feront leur entrée demain.

Par ailleurs, Schwerin, Halle, Leipzig, Weimar, Erfurt et Plauen ont été occupées par les troupes russes.

LA ZONE FRANÇAISE D'OCCUPATION

[Carte]

Le service cartographique de RESISTANCE a indiqué sur le document ci-contre la délimitation de la zone française qui, du Nord au Sud, va d'Altenkirchen au Voralberg. Hachurée, la zone (Mayence, Sarre, Palatinat), que la France occupa de... après la guerre 1914-1918.

Le problème de Tanger

La réponse des gouvernements français, anglais et américain à la demande du gouvernement soviétique de participer aux négociations sur le statut de Tanger fait actuellement l'objet d'échanges de vues entre Paris, Londres et Washington. Les experts ne se réuniront que lorsque cette question préalable aura été réglée. Leur rôle aura un caractère technique, puisqu'il s'agit, après avoir effacé les conséquences du coup de force espagnol, de rétablir, en tenant compte des circonstances actuelles, le statut établi en 1923, à Paris, assurant le maintien de la souveraineté du sultan du Maroc sur la zone de Tanger.

Des crevaisons qui rapportent...

— Mon pneu est crevé, quelle malchance ! s'écria l'autre jour une dame qui, aux Champs-Elysées, a laissé son vélo devant la boutique où elle est allée effectuer quelques emplettes.

Mais voici justement un gamin complaisant qui lui offre son aide. Dix minutes et la réparation est effectuée. La dame glisse discrètement un billet de 50 francs dans la main du serviable jeune homme. Hélas ! quelques instants après, Jean-Louis Guymeriet était arrêté !...

Pris sur le fait, il dut reconnaître que depuis plusieurs mois déjà il pratiquait le petit jeu indélicat consistant à crever les pneus des vélos de dames pour ensuite s'offrir à les réparer, ce qui lui rapportait au bas mot 10.000 francs par mois.

A TOUTES FINS UTILES...

Voici ce que m'a dit le lieutenant S... :

— Résistant de la première heure, j'ai été arrêté. Je me suis évadé. Après les huit mois réglementaires d'internement en Espagne j'ai atteint l'Afrique du Nord et me suis engagé dans les Forces Françaises Libres. Tunisie, Normandie. Pendant ce temps, ma femme dut s'enfuir pour éviter la Gestapo.

Les meubles de mon appartement furent « empruntés » par les Allemands et l'appartement reloué. J'ai essayé de récupérer quelque chose. C'est dur !

Mais voici, à toutes fins utiles, ce qui vous attend si, d'aventure, vous vous trouvez dans mon cas. Telle est, en effet, la « marche à suivre » :

1. — **VOTRE GERANT VOUS DIRA** d'intenter un procès au nouveau locataire. Neuf mois d'attente.
2. — **LE COMMISSAIRE** de votre quartier vous enverra au ministère des Affaires Etrangères (?).
3. — **LE MINISTERE DES AFFAIRES ETRANGERES** qui ignore de quoi il s'agit, vous enverra au ministère des Finances.
4. — **LE MINISTERE DES FINANCES** vous enverra rue de la Banque, section des Domaines.
5. — **LA SECTION DES DOMAINES** vous enverra au service des mobiliers et... pianos.
6. — **LE SERVICE DES MOBILIERS ET PIANOS** vous réclamera un inventaire complet et un certificat de déménagement légalisé par le commissaire de police. (Dossiers en souffrance depuis des mois). Si vous demandez un prêt de meubles, on vous enverra à l'Entr'aide Française, 21, rue Laffitte ou 9, place de l'Hôtel-de-Ville.
7. — **L'ENTR'AIDE FRANÇAISE** vous assurera que les quelques meubles dont elle dispose sont destinés essentiellement aux nécessiteux.
8. — **PLACE DE L'HOTEL-DE-VILLE, AU NUMERO 9.** — On refuse tout d'abord d'accueillir votre demande, puis, devant votre insistance, on vous proposera : un lit nu sans drap, ni couverture, ni oreiller, une table et une armoire à titre de prêt.
9. — Mais tout n'est pas encore perdu, car un nouvel organisme vient d'ouvrir ses bureaux **BOULEVARD DES CAPUCINES**.

Très simple, comme vous le voyez !

F. ROSSINI

LE SULTAN A QUITTÉ LA FRANCE

Le sultan du Maroc a embarqué à Cherbourg à bord du croiseur « Gloire ».

LE PROGRAMME DE POTSDAM. — Les Trois Grands auront à examiner :

Les bases de la paix - L'occupation de l'Allemagne - L'aide aux pays dévastés - La guerre contre le Japon - La position de la Chine - Le traité soviéto-turc - La question des Détroits...

LÉOPOLD III

En fin de journée, on estimait à Bruxelles que le roi des Belges avait admis le principe de l'abdication. M. Spaak a déclaré qu'il ignorait l'heure où une décision royale serait officielle.

PAGE 2 – L'article de Maurice LACROIX – Peuples et Rois

4

1 Sur la couverture du Cahier beige, dernier des quatre *Cahiers de la guerre*, on peut lire la mention « Pas mort en déportation », qui évoque la dernière phrase de *La Douleur* : « Il n'est pas mort au camp de concentration. » Dans *La Douleur*, Marguerite Duras décrit la longue et angoissante attente, le retour de camp de concentration, puis la difficile convalescence de son mari Robert Antelme, nommé Robert L. dans le livre.

2 Lettre officielle datée du 9 janvier 1946 du président du Mouvement national des prisonniers de guerre et des déportés François Mitterrand, attestant l'appartenance de Robert Antelme à son réseau de résistance et sa déportation aux camps de Buchenwald puis de Dachau. C'est à la demande du général de Gaulle qu'auprès du général Lewis François Mitterrand représente la France pour la libération des camps de Landsberg et de Dachau. Dans ce deuxième camp, il retrouve Robert Antelme agonisant, atteint de typhus, et réussit à le ramener grâce au soutien, en particulier, de Dionys Mascolo et de Georges Beauchamp.

3 Billet écrit de la main de Robert Antelme à sa femme le 1er mai 1945, deux jours après sa libération du camp de Dachau. On peut lire le nom de « Minette » dont il demande des nouvelles, certainement Minette Rocca-Serra, arrêtée elle aussi le 1er juin 1944 rue Dupin avec Marie-Louise, la sœur de Robert Antelme, et Robert Philippe. Seul Robert Antelme rentrera des camps.

4 Rapport de trois pages dactylographiées sur le camp de Dachau, rédigé par Georges Beauchamp, daté du 15 mai 1945, et sur lequel le nom Antelme (orthographié avec un h) est ajouté à la main.

1

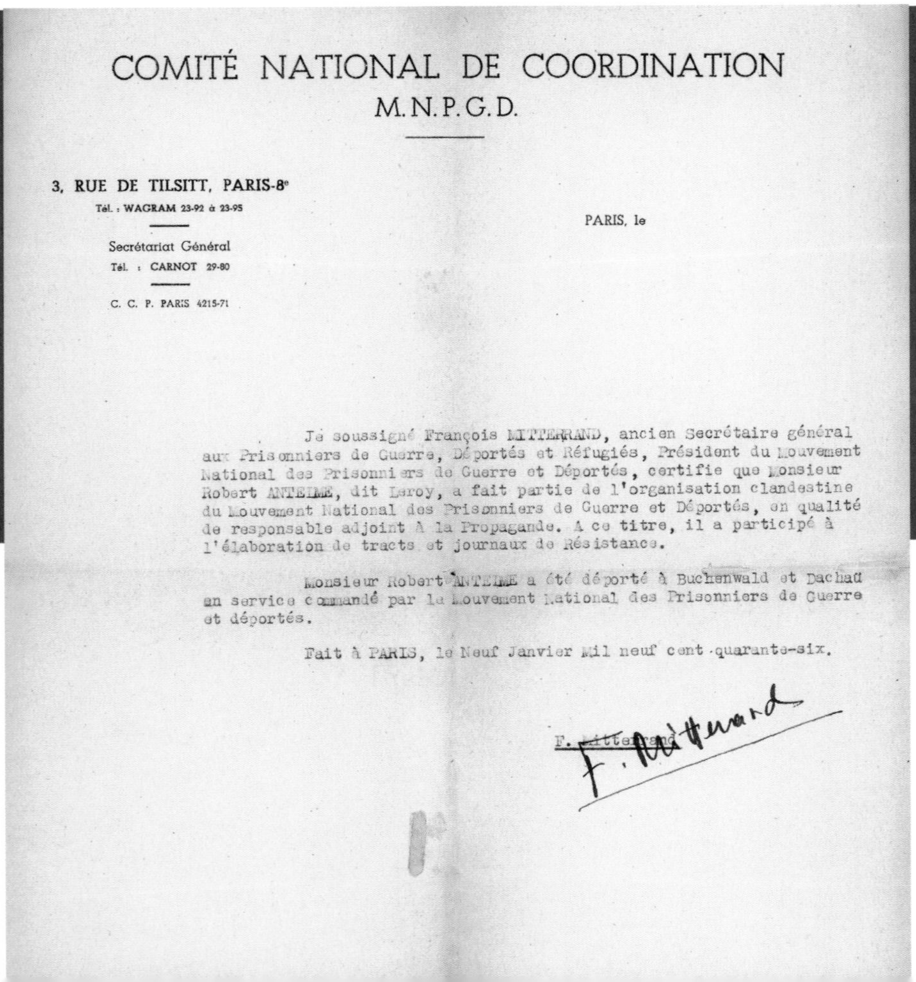

COMITÉ NATIONAL DE COORDINATION
M.N.P.G.D.

3, RUE DE TILSITT, PARIS-8e
Tél. : WAGRAM 23-92 à 23-95

Secrétariat Général
Tél. : CARNOT 29-80

C. C. P. PARIS 4215-71

PARIS, le

Je soussigné François MITTERRAND, ancien Secrétaire général aux Prisonniers de Guerre, Déportés et Réfugiés, Président du Mouvement National des Prisonniers de Guerre et Déportés, certifie que Monsieur Robert ANTELME, dit Leroy, a fait partie de l'organisation clandestine du Mouvement National des Prisonniers de Guerre et Déportés, en qualité de responsable adjoint à la Propagande. A ce titre, il a participé à l'élaboration de tracts et journaux de Résistance.

Monsieur Robert ANTELME a été déporté à Buchenwald et Dachau en service commandé par le Mouvement National des Prisonniers de Guerre et déportés.

Fait à PARIS, le Neuf Janvier Mil neuf cent quarante-six.

F. Mitterrand

2

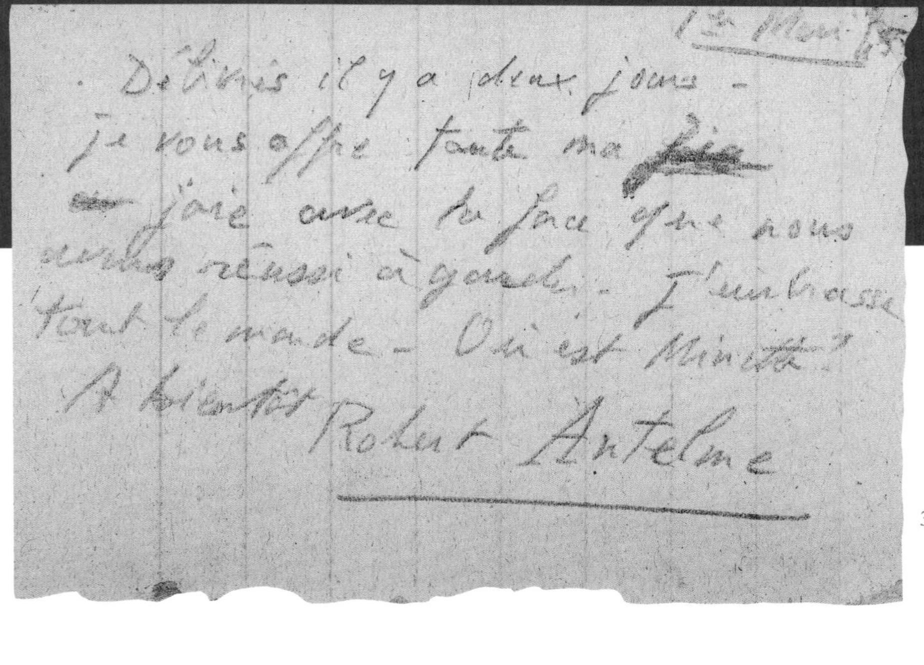

1er Mai 45

Délivrés il y a deux jours - je vous offre toute ma ~~vie~~ joie avec la force que nous avons réussi à garder. J'embrasse tout le monde - Où est Minette ?
A bientôt
Robert Antelme

3

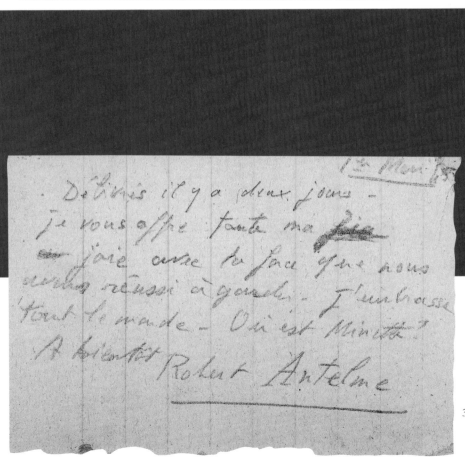

Moi je le regardais, tout le monde faisait de même, un inconnu l'aurait aussi regardé car c'était là un spectacle inoubliable, celui de la vie aveugle. Celui de la vie bafouée, écrabouillée, humiliée, sur laquelle on a craché, frappé et dont on a assuré qu'elle était touchée à mort jusqu'à la racine, et voilà que dans la plus profonde épaisseur du corps, un filet de vie coulait toujours, l'arbre desséché n'est pas mort, à son pied, un bourgeon.

Cahiers de la guerre et autres textes, 2006

GB/JH/SV

PARIS, le 15 Mai 1945

Ont Relme

RAPPORT

PARIS - DACHAU par Strasbourg - Pont de Khiel - 24 heures de voiture - Route encombrée mais suffisante - passage du Rhin sans difficultés.

Territoire contrôlé par les Français de la Ière Armée jusqu'au delà de Stuttgart - Centres importants d'approvisionnement : FREUENSTADT (Français) AUGSBURG et ULM (Américains).

DACHAU : Petite ville coquette à l'extrémité de laquelle se trouve un terrain d'attérissage et le Camp.

LE CAMP : Le plus ancien et certainement un des plus "perfectionné" des camps de déportés politiques allemands. Deux camps concentriques : le Grand Camp ou Camp S.S. et le camp intérieur où sont rassemblés les détenus.

GARDE : Une garde américaine à l'extérieur du Camp S.S. et au passage du Camp S.S. au camp intérieur, garde vigilante en raison de la mise en quarantaine du camp pour "Typhus" interdisant l'accès à toute personne civile et militaire.

Sur présentation d'un papier de S.H.A.E.F. et après vaccination, l'autorisation m'a été donnée d'entrer dans le camp.

LE CAMP EXTERIEUR est en partie occupé par l'infirmerie (laquelle infirmerie est encore dirigée par les infirmiers Polonais qui la dirigeaient déjà du temps de l'occupation et se montrent souvent particulièrement rudes avec les Français). Des bâtiments casernes dont certains sont inutilisables parce que minés et les logements destinés aux détachements américains du Service Général.

LE CAMP INTERIEUR est composé de files de blocs parallèles.

Les Déportés vivent dans ces blocs dans les conditions mêmes dans lesquelles ils vivaient sous le contrôle allemand, c'est-à-dire : dans une promiscuité particulièrement dangereuse au point de vue sanitaire et particulièrement déprimante au point de vue moral (5 hommes pour deux couchettes, le plus grand nombre des occupants des couchettes supérieures n'ayant pas la force d'atteindre leur lit couchent par terre entassés les uns sur les autres).

Certains déportés atteints de diarrhée particulièrement aigüe et d'une façon générale d'une faiblesse de vessie n'ont pas la force de se lever et souillent leur paillasse et leurs vêtements, faisant régner dans les chambres une atmosphère pestilentielle. Dans la journée, les éléments les plus atteints croupissent dans la ruelle séparant deux blocs, souvent à proximité des cabinets qui, envahis par l'énorme quantité de diarrhétiques, ne suffisent plus et débordent un peu partout.

.....

- 2 -

LA NOURRITURE est suffisante mais distribuée sans discernement. En effet, dans la première journée de la libération du camp par les Américains, les Déportés ont touché 750 grammes de viande en conserve. (500 grammes à midi et 250 grammes le soir). La nourriture est essentiellement composée de : pâtés, corned de beef, conserves américaines et pain S.S., ce qui a provoqué chez des individus complètement sous-alimentés depuis des mois et dont l'intestin est ravagé par le régime allemand, des diarrhées, dysenteries et troubles provoquant la majeur partie de la mortalité.

LE TYPHUS : Il sévit d'une façon normale et plutôt bénigne, un grand nombre de déportés incapables de supporter la vaccination ne sont pas vaccinés, de même pour certains la douche n'est plus une opération possible en raison de leur faiblesse, enfin les conditions d'entassement dans les blocs et la non-désinfection des paillasses pouilleuses maintient la persistance des poux d'où l'origine du typhus.

Enfin, le ressort moral que la libération avait "bandé" à son maximum se trouve complètement détendu par le maintient du camp dans le statu quo, par la mort quotidienne d'un grand nombre de camarade. Une véritable panique s'est emparée du camp les hommes qui ont résisté à toutes les brutalités et à toutes les privations n'acceptent plus de mourir loin de chez eux.

Sur 30.000 détenus (dont 3.700 Français) les 20.000 plus valides menacent, les 10.000 malades les plus atteints supplient.

LE PLAN D'AIDE peut être résumé en deux points :

Ier point - envoyer et faire entrer dans le camp des quantités suffisantes de riz, susceptibles d'être utilisées comme base de nourriture des déportés et dont l'eau de cuisson sucrée constituerait, en même temps qu'un aliment et qu'une boisson, un moyen de lutter contre la diarrhée, envoyer en quantité des spécifiques de la diarrhée, tels que charbons activés, Stovarsol, etc... ainsi que des sérums injectables pour les cas les plus graves. Ce traitement peut être appliqué sur place par des médecins.

2ème point - Tant qu'une décision énergique n'aura pas été prise pour faire éclater le camp infiniment trop exigü et sale pour lutter efficacement contre le Pou Typhique, des cas de typhus se manifesteront.

Il y aurait donc URGENCE d'envisager par exemple :

I° Formule : Evacuation complète de DACHAU de tous les civils qu'elle contient et l'utilisation des maisons de cette localité pour recevoir les Déportés.

En vue de parer à tout danger d'épidémie un cordon sanitaire pourrait être utilisé autour de la ville. La quarantaine serait alors pratiquée utilement et les éléments sains

....

- 3 -

rapatriés au fur et à mesure.

2ème Formule : Le rapatriement par avion des ressortissants Français qui, à leur descente d'avion seraient dirigés sur des centres médicaux.spéciaux où ils seraient mis en observation jusqu'à ce que toute menace de typhus soit écartée.

Le rapatriement par avion se trouverait facilité par le fait que le camp est à proximité d'un terrain d'aviation.

D'autres solutions peuvent être envisagées mais la première qui consiste en l'envoi de denrées et de médicaments de premier secours et qui ne nécessite même pas l'accord des Autorités Interalliées s'impose de TOUTE URGENCE.

Georges BEAUCHAMP

-:-:-:-:-:-:-:-:-:-:-

27 Aout

Chers amis,

La carte que m'a envoyée Marguerite me fait rêver.
Ce Saint-Jorioz est-ce donc quatre maisons près d'un
lac ? Toutes ces maisons aux yeux lites qui
me cernent dans ce Paris insupportable du mois d'août
m'obligent à ne plus aimer que le silence et l'air
libre. c'est peut-être pourquoi j'irai avec tant de
plaisir à Annecy le 16 septembre. Y serez-vous encore ?
si oui j'irai jusqu'à chez vous et ce sera pour
une bonne part l'agrément de mon voyage.

J'ai bien circulé ces temps derniers du côté
des Pyrénées mais sitôt franchies les premières
baraques de la ceinture le souvenir même des vraies
couleurs de l'été s'envole.

Actuellement je suis seul ici. Danielle et
Pascal sont en Bourgogne. Mes repas sont
partagés entre Bernard, Patrice, André Bettencourt,
Rodain, Saunel. Tout le reste a disparu dans la
sécheresse qui a brûlé jusqu'à nos moissons.

L'ennui c'est que tout le monde danse et
tout le temps. Le peuple-Roi rigole tant qu'il peut
et ripaille. Anniversaire sur anniversaire. Libération
sur Libération. On décore machinalement. On pétarade
de feux d'artifice. Les flics sont à l'honneur. Tout
homme honnête sait bien qu'ils furent des héros.

Tout cela n'est guère sérieux et le plaisir finit
par s'épuiser. Thorez peut bien discourir sur la
Production, la Révolution se fera en chantant. et non
par le Travail.

Si Robert est trop flemmard, Marguerite aura-t-elle
le courage de m'écrire ? Je l'y engage fortement et
j'attends vos nouvelles. On m'y dira encore qu'il a
engraissé, ce Robert aux 35 kilos de supplément. Tant
mieux et qu'il retrouve vite ses allures de Bénédictin
qui connaît le péché

Je vous embrasse

François Mitterrand

1

EDITION DE 5 HEURES

Victoire !

Résistance

LA VOIX DE PARIS

1 fr. 50

Tarif des abonnements

Les abonnements partent du 1er et du 16 de chaque mois et sont reçus 23, rue Chauchat ou par versement au compte chèques-postaux : M. E. Giraud C. C. 2648 43

3 mois .... 140 francs
6 mois .... 260 francs

MARDI 8 MAI 1945

4e année. — N° 242

Rédaction, administration publicité : 23, rue Chauchat, Paris-9e Tél. TAItb. 50-43 et la suite

L'ALLEMAGNE A CAPITULÉ

LA LIBERTE a triomphé DU NAZISME

par Pierre FAVREAU

La victoire, en chantant...

Voici le jour, voici l'heure des carillons couvrant les derniers hurlements des sirènes de cauchemar.

Voici la paix. Voici réalisée l'espérance de nos martyrs et de nos morts.

Voici l'heure bénie où triomphe la liberté.

Liberté des peuples, liberté des hommes.

Liberté de la France exsangue, mais debout dans les plis de son drapeau.

Saluons avec le monde entier le jour du retour à l'humain, du retour aux Droits de l'Homme, du retour à la vieille patrie.

Avec le nazisme disparaît ce nouvel âge de fer et de sang au service des nouvelles idoles.

Avec la paix naît l'espoir d'un monde juste et fraternel.

* * *

Elevons nos cœurs pour remercier ceux à qui nous devons cette espérance.

Le chef indomptable de juin 1940, nos martyrs, nos armées,

Nos alliés glorieux d'Angleterre, de Russie et d'Amérique, à qui notre sacrifice a permis de préparer leur victoire, et qui triomphent avec nous au soleil de la liberté de l'Europe reconquise.

Un seul adversaire reste à vaincre pour que les cinq grandes puissances aient libéré le monde. Mais

Dans une école de Reims

Le général Gustav Jodl CHEF D'ETAT-MAJOR DE LA WERHMACHT a signé pour le Reich

Le général W.B. Smith pour Eisenhower -- Le général Susloparoff pour la Russie

Général Charles DE GAULLE

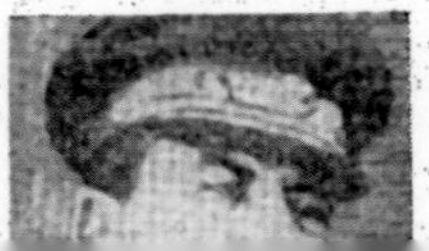

Le général F. Sevez pour la France

Londres, 7 mai. — **Les Alliés annoncent selon Reuter la capitulation sans condition de l'Allemagne aux Alliés occidentaux et à l'U. R. S. S.**

Cette capitulation a pris effet à 10 h. 9 ce matin.

C'est à Reims, dans une petite école où est installé le Quartier général du général Eisenhower, que la signature a eu lieu, à 2 h. 41 ce matin.

Le général Gustav Jodl, nouveau chef d'état-major de l'armée allemande, a signé pour l'Allemagne.

L'agence Reuter précise que l'acte portant capitulation des troupes allemandes a été signé par le général Walter Bedell Smith, chef d'état-major du général Eisenhower, pour le commandement suprême allié. Le général Ivan Susloparoff a signé pour la Russie et le général François Sevez pour la France.

Après la signature de la reddition, le général Jodl et le général Friedburg ont été reçus par le général Eisenhower.

Le général Jodl a déclaré : « Je considère que l'acte de reddition remet l'Allemagne et le peuple allemand entre les mains des vainqueurs. »

Winston CHURCHILL

BILAN DE SIX ANNÉES DE GUERRE

Six ans de coups de théâtre depuis ce matin de fin d'été où le monde apprit l'événement redouté !

Depuis le 3 septembre 39, il ne s'est guère passé de jour sans qu'un événement sensationnel ait ému ou fait trembler les hommes.

Le monde a cessé de trembler ! Mais avant qu'il oublie, rappelons les dates de la grande lutte des hommes libres contre l'hydre nazie.

PREMIERE ANNEE

L'ALLEMAGNE CONQUIERT L'EUROPE

Dans la nuit du **2 au 3 septembre 1939**, Hitler lance ses panzer contre la Pologne. La France et l'Angleterre déclarent la guerre à l'Allemagne. En quatre semaines, la Pologne s'effondre. « La drôle de guerre » règne jusqu'au printemps 40. Puis c'est le tour de la Norvège, du Danemark. Le **10 mai**, les hordes nazies se ruent vers la France, à travers la Hollande, la Belgique et le Luxembourg. Le **14 juin**, Paris est occupé ; l'armée française est désarticulée, Pétain prend le pouvoir pour demander l'armistice. Entre temps, le **11 juin**, l'Italie nous a frappés dans le dos. Le **25 juin**, l'armistice est signé à Rethondes.

L'Angleterre continue seule la guerre avec 200 canons, 50 tanks et quelques centaines d'avions. L'automne voit la bataille pour le ciel au-dessus de la Manche. Hitler n'ose pas tenter le débarquement ; il se venge en bombardant les ports, les villes anglaises et, enfin, Londres.

DEUXIEME ANNEE

LES HEURES NOIRES DES DEMOCRATIES

La République française est détruite. Pétain accepte à Montoire **(24 octobre 40)** de collaborer avec Hitler. Le **7 décembre**, Wawell attaque en Cyrénaïque. La R. A. F. a gagné la bataille de l'Angleterre. La bataille de l'Atlantique commence, désastreuse ; mais l'Amérique vient au secours avec la **loi prêt-bail**.

L'Italie, qui a attaqué la Grèce, essuie un échec humiliant. Le **5 avril 1941**, Hitler lance 70 divisions contre les Yougoslaves et les Grecs. Le 25 mai, le « Hood » est coulé par le « Bismark ». Que-

2

De Gaulle a décrété le deuil national pour la mort de Roosevelt. Pas de deuil national pour les cinq cent mille déportés morts de faim et de balles. Il faut ménager l'Amérique. Roosevelt, ce n'est pas une donnée générale, c'est un cadre, un chef. Entre chefs on a des manières. Jour de deuil national : la France en deuil pour Roosevelt. Le deuil du peuple ne se porte pas.
Cahiers de la guerre et autres textes, 2006

---

1 Lettre de François Mitterrand au couple Antelme, datée d'un 27 août, probablement de l'année 1945, pendant la convalescence de Robert Antelme.

2 Une du quotidien *Résistances, La voix de Paris*. le jour de la victoire des Alliés le 8 mai 1945. L'organe clandestin du mouvement Résistance paraît du 21 octobre 1942 au 10 décembre 1946.

3 Texte manuscrit de Marguerite Antelme, intitulé dans les archives « Tout est conclu, rien n'est conclu », non daté, évoquant la libération de Paris le 23 août 1945.

4 Poème comique adressé à Marguerite Antelme, écrit et illustré par son ami Edgar Morin qui évoque les amis de l'époque, Monique, future épouse de Robert Antelme, Dionys, Marguerite.

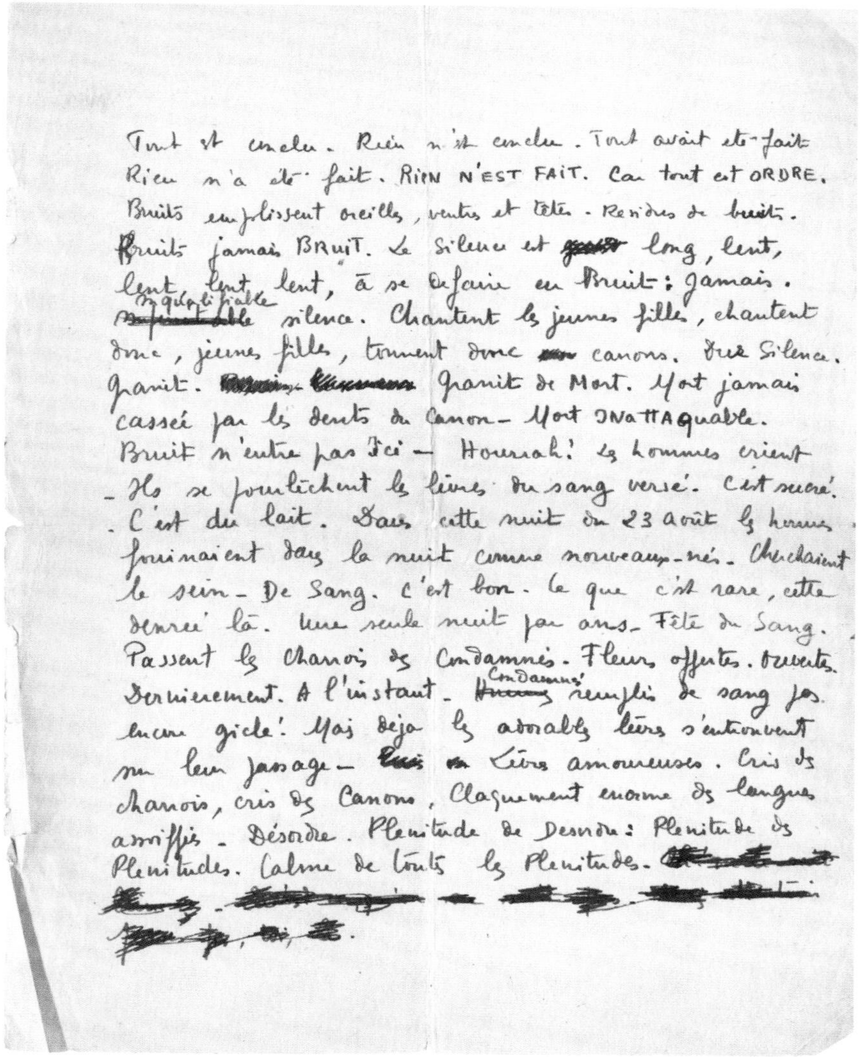
Tout est conclu. Rien n'est conclu. Tout avait été fait. Rien n'a été fait. RIEN N'EST FAIT. Car tout est ORDRE. Bruits emplissent oreilles, ventres et têtes. Residus de bruits. Bruits jamais BRUIT. Le Silence est long, lent, lent, lent, lent, à se défaire en Bruit : jamais. Inqualifiable silence. Chantent les jeunes filles, chantent donc, jeunes filles, tonnent donc canons. Vrai Silence. Granit. Granit de Mort. Mort jamais cassée par les dents du Canon – Mort INATTAQUABLE. Bruit n'entre pas Ici – Hourrah ! les hommes crient – Ils se pourlèchent les lèvres du sang versé. C'est sucré. C'est du lait. Dans cette nuit du 23 août les hommes fouinaient dans la nuit comme nouveaux-nés. Cherchaient le sein – De Sang. C'est bon. Ce que c'est rare, cette denrée là. Une seule nuit par ans – Fête du Sang. Passent les Chariots des Condamnés. Fleurs offertes. Ouvertes. Dernièrement. A l'instant – Condamnés remplis de sang pas encore giclé ! Mais déjà les adorables lèvres s'entrouvent sur leur passage – Lèvres amoureuses. Cris des chariots, cris des Canons. Claquement énorme des langues assoiffés. Désordre. Plenitude de Desordre : Plenitude des Plenitudes. Calme de toutes les Plenitudes.

3

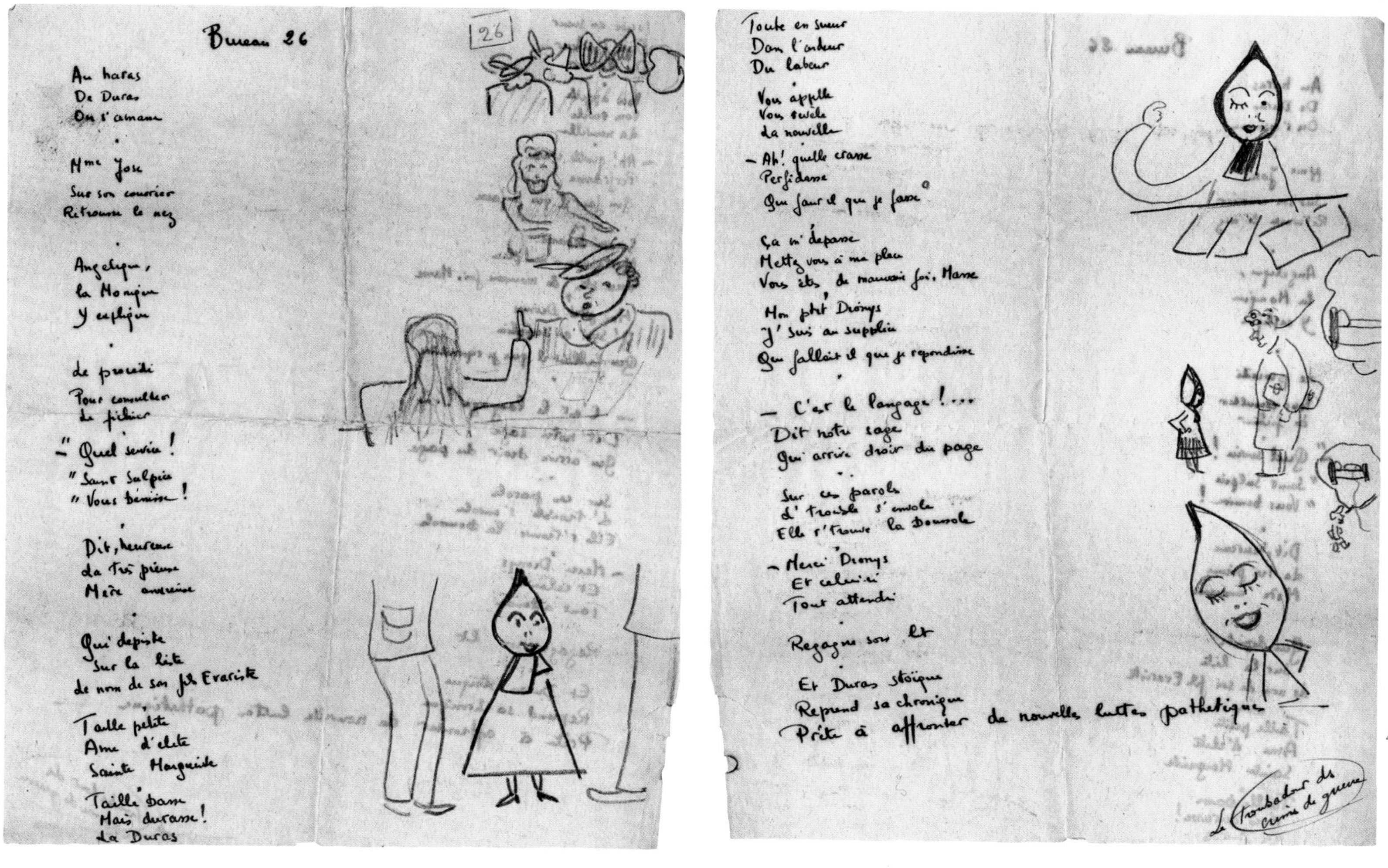
Bureau 26

Au haras
De Duras
On s'amasse
.
Mme José
Sur son courrier
Retrousse le nez
.
Angelique,
la Monique
Y explique
.
de procédé
Pour consulter
le fichier
.
– "Quel service !
"Saint Sulpice
"Vous bénisse !
.
Dit, heureuse
la Très pieuse
Mère anxieuse
.
Qui dépiste
Sur la liste
le nom de son fils Evariste
.
Taille petite
Ame d'élite
Sainte Marguerite
.
Taille basse
Mais durasse !
La Duras

Toute en sueur
Dans l'ardeur
Du labeur
.
Vous appelle
Vous révèle
La nouvelle
.
– Ah ! quelle crasse
Perfidasse
Que faut-il que je fasse ?
.
Ça m'dépasse
Mettez vous à ma place
Vous êtes de mauvaise foi, Masse
.
Mon p'tit Dionys
J'suis au supplice
Que fallait-il que je répondisse
.
– C'est le langage !...
Dit notre sage
Qui arrive droit du page
..
Sur ces paroles
L'trouble s'envole
Elle r'trouve la boussole
.
– Merci Dionys
Et celui-ci
Tout attendri
.
Regagne son lit
.
Et Duras stoïque
Reprend sa chronique
Prête à affronter de nouvelles luttes pathetiques

Le Troubadour des crimes de guerre

4

DANS LA PLUS PETITE SALLE DE JUSTICE DE PARIS

6e DERNIÈRE C 5e ANNÉE

Ce soir

GRAND QUOTIDIEN D'INFORMATION INDÉPENDANT

6e DERNIÈRE C Numéro 1.200

2 Francs. 37, rue du Louvre, Paris (2e) Mardi 24 juillet 1945 Tur. 52-00 (35 lig. groupées). 2 Francs

UNE OFFRE DE PAIX japonaise a été rejetée

Washington, 23 juillet. — Dans son commentaire hebdomadaire radiodiffusé du dimanche, M. Drew Pearson a assuré qu'entre le 12 et le 15 juin un émissaire japonais est parti d'Okinawa en avion et s'est rendu aux Etats-Unis porteur de propositions de paix.

Les Japonais auraient offert de libérer tous les territoires occupés et auraient demandé que la dynastie soit sauvée et que le territoire japonais ne soit pas envahi.

« Ces propositions ont été rejetées », a déclaré M. Pearson.

LE PLUS GRAND PROCÈS DE NOTRE HISTOIRE A COMMENCÉ

"Accusé Pétain, levez-vous !"

A 14 HEURES, LE PROCUREUR GÉNÉRAL MORNET LIT L'ACTE D'ACCUSATION DE CELUI QUI FUT UN VÉRITABLE « ASSOCIÉ DU FUEHRER »

PÉTAIN *fidéï-commis* de HITLER

CONTRE la France, l'Allemand jouait son rôle, — celui de l'ennemi. Laval jouait le sien, — celui du traître.

Tout cela était clair et sans ombres.

Au contraire, la félonie de Pétain a pris le masque de l'honneur, du patriotisme, des longs et loyaux services.

Avec lui, nous passons du cynisme à l'hypocrisie, du jour à la cave, des loups aux larves.

Hitler, fidèle à son passé de conspirateur et plus à son aise dans la manœuvre politique que dans la statégie militaire, concevait ses conquêtes sous la forme d'une guerre civile ouvrant le pays ennemi à la guerre étrangère.

Dans un tel plan, la trahison masquée jouait un rôle encore plus grand et décisif que la trahison ouverte. D'où Pétain.

Pétain a joué, — sur le plan de l'histoire, — le rôle de ces généraux et amiraux en retraite, dont les financiers véreux étaient friands naguère pour emplir leurs conseils d'administration et qui finissaient sur les bancs de la Cour d'Assises.

L'audition des témoins commencera dans l'après-midi

L'heure de la reddition des comptes a enfin sonné pour Pétain.

C'est un procès indispensable et salutaire qui s'ouvre à l'instant où nous traçons ces lignes. C'est aussi un très grand procès qu'enregistrera l'histoire, de même qu'elle enregistra ceux de Louis XVI, de Ney, de Bazaine. L'erreur qu'on a commise en s'obstinant à lui donner comme cadre une salle notoirement exiguë au point que beaucoup de ceux-là mêmes qui doivent suivre les débats par devoir professionnel n'ont pas tous obtenu de pouvoir le faire, ne saurait en amoindrir l'importance ni le retentissement. La France a le droit de connaître le déroulement de cette cause. Elle entend savoir exactement comment est jugé l'homme par qui elle a tant souffert et que l'acte d'accusation, avec une cinglante rigueur elliptique, qualifie « d'associé aux ordres du Fuehrer ».

Où Alibert mange le morceau

Cet acte d'accusation, dont la lecture constitue le prélude du procès, est conçu avec une précision à laquelle atteignent rarement les actes judiciaires de cette espèce. Dressé par le procureur général Mornet, il se compose de deux parties : la première, qui est la plus importante, comprend 250 lignes de texte ; sa rédaction remonte au 24 avril dernier. La seconde partie, longue de 100 lignes, résume les faits nouveaux apportés par le supplément d'information ordonné au retour de Pétain en France.

L'acte d'accusation fait ressortir clairement que la prise du pouvoir par Pétain le 16 juin 1940, l'appel immédiat par Pétain de Laval à ses côtés, la signature du honteux et

Pétain qu'il nous faut » ; comme Ferdonnet, le traître de Stuttgart, condamné à mort il y a dix jours et qui va être exécuté avant que le sort de son ancien patron soit réglé ; comme de Brinon, l'espion du Reich, comme Deloncle et comme Alibert.

D'autres membres de la Cagoule, en relations directes avec le docteur Ménétrel, médecin privé et conseiller intime de Pétain, ont appartenu à l'entourage du Maréchal à Vichy. Tels sont Méténier, Gabriel Jeantet, Filliol, dit « Le Tueur », le trop célèbre Darnand, tous hommes dont les mains étaient rougies de sang.

Alibert, qui fut ministre de Pétain et l'incita à orienter la Fran-

Dernière conversation avant l'ouverture du procès. Le procureur général Mornet et M. Jammy Schmidt, juré parlementaire suppléant. Dans quelques instants, le plus grand procès de notre histoire va commencer par la lecture de l'acte d'accusation. Ce dernier comporte un nombre impressionnant de pages et c'est un document devant lequel la défense va essayer vainement de trouver de misérables arguments.

PÉTAIN est bien gardé...

mais sept détenus en ont profité pour s'éclipser !

A chaque porte du Palais de Justice, un piquet d'agents monte la garde : Pétain est bien gardé.

Si bien gardé qu'on en a perdu de vue le menu frétin des collaborateurs et que cette nuit sept détenus ont faussé compagnie à leurs gardiens en s'évadant par une cheminée. Si cette évasion rocambolesque alimente les conversations, par contre, il est absolument impossible de recueillir le moindre détail sur la veillée du traître. Les agents ne savent rien ; les employés du Palais n'en savent pas plus et la concierge ne sait qu'une chose, c'est qu'on lui a réquisitionné son fourneau pour faire la cuisine du prévenu. Si Pétain n'est pas somptueusement nourri, il ne mourra pas de faim, et la queue des spectateurs s'allonge interminablement. Espèrent-ils contre tout espoir être parmi les vingt personnes qui représenteront le peuple souverain ?

DEPART DE PETAIN DU FORT DE MONTROUGE

Dimanche, à 14 h. 05, Pétain, en civil, avait quitté le fort de Montrouge, accompagné de ses défenseurs. Cinq voitures composaient le convoi. Pétain avait pris place dans la première. Dans les autres voitu-

QUELLE SERA LA FUTURE POLITIQUE EXTÉRIEURE DE LA GRANDE-BRETAGNE?

M. HAROLD LASKI nous donne le programme du parti travailliste

(De notre envoyé spécial permanent Pierre LUENT)

Londres, 23 juillet. — Le professeur Harold Laski, président du Parti travailliste, m'a reçu dans une petite maison de l'Ouest de Londres. J'ai attendu un instant dans la bibliothèque du professeur, petite pièce sobrement et élégamment meublée où j'ai remarqué dans les rayons un grand nombre de livres français. Puis j'ai été introduit dans le bureau du professeur où des livres encore tapissaient les murs.

En observant, j'ai vu, en belle édition, les œuvres complètes de Voltaire. Le professeur m'a dit en souriant : « Vous n'avez pas tout vu. Je ne vous aurais pas laissé longtemps seul dans ma bibliothèque, car si vous aviez vu certaines de mes éditions vous auriez eu envie de les emporter.

« Je possède notamment un manuscrit inédit de Malherbe, trouvé par hasard dans la boutique d'un bouquiniste.

« Ayant reconnu l'écriture de Malherbe, je lui ai demandé le prix du manuscrit. « Une livre », me répondit-il. Et, comme je le regardais avec étonnement, il ajouta, ne sachant apparemment pas ce qu'il vendait :

bien différente de celle du gouvernement actuel.

« Il ne faut pas croire que cela nous différencierait de l'Amérique. L'attitude de Roosev...

1

1 Une du quotidien communiste *Ce soir,* du 24 juillet 1945, dirigé alors par Louis Aragon et Jean-Richard Bloch.

2 Le maréchal Pétain lors de son procès à la Haute Cour de justice, juillet-août 1945.

3 Texte manuscrit non daté, dans lequel Marguerite Antelme livre son analyse du procès du maréchal Pétain en 1945.

2

1

La tragédie qui se joue habituellement aux assises et qui se fonde sur l'acte privé et se réfère constamment d'une part à la conscience de l'accusé et d'autre part à la conscience de l'homme en général perd ici son caractère. Aussi bien en effet ne s'agit-il pas de savoir si le Mal Pétain doit être ou non fusillé mais plutôt de rendre compte qu'un pays entier veut témoigner contre ceux qui non seulement ont risqué de le défigurer mais ont pu faire douter qu'il portait toujours en lui les germes authentiques de sa civilisation. C'est donc dans une autre enceinte et, il faut bien le dire, on imagine mal laquelle que doivent se dérouler des débats où il doit être moins question de juger – ce qui est facile et les peuples n'ont pas ce pouvoir – que d'ensevelir et d'écarter définitivement de toutes les mémoires les images maudites que nous connaissons.

Ce qu'il ne fallait pas faire est

2

en train de se dérouler. Ns assistons en effet à un procès "historique" et nous ne sommes pas loin de vivre une sorte de reconstitution du procès tel qu'on pourra l'imaginer dans 50 ans : L'exiguïté de l'enceinte, le défilé des témoins, le feu d'enthousiasme des tribunes tout cela compose un tableau où chacun en assurant sa tranquillité présente cherche à prendre une place dans les albums que feuilletteront plus tard les jeunes Français.

Cependant et quel que soit notre lassitude notre infinie lassitude, quel que soit le sentiment insolite qui envahit ceux qui rentrent d'Allemagne à la lecture quotidienne de ces tristes comptes rendus, nous ne pouvons pas ne pas réveiller notre colère quand [...] du Général Weygand. A propos de la lettre que lui adressait le Gl de Gaulle il déclare en effet l'avoir bien reçue mais n'y avoir pas répondu parce que dit-il « on ne lui écrit pas comme ça... » Le Gl de Gaulle disait en effet « mes respects, s'il est oui » – Ns sommes heureux de n'avoir pas été les seuls à nous effarer de cette réponse-là qui donne avec une précision définitive le prix d'un homme. Il est clair maintenant que celui

3

qui pendant un temps fit vaciller d'aise les consciences bourgeoises n'est plus qu'un personnage dérisoire et bien « historique ».

Mais aussi intense au moins que notre colère nous est venue une stupeur à constater que le tribunal n'avait pas relevé une aussi guignolesque prétention – Il est clair maintenant qu'après avoir eu son heure de pittoresque le procès est en train de devenir une chose banale et ses personnages Maréchal, Tribunal, Défenseurs, des natures mortes – Tout est raté. Il fallait en effet créer une rupture, effacer définitivement de notre histoire ces cinq années, on en a au contraire souligné les détours et on les a ainsi incluses dans notre histoire – On a créé un lien entre ce temps-là et notre temps actuel et cela nous paraît très grave. Sans doute ce procès se terminera-t-il comme tout procès par un jugement. Mais son jugement véritable et sa valeur pour le pays, il devait les trouver dans

la manière dont il serait conduit et c'était la manière seule qui devait donner son sens au jugement. /

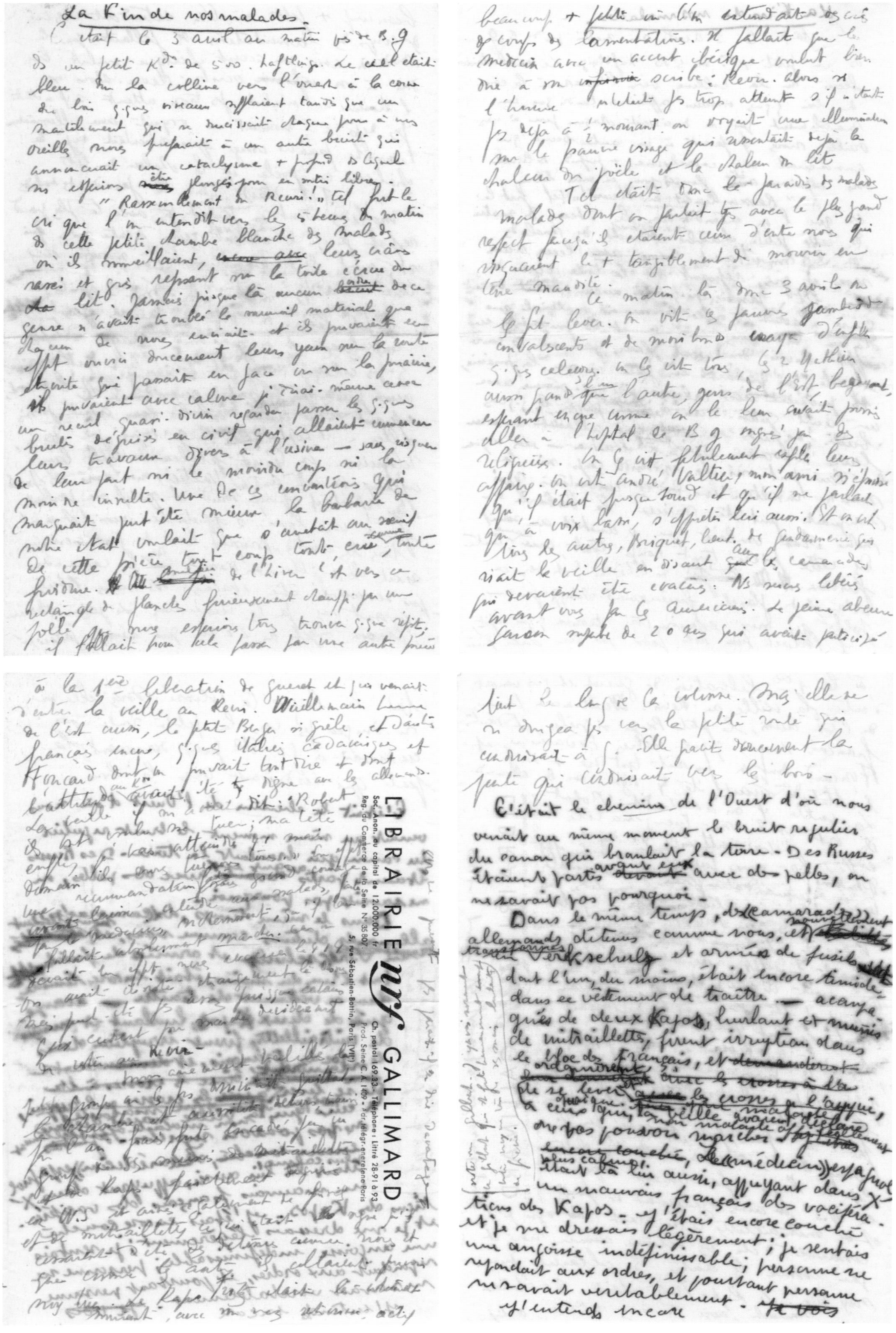

Les hommes ne le supportent pas : une femme qui écrit. C'est cruel pour l'homme. C'est difficile pour tous. Sauf pour Robert A.

Écrire, 1993

1

1 Texte manuscrit rédigé par Marguerite Antelme et intitulé *La Fin de nos malades*, reprenant le témoignage de son mari sur la vie des camps, et annoté par Robert Antelme lui-même. Ce texte a été repris par Robert Antelme dans le livre où il témoigne de son expérience dans les camps, *L'Espèce humaine*, aux éditions Gallimard en 1947, et qui fait partie des ouvrages importants sur cette période.

2 Couverture du livre d'Edgar Morin, *L'An zéro de l'Allemagne*, édité en 1946. Avec *Les Œuvres complètes de Saint-Just* préfacées par Jean Gratien, pseudonyme de Dionys Mascolo, éditées en 1946, et *L'Espèce humaine*, de Robert Antelme, paru en 1947, ce sont les trois ouvrages publiés par les éditions de la Cité universelle, la maison d'édition fondée par Marguerite et Robert Antelme en 1945.

3 Marguerite et Robert Antelme, presque deux ans après le retour de Robert des camps.

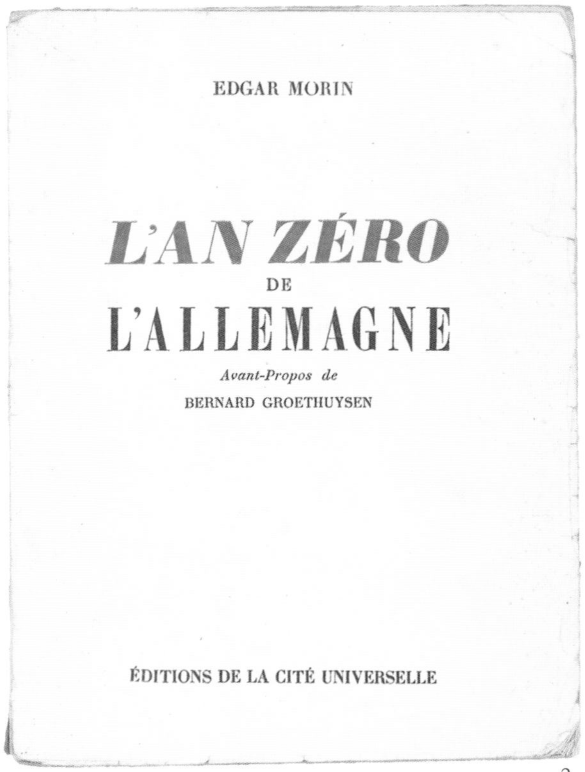
EDGAR MORIN

L'AN ZÉRO DE L'ALLEMAGNE

Avant-Propos de BERNARD GROETHUYSEN

ÉDITIONS DE LA CITÉ UNIVERSELLE

2

3

1

2

Je pensais que j'aurais voulu voir R. heureux et D. de même, ces deux-là en particulier. Je me sentais bonne et disposée à me dépenser pour le bonheur des autres, de Robert et de Dionys en particulier.
Cahiers de la guerre et autres textes, 2006

1 Marguerite et Robert Antelme, après la guerre.

2 Marguerite Antelme à la campagne, après la guerre.

3 Marguerite Antelme et Dionys Mascolo après la guerre. Robert et Marguerite Antelme divorcent en 1947, et rapidement naît Jean, le fils de Marguerite et Dionys.

Un jour viendra où je répondrai une phrase définitive à Dionys. [...] C'est toujours lui qui formule la phrase définitive à mon sujet. Il faudrait beaucoup s'étendre là-dessus, et expliquer que moi je crois aux formules définitives de Dionys et du seul Dionys, et pas Dionys aux miennes.
Cahiers de la guerre et autres textes, 2006

3

1948 -

1963

La reconnaissance

Lorsqu'elle quitte l'Indochine pour toujours – elle n'y remettra jamais les pieds –, Marguerite emmène avec elle tout un monde de perceptions, d'émotions, de sensations. Elle a tout emmagasiné et ne le sait pas encore. Elle a construit son univers depuis la fin de l'enfance et s'emploiera à recomposer, en accentuant différemment certaines thématiques selon les périodes, les différentes séquences de sa vie. Elle tire sur un fil et tout se dévide. L'écriture de Duras c'est comme la découverte d'un chantier archéologique : chaque exhumation renvoie à une sédimentation. L'écriture n'est-elle pas un désenfouissement pour elle ?

Pendant et juste après la guerre, elle a écrit des carnets qui seront publiés tardivement sous le titre *Cahiers de la guerre*. Ce sont des cahiers d'écolier où elle retranscrit, par fragments, des moments de son enfance, le cauchemar que fut son adolescence ainsi que l'aventure de sa mère au Cambodge avec ses rizières salées. Elle dira qu'elle avait écrit ses textes pour être au plus près de la réalité et pour ne pas oublier. Pourquoi cette jeune femme a-t-elle si peur d'effacer de sa mémoire ce qui y fut pourtant inscrit en lettres de feu ? À cette période, Duras va comprendre que c'est dans sa propre histoire qu'elle peut trouver les thèmes de son prochain roman.

L'idée d'*Un barrage contre le Pacifique* est née du désir de rendre hommage au courage de sa propre mère en racontant son odyssée. Le roman est de facture classique. Il se relit encore aujourd'hui avec plaisir et n'a pas vieilli. Sans doute à cause de l'ardeur que met l'auteur à dénoncer les méfaits de la colonisation. La mère est bien l'héroïne de cette tragédie moderne. Institutrice pauvre et méritante, elle se fait gruger par les fonctionnaires de l'administration coloniale qui lui vendent une terre soi-disant cultivable pour la transformer en rizière en sachant pertinemment que l'océan viendra rompre les digues et envahir les terres.

Dès que le livre sort de l'imprimerie, Marguerite vient apporter à sa mère, qui vit en province avec son fils aîné, son premier exemplaire. La mère, après lecture, lui adresse le soir même des remontrances, l'accusant de lui avoir volé sa vie en la livrant ainsi publiquement. La fille repartira, le cœur meurtri, dans l'impossibilité de pouvoir ou de savoir donner des preuves d'amour.

Avec la publication d'*Un barrage contre le Pacifique*, Marguerite deviendra un écrivain repéré par la critique et le livre concourra pour le prix Goncourt. Les éloges ne lui tournent pas la tête mais, dans son petit cénacle d'amis intellectuels qui fréquentent la rue Saint-Benoît, on ne la prend pas encore véritablement au sérieux. Raymond Queneau, son mentor, lui dit de persévérer.

La maternité lui donnera confiance et une autre perception de l'existence. Elle vivra cette seconde grossesse comme l'affirmation de la supériorité de la vie et la naissance de Jean, dit Outa, comme un nouveau cycle de vie.

Marguerite rompt, temporairement, avec l'autobiographie pour inventer une nouvelle forme de fiction. Elle publie *Le Marin de Gibraltar* en 1952 puis revient à une expérience vécue avec *Les Petits Chevaux de Tarquinia*. Ce texte s'inspire de vacances passées à la mer en Italie, non loin de Carrare, avec une bande d'amis, dont le couple Vittorini. Le livre leur est d'ailleurs dédié. Constitué uniquement de dialogues, il met en scène la manière dont ses différents protagonistes passent le temps au bord de la mer en buvant de nombreux bitter Campari. Sara, mère d'un petit garçon, compagne d'un intellectuel tourmenté et ratiocineur, s'apprête à avoir une histoire avec un inconnu dans cette station balnéaire apparemment calme mais où les feux d'incendie rôdent et où la mer peut se transformer en puissance maléfique. L'amour, encore une fois, est le sujet du livre. Comment continuer à vivre en couple quand la période de l'amour fou est achevée ? Comment ne pas trahir l'idée même de l'amour ? « Aucun couple, même le meilleur, ne peut encourager à l'amour. Ce n'est pas vrai », dit l'un des personnages féminins à Sara. Les éléments constitutifs de la narration durassienne sont déjà en place : le temps immobile, la noirceur de la vision de l'existence, le bal où, en une nuit, un destin peut basculer.

Dans ce texte, l'auteur s'affranchit des règles classiques du récit et sait donner corps et existence à ses personnages. Cet exercice de style lui a-t-il donné l'envie de franchir un cap et d'écrire pour le théâtre ? Elle publie en 1955 *Le Square*, sous-titré « roman », mais qui a toutes les apparences d'une pièce de théâtre. Dialogue dans un jardin public, comme son titre l'indique, entre un colporteur et une bonne d'enfants, de l'heure du goûter jusqu'à l'heure de la fermeture, ce face-à-face permet à Duras de s'aventurer dans plusieurs champs disciplinaires : celui du fait divers, du social, mais aussi celui de la philosophie. Au fond, ce qui l'intéresse dans ce qui va se nouer entre ces deux personnes que tout sépare et dont la rencontre était plus qu'improbable, c'est comment ces deux êtres vont se comprendre en s'avouant leurs angoisses existentielles. Duras possède une grâce dans l'art du dialogue, un humour noir et la faculté de comprendre les mécanismes mentaux de celles et ceux qui n'ont pas l'honneur de prétendre à devenir des personnages de roman, tous ces gens justement sans histoire à qui elle donne une épaisseur.

Avec *Les Viaducs de la Seine-et-Oise*, tiré d'un fait divers, elle perfectionnera cette forme d'écriture où elle entrelace savamment tragique, sentiment existentiel, métaphysique. Ce qu'elle souligne, ce n'est pas forcément ce que pense chaque personnage, mais ce qui se passe entre eux. On a souvent opposé Marguerite Duras et Nathalie Sarraute. Duras n'était pas tendre avec ses contemporaines et elle ne s'est pas privée de critiquer Marguerite Yourcenar et Simone de Beauvoir, mais elle a toujours eu de la considération pour les textes et le théâtre de Nathalie Sarraute. Quand on relit le théâtre de Duras des années 1960, on est frappé par ce désir qu'ont ces deux femmes de s'affranchir des codes du théâtre bourgeois, d'inventer des mises en situation ainsi que des techniques de narration novatrices au risque de choquer. D'ailleurs *Les Viaducs*, en son temps, suscita bien des polémiques. Loin de toute psychologie, de tout sentimentalisme et de toute règle morale, l'auteur défriche de nouveaux champs littéraires et théâtraux. Mais c'est avec *Hiroshima mon amour*, scénario commandé par Alain Resnais, premier essai dans le monde du cinéma qui fut un coup de maître, qu'elle obtiendra la reconnaissance des milieux intellectuels et artistiques. Resnais avait tout d'abord songé à Françoise Sagan mais elle n'a pas donné suite... Duras a inventé une histoire qui nous tient en haleine encore aujourd'hui et elle a su s'adapter aux vicissitudes du tournage, comme le montre l'ouvrage *Tu n'as rien vu à Hiroshima*, d'après les photographies d'Emmanuelle Riva. Le film sera sélectionné au Festival de Cannes et obtiendra un succès critique considérable. Il demeure aujourd'hui dans l'histoire de la cinématographie française.

Elle mettra du temps à comprendre qu'elle aussi peut passer de l'autre côté de la caméra. L'expérience avec Resnais a été fondatrice d'un engagement dans le cinéma comme art total. Dix ans plus tard elle en bousculera les règles et les modes de fonctionnement.

Elle ne se laisse pas griser par le succès d'*Hiroshima* et se replonge dans ses travaux d'écriture. Comme l'atteste l'iconographie, chaque page est un chantier et elle y travaille comme un musicien le ferait avec une partition. D'ailleurs son écriture recèle, selon les cycles, une forme de musicalité, et lire Duras à voix haute fait encore plus ressortir la manière dont elle cisèle les mots et comment elle organise les collisions entre certains d'entre eux. Elle part de presque rien – par exemple, dans *L'Après-midi de monsieur Andesmas*, d'un vieux monsieur qui attend sa fille dans sa maison perdue au milieu de la forêt – et parvient à nous émouvoir en nous faisant partager sa solitude et ses sentiments les plus secrets. À chaque nouvelle publication, elle acquiert indéniablement plus de maîtrise. Ce n'est pas pour autant qu'elle se contente de son expérience et de son savoir-faire. Au contraire, elle s'en méfie. Pour elle l'expérience de l'écriture demeure du domaine de la sauvagerie, de l'inconnaissable, de l'indépassable, de la prise de risque maximale.

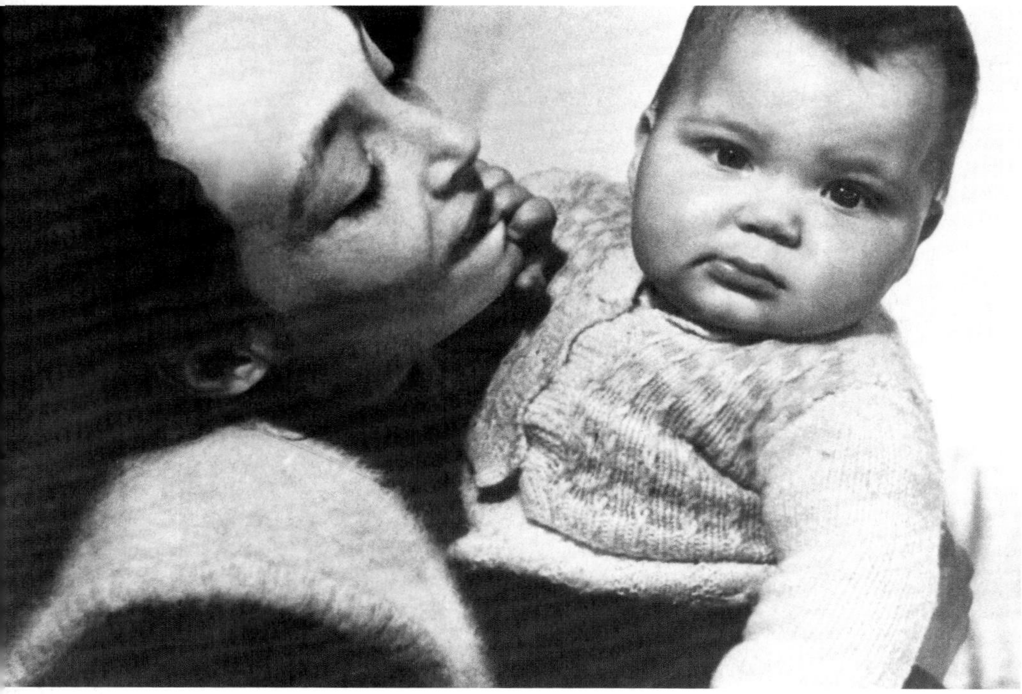

1

Je t'aime plus grand que la mer.

Les Petits Chevaux de Tarquinia, 1953

3

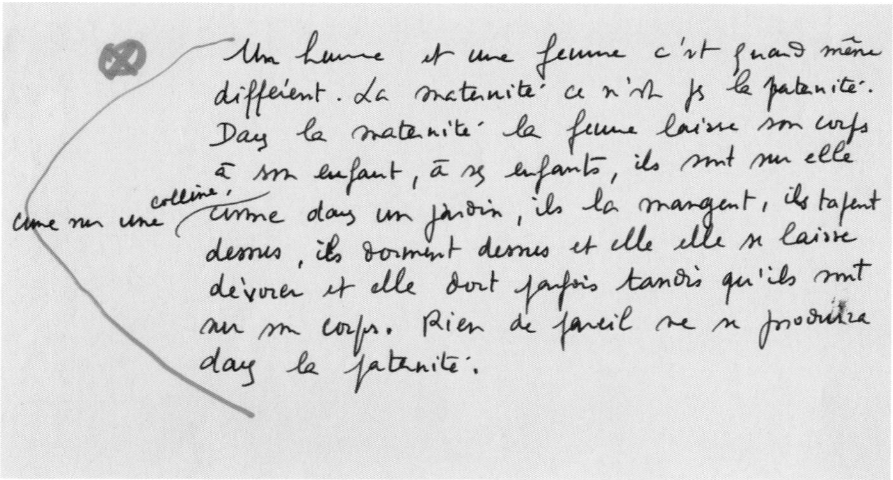

Un homme et une femme c'est quand même différent. La maternité ce n'est pas la paternité. Dans la maternité la femme laisse son corps à son enfant, à ses enfants, ils sont sur elle comme sur une colline, comme dans un jardin, ils la mangent, ils tapent dessus, ils dorment dessus et elle elle se laisse dévorer et elle dort parfois tandis qu'ils sont sur son corps. Rien de pareil ne se produira dans la paternité.

2

J'ai beaucoup parlé de l'amour maternel puisque c'est le seul amour que je connaisse comme étant inconditionnel. C'est celui qui ne cesse jamais, qui est à l'abri de toutes les intempéries. Il n'y a rien à faire, c'est une calamité, la seule du monde, merveilleuse.

Le Monde extérieur - Outside 2, 1993

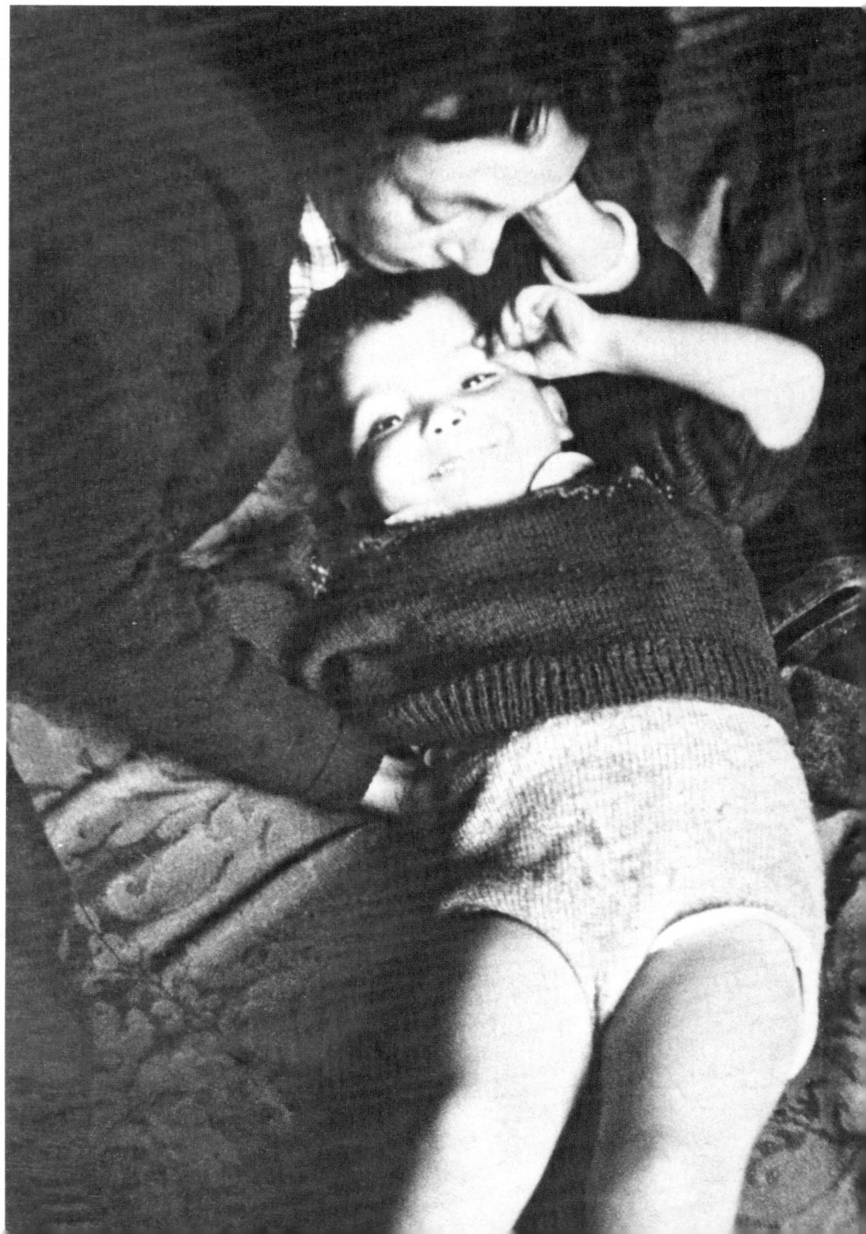

4

1 Marguerite Duras vers 1947-1948 et son tout jeune fils Jean, surnommé Outa, du nom des moustiques d'été, les aoûtats, qui le dévorèrent l'été de ses deux mois à Château-Chinon chez François Mitterrand.

2 Brouillon manuscrit, extrait de *La Vie matérielle*.

3 Tirage de deux photographies de Marguerite Duras avec son fils Jean Mascolo, dit Outa, vers 1950.

4 Marguerite Duras et Jean Mascolo son fils, âgé de deux ans environ, vers 1949.

5 Marguerite Duras dans les années 1950.

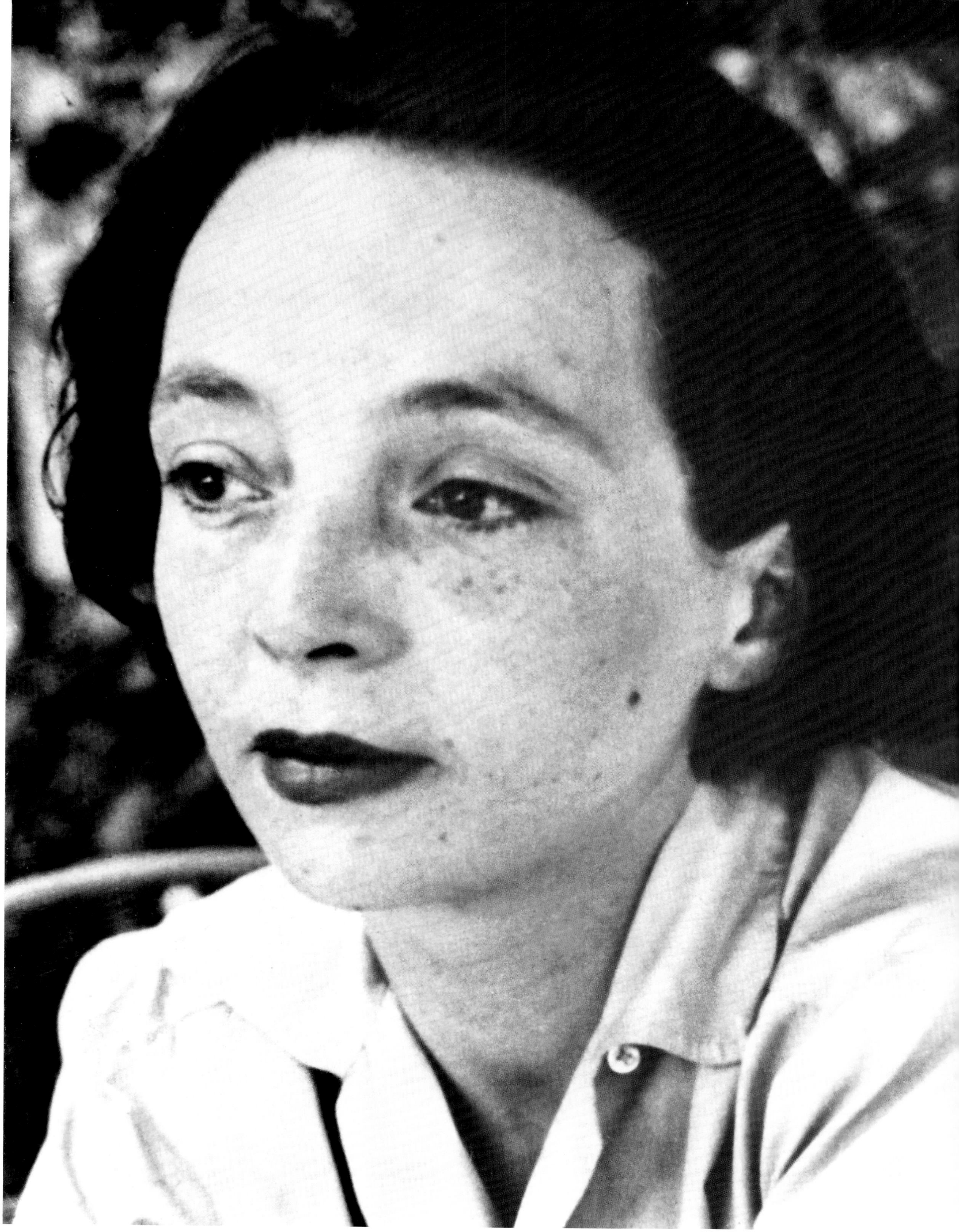

5

Je suis une communiste qui ne se reconnaît pas dans le communisme. Pour adhérer à un parti il faut être autiste, névrosé, sourd et aveugle, en quelque sorte. Pendant des années, j'y suis restée comme secrétaire de section, sans me rendre compte de ce qui arrivait, sans m'apercevoir que la classe ouvrière était victime de sa propre faiblesse, que même le prolétariat ne faisait rien pour sortir des limites de sa condition.

Marguerite Duras, La Passion suspendue, entretiens avec L. Pallotta della Torre, 2013

1

Marguerite Duras

Hier, les chiens.

Il y a quelques années, il y eut dans mon quartier, une bande de chiens. Le collier au cou, avec plaque d'identité identique, doués d'un appétit incurable de viande, les dents acérées par cette alimentation unique, cette bande organisée de chiens règnait sur des hommes.

Je m'excuse de parler de ces chiens. Mais ces jours ci sont anniversaires de ceux où ils me rejettèrent de la communauté dont ils étaient les molosses (1), le temps aidant, et son oeuvre, l'envie me vient de parler d'eux, comme d'un souvenir, dans une chronique réservée en général aux faits divers, donc aux hommes. Le seul recours de ces chiens malades maintenant c'est de croire leur cas hierarchiquement plus grave que celui des autres, cliniquement plus aristocratique. C'est pourquoi l'envie me vient d'en parler comme de l'autoroute de l'Ouest ou du marché de la Villette, dont on peut toujours parler soit aujourd'hui, soit demain. Une fois. L'occasion d'un "papier". L'actualité, cette semaine, est pauvre en faits divers.

Bien sûr, on pourrait croire que tout a été dit sur ces chiens, mais enfin tant que chacun, qui les connut, n'en dira pas quelques mots, on pourra douter que tout, sur leur singularité, a été dit. Ils inspirent.

Pauvres chiens. J'en ai rencontré quelques uns ces jours ci. Ils n'ont plus rien à se mettre sous la dent, ils souffrent. Les marchés regorgent de légumes. Ils s'anémient.

Ils se souviennent comme leurs voies éraient impénétrables. Et comme au Moyen Age, les autres, les seigneurs dévastaient nos champs, ils tentaient mettre nos consiences en cendres. Pauvres chiens. Rien à faire, nous renaissions de nos cendres.

Ces chiens se disaient les porte-paroles de l'histoire. Notre faculté d'erreur etait à la mesure de notre foi. Le cours de l'histoire nous importait suffisemment, à nous, pour que nous risquions cette erreur. Les hésitations des autres nous jetaient à ces chiens. Nous ne regrettons rien. Nous, nous n'avions pas trouvé dans notre berceau, couronne dorée, la vérité. Trop tard, les autres, le temps de l'erreur est révolu.

Te souviens tu camarade comme ils nous persuadaient de la nécéssité de notre martyre ? Et combien ils auraient voulu que nous nous dévorions nos tripes comme les hyènes blessées du désert, afin d'en renaître chiens à leur image ? Pleurer sur Staline aurait dû être notre seul faiblesse.

(1) Ils étaient cinquante. Nous étions six cents.

2

Le jour de notre naissance aurait dû dater de celui de notre adhésion à leur clan. La préférence devait être bannie de notre coeur, de notre vie. Car notre coeur ne devait pas se dispersé, devait resté hypothéqué en faveur d'eux mêmes, ces chiens. Ils haissaient comme on adore. Combien grande etait leur sollicitude ! De crainte que votre coeur ne préfère encore ils surveillaient nos maisons jour et nuit, prenaient sur leur sommeil pour vérifier si nous les préfèrions jusque dans leur verdict.

Beaucoup ont perdu leur coeur comme on perd une jambe. C'était là, autrefois, leur plus grande fierté, et de disposer d'un coeur mort, c'est maintenant leur infirmité. C'est curieux comme ces choses se voienr. Camarade, ils boitent !

Dévorés par la passion, comme des amoureux fous, la nuit, ils tapèrent des rapports sur notre compte. Alors que nous recommencions à dormir ils tapaient encore : la délation etait exquise à leur coeur blessé. Ce n'est pas qu'ils mentaient : ils prêchaient. Rien ne les faisait plus retrouver le calme, même le sommeil C'étaient des rêveurs d'un type nouveau qui ne rêvaient plus autrement que dans l'insomnie. Au fait, Edgar, pauvres chiens.

On a essayé de se réveiller étranger à soi même. de se découvrir des activités jusque là inconnues de notre mémoire. On essayait. Tu essayais de te découvrir "juif à un deuxième degré", moi prostituée en titre de l'arrondissement. On essayait, on essayait. On se viciait l'intelligence, on s'assassinait l'imagination, mais rien n'y faisait. La sainte culpabilité du chien n'arrivait pas à se faire jour dans notre mémoire.

Camarade, tu les fais souffrir. Ils n'ont plus à te mettre sous la dent. Le marché regorge seulement de choux fleurs, du petit gibier de l'objecteur. Ils en sont exsangues.

Nous leur avons fait perdre une grande partie de leur temps à espérer notre suicide. Ils l'ont guetté avec une sollicitude pressante la consécration de leur méthode, le couronnement de leur activité: notre suicide. L'appétit de ces molosses etiit particulier: ils ne voulaient qu'une seule sorte de sang. Le petit gibier des objecteurs leur a offert ouvert sa banque du sang. Pauvres objecteurs, Camarade, A défaut de celle de Moscou et de

3

la nôtre !

Ils eurent un grand espoir commun l'année dernière, en Octobre. de se régaler. Mais le public manquait à leur banquet. Ils dévorèrent dans la solitude une chère amère. Ils en furent malades. Le sang hongrois empoisonnait les chiens. Le petit gibier des objecteurs a beau faire, ils ne les consoleront pas, les chiens, de leur nostalgie du temps où ils disposaient de la mort comme de la foudre, mais bien sûr, électivement.

Camarade, mon ami, les objecteurs te jalousent. Ils jalousent ton irremplaçabilité aux yeux des chiens. S'ils ont condamné en son temps la minutie (la même que celle qui fait envoyer les enfants en maison de correction) avec laquelle les chiens ont tenté de te mettre à mort, le front haut et le regard clair, ils condamnent maintenant la liberté que tu marques à être vivant. Mais passons. Il y a sans doute des erreurs dont on reste inconsolable à les avoir commises.

Tu te souviens ? On s'est demandé comment survivre, échapper à ce désastre mental si grave ? Comment vivre sans avenir, du moment que celui qui nous était offert, non régi par leurs soins, ces chiens, aurait dû être suspect ?

La route des exécutions consenties est coupées. Pauvres chiens. Ils sont tristes. Aucune thérapeutie n'existe encore pour réduire leur douleur.

Marguerite Duras

3) Je retourne la phrase de Pouillon

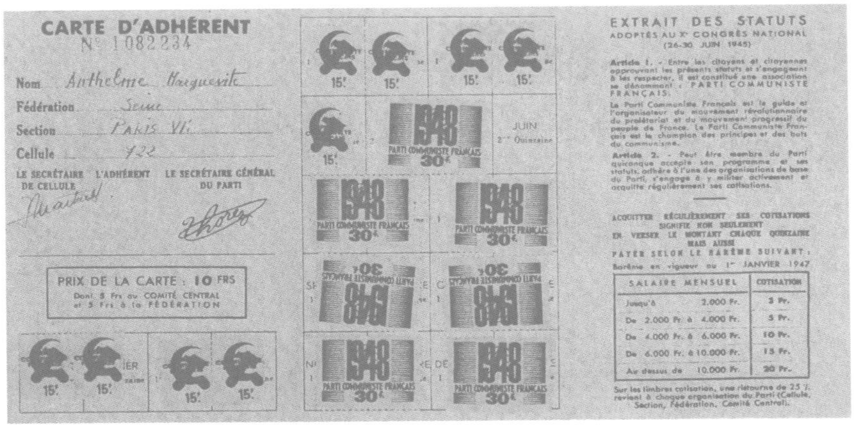

2

3

1 Congrès national du Parti communiste français, à Paris, le 22 février 1950.

2 Carte d'adhérent de Marguerite Antelme de l'année 1948 à la cellule 722 du Parti communiste français. La cellule communiste de Saint-Germain-des-Prés réunit quelques ouvriers et concierges, dont celle de Marguerite Antelme. Autour de cette dernière, outre Robert Antelme et Dionys Mascolo, on croise entre autres Jorge Semprun, l'actrice Loleh Bellon, Claude Roy, Jean et Dominique Desanti, Clara Malraux et le fidèle ami Edgar Morin. Ils se réunissent dans une salle du rez-de-chaussée d'un bâtiment municipal face à l'église Saint-Germain-des-Prés. Très active, Marguerite Duras tracte, se rend aux réunions, fait du porte à porte, organise des collectes, colle des affiches et vend l'organe officiel du PCF, *L'Humanité*, sur les marchés du quartier. Son ami l'écrivain Jacques Audiberti l'appelle à l'époque « ma tchékiste », allusion à la politique de Lénine, la tchéka.

3 *Hier, les chiens*, texte rédigé par Marguerite Duras peu de temps après son exclusion du Parti communiste français, le 8 mars 1950.

1 Couverture d'*Un barrage contre le Pacifique* lors de sa parution en 1950. Le roman, vendu à cinq mille exemplaires dès la première semaine, échoue de peu au prix Goncourt.

2 Page extraite du Cahier beige, le quatrième et dernier des *Cahiers de la guerre*, rédigé entre 1946 et 1949. Ce texte, comme les autres qui y figurent, a été remanié et annoté avant d'être publié. C'est la première version du texte d'*Un barrage contre le Pacifique*.

3 Lettre de l'écrivain Jacques Audiberti, auteur du *Mal court*, adressée à Marguerite Duras, dans laquelle il fait l'éloge d'*Un barrage contre le Pacifique*.

4 Portrait de Marguerite Duras rue Saint-Benoît. Paris, 1955.

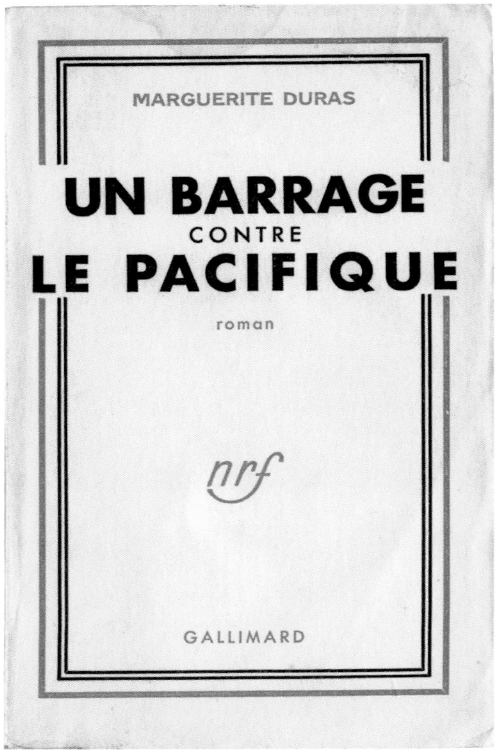

1

Leurs bouches s'approchent, avec la lenteur du cauchemar. Une fois qu'elles sont proches à se toucher, on les mutile de leurs corps. Alors, dans leurs têtes de décapités, on voit ce qu'on ne saurait voir, leurs lèvres les unes en face des autres s'entrouvrir, s'entrouvrir encore, leurs mâchoires se défaire comme dans la mort et dans un relâchement brusque et fatal des têtes, leurs lèvres se joindre comme des poulpes, s'écraser, essayer dans un délire d'affamés de manger, de se faire disparaître jusqu'à l'absorption réciproque et totale.

Un barrage contre le Pacifique, 1950

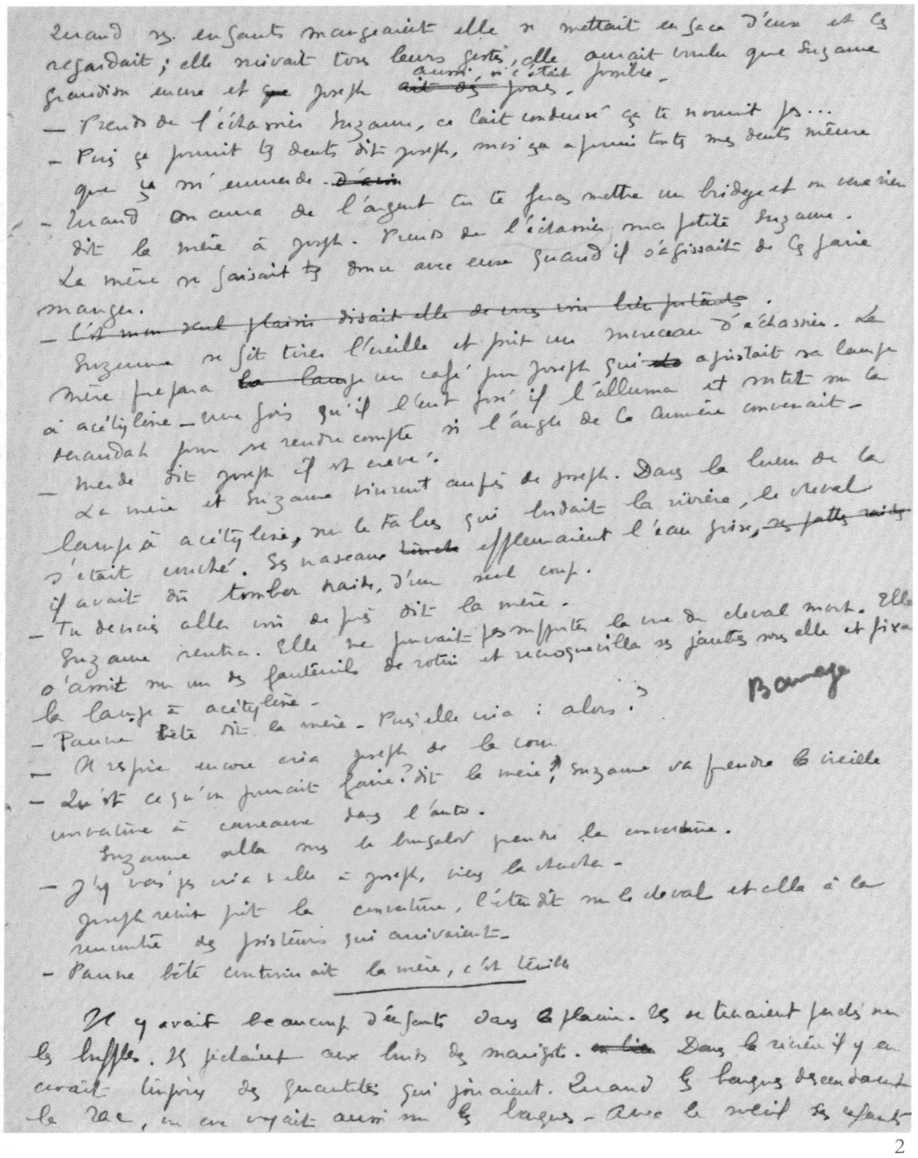

Quand ses enfants mangeaient elle se mettait en face d'eux et les regardait ; elle suivait tous leurs gestes, elle aurait voulu que Suzanne grandisse encore et que Joseph [illegible].
— Prends de l'échassier Suzanne, ce lait condensé ça te nourrit pas...
— Puis ça pourrit les dents dit Joseph, moi ça a pourri toutes mes dents même que ça m'emmerde.
— Quand on aura de l'argent tu te feras mettre un bridge et on verra rien dit la mère à Joseph. Prends de l'échassier ma petite Suzanne.
La mère se faisait les dents avec eux quand il s'agissait de les faire manger.
— [illegible] dit-elle [illegible].
Suzanne se fit tirer l'oreille et prit un morceau d'échassier. La mère prépara un café pour Joseph qui ajustait sa lampe à acétylène — une fois qu'il l'eut fini il l'alluma et sortit sur la véranda pour se rendre compte si l'angle de la lumière convenait.
— Merde dit Joseph il est crevé.
La mère et Suzanne vinrent auprès de Joseph. Dans la lueur de la lampe à acétylène, sur le talus qui bordait la rivière, le cheval s'était couché. Ses naseaux effleuraient l'eau grise.
Il avait dû tomber raide, d'un seul coup.
— Tu devrais aller voir de plus près dit la mère.
Suzanne rentra. Elle ne pouvait pas supporter la vue du cheval mort. Elle s'assit sur un des fauteuils de rotin et recroquevilla ses jambes sous elle et fixa la lampe à acétylène.
— Pauvre bête dit la mère. Puis elle cria : alors ?
— Il respire encore cria Joseph de la cour.
— Qu'est-ce qu'on pourrait faire ? dit la mère ; Suzanne va prendre la vieille couverture en caoutchouc dans l'auto.
Suzanne alla vers le bungalow prendre la couverture.
— J'y vais je vais le voir dit Joseph, viens la chercher.
Joseph revint prit la couverture, l'étendit sur le cheval et alla à la rencontre des pisteurs qui arrivaient.
— Pauvre bête continuait la mère, c'est terrible.

Il y avait beaucoup d'enfants dans la plaine. Ils se tenaient perchés sur les buffles. Ils pêchaient aux bords des marigots. Dans les rizières il y en avait toujours des quantités qui jouaient. Quand les barques descendaient le rac, on en voyait aussi sur les barques — avec le soleil les enfants

Barrage

2

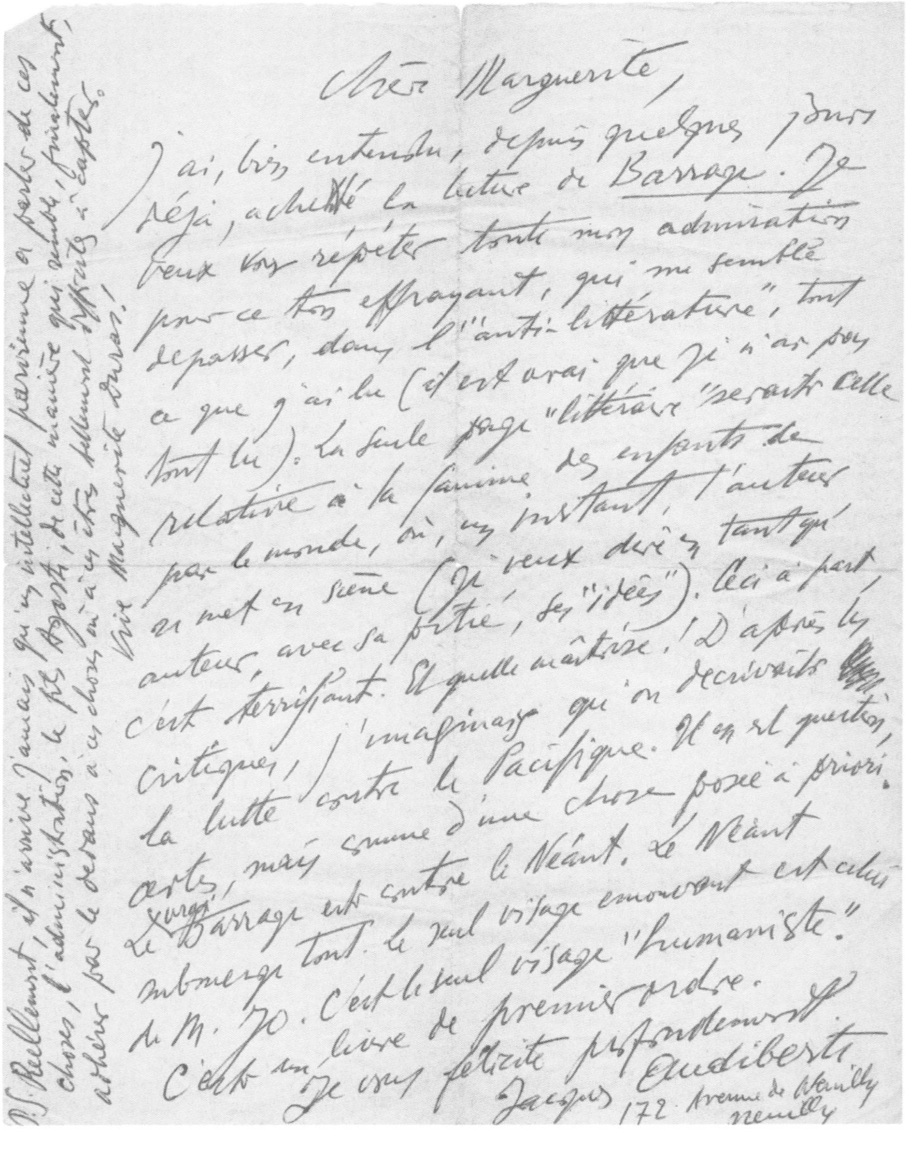

Chère Marguerite,

J'ai, très entendu, depuis quelques jours déjà, achevé la lecture de Barrage. Je veux vous répéter toute mon admiration pour ce ton effrayant, qui me semble dépasser, dans l'"anti-littérature", tout ce que j'ai lu (c'est vrai que je n'ai pas tout lu). La seule page "littéraire" serait celle relative à la famine des enfants par le monde, où, un instant, l'auteur se met en scène (je veux dire en tant qu'auteur, avec sa pitié, ses "idées"). Ceci à part, c'est terrifiant. Et quelle maîtrise ! D'après les critiques, j'imaginais qu'on découvrirait la lutte contre le Pacifique. Il en est question, certes, mais comme d'une chose posée à priori. Le Barrage est contre le Néant. Le Néant submerge tout. Le seul visage émouvant est celui de M. Jo. C'est le seul visage "humaniste".
C'est un livre de premier ordre.
Je vous félicite profondément.
Jacques Audiberti
172 avenue de Neuilly
Neuilly

P.S. Réellement, il n'arrive jamais qu'un intellectuel parisien ne parle de ces choses, l'administration, le fils Agosti, de cette manière qui semble, finalement, adhérer par le dessous à ces choses, ou à ces êtres tellement différents des cadres. Vive Marguerite Duras !

3

1

34

SUZANNE

Vous êtes en auto, naturellement?

M. JO

Ma voiture est arrêtée avec mon chauffeur devant votre bungalow.

SUZANNE

Une panne?

M. JO

Oui ... oh, pas grand chose.

SUZANNE (triste, dépitée)

Ca y est, c'est ça. C'est ça. (Regardant le pitoyable M. JO) Enfin ...
C'est ça, quoi.

M.JO

Je M'excuse, Mademoiselle, de faire ainsi irruption dans votre bungalow...

SUZANNE

En temps ordinaire, vous habitez Paris?

M. JO

Tantôt Paris, tantôt la colonie. Je suis venu à Ram pour surveiller
un embarquement de latex.

SUZANNE

Qu' est-ce que c'est que vous avez au doigt?

M. JO

Au doigt. Ce que j'ai au doigt... Ah, ça... Cest un bijou de famille;
un diamant...

SUZANNE

Ça doit valoir très cher ...

M.JO (surpris)

Oui... Je ne sais pas ...

SUZANNE

Vous, vous habillez toujours comme ça?

M. JO (surpris)

Ma foi, aux colonies.. . le tussor c'est l'idéal... léger, infroissable

SUZANNE

Ca revient cher un costume en tussor ?

35

M. JO

Oh... Eh bien je ne sais pas.

SUZANNE

Si, moi je sais, je sais, c'est très cher.

M. JO (regardant le bungalow.)

Vous ... Vivez ici ?

SUZANNE

Oui.

M. JO

Tout le temps ?

Suzanne

Oui avec mon frère . Il s'appelle JO SEPH.

M. JO

Et vous, Mademoiselle ?

SUZANNE

Moi, Suzanne.

M. JO

Et bien, Mademoiselle Suzanne, je ne m'attendais pas, n'est-ce pas,dans
ce désert... C'est merveilleux...

SUZANNE

D'habitude, personne ne s'arrête jamais.

M. JO

Me ferez-vous l'honneur de me présenter à vos parents ?

SUZANNE (triste ...la déveine...)

Je n'ai que ma mère. Elle dort.

M. JO

Seriez-vous assez gentille, Mademoiselle Suzanne, pour m'apporter un
verre d'eau... Je meurs de soif.

SUZANNE y va

Ca ne vous dérange pas, au moins ?

SUZANNE (au second plan)

(Elle y entre et revient avec un verre d'eau)

Ce n'est pas très frais, mais on n'a pas de glace. Tenez .

M. JO

Merci. Vous êtes charmante Mademoiselle Suzanne.

36

M. JO

Merci. Vous êtes charmante, Mademoiselle Suzanne.

SUZANNE

Non. Je ne peux vous offrir que de l'eau. Rien que de l'eau.

M. JO

Mais, au contraire en général, voyez-vous j'évite plutôt les alcools.

SUZANNE (rire)

Ce n'est pas que nous les évitons, nous ...

M. JO (dérouté)

Oui,oui, je vois... Mais vous savez, aux colonies, il est préférable de
rester sobre, d'une façon générale .

SUZANNE

Je n'y ai jamais pensé.

M. JO (qui ne sait quoi dire)

Eh bien... Je crois que je vais jeter un coup d'eil à ma voiture. Mon
chauffeur doit avoir terminé.

SUZANNE

Ca m'étonnerait si Joseph ne lui avait pas donné un coup de main.

M. JO

Votre frère.... mais...

SUZANNE

Il n'aura pas pu s'en empêcher. Il aime les autos à la folie. parfois
illes démonte jusqu'au moteur

M. JO

Le moteur de ma voiture ?

SUZANNE

Oh, pour la notre, c'est déjà fait. Mais ça ne l'intéresse plus beaucoup,
il la connait trop.

M. JO

Mais voyons, mon chauffeur n'a nullement besoin que...

SUZANNE

Encore une fois,il n'aura pas pu s'en empêcher,.Il est comme ainsi
Joseph

M. JO

Mon dieu... Je ferais mieux d'aller voir. tout de même.

37

SUZANNE

C'est qu'elle marque ?

M.JO

Une maurice Léon bollée.

SUZANNE (acharnée comme une mouche)

combien ça coute?

M. JO

Celle-ci est un modèle spécial, commandé à Paris. Elle m'a couté 50.000 francs.

SUZANNE

50.000 francs c'est formidable ce que c'est cher. Si on avait une voiture comme ça,
on irait tous les soirs à Ram. A Ram et partout ailleurs.

M. JO

La richesse ne fait pas le bonheur comme vous avez l'air de le dire Mademoiselle
Suzanne.

SUZANNE

Je ne sais pas mais il me semble que nous,on se débrouillerait pour que ça fasse
notre bonheur.

M. JO (inquiet pour sa voiture)

Si vous permettez, je crois que je...

VOIX de la MERE d'en haut

SUZANNE ,SUZANNE, qui est-ce qui parle avec toi ?

SUZANNE

C'est ma mère. Elle descent.

M. JO

Je serai ravi de faire sa connaissance. Appelez-moi M. JO.

VOIX de la Mère(qui se rapproche)tandis qu'elle
descent pesamment l'escalier.)

C'est l'heure de diner bientôt. Et moi qui voulais faire un ragoût d'échassier...
(Elle parait?; voit M.JO) Oh, mon dieu mais il y a quelqu' un...

M. JO

Pardonnez-moi, madame, je....

SUZANNE(récitant presque)

Maman, c'est Monsieur JO. IL est planteur dans le nord. IL a une panne sur la
piste.

LA MERE

Enchantée, Monsieur.... Excusez le négligé de ma tenue... je m'étais endormie...

2

3

René Clément a fait son travail. Moi, je l'avais fait de mon côté. Un an pour Clément. Deux ans pour moi, de 1947 à 1949. Clément m'a dit qu'il avait souffert un double calvaire pour faire ce film. Calvaire des pourparlers avec les producteurs, calvaire de la chaleur tropicale, de la boue, de l'inconfort. Je crois que Clément a souffert pour faire ce film.

in le journal *France Observateur*, 1958

4

5

1 Répétition de la pièce *Un barrage contre le Pacifique*, mise en scène par Geneviève Serreau avec Annie Carcel, Michel Goldman et Sylvie Favre, au Studio des Champs-Élysées, janvier 1960. Marguerite Duras en fait une nouvelle adaptation pour la scène en 1977, intitulée *Éden Cinéma*.

2 En 1955, *Un barrage contre le Pacifique* fait l'objet d'une adaptation radiophonique pour la Radio française, actuelle France Culture, réalisée par Alain Trutat.

3 *Éden Cinéma*, mise en scène de Jeanne Champagne au théâtre 71 de Malakoff, avec Sébastien Accart, Fabrice Bénard et Agathe Molière, scénographie de Gérard Didier, mars 2012.

4 et 5 *Un barrage contre le Pacifique* est porté au cinéma en 1958 par René Clément, sous le titre anglais *This Angry Age*, avec Silvana Mangano, Anthony Perkins et Jo Van Fleet dans les rôles principaux. Cinquante ans plus tard, le grand documentariste cambodgien Rithy Panh réalise sa version avec Isabelle Huppert dans le rôle-titre.

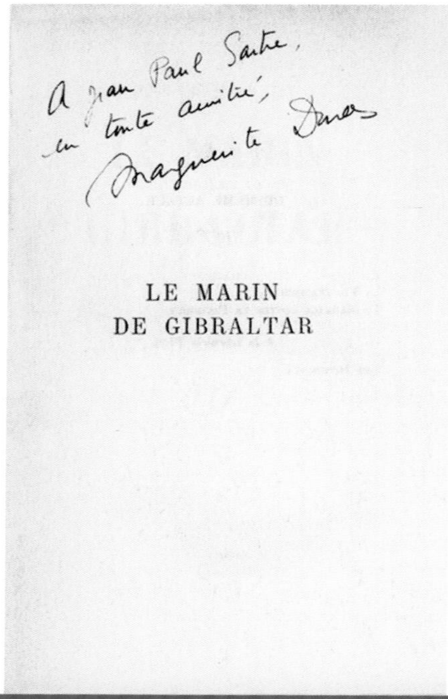

1

1 Dédicace de Marguerite Duras à Jean-Paul Sartre de son roman *Le Marin de Gibraltar*.

2 et 3 Deux versions d'un même passage du *Marin de Gibraltar*. Dans ce quatrième roman, au contraire d'*Un barrage contre le Pacifique* écrit deux ans plus tôt, Marguerite Duras ne revient pas sur son enfance. Dans ces manuscrits, on perçoit le travail de raturage et de réécriture auquel se livre l'auteur jusqu'à obtenir une version qui la satisfasse.

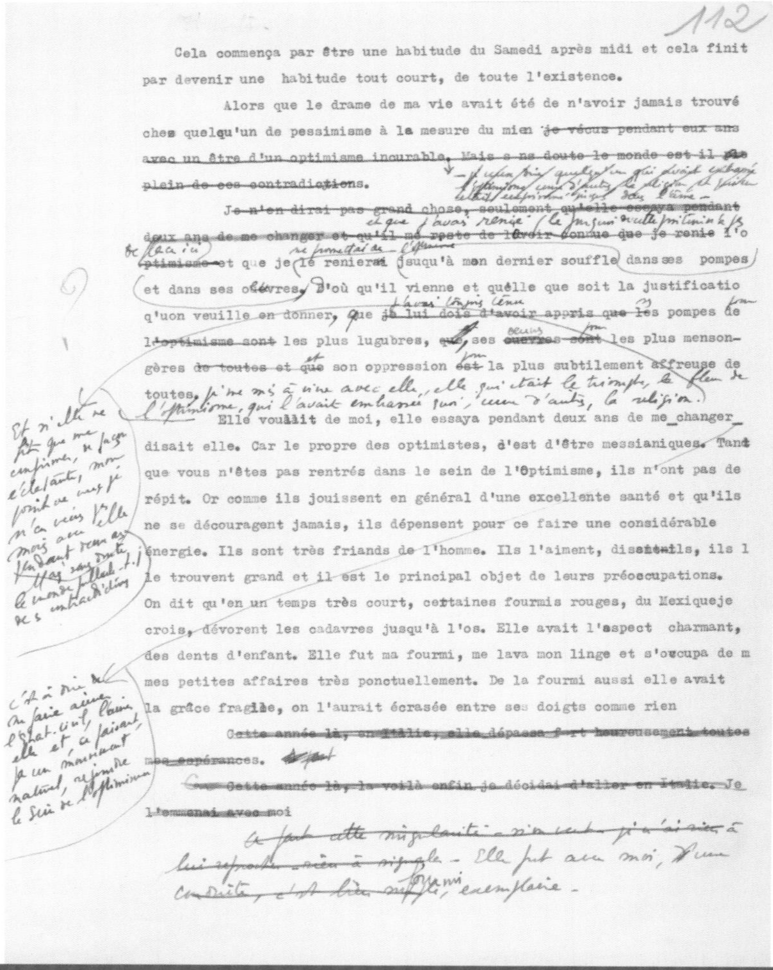

112

Cela commença par être une habitude du Samedi après midi et cela finit par devenir une habitude tout court, de toute l'existence.

Alors que le drame de ma vie avait été de n'avoir jamais trouvé chez quelqu'un de pessimisme à la mesure du mien ~~je vécus pendant eux ans avec un être d'un optimisme incurable. Mais sans doute le monde est il plein de ces contradictions.~~

~~Je n'en dirai pas grand chose, seulement qu'elle essaya pendant deux ans de me changer et qu'il me reste de l'avoir connue que je renie l'optimisme~~ et que je le renierai jusqu'à mon dernier souffle dans ses pompes et dans ses oeuvres. D'où qu'il vienne et quelle que soit la justification qu'on veuille en donner, que ~~je lui dois d'avoir appris que~~ les pompes de l'~~optimisme sont~~ les plus lugubres, ~~que~~ ses ~~oeuvres sont~~ les plus mensongères ~~de toutes et que~~ son oppression ~~est~~ la plus subtilement affreuse de toutes.

Elle voulait de moi, elle essaya pendant deux ans de me changer disait elle. Car le propre des optimistes, c'est d'être messianiques. Tant que vous n'êtes pas rentrés dans le sein de l'Optimisme, ils n'ont pas de répit. Or comme ils jouissent en général d'une excellente santé et qu'ils ne se découragent jamais, ils dépensent pour ce faire une considérable énergie. Ils sont très friands de l'homme. Ils l'aiment, disent-ils, ils le trouvent grand et il est le principal objet de leurs préoccupations. On dit qu'en un temps très court, certaines fourmis rouges, du Mexique je crois, dévorent les cadavres jusqu'à l'os. Elle avait l'aspect charmant, des dents d'enfant. Elle fut ma fourmi, me lava mon linge et s'occupa de mes petites affaires très ponctuellement. De la fourmi aussi elle avait la grâce fragile, on l'aurait écrasée entre ses doigts comme rien

~~Cette année là, en Italie, elle dépassa fort heureusement toutes mes espérances.~~

~~Cette année là, la voilà enfin je décidai d'aller en Italie. Je l'emmenai avec moi~~

Elle fut avec moi, d'une fourmi, exemplaire.

Sa main dans la mienne, j'ai compris qu'il n'y avait rien à faire, que ce serait encore de cet homme-là que le bonheur me viendrait, et le reste, le malheur.

Les femmes, toutes les femmes ont fait leurs valises pour rien une fois dans leur vie. On le fait pour qu'on vous retienne.

Le Marin de Gibraltar, 1952

~~Civil.~~

112 bis

La huitiène année nous allames à la Baule. La neuvième, ah! la voila enfin, nous allâmes en Italie, toujours ensemble. Mieux que ça, cette année là je décidai de l'épouser, je le répète, d'épouser une femme que je n'aimais pas, que je ne quittais jamais puisqu'elle travaillait avec moi et qui alors que moi, je m'épatais de ne pas en être encore crevé. A chacun ses contradictions — je me justifiais comme je pouvais — pourquoi pas ? Après tout ce que j'ai enduré à l'Etat-Civil, qu'est-ce que ça peut bien me faire ? D'autant qu'elle y tenait beaucoup et qu'elle m'aimait, ~~disait-elle~~. ~~Après tout, me disais-je donc~~, au lieu d'essayer de m'en sortir de cette merde ~~ce bourbier~~, je vais, au contraire, m'y enfoncer davantage. Je vais épouser l'état civil ~~D'abord ça changera mon point de vue, ensuite~~ à défaut d'autre chose, ~~je vais~~ faire une de ces carrières de fatalité de merde coloniale ~~de raté~~, comme on en voit rarement. ~~(...)~~. J'oubliais, pauvre de moi, que de cette carrière, j'aurais toujours été le seul juge et le seul témoin et que lorsqu'on se veut incomparable, même dans l'échec, il vous faut trouver quelqu'un pour en juger. D'autant plus que Jacqueline, je le savais, ne m'aurait servi à rien en l'occurrence car elle avait ceci de particulier, outre son optimisme, qu'elle ne s'épatait de rien, sauf précisément d'avoir réussi à entrer au ministère des colonies. Pourtant, cette année-là, je ne recherchai plus de femmes en dehors d'elle. J'avais décidé que ça serait Jacqueline ou personne. ~~[...]~~

Puisque depuis 25 ans je suis dans la merde coloniale et que je n'ai jamais pu m'en sortir, eh bien je vais épouser l'Etat Civil.

113

~~[...]~~ ~~Car cette année-là, je le répète,~~ ~~fut celle de mon plus grand orgueil.~~ Jacqueline en plus du reste, me disais-je et ça sera complet. Le ministère ne me suffisait plus, je voulais Jacqueline. Après avoir rêvé d'autres réussites, certes bien différentes, je ~~me mis à rêver~~ à celle-là.

~~[...]~~ Heureusement, cette année là, en Italie, Jacqueline dépassa toutes ses espérances.

Evidemment mon histoire peut paraître courte. Bien qu'à moi elle ait paru très longue à vivre. Et maintenant qu'elle va sans doute paraître longue, elle me paraît à moi, dérisoirement courte.

A chacun ses contradictions.

... il y avait en moi une logique assez coloniale ...

J'avais cru trop jeune et trop tard aux bactéries cholériques ...

2

112

Cela commença par être una habitude du Samedi après midi et cela finit par devenir une habitude ~~tout court~~, de toute l'existence.

Alors que le drame de ma vie avait été de n'avoir jamais trouvé chez quelqu'un de pessimisme à la mesure du mien et que j'avais renié (le pourquoi de ce point de vue n'a pas de place ici) et que je me promettais de renier l'optimisme dans ses pompes et dans ses oeuvres jusqu'à mon dernier souffle, d'où qu'il vienne et quelle que soit la justification qu'on veuille en donner, que j'avais toujours tenu ses pompes pour les plus lugubres, ses oeuvres pour les plus mensongères et son oppression pour la plus subtilement affreuse de toutes, je me mis à vivre avec elle, elle qui était le triomphe, la fleur de l'optimisme, qui l'avait embrassée, quoi, comme d'autres, la religion. Et si elle ne fit que me confirmer de façon éclatante mon point de vue, je n'en vécus pas moins avec elle pendant deux ans. Mais sans doute le monde pullule-t-il de ces contradictions.

Elle voulait de moi, elle essaya pendant deux ans- de me changer- disait elle. C'est à dire de me faire aimer l'Etat Civil, l'aimer elle et ce faisant, rejoindre le Sein de l'Optimisme. Car le propre des optimistes c'est de vous entraîner. Tant que vous n'êtes pas rentrés dans le sein de l'Optimisme, ils n'ont pas de répit. Or comme ils jouissent en général d'une excellente santé et qu'ils ne se découragent jamais, ils dépensent pour se faire une considérable énergie. Ils sont très friands de l'homme. Ils l'aiment, ~~[...]~~, ils le trouvent grand, il est le principal objet de leurs préoccupations. On dit qu'en un temps très court certaines espèces de fourmis rouges, je crois du Mexique, dévorent les cadavres jusqu'à l'os. Elle avait l'aspect charmant, des dents d'enfant. Elle fut ma fourmi, lava mon linge et s'occupa de mes petites affaires très ponctuellement. De la fourmi aussi elle avait la grâche fragile, on l'aurait écrasée entre ses doigts comme rien. Elle fut avec moi, vraiment, une fourmi exemplaire.

La huitième année nous allâmes à la Baule ensemble. La neuvième, ah la voilà enfin, nous allâmes en Itàlie, toujours ensemble. Mieux que ça, cette année là je décidai de l'épouser. D'épouser une femme que je n'aimais pas, qui ne me quittait jamais puisqu'elle travaillait avec moi et qui ne s'épatait de rien sauf précisement d'avoir réussi à entrer dans les cadres du Ministère des Colonies, alors que moi si je m'épatais de quelque chose

3

113

c'était de ne pas en être encore crevé. A chacun ses contradictions. Je me justifiais comme je le pouvais. Après tout ce que j'ai enduré à l'Etat Civil, qu'est ce que ça peut bien me faire ? me disais je. D'autant qu'elle y tient et qu'elle m'aime, a-t-elle dit ~~elle~~. Puisque depuis vingt cinq ans je suis dans la merde coloniale et que je n'ai jamais pu m'en sortir, eh bien je ne vais plus essayer d'en sortir. C'était ce que je croyais vouloir. m'enfoncer dans cette merde coloniale et, à défaut d'autre chose, faire une de ces carrières de fatalité de merde coloniale comme on en aurait rarement vue. Jacqueline, pour cela m'était nécéssaire. Le Ministère ne me suffisait plus. Après avoir rêvé d'autres réussites, certes bien différentes je crus qu'il s'imposait que je commence à rêver à celle ci. Il faut toujours se justifier plus ou moins et il y avait en moi une logique assez coloniale. J'avais cru trop jeune et trop tard à l'existence des bactéries cholériques.

Heureusement, cette année là, en italie, Jacqueline dépassa toutes mes espérances.

Evidemment mon histoire peut paraître courte. Bien qu'à moi elle ait paru très longue à vivre. Et maintenant qu'elle va ~~paraître~~ sans doute paraître longue, elle me paraît à moi, ~~dérisoirement~~ courte.

Il n'y a pas de vacances à l'amour, dit-il, ça n'existe pas. L'amour, il faut le vivre complètement avec son ennui et tout, il n'y a pas de vacances possibles à ça.

Il n'y avait rien à faire, ici, les livres fondaient dans les mains. Et les histoires tombaient en pièces sous les coups sombres et silencieux des frelons à l'affût. Oui, la chaleur lacérait le cœur. Et seule lui résistait, entière, vierge, l'envie de la mer.

La mer faisait rire. Elle était si chaude qu'on aurait pu y rester facilement deux heures. Elle n'avait rien à voir, cette mer-là, avec aucune autre mer au monde. [...] *Cette mer était irréprochable.*

Il faisait frais sous la tonnelle. Ils burent leur bitter Campari en silence. [...] *Les bitter Campari faisaient rapidement leurs effets d'autant plus qu'ils étaient à jeun, nettoyés par le bain. C'étaient des boissons fraîches, qu'on buvait comme de l'eau et qui rendaient joyeux et plein d'initiative, aussitôt bues.*

Les Petits Chevaux de Tarquinia, 1953

1

1 Fresque de la fin du VIe siècle avant J.-C. provenant de la tombe du Barone à Tarquinia. Ce sont ces fresques que les protagonistes du roman *Les Petits Chevaux de Tarquinia* vont visiter. L'intrigue se déroule à nouveau au bord de la mer, lors de quelques jours d'un été torride en Méditerranée, entre deux couples dont un inspiré de ses amis les Vittorini. Adulé par les inconditionnels de Marguerite Duras, le roman a, comme souvent chez elle, la précision d'un synopsis dont la lecture a marqué une génération, allant même à l'époque jusqu'à ériger le Campari en breuvage à la mode.

2 Marguerite Duras à son bureau de la rue Saint-Benoît. Paris, 1955.

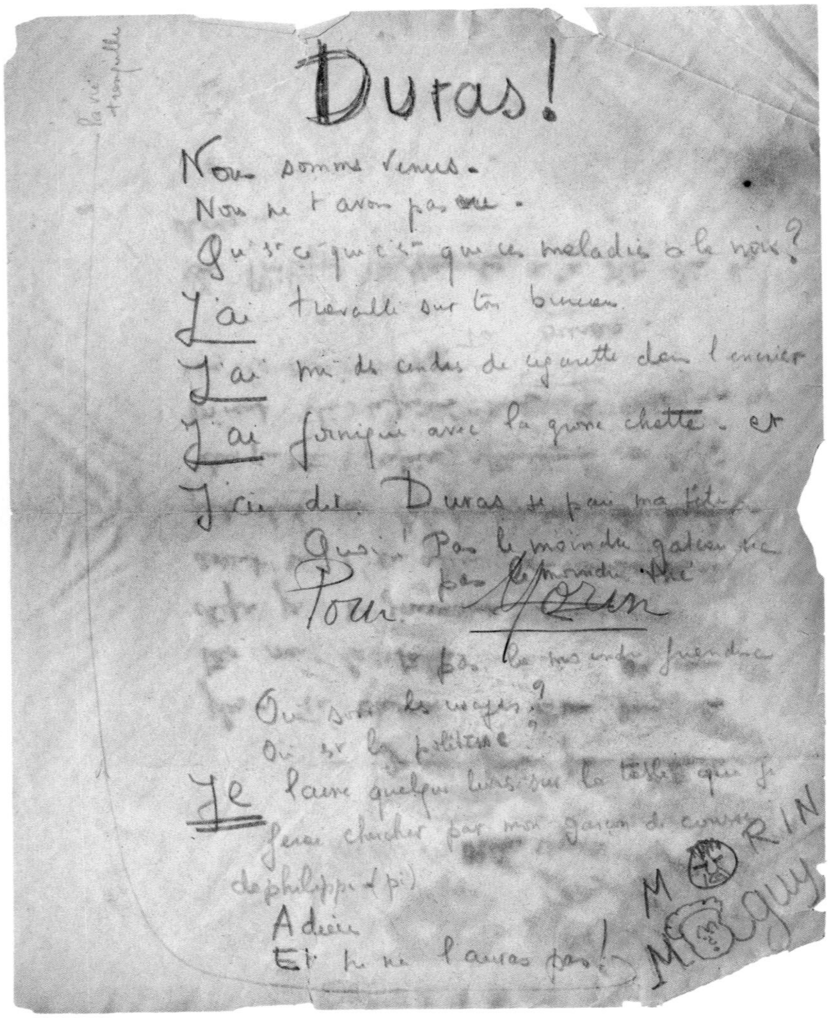

Duras!

Nous sommes venus.
Nous ne t'avons pas vue.
Qu'est-ce que c'est que ces maladies à la noix?
J'ai travaillé sur ton bureau.
J'ai mis des cendres de cigarette dans l'encrier
J'ai forniqué avec la grosse chatte. et
J'ai dit: Duras se paie ma tête.
Quoi! Pas le moindre gâteau sec
Pour Morin
pas la moindre friandise
Où sont les voyages?
Où est la politique?
Je laisse quelques livres sur la table que je ferai chercher par mon garçon de course de philippe (pi)
Adieu
Et tu ne l'auras pas!
MORIN

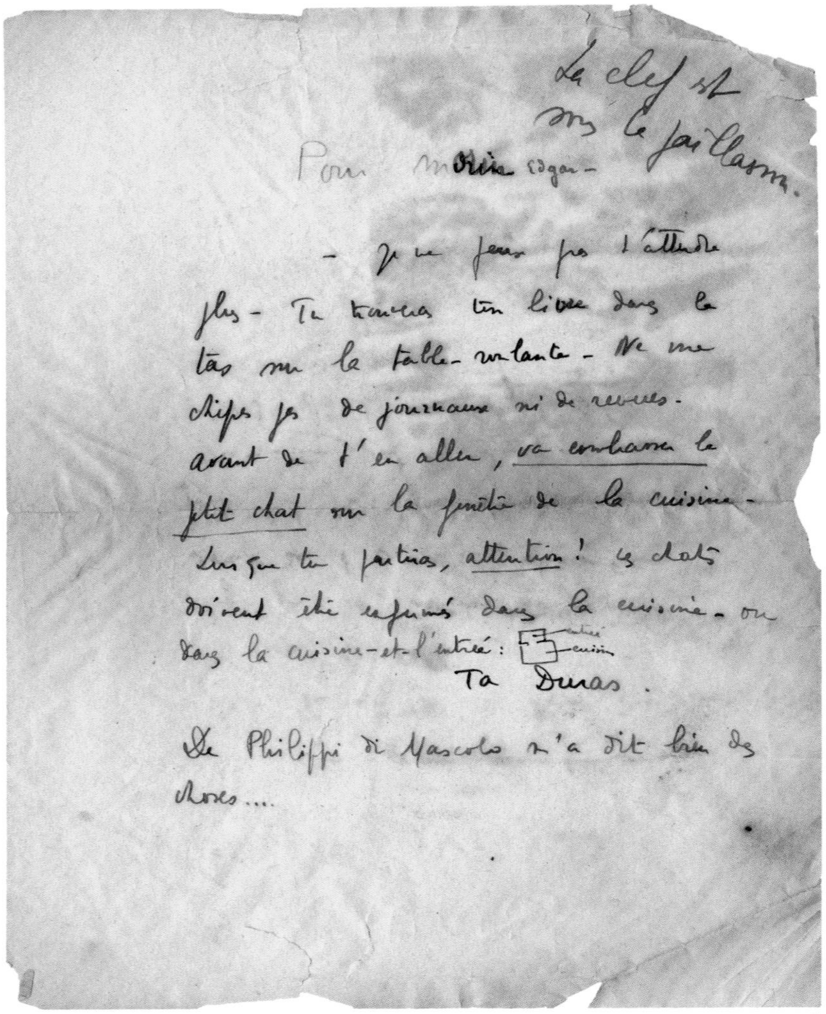

La clef est sous le paillasson.

Pour Morin Edgar –

– Je ne peux pas t'attendre plus – Tu trouveras ton livre dans le tas sur la table roulante – Ne me chipe pas de journaux ni de revues. avant de t'en aller, va enfermer le petit chat sur la fenêtre de la cuisine – lorsque tu partiras, attention! les chats doivent être enfermés dans la cuisine – ou dans la cuisine-et-l'entrée: entrée cuisine

Ta Duras.

De Philippi di Mascolo m'a dit bien des choses....

1

La maison pour moi a toujours été un lieu ouvert, où il faut laisser passer l'air extérieur. Pendant toute ma vie, alors que je vivais seule, je n'ai fermé la porte que tard le soir.

Georges Bataille, Maurice Blanchot, Gilles Martinet, Edgar Morin, Elio Vittorini venaient ici. C'étaient des amis, mais ce n'était pas à eux ni à ce dont on discutait le soir que je pensais en écrivant. J'ai toujours séparé les deux domaines : pour eux, qui sait, je n'étais alors qu'une amie bavarde et hospitalière, disposée à les laisser dormir sur le canapé et à faire les repas à n'importe quelle heure.

Marguerite Duras, La Passion suspendue, entretiens avec L. Pallotta della Torre, 2013

---

1 Lettre de Marguerite Duras laissée à Edgar Morin, et réponse d'Edgar Morin à son amie rédigée au verso. La teneur de la lettre, très amusante, reflète bien l'esprit fraternel qui régnait alors au 5, rue Saint-Benoît. L'appartement, lieu de pensée, mais aussi d'amusements et de fêtes, était largement ouvert aux amis.

2 Quelques membres du «groupe de la rue Saint-Benoît», en 1963.
De gauche à droite, Marguerite Duras, Elio Vittorini, Solange Leprince, Robert Antelme, Monique Antelme et Dionys Mascolo.

3 Librairie Le Divan, dirigée par Henri Martineau, haut lieu du monde intellectuel et littéraire germanopratin de cette époque. Située à l'angle de la rue Bonaparte et de la rue de l'Abbaye, elle fait face au café Le Bonaparte, que fréquentent aussi assidûment Marguerite et ses camarades. Paris, septembre 1957.

4 Terrasse du café Saint-Benoît, rue Saint-Benoît, Paris, mai 1955. C'est un des lieux que Marguerite et ses amis de la rue Saint-Benoît fréquentent quotidiennement.

2

3

4

1

2

1 Marguerite Duras, en 1952, attablée à la terrasse de l'un des cafés de la rue Saint-Benoît, probablement Le Petit Saint-Benoît, situé juste en face de chez elle.

2 Marguerite Duras, dans le salon de la rue Saint-Benoît, Paris, 1955.

Il n'y a pas de journalisme sans morale. Tout journaliste est un moraliste. C'est absolument inévitable. Un journaliste, c'est quelqu'un qui regarde le monde, son fonctionnement, qui le surveille de très près chaque jour, qui le donne à voir, qui donne à revoir le monde, l'événement. Et il ne peut pas à la fois faire ce travail et ne pas juger ce qu'il voit. C'est impossible.
Outside, 1981

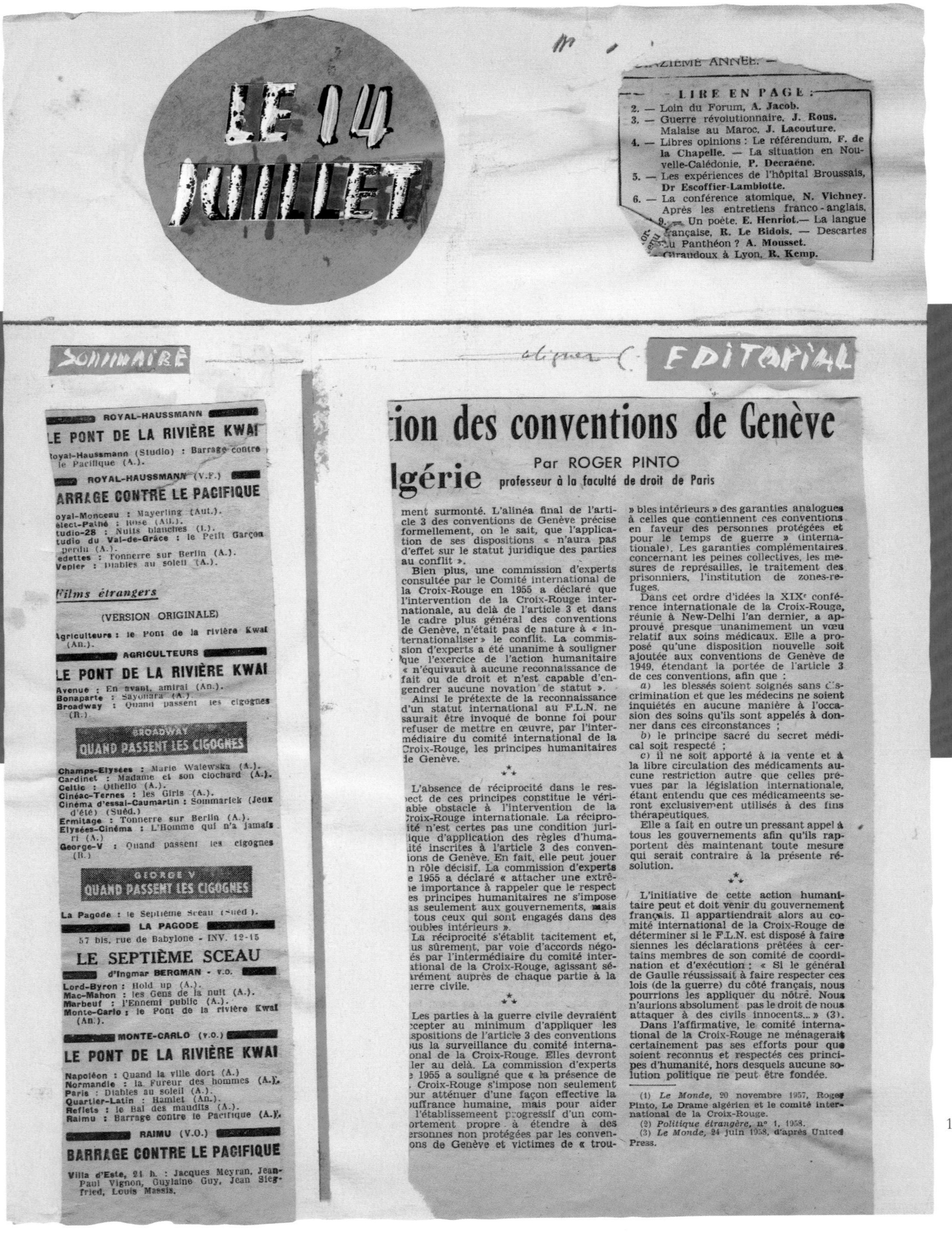

LE 14 JUILLET

…ZIÈME ANNÉE. —

LIRE EN PAGE :

2. — Loin du Forum, **A. Jacob.**
3. — Guerre révolutionnaire, **J. Rous.** Malaise au Maroc, **J. Lacouture.**
4. — Libres opinions : Le référendum, **F. de la Chapelle.** — La situation en Nouvelle-Calédonie, **P. Decraène.**
5. — Les expériences de l'hôpital Broussais, **Dr Escoffier-Lambiotte.**
6. — La conférence atomique, **N. Vichney.** Après les entretiens franco-anglais.
9. — Un poète, **E. Henriot.** — La langue française, **R. Le Bidois.** — Descartes au Panthéon ? **A. Mousset.** — Giraudoux à Lyon, **R. Kemp.**

SOMMAIRE

ROYAL-HAUSSMANN

LE PONT DE LA RIVIÈRE KWAI

Royal-Haussmann (Studio) : Barrage contre le Pacifique (A.).

ROYAL-HAUSSMANN (V.F.)

BARRAGE CONTRE LE PACIFIQUE

Royal-Monceau : Mayerling (Aut.).
Sélect-Pathé : Rose (All.).
Studio-28 : Nuits blanches (I.).
Studio du Val-de-Grâce : le Petit Garçon perdu (A.).
Vedettes : Tonnerre sur Berlin (A.).
Vepier : Diables au soleil (A.).

Films étrangers

(VERSION ORIGINALE)

Agriculteurs : le Pont de la rivière Kwaï (An.).

AGRICULTEURS

LE PONT DE LA RIVIÈRE KWAI

Avenue : En avant, amiral (An.).
Bonaparte : Sayonara (A.).
Broadway : Quand passent les cigognes (R.).

BROADWAY
QUAND PASSENT LES CIGOGNES

Champs-Elysées : Marie Walewska (A.).
Cardinet : Madame et son clochard (A.).
Celtic : Othello (A.).
Cinéac-Ternes : les Girls (A.).
Cinéma d'essai-Caumartin : Sommarlek (Jeux d'été) (Suéd.)
Ermitage : Tonnerre sur Berlin (A.).
Elysées-Cinéma : L'Homme qui n'a jamais ri (A.)
George-V : Quand passent les cigognes (R.)

GEORGE V
QUAND PASSENT LES CIGOGNES

La Pagode : le Septième Sceau (Suéd.).

LA PAGODE

57 bis, rue de Babylone - INV. 12-15

LE SEPTIÈME SCEAU

d'Ingmar BERGMAN - V.O.

Lord-Byron : Hold up (A.).
Mac-Mahon : les Gens de la nuit (A.).
Marbeuf : l'Ennemi public (A.).
Monte-Carlo : le Pont de la rivière Kwaï (An.).

MONTE-CARLO (V.O.)

LE PONT DE LA RIVIÈRE KWAI

Napoléon : Quand la ville dort (A.)
Normandie : la Fureur des hommes (A.).
Paris : Diables au soleil (A.).
Quartier-Latin : Hamlet (An.).
Reflets : le Bal des maudits (A.).
Raimu : Barrage contre le Pacifique (A.).

RAIMU (V.O.)

BARRAGE CONTRE LE PACIFIQUE

Villa d'Este, 21 h. : Jacques Meyran, Jean-Paul Vignon, Guylaine Guy, Jean Siegfried, Louis Massis.

EDITORIAL

…tion des conventions de Genève
…lgérie

Par ROGER PINTO
professeur à la faculté de droit de Paris

…ment surmonté. L'alinéa final de l'article 3 des conventions de Genève précise formellement, on le sait, que l'application de ses dispositions « n'aura pas d'effet sur le statut juridique des parties au conflit ».

Bien plus, une commission d'experts consultée par le Comité international de la Croix-Rouge en 1955 a déclaré que l'intervention de la Croix-Rouge internationale, au delà de l'article 3 et dans le cadre plus général des conventions de Genève, n'était pas de nature à « internationaliser » le conflit. La commission d'experts a été unanime à souligner que l'exercice de l'action humanitaire « n'équivaut à aucune reconnaissance de fait ou de droit et n'est capable d'engendrer aucune novation de statut ».

Ainsi le prétexte de la reconnaissance d'un statut international au F.L.N. ne saurait être invoqué de bonne foi pour refuser de mettre en œuvre, par l'intermédiaire du comité international de la Croix-Rouge, les principes humanitaires de Genève.

* * *

L'absence de réciprocité dans le respect de ces principes constitue le véritable obstacle à l'intervention de la Croix-Rouge internationale. La réciprocité n'est certes pas une condition juridique d'application des règles d'humanité inscrites à l'article 3 des conventions de Genève. En fait, elle peut jouer un rôle décisif. La commission d'experts de 1955 a déclaré « attacher une extrême importance à rappeler que le respect des principes humanitaires ne s'impose pas seulement aux gouvernements, mais à tous ceux qui sont engagés dans des troubles intérieurs ».

La réciprocité s'établit tacitement et, plus sûrement, par voie d'accords négociés par l'intermédiaire du comité international de la Croix-Rouge, agissant séparément auprès de chaque partie à la guerre civile.

* * *

Les parties à la guerre civile devraient accepter au minimum d'appliquer les dispositions de l'article 3 des conventions sous la surveillance du comité international de la Croix-Rouge. Elles devront aller au delà. La commission d'experts de 1955 a souligné que « la présence de la Croix-Rouge s'impose non seulement pour atténuer d'une façon effective la souffrance humaine, mais pour aider à l'établissemeent progressif d'un comportement propre à étendre à des personnes non protégées par les conventions de Genève et victimes de « troubles intérieurs » des garanties analogues à celles que contiennent ces conventions en faveur des personnes protégées et pour le temps de guerre » (internationale). Les garanties complémentaires concernant les peines collectives, les mesures de représailles, le traitement des prisonniers, l'institution de zones-refuges.

Dans cet ordre d'idées la XIXe conférence internationale de la Croix-Rouge, réunie à New-Delhi l'an dernier, a approuvé presque unanimement un vœu relatif aux soins médicaux. Elle a proposé qu'une disposition nouvelle soit ajoutée aux conventions de Genève de 1949, étendant la portée de l'article 3 de ces conventions, afin que :

a) les blessés soient soignés sans discrimination et que les médecins ne soient inquiétés en aucune manière à l'occasion des soins qu'ils sont appelés à donner dans ces circonstances ;

b) le principe sacré du secret médical soit respecté ;

c) il ne soit apporté à la vente et à la libre circulation des médicaments aucune restriction autre que celles prévues par la législation internationale, étant entendu que ces médicameents seront exclusivement utilisés à des fins thérapeutiques.

Elle a fait en outre un pressant appel à tous les gouvernements afin qu'ils rapportent dès maintenant toute mesure qui serait contraire à la présente résolution.

* * *

L'initiative de cette action humanitaire peut et doit venir du gouvernement français. Il appartiendrait alors au comité international de la Croix-Rouge de déterminer si le F.L.N. est disposé à faire siennes les déclarations prêtées à certains membres de son comité de coordination et d'exécution : « Si le général de Gaulle réussissait à faire respecter ces lois (de la guerre) du côté français, nous pourrions les appliquer du nôtre. Nous n'aurions absolument pas le droit de nous attaquer à des civils innocents... » (3).

Dans l'affirmative, le comité international de la Croix-Rouge ne ménagerait certainement pas ses efforts pour que soient reconnus et respectés ces principes d'humanité, hors desquels aucune solution politique ne peut être fondée.

(1) *Le Monde*, 20 novembre 1957, Roger Pinto, Le Drame algérien et le comité international de la Croix-Rouge.
(2) *Politique étrangère*, n° 1, 1958.
(3) *Le Monde*, 24 juin 1958, d'après United Press.

1

1 et 2 Maquette et numéro 1 de la revue *Le 14 Juillet*. Cette revue antigaulliste est fondée en 1958 par Dionys Mascolo et Jean Schuster, et soutenue par Maurice Blanchot. Elle n'a connu que trois numéros (le 14 juillet 1958, le 25 octobre 1958 et le 18 juin 1959). Robert Antelme, Edgar Morin, Louis-René des Forêts ainsi que Arthur Adamov, André Breton, Jean Paulhan, Julien Gracq et Maurice Nadeau y participent. Marguerite Duras et Colette Garrigues sont les deux seules femmes de la revue. Marguerite Duras joue surtout le rôle de secrétaire et recherche des fonds pour la revue. Frustrée de ne pouvoir s'exprimer davantage, elle s'ouvre à d'autres publications comme la revue *France-Observateur*, qui lui offre une plus large tribune d'expression.

Ce numéro manifeste du 14 Juillet *est sans aucun doute le premier signe de vie que donnent ensemble les intellectuels français depuis le 13 mai. Que les intellectuels se réunissent pour dire non ensemble, et chacun avec son propre ton, et chacun avec ses raisons, justifierait déjà l'existence du* 14 Juillet. *Outside*, 1981

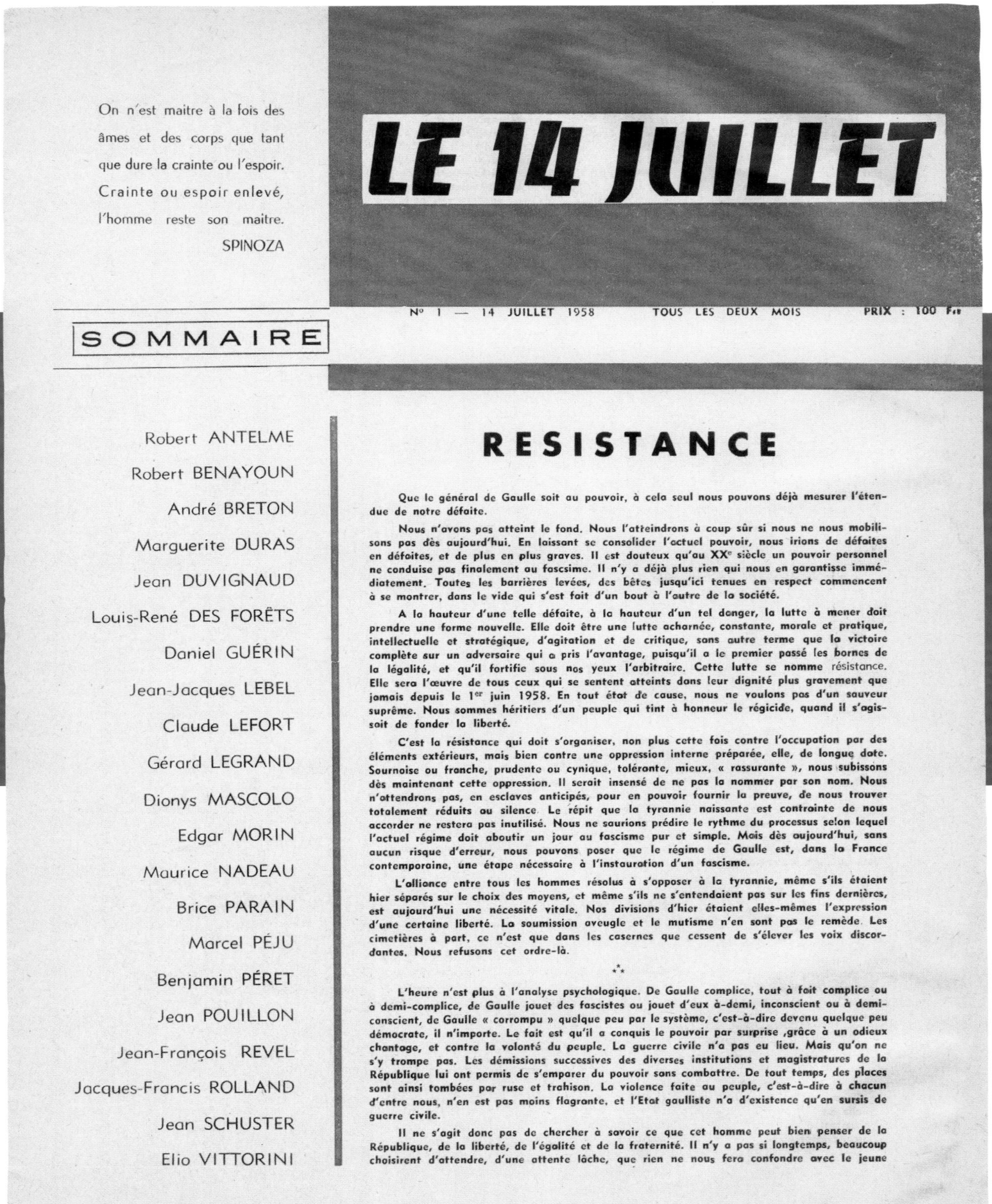

On n'est maitre à la fois des âmes et des corps que tant que dure la crainte ou l'espoir. Crainte ou espoir enlevé, l'homme reste son maitre.
SPINOZA

LE 14 JUILLET

N° 1 — 14 JUILLET 1958 TOUS LES DEUX MOIS PRIX : 100 Frs

SOMMAIRE

Robert ANTELME
Robert BENAYOUN
André BRETON
Marguerite DURAS
Jean DUVIGNAUD
Louis-René DES FORÊTS
Daniel GUÉRIN
Jean-Jacques LEBEL
Claude LEFORT
Gérard LEGRAND
Dionys MASCOLO
Edgar MORIN
Maurice NADEAU
Brice PARAIN
Marcel PÉJU
Benjamin PÉRET
Jean POUILLON
Jean-François REVEL
Jacques-Francis ROLLAND
Jean SCHUSTER
Elio VITTORINI

RESISTANCE

Que le général de Gaulle soit au pouvoir, à cela seul nous pouvons déjà mesurer l'étendue de notre défaite.

Nous n'avons pas atteint le fond. Nous l'atteindrons à coup sûr si nous ne nous mobilisons pas dès aujourd'hui. En laissant se consolider l'actuel pouvoir, nous irions de défaites en défaites, et de plus en plus graves. Il est douteux qu'au XXe siècle un pouvoir personnel ne conduise pas finalement au fascsime. Il n'y a déjà plus rien qui nous en garantisse immédiatement. Toutes les barrières levées, des bêtes jusqu'ici tenues en respect commencent à se montrer, dans le vide qui s'est fait d'un bout à l'autre de la société.

A la hauteur d'une telle défaite, à la hauteur d'un tel danger, la lutte à mener doit prendre une forme nouvelle. Elle doit être une lutte acharnée, constante, morale et pratique, intellectuelle et stratégique, d'agitation et de critique, sans autre terme que la victoire complète sur un adversaire qui a pris l'avantage, puisqu'il a le premier passé les bornes de la légalité, et qu'il fortifie sous nos yeux l'arbitraire. Cette lutte se nomme résistance. Elle sera l'œuvre de tous ceux qui se sentent atteints dans leur dignité plus gravement que jamais depuis le 1er juin 1958. En tout état de cause, nous ne voulons pas d'un sauveur suprême. Nous sommes héritiers d'un peuple qui tint à honneur le régicide, quand il s'agissoit de fonder la liberté.

C'est la résistance qui doit s'organiser, non plus cette fois contre l'occupation par des éléments extérieurs, mais bien contre une oppression interne préparée, elle, de longue date. Sournoise ou franche, prudente ou cynique, tolérante, mieux, « rassurante », nous subissons dès maintenant cette oppression. Il serait insensé de ne pas la nommer par son nom. Nous n'attendrons pas, en esclaves anticipés, pour en pouvoir fournir la preuve, de nous trouver totalement réduits au silence. Le répit que la tyrannie naissante est contrainte de nous accorder ne restera pas inutilisé. Nous ne saurions prédire le rythme du processus selon lequel l'actuel régime doit aboutir un jour au fascisme pur et simple. Mais dès aujourd'hui, sans aucun risque d'erreur, nous pouvons poser que le régime de Gaulle est, dans la France contemporaine, une étape nécessaire à l'instauration d'un fascisme.

L'alliance entre tous les hommes résolus à s'opposer à la tyrannie, même s'ils étaient hier séparés sur le choix des moyens, et même s'ils ne s'entendaient pas sur les fins dernières, est aujourd'hui une nécessité vitale. Nos divisions d'hier étaient elles-mêmes l'expression d'une certaine liberté. La soumission aveugle et le mutisme n'en sont pas le remède. Les cimetières à part, ce n'est que dans les casernes que cessent de s'élever les voix discordantes. Nous refusons cet ordre-là.

⁂

L'heure n'est plus à l'analyse psychologique. De Gaulle complice, tout à fait complice ou à demi-complice, de Gaulle jouet des fascistes ou jouet d'eux à-demi, inconscient ou à demi-conscient, de Gaulle « corrompu » quelque peu par le système, c'est-à-dire devenu quelque peu démocrate, il n'importe. Le fait est qu'il a conquis le pouvoir par surprise ,grâce à un odieux chantage, et contre la volonté du peuple. La guerre civile n'a pas eu lieu. Mais qu'on ne s'y trompe pas. Les démissions successives des diverses institutions et magistratures de la République lui ont permis de s'emparer du pouvoir sans combattre. De tout temps, des places sont ainsi tombées par ruse et trahison. La violence faite au peuple, c'est-à-dire à chacun d'entre nous, n'en est pas moins flagrante, et l'Etat gaulliste n'a d'existence qu'en sursis de guerre civile.

Il ne s'agit donc pas de chercher à savoir ce que cet homme peut bien penser de la République, de la liberté, de l'égalité et de la fraternité. Il n'y a pas si longtemps, beaucoup choisirent d'attendre, d'une attente lâche, que rien ne nous fera confondre avec le jeune

2

NON A L'INVESTITURE
DU GÉNÉRAL DE GAULLE

Le président de la République met en demeure l'Assemblée nationale de désigner de Gaulle comme chef du gouvernement. Le général des factieux exige les pleins pouvoirs de la dictature.

C'est un véritable défi lancé au Parlement et au pays par les hommes des coups de force fascistes d'Alger et d'Ajaccio.

Il heurte l'ardente résolution de barrer la route au fascisme affirmée mercredi 28 mai, de la Nation à la République, par un demi-million d'hommes et de femmes de Paris et de sa banlieue.

Travailleurs, démocrates, républicains, antifascistes
Contre la dictature militaire et fasciste – Pour la défense de la République

MANIFESTEZ TOUS UNIS A L'HEURE OU L ASSEMBLEE NATIONALE AURA A SE PRONONCER DIMANCHE 1er JUIN A 15 HEURES

Que des usines, des chantiers, des quartiers de Paris et des villes de banlieue monte, puissante et résolue, la grande voix de Paris républicain.

NOUS NE VOULONS PAS DE LA DICTATURE DE DE GAULLE !
NOUS VOULONS UN GOUVERNEMENT DE DEFENSE REPUBLICAINE !

31 Mai 1958. LE PARTI COMMUNISTE FRANÇAIS.

1

La Déclaration du droit à l'insoumission n'a pas ordonné l'insoumission de l'homme à l'État. Elle n'ordonne pas. Elle n'a pas demandé, elle ne demande pas à l'individu de ne pas obéir aux ordres de l'État. Elle lui apprend qu'il a en lui toutes les raisons d'être un insoumis et en même temps toutes celles de ne pas l'être. [...] *Peut-être faut-il rappeler que la Déclaration n'a pas les moyens d'éviter la guerre d'Algérie, et on peut aller jusqu'à dire que dans le principe elle n'a pas pour fonction d'empêcher la guerre d'Algérie. Elle n'a pas de fonction policière. Là où elle est inaugurale, c'est ailleurs, c'est qu'elle met l'homme « appelé » devant sa responsabilité essentielle : sa souveraineté.*
Le Monde extérieur - Outside 2, 1993

2

3

283 MINEURS SONT MORTS A VOELKLINGEN

(Page 9, l'article de notre envoyé spécial Pierre DURAND)

La prochaine session du Comité Central du Parti Communiste Français aura lieu les
SAMEDI 10 et DIMANCHE 11 FEVRIER 1962
à CHOISY-LE-ROI
Ordre du jour :
La lutte antifasciste et les problèmes du front unique
Rapporteur : Paul LAURENT

CINQ HEURES DU MATIN

l'Humanité

ORGANE CENTRAL DU PARTI COMMUNISTE FRANÇAIS

VENDREDI 9 FEVRIER 1962 — NF 0,25

Maurice THOREZ
a adressé un télégramme de condoléances
à Max REIMANN
premier secrétaire du Comité Central du Parti Communiste Allemand
(Page 9)

CONTRE LE FASCISME ET LES ASSASSINS DE L'O.A.S.

60.000 MANIFESTANTS DANS LES RUES DE PARIS

Sauvage répression policière
7 MORTS au moins
(dont trois femmes)
Des centaines de blessés

4

1 Tract du PCF contre l'investiture du général de Gaulle, le 1er juin 1958, par l'Assemblée nationale.

2 Grand défilé initié le 28 mai 1958 par le Comité national d'action et de défense. Cette manifestation antifasciste est organisée « pour la défense de la République » et contre le retour au pouvoir du général de Gaulle après le putsch d'Alger du 13 mai. Pierre Mendès France, François Mitterrand, Jacques Duclos et Édouard Daladier, représentant diverses mouvances, mènent le cortège. Ici, boulevard Voltaire à Paris, on aperçoit au premier plan, devant la pancarte « Vive la République », le grand résistant et homme politique socialiste Christian Pineau.

3 Manifestation contre l'OAS entre 1961 et 1962. Le Manifeste des 121, ou « Déclaration sur le droit à l'insoumission dans la guerre d'Algérie », rédigé par Dionys Mascolo et Maurice Blanchot, est publié le 6 septembre 1960 dans le magazine *Vérité-Liberté*. Marguerite Duras fait partie des cent vingt et un signataires.

4 Une de *L'Humanité* du vendredi 9 février 1962, qui revient sur le drame des neuf victimes de la station de métro Charonne. La veille, le 8 février, lors d'une manifestation contre l'OAS et la guerre en Algérie, des manifestants ont été frappés par la police sous les ordres du préfet Maurice Papon, et sont décédés. Le 13 février, une immense manifestation rend hommage aux victimes au Père-Lachaise, où elles sont symboliquement inhumées près du mur des Fédérés, dans le secteur des dirigeants du PCF.

— Vous ne pouvez pas le savoir, monsieur, car si peu que vous soyez, vous êtes quand même à votre façon, donc vous ne pouvez pas savoir ce que c'est que de n'être rien.
Le Square, 1955

Si on me demande comment j'ai écrit Le Square, *je crois bien que c'est en écoutant se taire les gens dans les squares de Paris. Elle, elle se trouve là tous les après-midi, seule la plupart du temps, vacante, en fonction précisément. Lui, se trouve également là, seul, lui aussi la plupart du temps dans l'hébétude apparente d'un pur repos. Elle, elle surveille les enfants d'une autre. Lui est à peine un voyageur de commerce qui vend sur les marchés de ces petits objets qu'on oublie si souvent d'acheter. Ils sont tous les deux à regarder se faire et se défaire le temps.*
in le journal *L'Express*, 1956

1

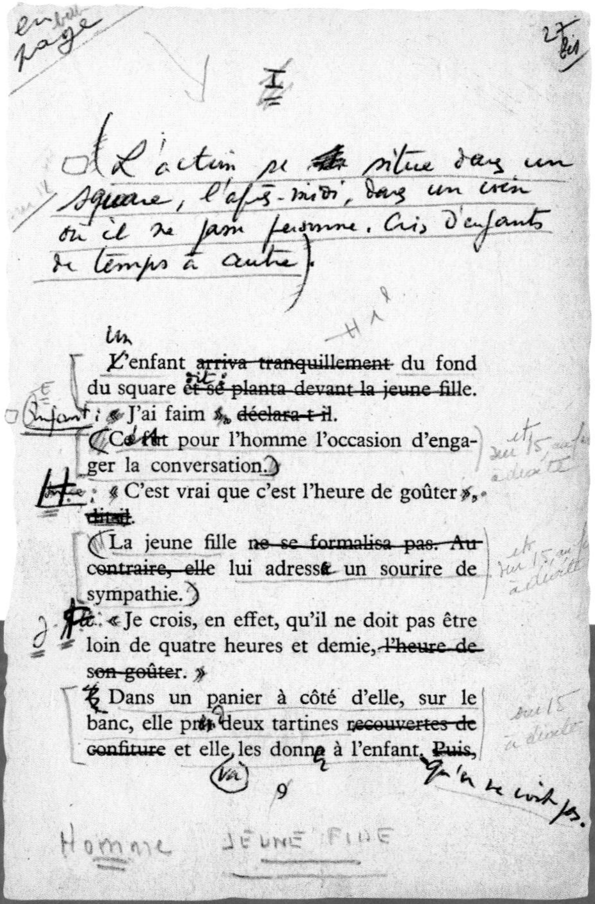

I

L'enfant arriva tranquillement du fond du square et se planta devant la jeune fille.

« J'ai faim », déclara-t-il.

C'était pour l'homme l'occasion d'engager la conversation.

« C'est vrai que c'est l'heure de goûter », dit-il.

La jeune fille ne se formalisa pas. Au contraire, elle lui adressa un sourire de sympathie.

« Je crois, en effet, qu'il ne doit pas être loin de quatre heures et demie, l'heure de son goûter. »

Dans un panier à côté d'elle, sur le banc, elle prit deux tartines recouvertes de confiture et elle les donna à l'enfant. Puis,

9

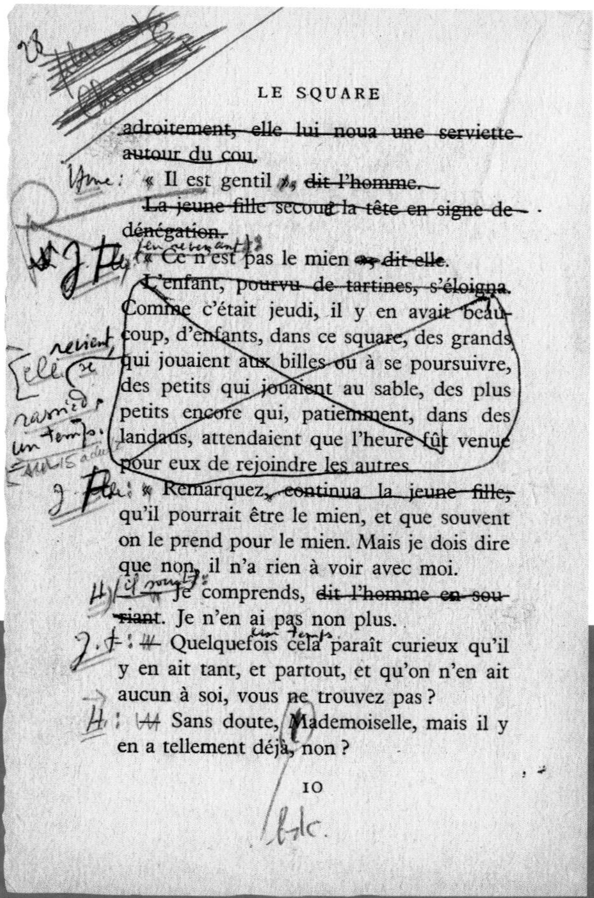

LE SQUARE

adroitement, elle lui noua une serviette autour du cou.

« Il est gentil », dit l'homme.

La jeune fille secoua la tête en signe de dénégation.

« Ce n'est pas le mien », dit-elle.

L'enfant, pourvu de tartines, s'éloigna. Comme c'était jeudi, il y en avait beaucoup, d'enfants, dans ce square, des grands qui jouaient aux billes ou à se poursuivre, des petits qui jouaient au sable, des plus petits encore qui, patiemment, dans des landaus, attendaient que l'heure fût venue pour eux de rejoindre les autres.

« Remarquez, continua la jeune fille, qu'il pourrait être le mien, et que souvent on le prend pour le mien. Mais je dois dire que non, il n'a rien à voir avec moi.

« Je comprends, dit l'homme en souriant. Je n'en ai pas non plus.

« Quelquefois cela paraît curieux qu'il y en ait tant, et partout, et qu'on n'en ait aucun à soi, vous ne trouvez pas ?

« Sans doute, Mademoiselle, mais il y en a tellement déjà, non ?

10

2

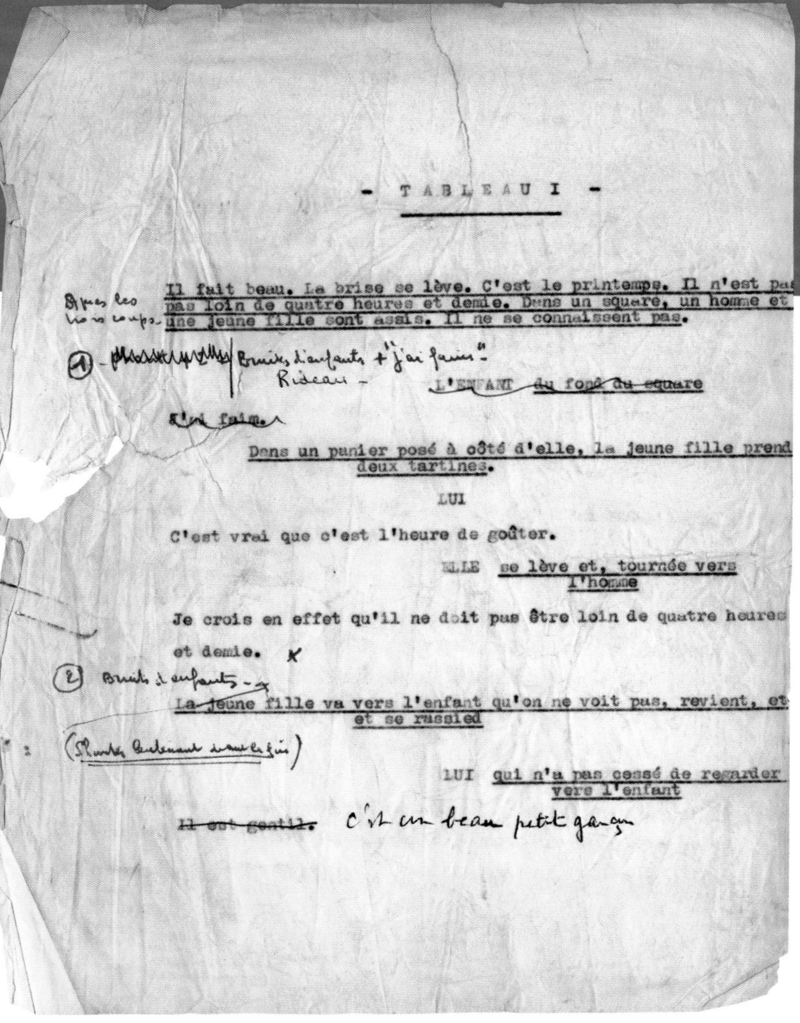

- TABLEAU I -

Il fait beau. La brise se lève. C'est le printemps. Il n'est pas loin de quatre heures et demie. Dans un square, un homme et une jeune fille sont assis. Ils ne se connaissent pas.

L'ENFANT du fond du square

J'ai faim.

Dans un panier posé à côté d'elle, la jeune fille prend deux tartines.

LUI

C'est vrai que c'est l'heure de goûter.

ELLE se lève et, tournée vers l'homme

Je crois en effet qu'il ne doit pas être loin de quatre heures et demie.

La jeune fille va vers l'enfant qu'on ne voit pas, revient, et se rassied

LUI qui n'a pas cessé de regarder vers l'enfant

Il est gentil. C'est un beau petit garçon

3

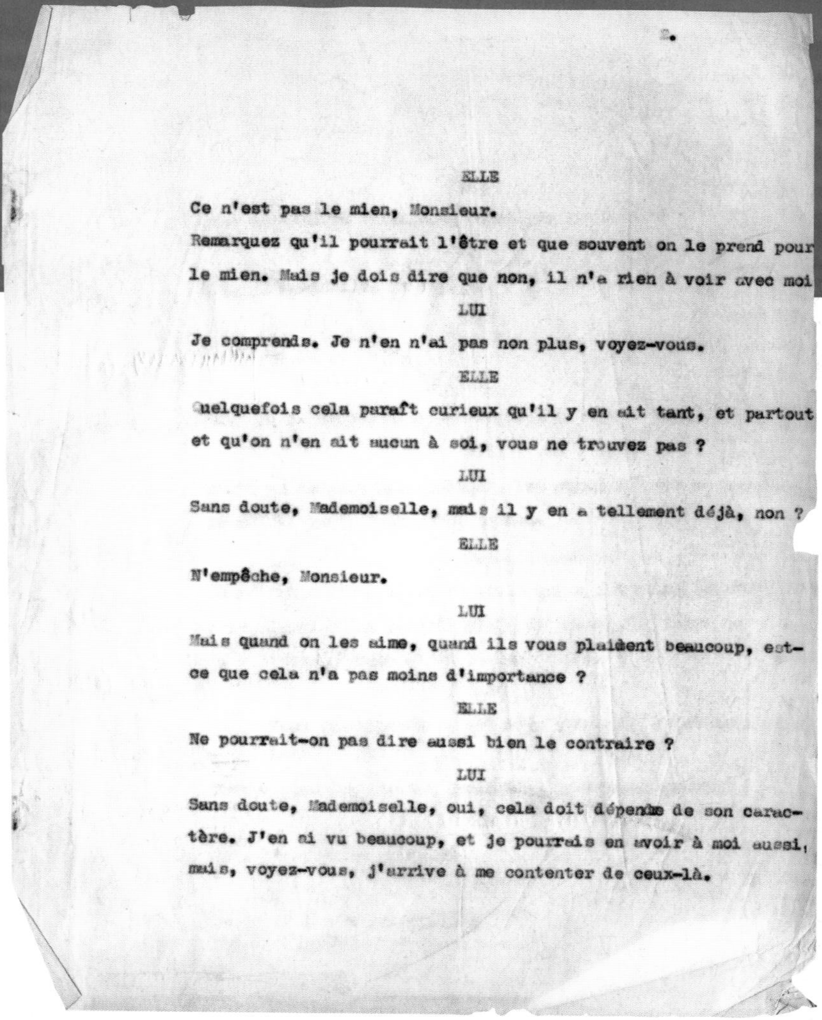

2.

ELLE

Ce n'est pas le mien, Monsieur.

Remarquez qu'il pourrait l'être et que souvent on le prend pour le mien. Mais je dois dire que non, il n'a rien à voir avec moi

LUI

Je comprends. Je n'en n'ai pas non plus, voyez-vous.

ELLE

Quelquefois cela paraît curieux qu'il y en ait tant, et partout et qu'on n'en ait aucun à soi, vous ne trouvez pas ?

LUI

Sans doute, Mademoiselle, mais il y en a tellement déjà, non ?

ELLE

N'empêche, Monsieur.

LUI

Mais quand on les aime, quand ils vous plaisent beaucoup, est-ce que cela n'a pas moins d'importance ?

ELLE

Ne pourrait-on pas dire aussi bien le contraire ?

LUI

Sans doute, Mademoiselle, oui, cela doit dépendre de son caractère. J'en ai vu beaucoup, et je pourrais en avoir à moi aussi, mais, voyez-vous, j'arrive à me contenter de ceux-là.

1 Marguerite Duras au cours d'une répétition, le 17 septembre 1956, de sa pièce *Le Square*, mise en scène par Claude Martin au Studio des Champs-Élysées.

2 Épreuve annotée par Marguerite Duras des deux premières pages du *Square*. Cette œuvre est le premier roman écrit comme une pièce dans l'œuvre de Marguerite Duras : on peut y noter l'attention toute particulière que l'auteur a donnée au « dispositif scénique » de l'intrigue.

3 Version dactylographiée et annotée par Marguerite Duras des deux premières pages du *Square* dans la version théâtrale.

C'était un homme qui mentait. Il mentait tout le temps à tout le monde, à propos des faits de sa vie. Le mensonge arrivait sur ses lèvres avant les paroles pour le dire. [...] Cet homme était un écrivain merveilleusement doué. Il était très fin, très drôle, très très charmant. C'était un parleur aussi, d'une qualité rare. Un homme né de la bourgeoisie et d'une courtoisie de prince. [...] C'était un homme magnifique, achevé, dans tous les sens du terme, épuisé de toujours mourir sans en mourir, espérant de la mort autant que de la passion.
La Vie matérielle, 1987

1

1 Gérard Jarlot et Marguerite Duras avec Georges Wilson, en 1961, lors de la présentation d'*Une aussi longue absence* dont ils ont signé ensemble l'adaptation pour Colpi.

2 Marguerite Duras et Gérard Jarlot en 1957-1958. Marguerite Duras rencontre Gérard Jarlot, journaliste et grand reporter, quelque temps après sa séparation d'avec Dionys Mascolo. Ensemble, ils entament une série d'adaptations. Ils écrivent à quatre mains des dialogues et des scénarios dans une complicité intellectuelle réelle. Le couple entretient cependant une relation tumultueuse teintée de jalousie, de mensonges et d'abus d'alcool.

3 La librairie La Hune, boulevard Saint-Germain, qui fait l'angle avec la rue Saint-Benoît et jouxte le café des Deux-Magots, autre haut lieu des intellectuels et écrivains avec la librairie Le Divan, que fréquentent Marguerite Duras et Gérard Jarlot.

4 Marguerite Duras et Gérard Jarlot dans les années 1960.

2

3

4

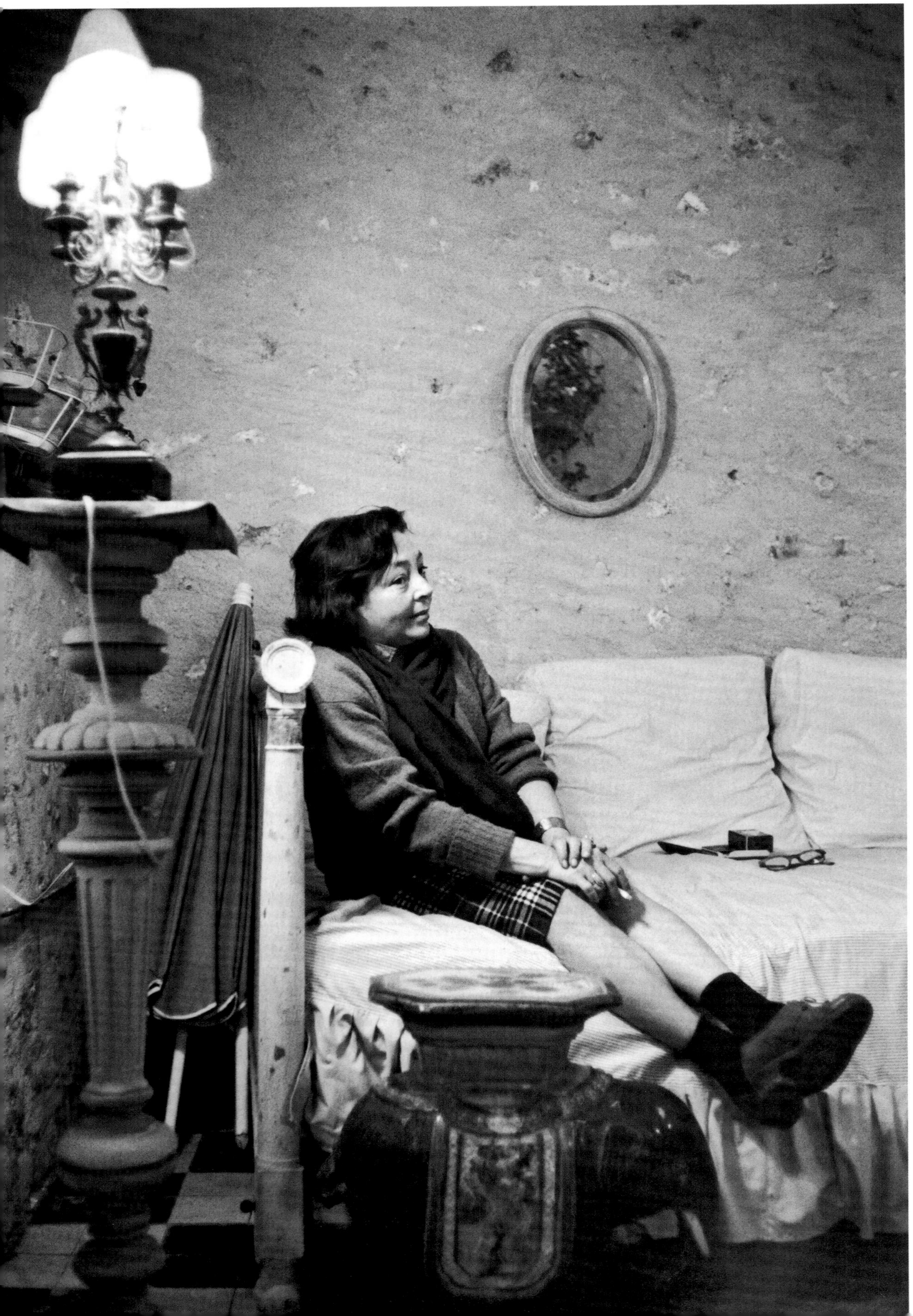

C'est dans une maison qu'on est seul. Et pas au-dehors d'elle mais au-dedans d'elle. Dans le parc il y a des oiseaux, des chats. Mais aussi une fois, un écureuil, un furet. On n'est pas seul dans un parc.

Écrire, 1993

1

Ce que je peux dire c'est que la sorte de solitude de Neauphle a été faite par moi. Pour moi. Et que c'est seulement dans cette maison que je suis seule. Pour écrire. Pour écrire pas comme je l'avais fait jusque-là. Mais écrire des livres encore inconnus de moi et jamais encore décidés par moi et jamais décidés par personne. *Écrire*, 1993

2

3

1 Marguerite Duras dans sa maison de Neauphle-le-Château, en 1957-1958.

2 et 3 Vues récentes de l'intérieur de la maison de Neauphle-le-Château, dans les Yvelines, acquise par Marguerite Duras en 1958, grâce aux droits du film *Un barrage contre le Pacifique*.

Si vous saviez tout le bonheur qu'on leur veut, comme si c'était possible. Peut-être vaudrait-il mieux parfois que l'on nous en sépare. Je n'arrive pas à me faire une raison de cet enfant.

Moderato cantabile, 1958

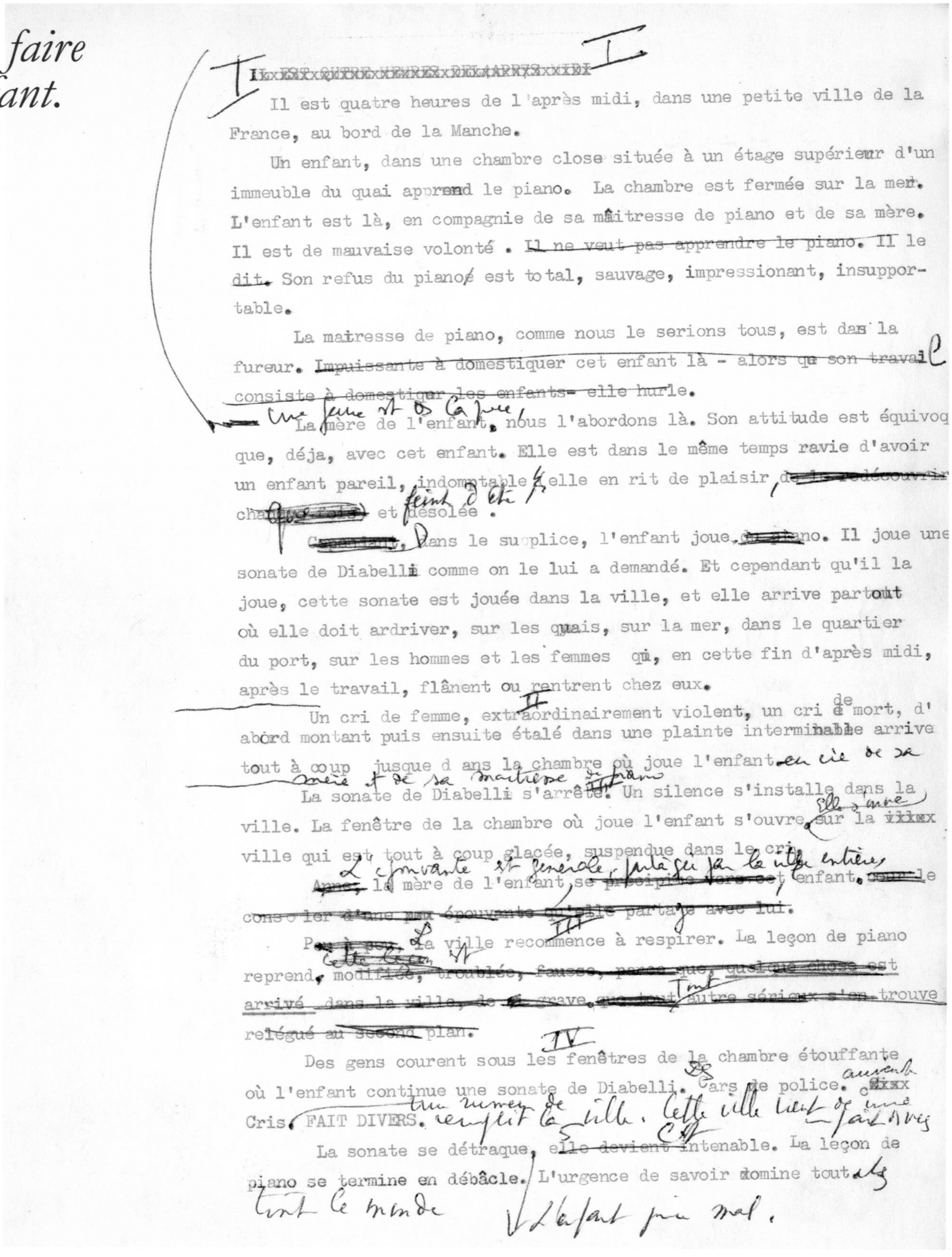

~~Il est quatre heures de l'après midi~~

I

Il est quatre heures de l'après midi, dans une petite ville de la France, au bord de la Manche.

Un enfant, dans une chambre close située à un étage supérieur d'un immeuble du quai apprend le piano. La chambre est fermée sur la mer. L'enfant est là, en compagnie de sa maîtresse de piano et de sa mère. Il est de mauvaise volonté . ~~Il ne veut pas apprendre le piano. Il le dit.~~ Son refus du piano est total, sauvage, impressionant, insupportable.

La maitresse de piano, comme nous le serions tous, est dans la fureur. ~~Impuissante à domestiquer cet enfant là - alors que son travail consiste à domestiquer les enfants- elle hurle.~~

La mère de l'enfant, nous l'abordons là. Son attitude est équivoque, déja, avec cet enfant. Elle est dans le même temps ravie d'avoir un enfant pareil, indomptable, elle en rit de plaisir ~~de le redécouvrir chaque fois~~ et désolée .

~~Cependant,~~ Dans le supplice, l'enfant joue. ~~du piano~~. Il joue une sonate de Diabelli comme on le lui a demandé. Et cependant qu'il la joue, cette sonate est jouée dans la ville, et elle arrive partout où elle doit arriver, sur les quais, sur la mer, dans le quartier du port, sur les hommes et les femmes qui, en cette fin d'après midi, après le travail, flânent ou rentrent chez eux.

II

Un cri de femme, extraordinairement violent, un cri de mort, d'abord montant puis ensuite étalé dans une plainte interminable arrive tout à coup jusque dans la chambre où joue l'enfant.

La sonate de Diabelli s'arrête. Un silence s'installe dans la ville. La fenêtre de la chambre où joue l'enfant s'ouvre sur la ville qui est tout à coup glacée, suspendue dans le cri.

~~Alors,~~ la mère de l'enfant ~~se précipite vers cet enfant, pour le consoler d'une peur épouvante qu'elle partage avec lui.~~

III

~~Peu à peu,~~ la ville recommence à respirer. La leçon de piano reprend, ~~modifiée, troublée, fausse, parce que quelque chose est arrivé dans la ville, de si grave, que tout autre sérieux s'en trouve relégué au second plan.~~

IV

Des gens courent sous les fenêtres de la chambre étouffante où l'enfant continue une sonate de Diabelli. Cars de police. Cris. FAIT DIVERS.

La sonate se détraque, ~~elle devient~~ intenable. La leçon de piano se termine en débâcle. L'urgence de savoir domine tout.

1

1 Tapuscrit de *Moderato cantabile*, avec annotations de Marguerite Duras. *Moderato cantabile* est l'indication musicale inscrite sur la partition de la *Sonatine* de Diabelli que travaille l'enfant de l'héroïne, Anne Desbaresdes. C'est au cours d'une de ces séances à laquelle elle a accompagné son fils qu'a lieu le drame à partir duquel se tisse l'intrigue.

2 Marguerite Duras, devant la librairie La Hune, le jour de la remise du prix de Mai 1958 pour son livre *Moderato cantabile.* Autour d'Alain Robbe-Grillet, le jury est composé de Roland Barthes, Georges Bataille, Maurice Nadeau, Louis-René des Forêts et Nathalie Sarraute. Considéré comme l'un des livres phares du Nouveau Roman, mouvement littéraire auquel Marguerite Duras s'est toujours défendue d'appartenir, le livre divise la critique à sa sortie par sa radicalité stylistique.

3 Photographie fameuse de Mario Dondero, prise à l'automne 1959 pour le mensuel culturel italien l'*Illustrazione italiana* du groupe des auteurs du Nouveau Roman autour de leur éditeur Jérôme Lindon, devant le 7 de la rue Palissy, dans le VIe arrondissement de Paris, siège des Éditions de Minuit. De gauche à droite on distingue Alain Robbe-Grillet, Claude Simon, Claude Mauriac, Jérôme Lindon, Robert Pinget, Samuel Beckett, Nathalie Sarraute et Claude Ollier. La légende veut que cette photographie ait été une commande de Jérôme Lindon pour faire connaître «ses nouveaux écrivains». Michel Butor, arrivé trop tard, n'y figure pas. Absente également de l'image, Marguerite Duras. *Moderato cantabile* est le premier ouvrage de l'auteur publié aux Éditions de Minuit, alors qu'elle est longtemps restée fidèle à Gallimard.

Ce que je raconte dans
Moderato cantabile,
cette femme qui veut être tuée,
je l'ai vécu… Et à partir
de là, les livres ont changé.
Les Parleuses, 1974

2

3

1

2

Anne Desbaresdes boit, et ça ne cesse pas, le Pommard continue d'avoir ce soir la saveur anéantissante des lèvres inconnues d'un homme de la rue.

Moderato cantabile, 1958

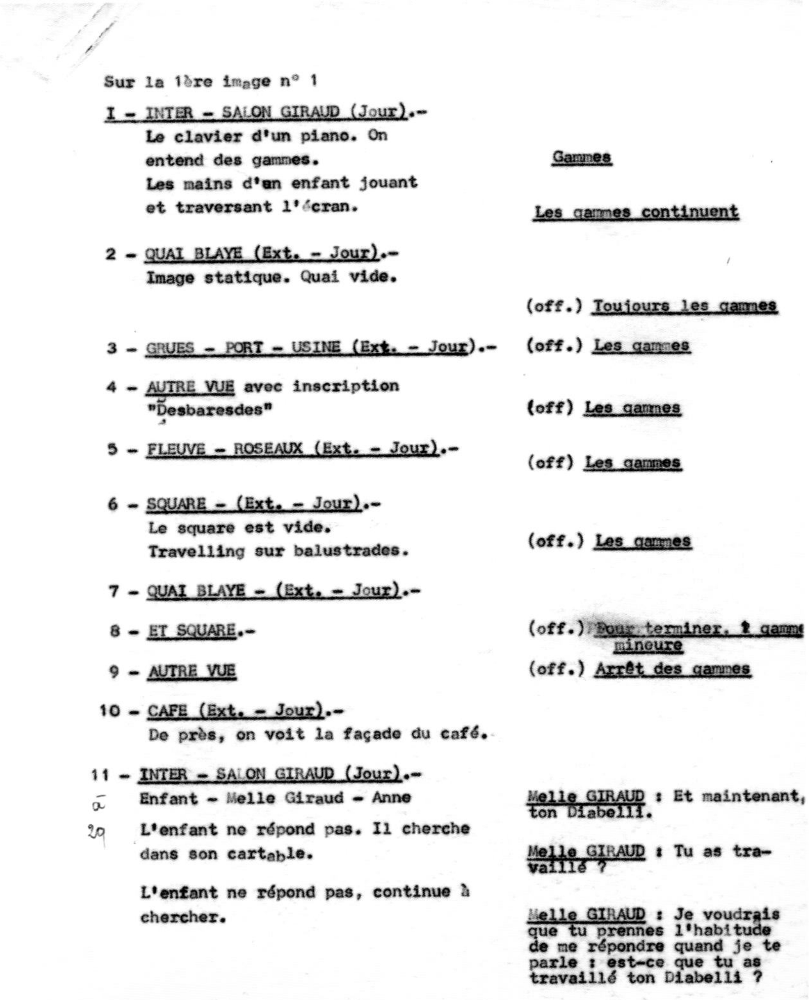

Sur la 1ère image n° 1

I - INTER - SALON GIRAUD (Jour).-
Le clavier d'un piano. On entend des gammes. — Gammes
Les mains d'un enfant jouant et traversant l'écran. — Les gammes continuent

2 - QUAI BLAYE (Ext. - Jour).-
Image statique. Quai vide. — (off.) Toujours les gammes

3 - GRUES - PORT - USINE (Ext. - Jour).- — (off.) Les gammes

4 - AUTRE VUE avec inscription "Desbaresdes" — (off) Les gammes

5 - FLEUVE - ROSEAUX (Ext. - Jour).- — (off) Les gammes

6 - SQUARE - (Ext. - Jour).-
Le square est vide.
Travelling sur balustrades. — (off.) Les gammes

7 - QUAI BLAYE - (Ext. - Jour).-

8 - ET SQUARE.- — (off.) Pour terminer, 1 gamme mineure

9 - AUTRE VUE — (off.) Arrêt des gammes

10 - CAFE (Ext. - Jour).-
De près, on voit la façade du café.

11 - INTER - SALON GIRAUD (Jour).-
à 29
Enfant - Melle Giraud - Anne — Melle GIRAUD : Et maintenant, ton Diabelli.
L'enfant ne répond pas. Il cherche dans son cartable. — Melle GIRAUD : Tu as travaillé ?
L'enfant ne répond pas, continue à chercher. — Melle GIRAUD : Je voudrais que tu prennes l'habitude de me répondre quand je te parle : est-ce que tu as travaillé ton Diabelli ?

4

3

1 et 2 Jeanne Moreau et Jean-Paul Belmondo dans *Moderato cantabile*, réalisé par Peter Brook en 1960. Cette séquence sera reprise pour l'affiche du film.

3 Jeanne Moreau et Jean-Paul Belmondo le 21 février 1960 écoutant les indications du réalisateur et metteur en scène Peter Brook au cours du tournage de *Moderato cantabile*, dont Marguerite Duras et Gérard Jarlot ont assuré l'adaptation et écrit les dialogues deux ans après la publication du roman.

4 Détails du premier plan du film *Moderato cantabile*.

5 Jeanne Moreau et Jean-Paul Belmondo sur le tournage de *Moderato cantabile*, 19 février 1960.

5

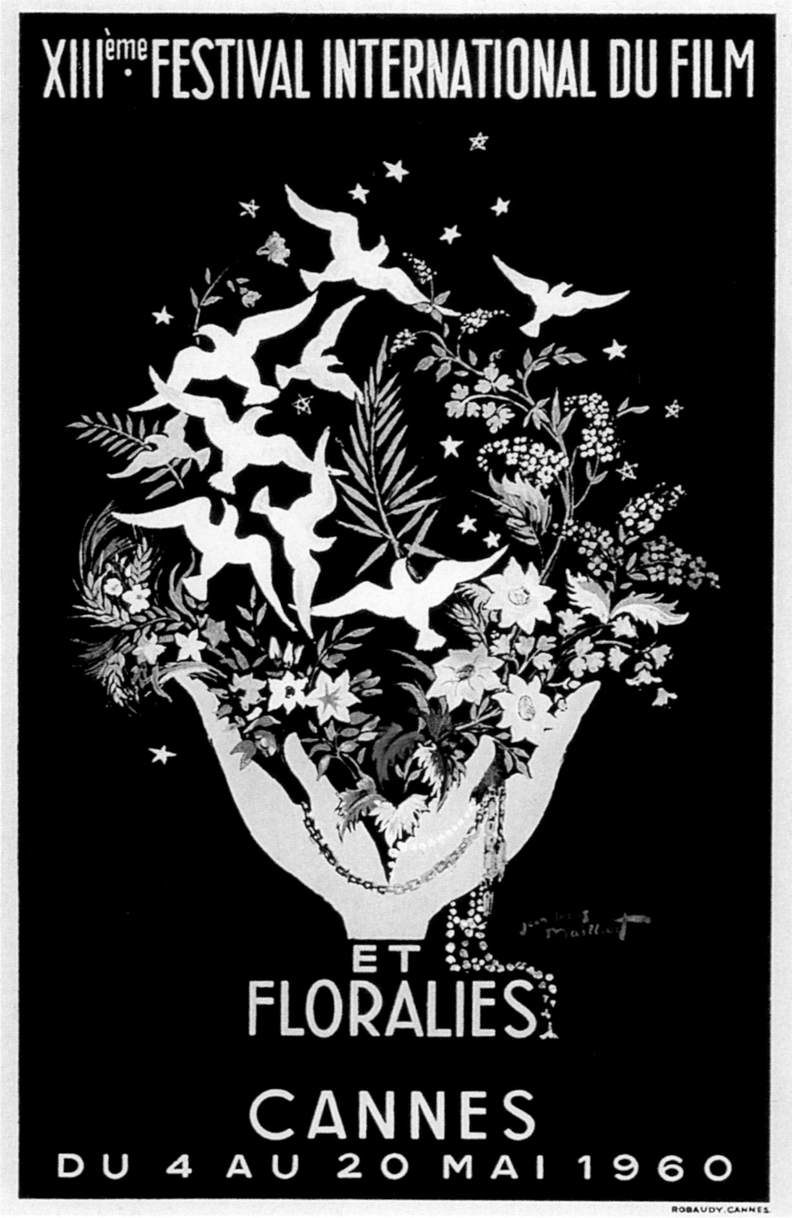

1

Jeanne, depuis l'époque de Moderato cantabile, *je me suis aperçue de l'extraordinaire intelligence de son regard, par le sérieux avec lequel elle intériorisait ses rôles. Pendant qu'elle tournait avec Brook, elle venait constamment chez moi me demander des renseignements sur la vie d'Anne Desbaresdes que moi-même j'étais obligée d'inventer sur le moment pour la contenter.*

Marguerite Duras, La Passion suspendue, entretiens avec L. Pallotta della Torre, 2013

2

3

1 Affiche de Jean-Denis Maillart pour le treizième Festival international du film de Cannes en 1960.

2 Raoul Levy, producteur de *Moderato cantabile*, avec Jeanne Moreau lors de la sortie du film réalisé par Peter Brook en 1960.

3 Le « Souper des 100 » offert par le producteur Raoul Levy lors de la présentation de *Moderato cantabile* à Cannes, en mai 1960. Au centre, Michelangelo Antonioni, prix spécial du jury cette année-là avec *L'Avventura* ; à droite, Jeanne Moreau.

4 Jeanne Moreau et Melina Mercouri lors du treizième Festival international du film de Cannes en 1960, présentant chacune son prix d'interprétation féminine. Melina Mercouri avait obtenu le prix pour son rôle dans *Jamais le dimanche*, et Jeanne Moreau pour son rôle dans *Moderato cantabile*.

4

PRIX
D'INTERPRÉTATION FEMININE
AU
FESTIVAL
INTERNATIONAL
DU FILM
CANNES 1960
DÉCERNÉ A
MELINA MERCOURI

Dimanche 3Aout.Aube.

Chère Margrot Dora,(comme écrit le "Japan Times")
Entre toutes les attitudes littéraires possibles pour rédiger mon rapport,je choisis le désordre.Elle me parait la plus rapide(et n'est-ce pas chaque minute compte)et - qui sait - la plus efficace.Je vous promets de n'écrire que d'un coté de la feuille.Ainsi vous pourrez jouer avec Outah et Gérard,l'un pour les ciseaux,l'autre pour le scotchtape ,à reconstituer cette lettre telle qu'elle aurait du se présenter.

***

A Paris nous nous étonnions de l'intérèt que les producteurs japonais pouvait prendre à ce film.En réalité ils n'en prennent que très modérément.Au point que la somme prêtée pour le réaliser me parait d'une humilité inquiétante.J'ajoute tout de suite que le devis ne sera prêt que Jeudi prochain.J'ai pensé qu'il était tout de même imprudent de faire venir Riva et Baudrot avant d'avoir la certitude de pouvoir commencer le tournage.

***

Ce n'est pas seulement lorsque je retire mes chaussures que je pense aux fous-rires possibles de Gérard.Je crois que mes multiples saluts, les échanges de cartes de visite,moi en kimono de train ou bien expliquant lentememt l'étrangeté des moeurs francaises au fond d'un bar devant une glace verte aux haricots rouges le rempliraient également d'une intense jubilation.

***

Ce qui parait le plus affoller les producteurs japonais,c'est notre désir de tourner à Hiroshima même et dans des lieux réels.Cela pose il est vrai des problêmes particuliers:on ne peut tourner dans une gare car cela pourrait gèner les voyageurs.On ne peut tourner dans un Hotel car cela pourrait géner les clients,On ne peut tourner dans les rues la nuit car cela dérange les gangsters.(Ce qui ne veut pas dire qu'on n'y arrivera pas.)

***

Parmi toutes les choses qu'on nous avaient racontées certaines sont vraies,d'autres faus ses,bien sur.Ainsi:un européen ne peut pas aimer la cuisine japonaise,laquelle d'ailleurs ne vaut rien.Faux.Jamais je n'ai été à pareille fète culinairement.Tokyo est très américanisè.Tout est bilingue.Faux.Il y a vingt pancartes de rues pour toute la ville et le plan du métro est entièrement en caractères japonais(ce qui rend son emploi incroyablement délicat).Il n'y a pas de café au japon.Particulierement faux.Il n'y a même que ça.Bien plus que de bistrots en France.La vie nocturne continue toute la nuit à Tokyo.Faux.Les boites de nuit ouvrent à six heures du soir et ferment à Minuit.A une heure du matin tout le monde est couché.Tokyo est la capitale la plus bruyante du monde.Faux,Rome l'est quatre fois plus.Tokyo est la capitale du néon.Vrai. L'incroyable politesse japonaise dans les rapports commerciaux.Peut être vrai,mais c'est indiscernable por moi.Dauman l'est vingt fois plus.(poli.) Les femmes rient tout le temps,les hommes jamais.Vrai.

***

Faites mes amitiés à Gérard.Il y a dans les rues des tas de bois comme à AUTUN,à Hiroshima.Et des fleuves genre Loire et des cloches qui sonnent dans la brume et des canaux saumâtres qui bordent les maisons comme à NEVERS.

***

J'ai été à Hiroshima.

../..

(1) Ignorant les prix japonais, nous aurons peut être une bonne surprise –

1

-6-

En analysant la continuité du 26 juillet j'ai trouvé un total de 357 ~~xxxxxxxxxxxxx~~ plans à tourner ici!Hâte de connaitre le résultat du devis!

***

On m'apporte une enveloppe de Paris.C'est votre nouvelle continuité. Merci.J'arrête donc brutalement cet essai de correspondance.Je vais me mettre au travail tout de suite.Ademain.Donnez moi beaucoup de nouvelles.

Affectueusement:
Alain

P.S.Voici les premières photos prises par moi à Hiroshima:

Impossible de résister à la tentation de montrer à Gérard ma signature en japonais

アラン・レネ

Je crois que j'ai recherché dans mes films ce que j'ai recherché dans mes livres. En fin de compte, il s'agit d'une diversion et seulement de ça, je n'ai pas changé d'emploi. Les différences sont très petites, jamais décisives.

Le Monde extérieur - Outside 2, 1993

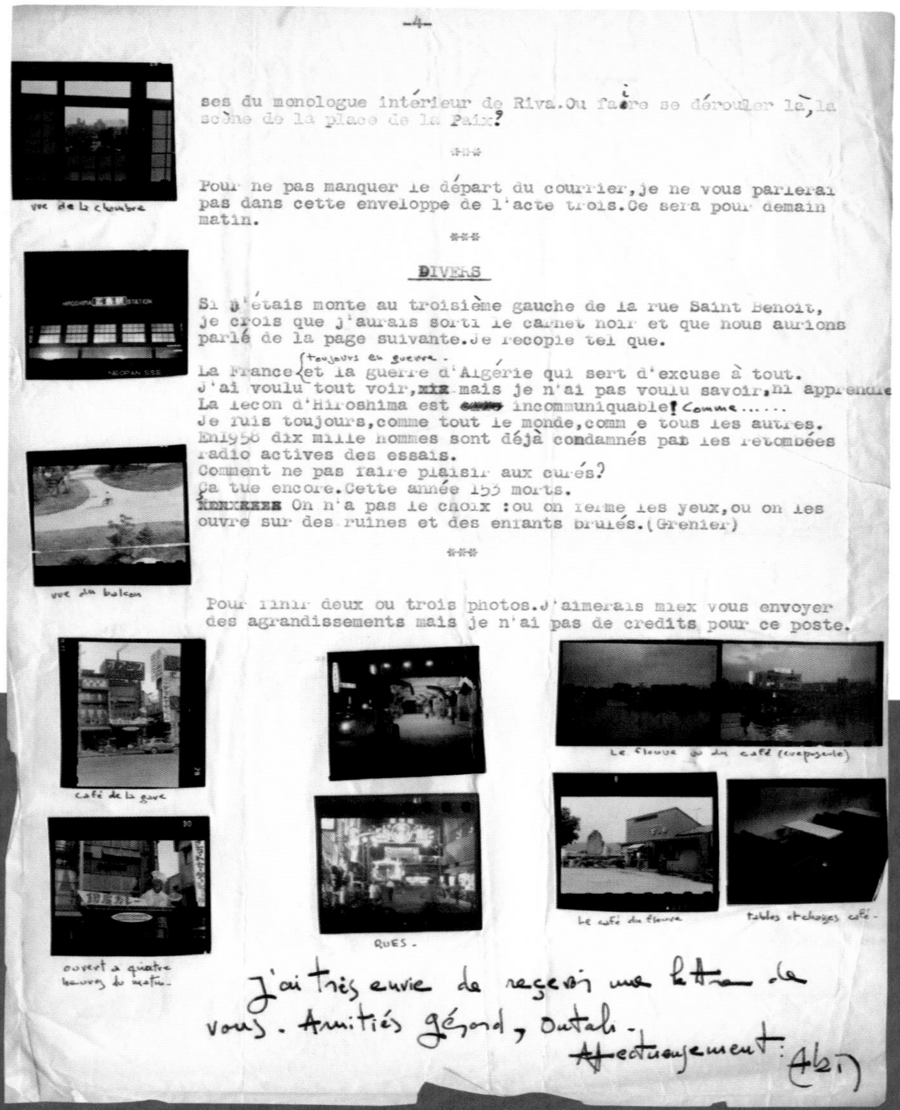

-4-

ses du monologue intérieur de Riva. Ou faire se dérouler là, la scène de la place de la Paix?

***

Pour ne pas manquer le départ du courrier, je ne vous parlerai pas dans cette enveloppe de l'acte trois. Ce sera pour demain matin.

***

DIVERS

Si j'étais monte au troisième gauche de la rue Saint Benoit, je crois que j'aurais sorti le carnet noir et que nous aurions parlé de la page suivante. Je recopie tel que.

La France (toujours en guerre.) et la guerre d'Algérie qui sert d'excuse à tout.
J'ai voulu tout voir, mais je n'ai pas voulu savoir, ni apprendre
La leçon d'Hiroshima est incommuniquable! Comme......
Je fuis toujours, comme tout le monde, comme tous les autres.
En 1958 dix mille hommes sont déjà condamnés par les retombées radio actives des essais.
Comment ne pas faire plaisir aux curés?
Ça tue encore. Cette année 153 morts.
XXXXXXXX On n'a pas le choix : ou on ferme les yeux, ou on les ouvre sur des ruines et des enfants brulés. (Grenier)

***

Pour finir deux ou trois photos. J'aimerais mieux vous envoyer des agrandissements mais je n'ai pas de credits pour ce poste.

vue de la chambre

vue du balcon

café de la gare

RUES

Le café du fleuve

tables et chaises café

ouvert à quatre heures du matin

J'ai très envie de recevoir une lettre de vous.

-5-

(suite.)

TROISIEME ACTE. (Style B. De Mille)

Premier tableau : La rencontre.

Page 23. La proximité de l'Hotel et de la place de la Paix rend invraisemblable le taxi du matin. Donc je choisis la cour de l'Hopital. (Ou la fondation Moriss.)

Page 25. Je crois qu'il suffit de couper "Place de la Paix" dans la réplique d'Okada.

Page 25. Je voudrais que Riva réponde quelque chose de plus précis. Dans le goût de: "Pour moi, oui. Ils tournent maintenant les scènes de foule".

Page 26. J'aimerais bien préciser: "Le film a déjà un mois de retard. On m'attend à Paris depuis plus de trois semaines".

Page 28. Peut être peut-on couper brutalement après la phrase sur l'orage, pour les retrouver coincés dans le défilé (sous la caméra?). Ça économiserait de la figuration.

Page 30. Puisque les bombardements avaient chassé les écoles dans la campagne il faudrait un peu changer les répliques. Peut être, simplement; Elle: "Les enfants, le 6 aout...?" Lui: "Oui."

***

Voilà! Je m'accorde maintenant deux heures de promenade dans Tokio (première flanerie depuis cinq jours) et je attaque le découpage.

J'ai tort de vous montrer des photos, car si on tourne, où sera la surprise ?

Photographie.

Escaliers (mieux qu'ascenseur) de l'hotel.

Images inexplicables trouvées sur une pellicule ! Inquiétantes, non ?

Place de la gare, la nuit.

Entrée du café du fleuve.

2

3

1 Lettre de deux pages d'Alain Resnais à Marguerite Duras, datée du 3 août 1958. Alain Resnais part au Japon durant l'été 1958, pour faire des repérages avant le tournage de *Hiroshima mon amour*, et s'en entretient avec Marguerite Duras, à qui il a confié le scénario et les dialogues. Dans ce film, qui révèle l'actrice Emmanuelle Riva, Marguerite Duras rapproche deux histoires d'amour et deux histoires de guerre.

2 Deuxième lettre d'Alain Resnais à Marguerite Duras datée du 6 août 1958.

3 Marguerite Duras et François Truffaut reçoivent le prix Méliès, prix de la critique, en 1960. Fait rare, les deux films, *Hiroshima mon amour*, et *Les Quatre Cents Coups* obtiennent tous deux le prix. Le public est un peu dérouté par *Hiroshima mon amour*, mais les critiques et les professionnels sont pour la plupart enthousiastes, certains y voyant déjà le véritable chef-d'œuvre qui aujourd'hui marque l'histoire du cinéma.

1

2

Dans quelques années, quand je t'aurai oubliée, et que d'autres histoires comme celle-là, par la force encore de l'habitude, arriveront encore, je me souviendrai de toi comme de l'oubli de l'amour même. Je penserai à cette histoire comme à l'horreur de l'oubli. Je le sais déjà.

Je me souviens.
Je vois l'encre.
Je vois le jour.
Je vois ma vie. Ta mort.
Ma vie qui continue.
Ta mort qui continue.

Hiroshima mon amour, 1960

---

1 Affiche du film *Hiroshima mon amour*, réalisé par Alain Resnais en 1959.

2 Affiche par Jouineau Bourduge pour le douzième Festival international du film de Cannes en 1959, au cours duquel *Hiroshima mon amour* obtient le Grand Prix, prix non officiel. C'est à Cannes qu'il est projeté pour la première fois. Le film sera retiré de la compétition pour des raisons diplomatiques envers le peuple et le gouvernement américains.

3, 4 et 5 Photographies de tournage de *Hiroshima mon amour* avec Emmanuelle Riva et Eiji Okada, 1958.

3

4

5

1

2

1 Affiche du film *Une aussi longue absence*, réalisé en 1961 par Henri Colpi, avec Alida Valli et Georges Wilson. Marguerite Duras et Gérard Jarlot en ont écrit le scénario, l'adaptation et les dialogues. Le film obtient la Palme d'or à Cannes en 1961, *ex æquo* à l'unanimité avec *Viridiana*, de Luis Buñuel. Cette année-là, Jean Giono est le président du jury, Claude Mauriac et Jean Paulhan font partie des onze membres du jury.

2 Affiche de A.M. Rodicq pour le quatorzième Festival international du film de Cannes en 1961.

3 Partition de la fameuse chanson du film, *Trois petites notes de musique* (paroles : Henri Colpi ; musique : Georges Delerue), interprétée par la chanteuse Cora Vaucaire, amie de Marguerite Duras.

4 Lors du tournage du film, Henri Colpi dirige Alida Valli, 1961.

3

Les événements de notre vie ne sont jamais uniques et ils ne se succèdent pas non plus de façon univoque, comme nous le souhaiterions. Multiples, irréductibles, ils se répercutent à l'infini dans la conscience, ils vont et viennent de notre passé à l'avenir, en se répandant comme l'écho, comme les ronds dans l'eau, et en s'entre-échangeant chaque fois.

Marguerite Duras, La Passion suspendue, entretiens avec L. Pallotta della Torre, 2013

Extraits du scénario annoté et corrigé par Marguerite Duras et Gérard Jarlot d'*Une aussi longue absence*. Dans ce passage, Thérèse aperçoit le vagabond qu'elle croit pouvoir être son mari, jamais revenu de déportation.

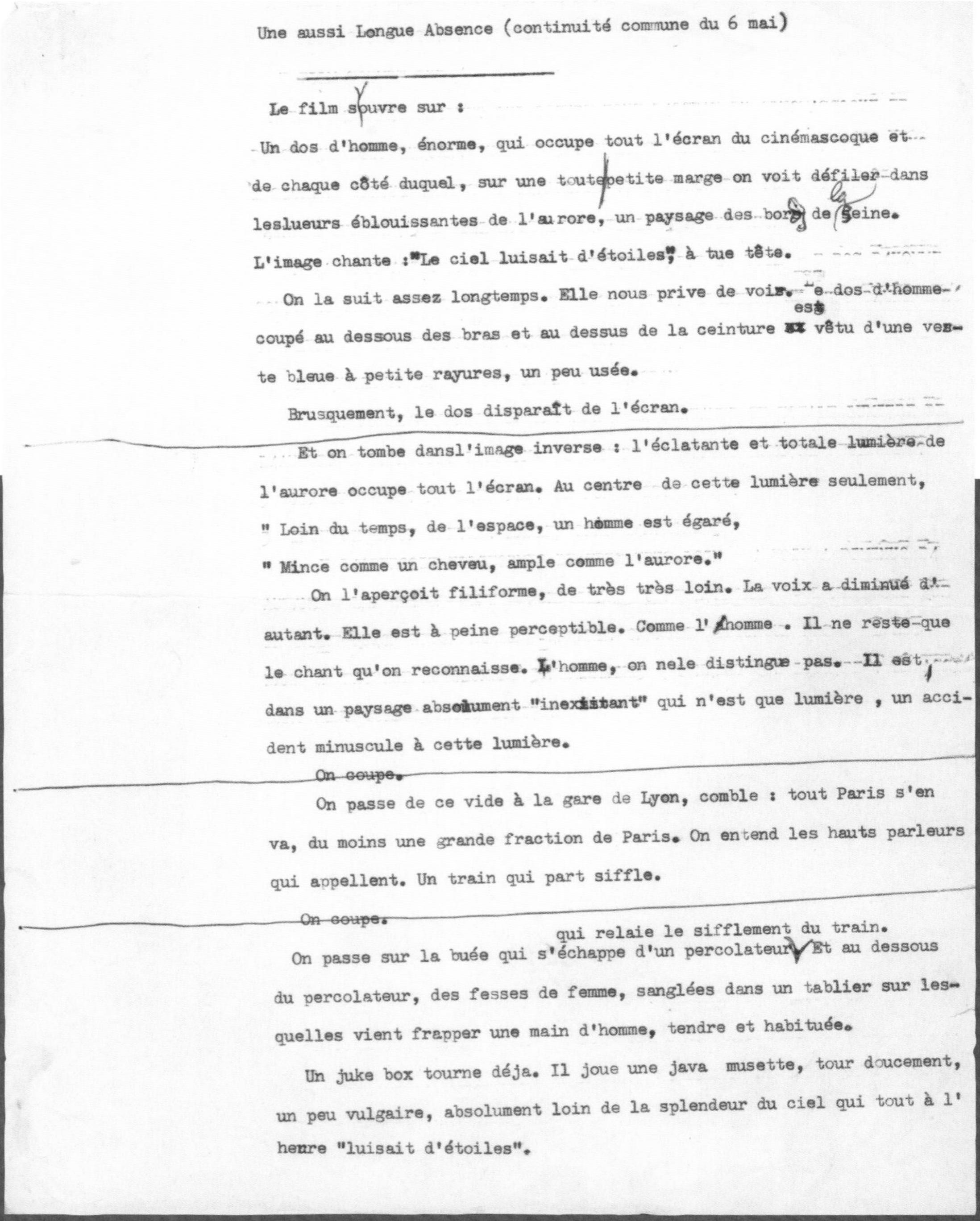

Une aussi Longue Absence (continuité commune du 6 mai)

Le film s'ouvre sur :

Un dos d'homme, énorme, qui occupe tout l'écran du cinémascoque et de chaque côté duquel, sur une toute petite marge on voit défiler dans les lueurs éblouissantes de l'aurore, un paysage des bords de Seine.

L'image chante : "Le ciel luisait d'étoiles" à tue tête.

On la suit assez longtemps. Elle nous prive de voir. Le dos d'homme coupé au dessous des bras et au dessus de la ceinture est vêtu d'une veste bleue à petite rayures, un peu usée.

Brusquement, le dos disparaît de l'écran.

Et on tombe dansl'image inverse : l'éclatante et totale lumière de l'aurore occupe tout l'écran. Au centre de cette lumière seulement,

" Loin du temps, de l'espace, un homme est égaré,

" Mince comme un cheveu, ample comme l'aurore."

On l'aperçoit filiforme, de très très loin. La voix a diminué d'autant. Elle est à peine perceptible. Comme l'homme . Il ne reste que le chant qu'on reconnaisse. L'homme, on nele distingue pas. Il est, dans un paysage absolument "inexistant" qui n'est que lumière , un accident minuscule à cette lumière.

~~On coupe.~~

On passe de ce vide à la gare de Lyon, comble : tout Paris s'en va, du moins une grande fraction de Paris. On entend les hauts parleurs qui appellent. Un train qui part siffle.

~~On coupe.~~

On passe sur la buée qui s'échappe d'un percolateur qui relaie le sifflement du train. Et au dessous du percolateur, des fesses de femme, sanglées dans un tablier sur lesquelles vient frapper une main d'homme, tendre et habituée.

Un juke box tourne déja. Il joue une java musette, tour doucement, un peu vulgaire, absolument loin de la splendeur du ciel qui tout à l'heure "luisait d'étoiles".

Est-ce qu'elle s'est remariée, Thérèse ? 12 18

_ ~~Et la femme de Henry Langlois ? Alice ? Alice ? ET~~ LA FEMME DE HENRY LANGLOIS QU ~~EST ELLE DEVENU XXX~~ APRES SON ARRESTATION A CHAU LIEU SUR LOIRE ?

(Est-ce qu'elle s'est remariée ? l' … de son époux)

_ Thérèse ne s'est jamais remariée

_ Jamais remariée. Jamais. Jamais ?

_ Jamais. Elle est restée à Paris. Thérèse Langlois est restée à Paris. Elle a continué son commerce, à Paris. Aux vacances elle revient à Chaulieu sur Loire maisle reste du temps, elle est ~~à Paris.~~ (Thérèse Langlois est) A PARIS.

Silence. Ils attendent. Il n'a plus remangé son sandwich. Il écoutait. Quand il neles entend plus parler, voici ce qu'il fait : il se retourne sur eux et il leur sourit. Sourire extrêmement doux, voilé, (la défiguration du sourire) indéfinissable, ~~sourire d'excuse et de tristesse~~ :

_ [illegible]

C'est sur ce sourire qu'on coupe.

~~Il faut que son sourire soit ambigu et jette les autres dans une immense perplexité. Deux solutions sont possibles à ce moment là. Où il s'éloigne, il s'en va et la femme le laisse partir. Ou elle ne le laisse pas partir.~~

~~1ère solution :~~

Il est parti. On les retrouve

~~Ils le laissent partir.~~ Ils se retrouvent tous trois très abattus, un peu comme des acteurs après le théâtre -les gens derrière les vitres, la cousine, le cousin - (tous abattus) sauf Thérèse Langlois.

_ Je ne sais pas, dit la cousine. Thérèse, je ne sais pas.

Sa voix est redevenue naturelle, basse, douce, honnête.

_ Quand tu as dit : Chaulieu, dit le cousin, ~~[illegible]~~ il s'est arrêté de manger.

_ Moi, dit Thérèse, tu vois, Alice, ~~maintenant~~ (après ça) j'en suis sûre comme je respire.

Un silence est là. La cousine et le cousin se regardent. Les voisins ~~xxxxxx~~ sont partis. Deux clients veulent entrer. Thérèse les sert. Ils partent, parlent des grandes vacances. (Ils partent) Thérèse revient à la table. La cousine et le cousin se sont concertés tandis qu'elle servait les clients

On les retrouve comme la dernière fois, assis devant le juke boxe, comme sur des sièges de théâtre, qui écoutent Puccini et Verdi. 49

~~[illegible]~~. Ils boivent une bouteille de champagne. Ils sont très à l'aise. Elle se lève, met l'ouverture de la Traviata ou quelque chose d'analogue, de dansant. Puis elle reste debout près de lui, lui offre un verre de champagne et lui demande comme d'un à'il s'agissait d'un caprice.

~~Et de danser. vous vou~~

II

_ Vous ne vous souvenez pas avoir dansé ?

_ Danser, danser, dit il... non...

Elle lui tend les bras :

_ Venez.

Il se lève. Et ils commancent à danser. Ils dansent. Lui danse d'une façon parfaite. Elle est contre son épaule, et tout en dansant elle regarde intensement la coupe du visage, l'oreille, les cheveux, et très doucement, elle pleure. Et elle voit sa cicatrice sur sa tête.

(Contrairement à une émotion intense, elle dit :)

_ Je vous remercie d'être venu, lui dit elle. (bas)

Il n'entend pas. Il danse durement, comme un jeune homme, très étonnement bien. Elle, est partagée entre le joie d'une extraordinaire violence de danser avec lui et la tentation non moins violente de le voir la reconnaître

_ Et, demande t elle, une femme, vous vous souvenez d'en avoir eu une ?

Il n'a pas encore entendu, une nouvelle fois. ~~Elle n'insiste pas.~~

Et d'avoir été

_ Et d'avoir été fiancé, une fois, loin de Paris, vous ne souvenez pas ?

Il n'a pas entendu encore, tout à la danse.

[illegible]

Le disque se termine. Ils se séparent. Elle est presque au bord des larmes mais il ne s'aperçoit de rien, de rien, jamais.

_ Vous voyez, dit elle, vous dansez. Et très bien.

Il rit. Il se tient debout. Pour la première fois il est ému par elle. Il ne se rassied pas. Il la regarde. Elle, pour la première fois, en est comme gênée.

_ Oh la la, dit il, vous êtes une gentille femme.

_ Non non, dit elle, ce n'est pas ça. (un temps) ~~xxxx~~ Je vous l'ai dit quand je vous ai rencontré au Pont de Neuilly (geste,) là. vous me rappelez quelqu'un que j'ai connu il y a des années

_ Que vous n'avez jamais revu ?

_ Jamais. Quelqudun que j'aimais beaucoup... beaucoup...

Elle, elle s'assied sur une chaise. Ereintée par la confidence. Il se tient debout à côté d'elle.

_ C'est triste ça, dit il.

Elle répond, très simplement.

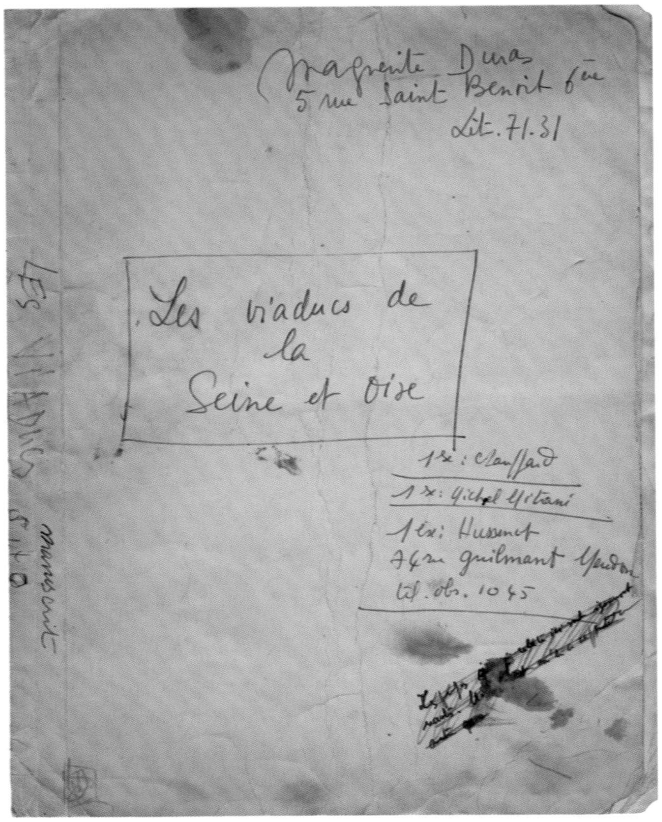
Marguerite Duras
5 rue Saint Benoît 6e
Lit. 71.31

Les viaducs de la Seine et Oise

1 ex : Clauffard
1 ex : Michel Mitrani
1 ex : Hussenot
74 rue Guilmant Vendôme
tél. obs. 1045

1

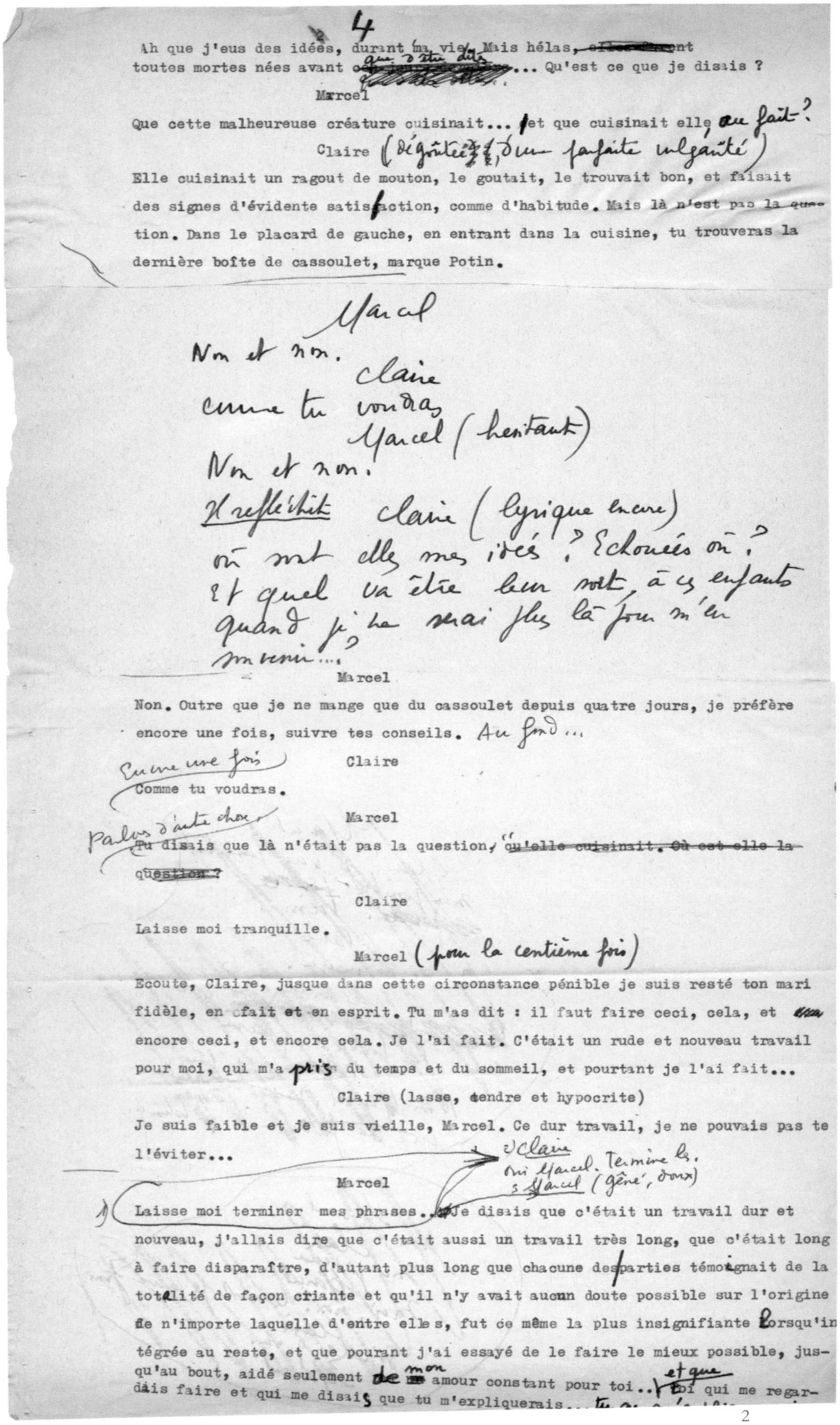
4

Ah que j'eus des idées, durant ma vie. Mais hélas, ~~elles étaient~~ toutes mortes nées avant qu'on [illegible] ... Qu'est ce que je disais ?

Marcel

Que cette malheureuse créature cuisinait... et que cuisinait elle au fait ?

Claire (dégoûtée) (d'une parfaite vulgarité)

Elle cuisinait un ragout de mouton, le goutait, le trouvait bon, et faisait des signes d'évidente satisfaction, comme d'habitude. Mais là n'est pas la question. Dans le placard de gauche, en entrant dans la cuisine, tu trouveras la dernière boîte de cassoulet, marque Potin.

Marcel

Non et non.

Claire

Comme tu voudras

Marcel (hésitant)

Non et non.

Il réfléchit

Claire (lyrique encore)

Où sont elles mes idées ? Échouées où ? Et quel va être leur sort, à ces enfants quand je ne serai plus là pour m'en souvenir... ?

Marcel

Non. Outre que je ne mange que du cassoulet depuis quatre jours, je préfère encore une fois, suivre tes conseils. Au fond...

Claire

Encore une fois
Comme tu voudras.

Marcel

Parlons d'autre chose
Tu disais que là n'était pas la question, ~~qu'elle cuisinait. Où est elle la question ?~~

Claire

Laisse moi tranquille.

Marcel (pour la centième fois)

Ecoute, Claire, jusque dans cette circonstance pénible je suis resté ton mari fidèle, en fait et en esprit. Tu m'as dit : il faut faire ceci, cela, et encore ceci, et encore cela. Je l'ai fait. C'était un rude et nouveau travail pour moi, qui m'a pris du temps et du sommeil, et pourtant je l'ai fait...

Claire (lasse, tendre et hypocrite)

Je suis faible et je suis vieille, Marcel. Ce dur travail, je ne pouvais pas te l'éviter...

Marcel

Laisse moi terminer mes phrases... Je disais que c'était un travail dur et nouveau, j'allais dire que c'était aussi un travail très long, que c'était long à faire disparaître, d'autant plus long que chacune des parties témoignait de la totalité de façon criante et qu'il n'y avait aucun doute possible sur l'origine de n'importe laquelle d'entre elles, fut ce même la plus insignifiante lorsqu'intégrée au reste, et que pourtant j'ai essayé de le faire le mieux possible, jusqu'au bout, aidé seulement de mon amour constant pour toi... et que toi qui me regardais faire et qui me disais que tu m'expliquerais...

2

1 Couverture du manuscrit de la pièce *Les Viaducs de la Seine-et-Oise*, 1963.

2 Page 4 de la version dactylographiée des *Viaducs de la Seine-et-Oise*, annotée par Marguerite Duras.

3 Marguerite Duras pendant une répétition de la pièce *Les Viaducs de la Seine-et-Oise*, mise en scène par Claude Régy au Théâtre de Poche en février 1963.

Sartre ou Camus, je trouvais qu'ils faisaient du théâtre à thèse tout aussi vieilli que les idéologies dont ils étaient farcis. Un théâtre faux et didactique, auquel manquait le vrai apport de la tragédie.

Marguerite Duras, La Passion suspendue, entretiens avec L. Pallotta della Torre, 2013

3

1 Couverture de *Paris-Théâtre* spécial Marguerite Duras à l'occasion de la programmation sur la scène du Théâtre de Poche des *Viaducs de la Seine-et-Oise*, dont Claude Régy assure la mise en scène en 1963.

2 Répétition de la pièce *Les Viaducs de la Seine-et-Oise* avec Étienne Bierry, Maurice Garrel, Katarina Renn et Paul Crauchet, au Théâtre de Poche à Montparnasse, en février 1963.

3 Article de Claude Damiens dans la revue *L'Avant-scène théâtre*.

4 Extrait d'un entretien conduit par Pierre Hahn, paru dans le même numéro, dans lequel Marguerite Duras évoque les autres versions qu'elle imagine de sa pièce. Elle explique son approche dans le choix des formes qu'elle donne à ses œuvres.

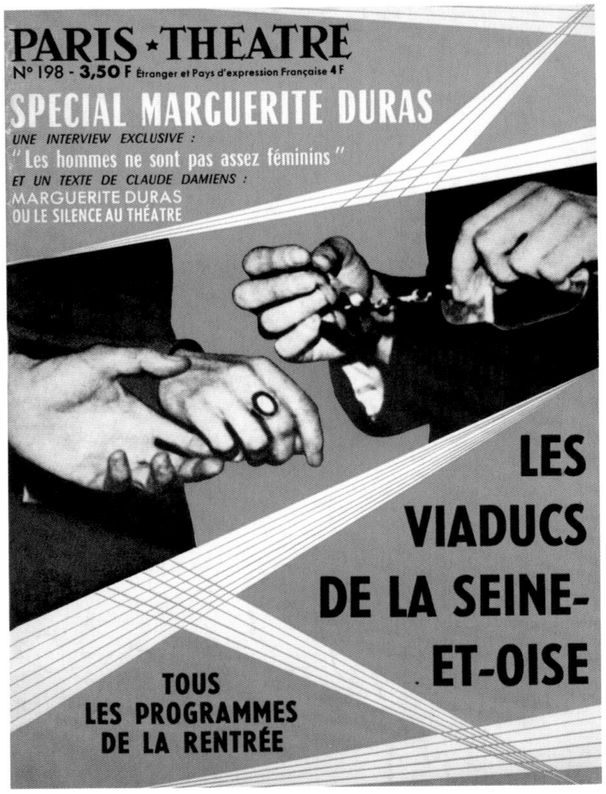

1

2

3

MARGUERITE DURAS
OU LE SILENCE AU THÉATRE

par Claude DAMIENS

Elle a l'air d'une de ces femmes qu'un homme écrase avant d'en devenir le prisonnier : humble devant les forces inconnues, mais d'une lucidité constante et capable, à la fin, de séparer l'illusoire du vrai pour réduire l'orage à son petit pouvoir réel, mais aussi à son complexe de faiblesse.

Nourrie d'intelligence et de sensibilité, elle en a fait une substance propre qui est la compréhension dont elle est gorgée comme d'un fruit.

Et vraiment, la personne de Marguerite Duras m'a toujours fait penser à un fruit : une pomme ou une grappe avec ce qu'elles ont de simple et de secret.

Marguerite Duras est née en Cochinchine, d'un père professeur de mathématiques et d'une mère institutrice qui, à la mort de son mari, avec trois enfants sur les bras, eut le projet grandiose et désespéré de construire un barrage qui protégerait contre les grandes marées de l'Océan, les terres qu'elle avait achetées. L'échec de cette entreprise devait laisser un souvenir profond à l'enfant qui allait le raconter pour mieux le réfléchir et peut-être pour mieux s'en débarrasser dans son premier roman important.

Marguerite Duras vint en France pour sa licence en droit, et fit même un séjour à l'école des Sciences politiques avant d'aborder des études de mathématiques supérieures.

Mais elle ne se sentait qu'une seule vocation profonde : celle d'écrivain.

Ceux qui l'ont connue ont affirmé qu'elle serait morte si elle n'avait pas pu s'exprimer et publier ses manuscrits.

Son premier roman, refusé par sept éditeurs, *Les Imprudents*, parut en 1942. Puis vint *La Vie tranquille* paru en 1944.

Mais Marguerite Duras et ses admirateurs considèrent que sa première réalisation authentiquement personnelle est *Le Barrage contre le Pacifique* (1950) qui fut suivi de *Le Marin de Gibraltar* (1952), *Les Petits chevaux de Tarquinia* (1953), *Des Journées entières dans les arbres*, *Le Square* (1955), *Moderato Cantabile* (1958), *Dix heures et demi du soir en été* (1960). A ces romans et nouvelles, il faut ajouter deux pièces : *Le Square*, monté en septembre 1956 au Théâtre des Champs-Élysées, dans une mise en scène de Claude Martin et *Les Viaducs de Seine-et-Oise*, pièce publiée en 1960, ainsi que deux dialogues de films, *Hiroshima, mon amour* en 1959 et *Une aussi longue absence*, en 1961.

Ce qui touche aujourd'hui chez Marguerite Duras est le style de ses récits. Mais pour que ce style atteigne sa plus grande puissance, il faut que les personnages qui l'expriment soient plongés dans une situation difficile où ils découvrent leurs limites, afin que le désespoir les oblige à aller jusqu'au fond d'eux-mêmes pour en extraire toute la force contenue, mais en même temps leur vérité la plus dissimulée.

Dans la bataille contre la nature du *Barrage contre le Pacifique*, dans le combat pour l'amour entre des êtres de deux races différentes de *Hiroshima, mon amour*, dans leur élan vers une vie meilleure, à la mesure de leur idéal, des deux héros de *Le Square*, dans l'effort contre l'oubli des anciens époux de *Une aussi longue absence*, c'est le *drame* qui noue et dénoue les cœurs bouleversés.

Et ses livres semblent « pessimistes » parce que l'effort inhumain ne peut s'achever que par des échecs.

La technique littéraire employée par Marguerite Duras est celle du *monologue intérieur*.

Mais on s'est trompé lorsqu'on a vu dans cette expression une forme symboliste, bien que le point de départ soit symboliste, chez Dujardin : le monologue intérieur représente dans le domaine du roman ce que le dadaïsme et le surréalisme représentent dans le domaine de la poésie, car les deux systèmes sont également destructifs, marquant une mise en doute de la syntaxe habituelle, une force anéantissante justifiée comme tous les automatismes linguistiques par une réalité plus profonde et méconnue.

La beauté poétique de Joyce, de Virginia Woolf, de Faulkner, est celle d'une prose qui est plus surréaliste que celle des romans soi-disant surréalistes d'un Julien Gracq, par exemple.

On a défini l'art de Duras comme la *glorification des silences*, et cette formule est d'autant plus juste que l'auteur cherche à percer au-delà des mots, ces valeurs invisibles et méconnaissables qui restent muettes *faute de mots*.

Ces livres bavards ne parlent que de *silence*, c'est-à-dire de ces gens qui ne disent rien lorsqu'ils parlent, mais *cernent des ombres*. Ils ne sont que les *négatifs* des véritables *positifs*, qui sont si durs à saisir qu'ils échappent à peine captés : *des miracles attendus et qui ne se produisent jamais*. Marguerite Duras, c'est d'abord un combat difficile et tâtonnant pour le déchiffrement des énigmes des Dieux et des hommes.

38

4

MARGUERITE DURAS :
"Les hommes de 1963 ne sont pas assez féminins"

PAR PIERRE HAHN

— Auteur de scénarii et dialogues de films, avec surtout *HIROSHIMA MON AMOUR*, vous avez abordé le théâtre avec deux pièces. La première, une adaptation de votre roman, *LE SQUARE*, a été éditée en 1956. Et la seconde, *LES VIADUCS DE LA SEINE-ET-OISE*, qui est aussi la première que vous ayez écrite directement pour la scène, a été représentée par le T.Q.M. (1) l'année dernière et, à Paris, au théâtre de Poche, cette saison. Pourquoi une romancière, de votre race, Marguerite Duras, a-t-elle choisi de traiter le thème très particulier des *VIADUCS* sous forme dramatique ?

MARGUERITE DURAS

— *Le sujet et les personnages des* VIADUCS *demandaient un dialogue en dehors du contexte habituel du roman. Cet homme et cette femme, au cours de leur dernière nuit de liberté, devaient chercher à s'expliquer d'eux-mêmes. Il ne fallait aucun écran entre eux et le public. Un romancier, vous savez, qui écrit pour le théâtre, n'a pas l'impression de parler pour lui. Et puis, je voulais conserver l'anonymat du fait divers, vu presque toujours à travers les déformations des journalistes. A la représentation de la pièce, on devait assister comme à la lecture même du fait divers. Mais je ne suis pas de ces écrivains qui, d'avance, savent ce qu'ils vont faire. Je ne prends jamais de notes et je travaille toujours comme ça : l'acte d'écrire est un voyage dans l'inconnu. Je vais où je peux. Quand* LES VIADUCS *ont été entrepris, il m'aurait été difficile de dire si la pièce pouvait comporter un acte ou deux.*

— Comment avez-vous été amenée à vous inspirer de ce fait divers ?

MARGUERITE DURAS

— *On me l'a signalé. Ce qui a retenu mon attention, c'est la bonne volonté de la femme : elle voulait sincèrement aider la justice, mais elle n'a pu expliquer son geste. C'est un peu comme les sœurs Papin, qui n'ont pas été capables non plus de donner les mobiles de leur crime. Au fond, cela rejoint l'acte poétique. Mais je n'ai pas pensé à écrire pour le théâtre. C'est lui qui est venu à moi. J'en ai été très heureuse : j'adore le théâtre.*

— *LES VIADUCS* ont-ils présenté beaucoup de difficultés ?

« Un romancier au théâtre n'a pas l'impression de parler pour lui. »

MARGUERITE DURAS

— *Ils m'ont donné moins de mal qu'un roman. Je suis partie beaucoup plus des personnages que de leur situation. Leur dialogue, d'autre part, m'amusait. J'ai été étonnée qu'à la représentation, la pièce ait été moins drôle que dans mon esprit. C'est sans doute la faute des comédiens qui l'ont jouée, tant à Marseille qu'à Paris.*

— Aviez-vous envisagé *LES VIADUCS* sous forme de roman, ne serait-ce qu'un instant ?

MARGUERITE DURAS

— *Pas une seconde ! Mais je vois très bien le film qu'ils pourraient faire.*

— Avec beaucoup de modifications ?

MARGUERITE DURAS

— *Non. Au contraire. Le film suivrait de très près le script de la pièce dans mon esprit. Et il y aurait l'avantage, en plus, du grand cadre terrifiant de la Seine-et-Oise, où l'individu se trouve perdu, noyé, ce qui est impossible au théâtre.*

— Dans une interview, vous avez accusé la Seine-et-Oise d'inciter au crime. Boutade ? Ou explication sérieuse et définitive du geste de vos personnages ?

MARGUERITE DURAS

— *Mes propos ont été déformés. J'ai dit que ce département n'offre pas de vie locale, et je le maintiens : cette banlieue, où j'ai une maison, est à la fois trop près et trop loin de Paris pour qu'on puisse nouer des relations de voisinage.*

« Le crime des sœurs Papin rejoint l'acte poétique. »

« Dans Barrage contre le Pacifique, je me suis débarrassée de mon enfance. »

(1) Théâtre Quotidien de Marseille.

32

33

1 et 2 Marguerite Duras à Trouville, en 1965.

3 L'hôtel des Roches Noires à Trouville, où Proust a séjourné au début du siècle, est transformé en appartement dans les années 1960. Marguerite Duras y fait l'acquisition de l'appartement 105, au premier étage, sur le côté gauche. Elle s'y installe et commence à rédiger un nouveau roman, *Le Ravissement de Lol V. Stein*.

1

2

3

Je lui montre la mer. C'est un luxe incroyable de pouvoir la voir du balcon. Quand on bombarde les villes, il reste toujours des ruines, des cadavres. Dans la mer vous jetez une bombe atomique et dix minutes après la mer reprend sa forme. On ne peut pas modeler l'eau. *La Vie matérielle*, 1987

Ici à l'hôtel des Roches Noires, chaque après-midi, en été, des dames, âgées déjà, se retrouvent sur la terrasse et parlent. On les appelle les Dames des Roches Noires. Tous les jours, tous les après-midi de tout l'été. On peut parler de sa vie toute sa vie, la vie est considérable. Ces femmes parlent sur la terrasse près de la mer, jusqu'à la fraîcheur, jusqu'au crépuscule. Souvent, d'autres gens passent et écoutent. Parfois elles les invitent à rester avec elles. Ce sont des femmes qui racontent les événements de leur vie et ceux des autres vies, des autres existences, d'une façon incomparable. Dressées sur les décombres de la guerre, elles parlent depuis quarante ans de l'Europe centrale. Il y a des gens qui se retrouvent là, chaque année, dans ce grand hôtel au bord de la Manche. Pour ça, parler. Elles avaient entre vingt et trente-cinq ans en 1940. Elles habitent à Passy en France pour quelques-unes. Des dames, ce mot ne veut rien dire si on ne connaît pas celles de la Manche. L'été, elles rebâtissent l'Europe, à partir de leurs réseaux d'amitiés, de rencontres, de relations mondaines et diplomatiques, des bals de Vienne, de Paris, des morts d'Auschwitz, de l'exil. Proust venait quelquefois dans cet hôtel. Certaines ont dû le connaître. C'était la chambre 111 sur la mer. Ici, c'est comme si Swann était dans les couloirs. C'est quand elles sont de très jeunes filles que Swann passe.

La Vie matérielle, 1987

Intérieur du hall des Roches Noires, redessiné dans les années 1920 par l'architecte Robert Mallet-Stevens. Avec ses fauteuils clubs, son dallage et ses grandes ouvertures sur la mer, cet endroit est une source inépuisable d'inspiration pour Marguerite Duras et offre désormais, avec Neauphle-le-Château, un nouveau décor à son œuvre.

1964 -

1979

L'effervescence de la création

On n'en finirait pas de recenser les bals dans l'œuvre de Duras. C'est le moment où le temps se suspend et où le désir se fait le plus violent. Tout peut advenir, et surtout ce qui bouscule les règles sociales en déjouant toutes les prévisions d'avenir. Il y a deux bals dans *Les Petits Chevaux de Tarquinia* et l'héroïne sait qu'elle peut changer de vie si elle se rend à celui qui est de l'autre côté du fleuve. Dans *Le Square*, la bonne d'enfants veut aller au bal du samedi soir car elle pense qu'elle y trouvera un amoureux. Dans *L'Après-midi de monsieur Andesmas,* on entend les échos assourdis d'un bal dans la vallée et monsieur Andesmas sait que sa fille y danse... Mais c'est dans la scène du bal du *Ravissement de Lol V. Stein* que Duras a poussé le plus loin l'accélération du tragique d'un destin. Lol voit son amoureux danser avec une autre et consent, dans le même mouvement, à ne plus être celle qui lui est promise. Dans un état d'hébétude et d'effroi, elle accepte donc de ne plus être aimée. Elle se contentera des restes du festin et suivra le nouveau couple dans ses pérégrinations. Elle s'allongera dans le champ non loin de l'hôtel où le couple s'est donné rendez-vous pour faire l'amour. Les imaginer la mettra dans un état de subconscience où la jalousie n'a pas droit de cité. Lol vit comme par procuration l'intensité d'un amour qui lui a été ôté. Elle erre dans les rues comme une mendiante pourchasseuse d'un butin qu'elle sait inaccessible mais forte de la sauvagerie de son désir. Duras porte à la perfection l'art de dessiner un personnage en s'affranchissant de toute règle psychologique. Lol, c'est toi. Lol, c'est vous. Lol, c'est nous. Nous avons toutes et tous connu l'irradiation de l'amour, l'impression de pouvoir l'atteindre et ce vertige que procure la certitude qu'il peut nous être soustrait à tout jamais. Le nom de Lol vient-il de Loleh Bellon, une de ses amies comédiennes qu'elle fréquente à cette époque ? On sait aussi que Marguerite s'est retrouvée, un jour, dans une clinique psychiatrique et qu'elle a pu parler avec une jeune femme toute une journée. De l'écoute de son histoire ont pu naître certaines composantes du personnage de Lol, absente à elle-même mais ô combien présente aux autres. Jacques Lacan a salué cette publication dans un article qui continue à épaissir le mystère de l'origine de l'écriture. Duras elle-même avoue ne pas savoir. Elle obéit à des injonctions. Dans *Écrire*, elle confiera : « Personne ne peut la connaître Lol V. Stein, ni vous ni moi. Et même ce que Lacan a écrit, je ne l'ai jamais tout à fait compris. Et cette phrase de lui : "Elle ne doit pas savoir qu'elle écrit ce qu'elle écrit. Parce qu'elle se perdrait. Et ce serait la catastrophe." C'est devenu pour moi, cette phrase, comme une sorte d'identité de principe, d'un "droit de dire" totalement ignoré des femmes. »

Elle ne fait que cela, écrire. C'est désormais sa seule et unique occupation. Avec l'argent des droits d'adaptation cinématographiques du *Barrage*, elle achète sa maison de Neauphle-le-Château qui deviendra vite un lieu d'inspiration où elle convoque les personnes nées de son imagination à qui elle donne corps et visage. Duras cite souvent Michelet, et plus particulièrement *La Sorcière.* Elle pratique désormais l'écriture comme une sorte de descente en soi-même, l'affrontement avec le vide intérieur, la recherche de la solitude, la contemplation du néant. Ne jamais avoir l'idée d'un livre *a priori.* Elle fait sortir de l'inconnu des personnages de femmes qui s'imposent à elle et dont elle trace les contours, laissant, au centre, une forme vide dans laquelle chaque lecteur peut s'installer, lui procurant ainsi l'illusion de guider à son tour les états d'esprit de ses différentes créatures.

Après le succès d'estime en littérature – car, si elle a son public de fidèles aficionados, elle ne passe pas le cap du grand public – elle enchaîne avec une succession de pièces comme *Les Eaux et Forêts*, *La Musica.* Tout ce qu'elle écrit converge vers la publication en prenant des formes différentes. C'est une sorte de grand chantier prolifique où un roman peut devenir pièce de théâtre puis film. Ce sont des variations de formes qui tendent toutes vers un seul but : écrire des choses inconnues de soi. L'écriture du roman, c'est être seule, loin de tout. Se couper du monde, ne plus savoir qu'il existe. Attendre que ça vienne. C'est impossible à vivre. C'est comme essayer de se hisser au tutoiement avec les dieux. Cela peut vous conduire à l'alcoolisme. Marguerite connaît ce genre de compagnonnage où les capacités de création semblent, temporairement, pouvoir se dilater. L'alcool l'aide. L'alcool la calme. L'alcool l'encourage. Avec *Le Vice-consul*, elle trouve une nouvelle forme de musicalité et une manière de scénariser une scène primitive qu'elle essaie de fixer. Pourquoi crie-t-il le vice-consul ? D'où lui vient son impossibilité à vivre ? Qu'attend-il ? Il est des livres comme des fruits. Certains tombent et pourrissent dans la terre. D'autres restent accrochés aux branches et sont veillés jalousement. On les protège de toutes les intempéries. Ainsi du *Vice-consul.* Il est resté un de ses livres fétiches et elle le relisait souvent, étonnée d'avoir accouché d'un tel personnage. Ce livre fait advenir une nouvelle thématique qui va devenir récurrente dans son œuvre. Elle permet de voir surgir un Orient fantasmé, contradictoire, déchiré entre la misère extrême, avec l'incarnation de la figure de la mendiante, et un Occident vénéneux qui se joue de cette misère et l'ignore en s'étourdissant dans des réceptions mondaines où le tourbillonnement de la danse fait vaciller les identités. C'est tout un monde, à la lisière du somnambulisme, qu'elle réussit à restituer avec ces femmes et ces hommes qu'on croyait endormis pour l'éternité et qui viennent se rappeler à nous en hurlant leur détresse. Dans *Le Vice-consul* existe, en germe, *India Song* qui verra le jour en 1973 à la fois comme texte, théâtre et film. Duras est ainsi, qui patiente, laisse fermenter dans son inconscient des noms, des voix, des attitudes corporelles qui se déposent très profondément dans ce qu'elle appelait le puits noir de l'écriture.

Elle vivra Mai 68 dans l'euphorie et la gaîté. Très vite elle adhère au mouvement étudiant et se rend à la Sorbonne occupée. Elle fera partie des groupes de parole et participera à des cénacles improvisés où s'inventent des slogans. De la même manière qu'après la Libération elle a cru qu'un profond changement politique allait avoir lieu, elle espère que la société va se transformer sous l'impulsion des étudiants et des travailleurs. Elle vivra très mal le retour à l'ordre et la confiscation de la révolution. Elle écrit dans un état de désespoir politique l'un de ses livres les plus obscurs, *Abahn, Sabana, David,* et publie *Détruire dit-elle*, une partition mélancolique et grave mettant en scène deux femmes, Elizabeth Alionne et Alissa, et une myriade d'hommes attirés par la beauté triste d'Elizabeth. Celle-ci ne fait rien de ses journées ; elle attend dans une chaise longue. Silhouette fragile, pantin désarticulé, elle répond à peine aux questions qui lui sont posées. Par bribes, le lecteur apprend qu'elle vient de perdre un enfant et qu'elle est sous traitement. Elle se protège des aspérités de la vie en se fermant à toute émotion et évolue dans une zone d'asthénie. C'est comme si rien ne pouvait l'atteindre. On ne peut s'empêcher de penser qu'elle est une grande sœur de Lol, une de ses compagnes de spleen, vivant dans un monde éthéré où tous les chocs sont assourdis et où règne la lenteur.

Comment expliquer la prolixité de Marguerite Duras ? Durant ces années-là, elle publie des textes importants et pourtant elle enchaîne aussi film sur film. On ne dira jamais assez que Marguerite Duras est aussi et autant écrivain que cinéaste et que, si actuellement ses films sont au purgatoire, elle a apporté, en termes de renouvellement des formes, une contribution essentielle au cinéma français. Au départ, c'est parce que les adaptations de ses romans au cinéma ne la satisfont pas qu'elle se dit qu'elle va peut-être mettre elle-même la main à la pâte. « Ça ne pourra être que mieux », dit-elle à Dominique Noguez. Elle n'apprend pas le cinéma. Elle deviendra cinéaste en tournant. Certes elle avait connu l'expérience de scénariste et avait l'habitude de diriger des acteurs au théâtre, mais personne ne lui a expliqué où il fallait mettre la caméra ni comment faire un cadre. *Détruire dit-elle* en 1969, *Jaune le Soleil* en 1971, *La Femme du Gange* en 1973 sont tirés de ses propres romans. Mais avec *Nathalie Granger* elle innove, car le scénario n'est écrit que pour le cinéma. Elle tourne avec peu de moyens dans sa maison de campagne avec une équipe réduite, se met dans un état de transe poétique qu'elle communique à ses interlocuteurs – techniciens et acteurs, comme Gérard Depardieu dont c'est le premier rôle au cinéma et qui déclare : « Ce n'est pas une direction, c'est un état d'âme. ». Avec *India Song*, Duras s'affranchit de tout réalisme et expérimente le film comme processus de remémoration. Elle croit à la capacité qu'a le cinéma de pouvoir faire apparaître des figures tutélaires qui hantent l'imaginaire. Avec Delphine Seyrig, elle a trouvé celle qui pouvait incarner Anne-Marie Stretter. Elle vient de loin Anne-Marie Stretter, du plus loin de sa vie, du temps de son enfance. Elle est d'abord apparue sous les traits de Lol en 1964 dans *Le Ravissement* puis elle devient, en 1965, Anne Marie Stretter dans *Le Vice-consul* et garde ce nom dans *India Song* en 1975. C'est la donneuse de mort, la messagère de l'invivable. L'auteur est partie d'une histoire vraie d'un jeune homme qui s'était suicidé par amour pour elle. Ça crie dans *India Song*. Des cris d'épouvante. Ça parle d'amour. *India Song* n'est pas un film qui se voit mais qui se vit. On est emporté par la polyphonie des voix, par la musique de Carlo di Alessio, par la structure fragmentée du récit, par l'omniprésence du passé lointain qui vient heurter le passé proche. Elle a du mal à se séparer de ce film et tournera dans les mêmes lieux *Son nom de Venise dans Calcutta désert*. L'année suivante elle enchaîne avec *Le Camion* en choisissant une forme délibérément très éloignée du cycle des trois films précédents. Elle se met en scène elle-même et choisit comme interlocuteur Gérard Depardieu. Elle se filme comme une vieille dame indigne et turbulente. Film sur la mise en abîme du cinéma, *Le Camion* sera présenté au Festival de Cannes et divisera les spectateurs : il y a ceux qui après la séance veulent embrasser Marguerite Duras et lui disent qu'elle a du génie, et ceux qui sont partis en cours de route, persuadés qu'on se moquait d'eux…

Elle poursuivra son expérimentation d'un cinéma limite avec *Navire Night* qu'elle considère comme un film raté, puis en utilisera les chutes pour construire *Césarée* et les deux *Aurélia Steiner*, films de plus en plus écrits, commentés par elle-même où l'image ne coïncide pas avec le son et où Duras, avec sa voix inimitable, nous emmène dans un voyage de la mémoire, réussissant à nous entraîner dans un hors-temps où les frontières géographiques sont abolies.

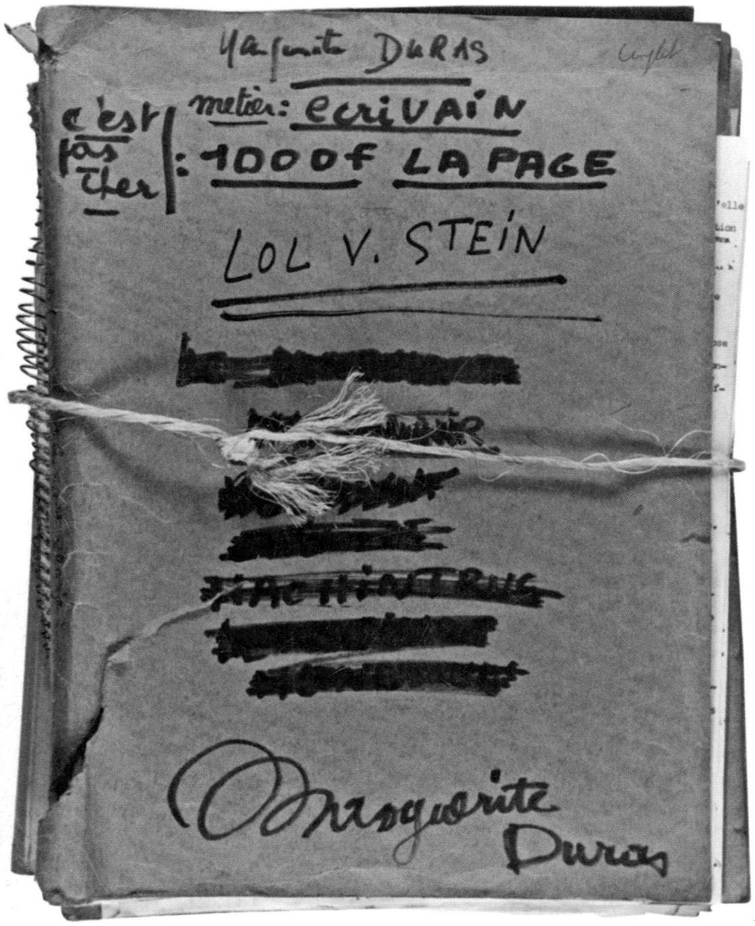

1

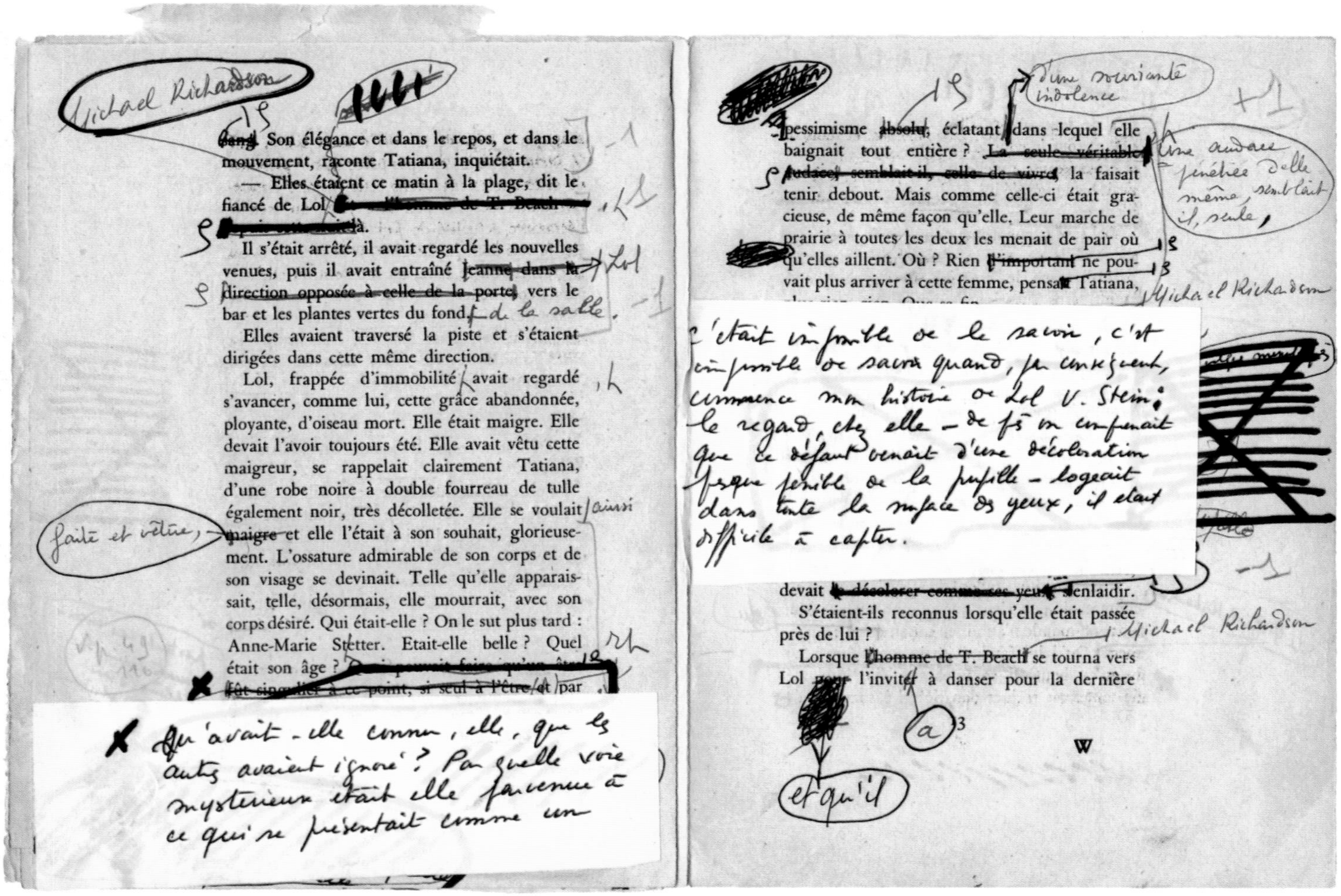
Michael Richardson

[redacted] Son élégance et dans le repos, et dans le mouvement, raconte Tatiana, inquiétait.

— Elles étaient ce matin à la plage, dit le fiancé de Lol [redacted] là.

Il s'était arrêté, il avait regardé les nouvelles venues, puis il avait entraîné Jeanne dans la direction opposée à celle de la porte vers le bar et les plantes vertes du fond. (Lol ; de la salle)

Elles avaient traversé la piste et s'étaient dirigées dans cette même direction.

Lol, frappée d'immobilité, avait regardé s'avancer, comme lui, cette grâce abandonnée, ployante, d'oiseau mort. Elle était maigre. Elle devait l'avoir toujours été. Elle avait vêtu cette maigreur, se rappelait clairement Tatiana, d'une robe noire à double fourreau de tulle également noir, très décolletée. Elle se voulait maigre (ainsi faite et vêtue,) et elle l'était à son souhait, glorieusement. L'ossature admirable de son corps et de son visage se devinait. Telle qu'elle apparaissait, telle, désormais, elle mourrait, avec son corps désiré. Qui était-elle ? On le sut plus tard : Anne-Marie Stretter. Etait-elle belle ? Quel était son âge ?

× Qu'avait-elle connu, elle, que les autres avaient ignoré ? Par quelle voie mystérieuse était elle parvenue à ce qui se présentait comme un

[redacted]

pessimisme absolu, éclatant dans lequel elle baignait tout entière ? (d'une souriante indolence) La seule véritable audace, semblait-il, celle de vivre la faisait tenir debout. (une audace pénétrée d'elle même, semblait-il, seule,) Mais comme celle-ci était gracieuse, de même façon qu'elle. Leur marche de prairie à toutes les deux les menait de pair où qu'elles aillent. Où ? Rien d'important ne pouvait plus arriver à cette femme, pensait Tatiana,

c'était impossible de le savoir, c'est impossible de savoir quand, par conséquent, commence mon histoire de Lol V. Stein : le regard, chez elle – de si près on confondait que ce défaut venait d'une décoloration presque pénible de la pupille – logeait dans toute la surface des yeux, il était difficile à capter.

[redacted]

devait se décolorer comme ses yeux, enlaidir.

S'étaient-ils reconnus lorsqu'elle était passée près de lui ? (Michael Richardson)

Lorsque l'homme de T. Beach se tourna vers Lol pour l'inviter à danser pour la dernière

et qu'il

2

3

1 Dossier original des archives de Marguerite Duras contenant les manuscrits et les épreuves successives du *Ravissement de Lol V. Stein*, sur la couverture duquel est rédigée la mention de la main de l'auteur : « métier : écrivain, 1 000 francs la page, c'est pas cher. »

2 Épreuves corrigées datées de janvier 1964 des pages 12 et 13 du *Ravissement de Lol V. Stein*.

3 Loleh Bellon, ici avec Marguerite Duras dans sa loge du théâtre de l'Athénée en 1962, à Paris, lors des répétitions de *La Bête dans la jungle*. Marguerite Duras a dit s'être totalement inspirée de l'actrice pour son personnage de Lol V. Stein, Lola Valérie Stein. D'abord épouse de Jorge Semprun, puis de Claude Roy, Loleh Bellon, de son vrai nom Marie-Laure Bellon, et Marguerite Duras se connaissent et s'apprécient depuis longtemps.

Écrire ce n'est pas raconter des histoires. C'est le contraire de raconter des histoires. C'est raconter tout à la fois. C'est raconter une histoire et l'absence de cette histoire. C'est raconter une histoire qui en passe par son absence. Lol V. Stein est détruite par le bal de S. Thala. Lol V. Stein est bâtie par le bal de S. Thala. [...] *Toutes les femmes de mes livres, quel que soit leur âge, découlent de Lol V. Stein. C'est-à-dire d'un certain oubli d'elles-mêmes.* [...] *Toutes elles font le malheur de leur vie.*

La Vie matérielle, 1987

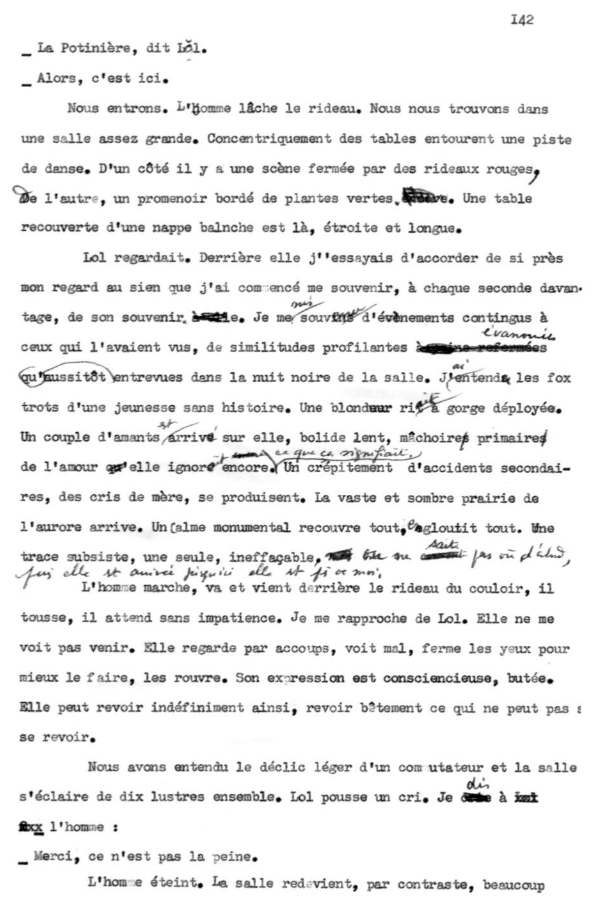

142

_ La Potinière, dit Lol.

_ Alors, c'est ici.

Nous entrons. L'homme lâche le rideau. Nous nous trouvons dans une salle assez grande. Concentriquement des tables entourent une piste de danse. D'un côté il y a une scène fermée par des rideaux rouges, de l'autre, un promenoir bordé de plantes vertes. Une table recouverte d'une nappe balnche est là, étroite et longue.

Lol regardait. Derrière elle j''essayais d'accorder de si près mon regard au sien que j'ai commencé me souvenir, à chaque seconde davantage, de son souvenir. Je me souviens d'évènements contingus à ceux qui l'avaient vus, de similitudes profilantes à qu'aussitôt entrevues dans la nuit noire de la salle. J'entends les fox trots d'une jeunesse sans histoire. Une blondeur rit à gorge déployée. Un couple d'amants arrivé sur elle, bolide lent, mâchoires primaires de l'amour qu'elle ignore encore. Un crépitement d'accidents secondaires, des cris de mère, se produisent. La vaste et sombre prairie de l'aurore arrive. Un calme monumental recouvre tout, engloutit tout. Une trace subsiste, une seule, ineffaçable,

L'homme marche, va et vient derrière le rideau du couloir, il tousse, il attend sans impatience. Je me rapproche de Lol. Elle ne me voit pas venir. Elle regarde par accoups, voit mal, ferme les yeux pour mieux le faire, les rouvre. Son expression est consciencieuse, butée. Elle peut revoir indéfiniment ainsi, revoir bêtement ce qui ne peut pas se revoir.

Nous avons entendu le déclic léger d'un commutateur et la salle s'éclaire de dix lustres ensemble. Lol pousse un cri. Je dis à l'homme :

_ Merci, ce n'est pas la peine.

L'homme éteint. La salle redevient, par contraste, beaucoup

1

1 Page 142 du tapuscrit du *Ravissement de Lol V. Stein*, corrigé à la main par Marguerite Duras. Dans ce passage, l'héroïne Lol et le narrateur Jacques Hold reviennent sur les lieux de la scène centrale du roman, le bal du Casino de T. Beach, le bal de S. Thala.

2 Épreuves dactylographiées et annotées par Marguerite Duras, dans lesquelles se voit sa méthode d'écriture : comme pour le cinéma ou le théâtre, l'auteur donne des indications de scène, de contextualisation des personnages, les dirigeant comme des acteurs. Marguerite Duras, comme très souvent, mêle ici son travail d'écriture et sa vie, ponctuant ses manuscrits de petites notes personnelles.

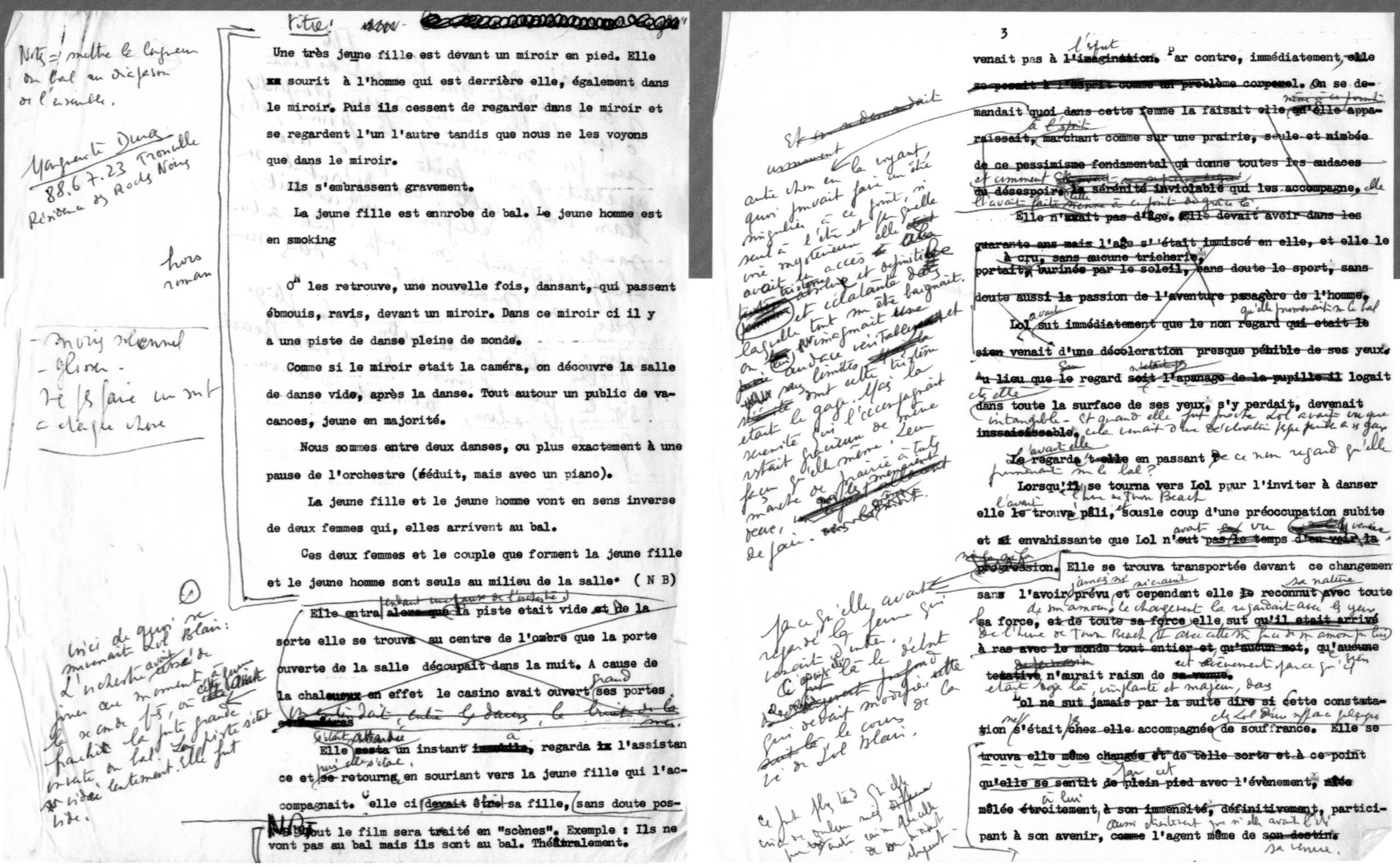

Une très jeune fille est devant un miroir en pied. Elle sourit à l'homme qui est derrière elle, également dans le miroir. Puis ils cessent de regarder dans le miroir et se regardent l'un l'autre tandis que nous ne les voyons que dans le miroir.

Ils s'embrassent gravement.

La jeune fille est enrobe de bal. Le jeune homme est en smoking

On les retrouve, une nouvelle fois, dansant, qui passent ébmouis, ravis, devant un miroir. Dans ce miroir ci il y a une piste de danse pleine de monde.

Comme si le miroir etait la caméra, on découvre la salle de danse vide, après la danse. Tout autour un public de vacances, jeune en majorité.

Nous sommes entre deux danses, ou plus exactement à une pause de l'orchestre (réduit, mais avec un piano).

La jeune fille et le jeune homme vont en sens inverse de deux femmes qui, elles arrivent au bal.

Ces deux femmes et le couple que forment la jeune fille et le jeune homme sont seuls au milieu de la salle. (N B)

Elle entra la piste etait vide sorte elle se trouva au centre de l'ombre que la porte ouverte de la salle découpait dans la nuit. A cause de la chaleur en effet le casino avait ouvert ses portes

Elle resta un instant immobile, regarda l'assistance et se retourna en souriant vers la jeune fille qui l'accompagnait. Elle ci devait être sa fille, sans doute pos-

Tout le film sera traité en "scènes". Exemple : Ils ne vont pas au bal mais ils sont au bal. Théâtralement.

3

venait pas à l'imagination. Par contre, immédiatement, elle se posait à l'esprit comme un problème corporel. On se demandait quoi dans cette femme la faisait elle, qu'elle apparaissait, marchant comme sur une prairie, seule et nimbée de ce pessimisme fondamental qui donne toutes les audaces ou désespoir, la sérénité inviolable qui les accompagne. Elle n'avait pas d'âge. Elle devait avoir dans les quarante ans mais l'âge s'était immiscé en elle, et elle le portait, burinée par le soleil, sans doute le sport, sans doute aussi la passion de l'aventure passagère de l'homme.

Lol sut immédiatement que le non regard qui était le sien venait d'une décoloration presque pénible de ses yeux. Au lieu que le regard soit l'apanage de la pupille il logeait dans toute la surface de ses yeux, s'y perdait, devenait insaisissable.

Le regard de elle en passant

Lorsqu'il se tourna vers Lol pour l'inviter à danser elle le trouva pâli, sous le coup d'une préoccupation subite et si envahissante que Lol n'eut pas le temps d'en voir la progression. Elle se trouva transportée devant ce changement sans l'avoir prévu et cependant elle le reconnut avec toute sa force, et de toute sa force elle sut qu'il était arrivé à ras avec le monde tout entier et qu'aucun mot, qu'aucune tentative n'aurait raison de sa venue.

Lol ne sut jamais par la suite dire si cette constatation s'était chez elle accompagnée de souffrance. Elle se trouva elle même changée et de telle sorte et à ce point qu'elle se sentit de plein pied avec l'évènement, mêlée étroitement, à son immensité, définitivement, participant à son avenir, comme l'agent même de son destin.

2

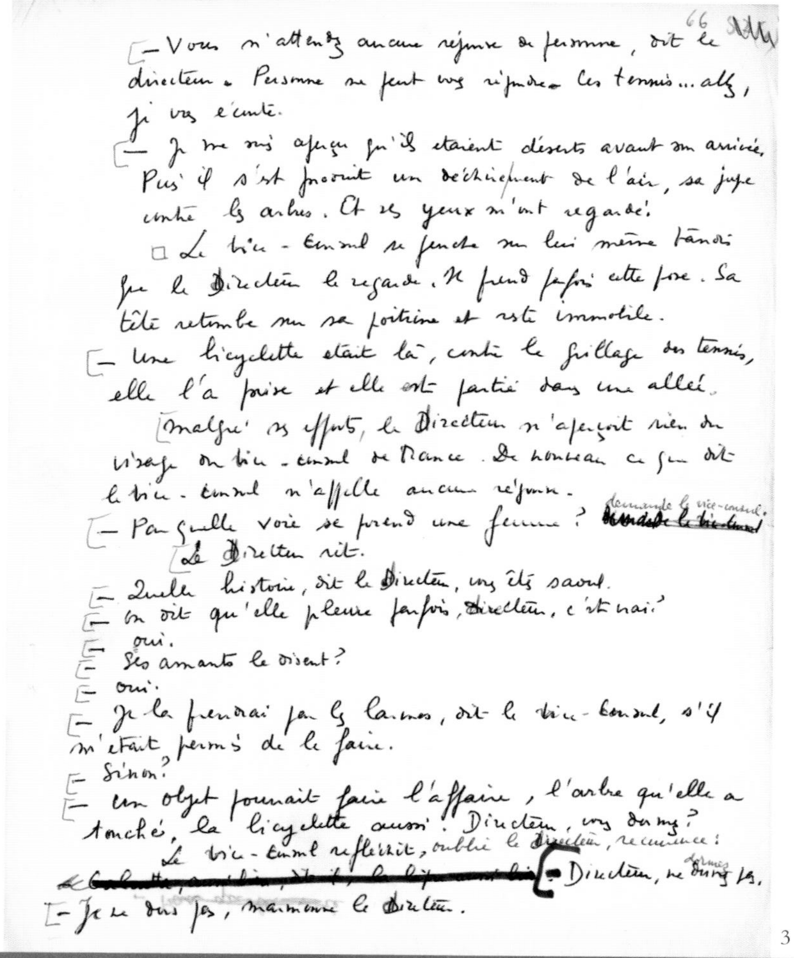
66

— Vous n'attendez aucune réponse de femme, dit le directeur. Personne ne peut vous répondre. Les tennis... allez, je vous écoute.

— Je me suis aperçu qu'ils étaient déserts avant son arrivée. Puis il s'est produit un déchirement de l'air, sa jupe contre les arbres. Et ses yeux m'ont regardé.

Le vice-consul se penche sur lui-même tandis que le Directeur le regarde. Il prend parfois cette pose. Sa tête retombe sur sa poitrine et reste immobile.

— Une bicyclette était là, contre le grillage des tennis, elle l'a prise et elle est partie dans une allée.

Malgré ses efforts, le Directeur n'aperçoit rien du visage du vice-consul de France. De nouveau ce que dit le vice-consul n'appelle aucune réponse.

— Par quelle voie se prend une femme ? demande le vice-consul.

Le Directeur rit.

— Quelle histoire, dit le Directeur, vous êtes savant.

— On dit qu'elle pleure parfois, Directeur, c'est vrai ?

— Oui.

— Ses amants le disent ?

— Oui.

— Je la prendrai par les larmes, dit le vice-consul, s'il m'était permis de le faire.

— Sinon ?

— Un objet pourrait faire l'affaire, l'arbre qu'elle a touché, la bicyclette aussi. Directeur, vous dormez ?

Le vice-consul réfléchit, oublie le Directeur, recommence :

[redacted] — Directeur, ne dormez pas.

— Je ne dors pas, marmonne le Directeur.

3

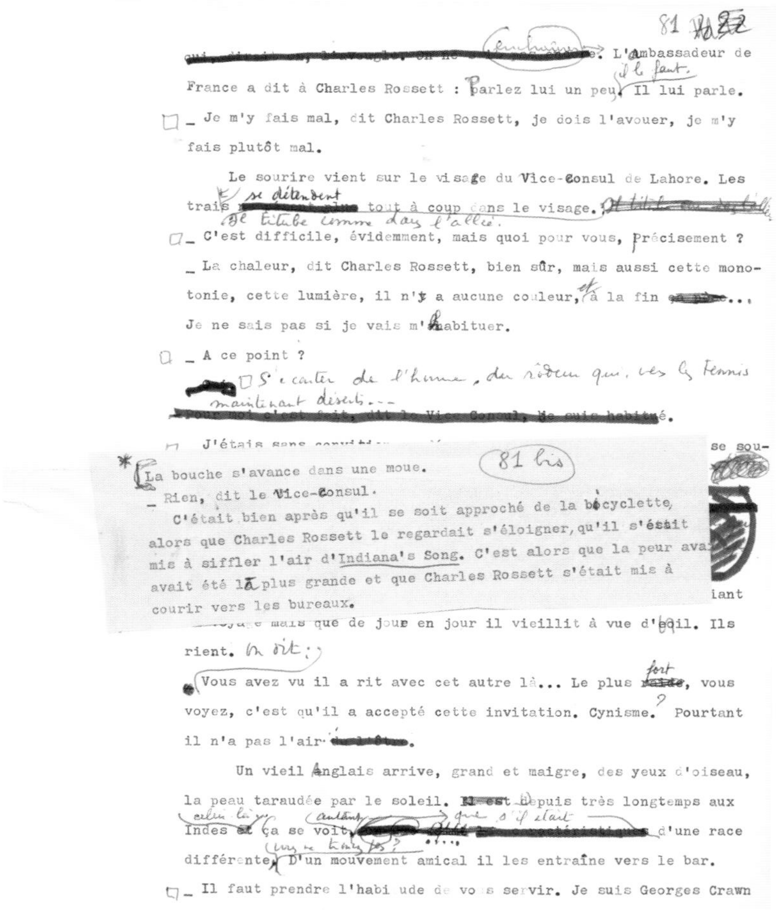
81 bis

[redacted] L'Ambassadeur de France a dit à Charles Rossett : Parlez lui un peu, s'il le faut. Il lui parle.

— Je m'y fais mal, dit Charles Rossett, je dois l'avouer, je m'y fais plutôt mal.

Le sourire vient sur le visage du Vice-Consul de Lahore. Les traits se détendent tout à coup dans le visage. [redacted] Il titube comme dans l'allée.

— C'est difficile, évidemment, mais quoi pour vous, précisément ?

— La chaleur, dit Charles Rossett, bien sûr, mais aussi cette monotonie, cette lumière, il n'y a aucune couleur, à la fin [redacted]...

Je ne sais pas si je vais m'habituer.

— A ce point ?

[redacted] S'écarter de l'homme, du rôdeur qui, vers les tennis maintenant déserts...

[redacted]

— J'étais sans conviction ... se sou-

81 bis

La bouche s'avance dans une moue.

— Rien, dit le Vice-Consul.

C'était bien après qu'il se soit approché de la bicyclette, alors que Charles Rossett le regardait s'éloigner, qu'il s'était mis à siffler l'air d'Indiana's Song. C'est alors que la peur avait été la plus grande et que Charles Rossett s'était mis à courir vers les bureaux.

...iant

... mais que de jour en jour il vieillit à vue d'œil. Ils rient. On dit :

Vous avez vu il a ri avec cet autre là... Le plus fort, vous voyez, c'est qu'il a accepté cette invitation. Cynisme ? Pourtant il n'a pas l'air [redacted].

Un vieil Anglais arrive, grand et maigre, des yeux d'oiseau, la peau taraudée par le soleil. Depuis très longtemps aux Indes, celui-là ... ça se voit ... d'une race différente. D'un mouvement amical il les entraîne vers le bar.

— Il faut prendre l'habitude de vous servir. Je suis Georges Crawn

4

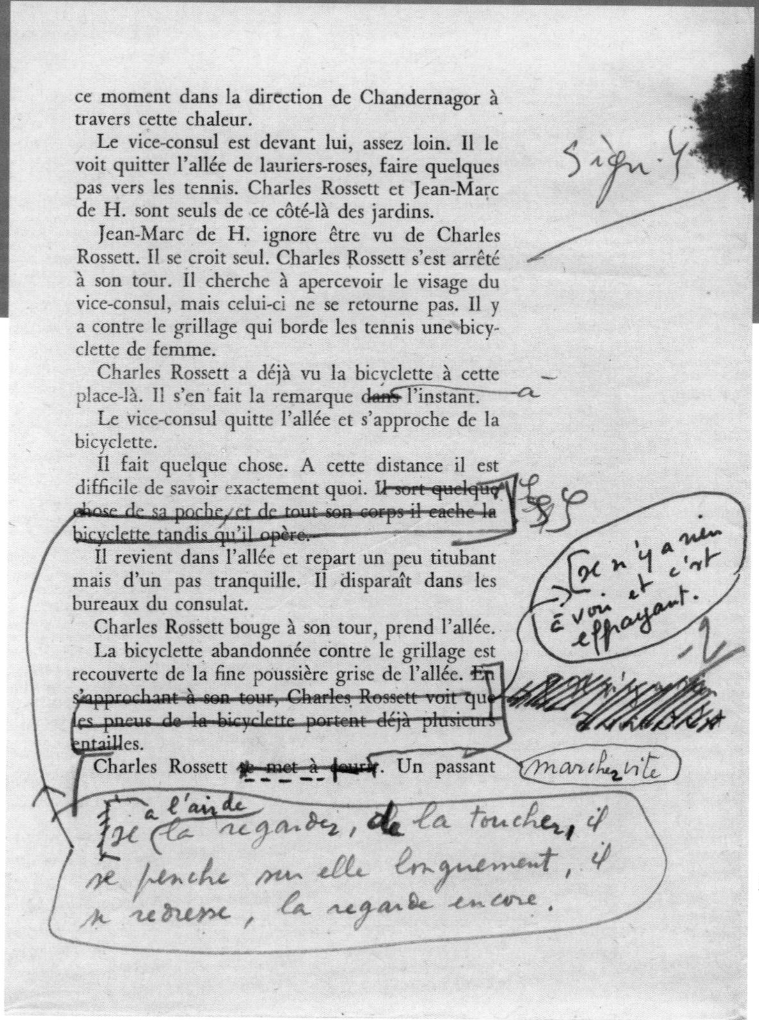
ce moment dans la direction de Chandernagor à travers cette chaleur.

Le vice-consul est devant lui, assez loin. Il le voit quitter l'allée de lauriers-roses, faire quelques pas vers les tennis. Charles Rossett et Jean-Marc de H. sont seuls de ce côté-là des jardins.

Jean-Marc de H. ignore être vu de Charles Rossett. Il se croit seul. Charles Rossett s'est arrêté à son tour. Il cherche à apercevoir le visage du vice-consul, mais celui-ci ne se retourne pas. Il y a contre le grillage qui borde les tennis une bicyclette de femme.

Charles Rossett a déjà vu la bicyclette à cette place-là. Il s'en fait la remarque dans l'instant.

Le vice-consul quitte l'allée et s'approche de la bicyclette.

Il fait quelque chose. A cette distance il est difficile de savoir exactement quoi. Il sort quelque chose de sa poche, et de tout son corps il cache la bicyclette tandis qu'il opère.

Il revient dans l'allée et repart un peu titubant mais d'un pas tranquille. Il disparaît dans les bureaux du consulat.

Charles Rossett bouge à son tour, prend l'allée.

La bicyclette abandonnée contre le grillage est recouverte de la fine poussière grise de l'allée. En s'approchant à son tour, Charles Rossett voit que les pneus de la bicyclette portent déjà plusieurs entailles.

Charles Rossett se met à courir. Un passant

Sign. 4

Il n'y a rien à voir et c'est effrayant.

marche vite

à l'aide
Il la regarde, la touche, il se penche sur elle longuement, il se redresse, la regarde encore.

5

3 Manuscrit du *Vice-consul*. Dans ce texte, écrit peu de temps après *Le Ravissement de Lol V. Stein*, on retrouve certains des personnages, dont les noms ont parfois changé ou dont les caractéristiques ne sont plus les mêmes. Ainsi Elizabeth Striedter, dans *Le Ravissement de Lol V. Stein*, est Anne-Marie Stretter dans *Le Vice-consul*, et réapparaîtra dans *India Song* et *La Femme du Gange*.

4 Épreuve dactylographiée du feuillet 81 du roman *Le Vice-consul*, avec corrections manuscrites et découpages de Marguerite Duras. Dans ce passage est évoquée la musique d'*India Song*, composée par Carlos D'Alessandro dans la version cinématographique réalisée par Marguerite Duras en 1975.

5 Placard d'épreuves du *Vice-consul*, dont les corrections et annotations de la main de Marguerite Duras témoignent de son exigence. Dans ce passage, la scène décrite de la bicyclette posée au bord du cours de tennis est reprise à l'identique dans *India Song*.

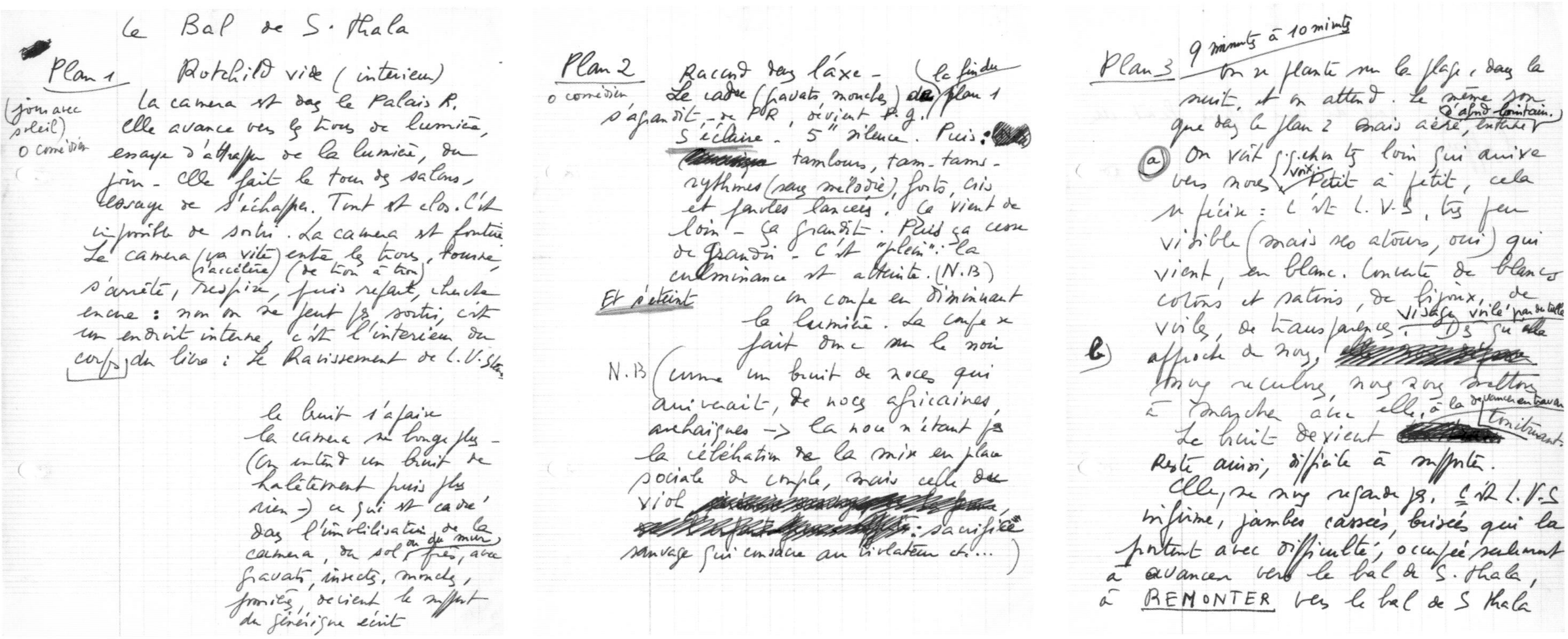
le Bal de S. Thala

Plan 1 Rotchild vide (intérieur)
(jour avec soleil) o comédien
La caméra est dans le Palais R.
Elle avance vers les trous de lumière,
essaye d'attraper de la lumière, du
jour. Elle fait le tour des salons,
essaye de s'échapper. Tout est clos. C'est
impossible de sortir. La caméra est fouineuse.
La caméra (va vite) (accélère) entre les trous (de trou à trou), tourne,
s'arrête, respire, puis repart, cherche
encore : non on ne peut pas sortir, c'est
un endroit interne, c'est l'intérieur du
corps du livre : Le Ravissement de L.V.Stein

Le bruit s'apaise
la caméra ne bouge plus -
(On entend un bruit de
halètement puis plus
rien) ce qui est cadré
dans l'immobilisation de la
caméra, du sol ou du mur, près, avec
gravats, insectes, mouches,
fourmis, devient le support
du générique écrit

Plan 2 o comédien
Raccord dans l'axe - (la fin du plan 1)
Le cadre (gravats, mouches) s'agrandit, de PR, devient P.G. il
s'éclaire. 5" silence. Puis :
tambours, tam-tams -
rythmes (sans mélodie) forts, cris
et paroles lancées. Ça vient de
loin - ça grandit. Puis ça cesse
de grandir. C'est "plein" : la
culminance est atteinte. (N.B)
Et s'éteint
On coupe en diminuant
la lumière. La coupe se
fait donc sur le noir

N.B (comme un bruit de noces qui
arrivait, de noces africaines,
archaïques -> la noce n'étant pas
la célébration de la mise en place
sociale du couple, mais celle du
viol : sacrifice
sauvage qui consacre au violateur etc...)

Plan 3 9 minutes à 10 minutes
On se plante sur la plage, dans la
nuit, et on attend. Le même son
que dans le plan 2 mais aéré, d'abord lointain.
(a) On voit quelqu'un qui arrive
vers nous. (Voix) Petit à petit, cela
se précise : c'est L.V.S, très peu
visible (mais ses atours, oui) qui
vient, en blanc. Concert de blancs
cotons et satins, de bijoux, de
voiles, de transparences. Visage voilé par de tulle. D3 qui elle
(b) approche de nous,
nous reculons, nous nous mettons
à marcher avec elle, à la dépassement avant
Le bruit devient tonitruant.
Reste ainsi, difficile à supporter.
Elle ne nous regarde pas. C'est L.V.S
infirme, jambes cassées, brisées qui la
portent avec difficulté, occupée seulement
à avancer vers le bal de S. Thala,
à REMONTER vers le bal de S Thala

Ça se passait dans la ville. Le casino était éclairé, et le même bal continuait comme s'il n'avait pas cessé depuis vingt ans. Oui, je crois que c'est ça. C'est la répétition du bal de S. Thala, mais à l'échelle théâtrale. Là on n'avance pas dans la connaissance de Lol V. Stein, c'est fini tout ça. Là, elle va mourir. Elle a fini de me hanter, elle me laisse tranquille, je la tue, je la tue pour qu'elle cesse de se mettre sur mon chemin, couchée devant mes maisons, mes livres, à dormir sur les plages par tous les temps, dans le vent, le froid, à attendre, à attendre ça : que je la regarde une dernière fois. *La Vie matérielle*, 1987

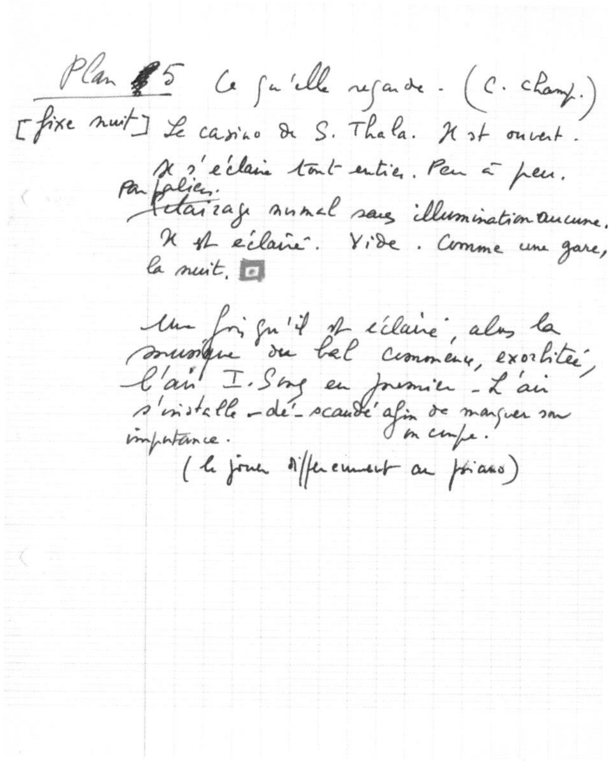

Plan 5 Ce qu'elle regarde. (C. champ.)

[fixe nuit] Le casino de S. Thala. Il est ouvert.
Il s'éclaire tout entier. Peu à peu.
Par paliers. Éclairage normal sans illumination aucune.
Il est éclairé. Vide. Comme une gare, la nuit.

Une fois qu'il est éclairé, alors la musique du bal commence, exorbitée, l'air I. Song en premier. L'air s'installe – dé-scandé afin de marquer son importance. en coupe.
(le jouer différemment au piano)

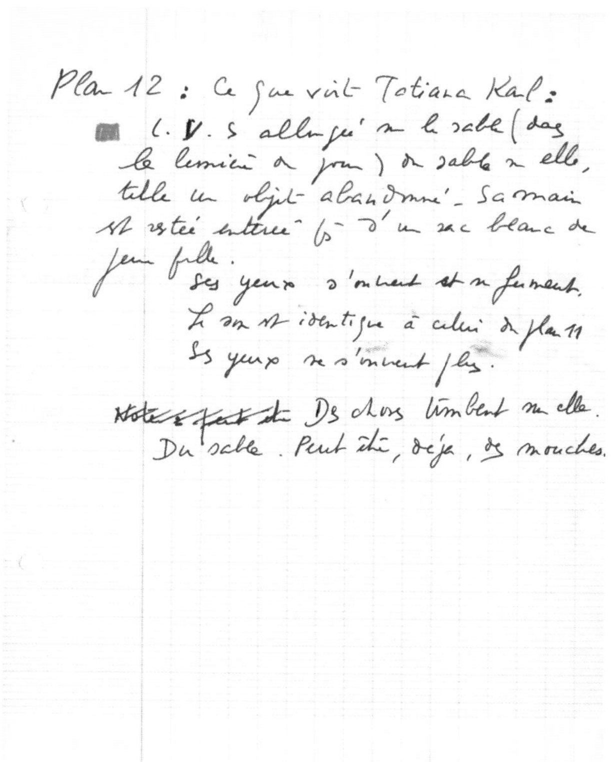

Plan 12 : Ce que voit Tatiana Karl :
L. V. S allongée sur le sable (dans la lumière du jour) du sable sur elle, telle un objet abandonné. Sa main est restée entourée d'un sac blanc de jeune fille.
Ses yeux s'ouvrent et se ferment.
Le son est identique à celui du plan 11
Ses yeux ne s'ouvrent plus.

~~Note effet~~ Des choses tombent sur elle. Du sable. Peut-être, déjà, des mouches.

Scénario du *Bal de S. Thala*. Les trois premiers plans, le cinquième et le dernier plan sont ici décrits par Marguerite Duras sur les feuilles volantes d'un cahier d'écolier. Dans plusieurs de ses œuvres, le «moment du bal» est une sorte de «scène primitive». Le bal de S. Thala se situe dans un lieu fictif qui, par jeu de mots, évoque la mer, *thalassa*. C'est au cours de ce bal, dans *Le Ravissement de Lol V. Stein,* que Michaël Richardson quitte Lol pour Anne-Marie Stretter, femme de l'ambassadeur de Calcutta.

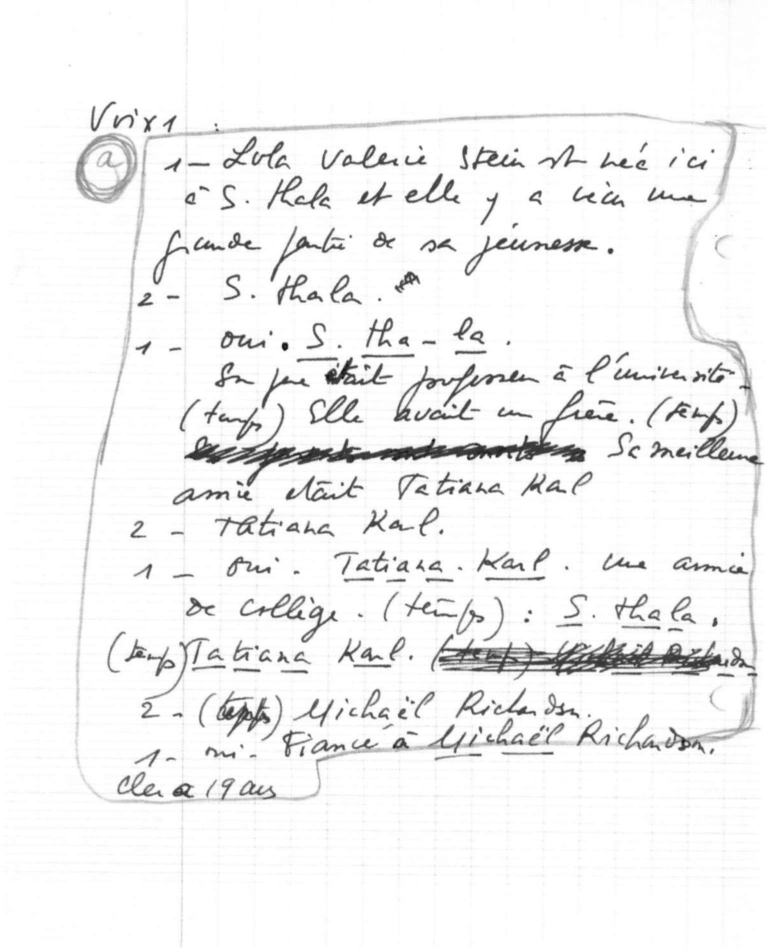

Voix 1 :
(a) 1 – Lola Valérie Stein est née ici à S. Thala et elle y a vécu une grande partie de sa jeunesse.
2 – S. Thala.
1 – Oui. S. Tha-la.
Son père était professeur à l'université. (temps) Elle avait un frère. (temps) Sa meilleure amie était Tatiana Karl
2 – Tatiana Karl.
1 – Oui. Tatiana. Karl. Une amie de collège. (temps) : S. Thala.
(temps) Tatiana Karl. ~~(temps) Michaël Richardson~~
2 – (temps) Michaël Richardson.
1 – oui. Fiancée à Michaël Richardson.
Claire 19 ans

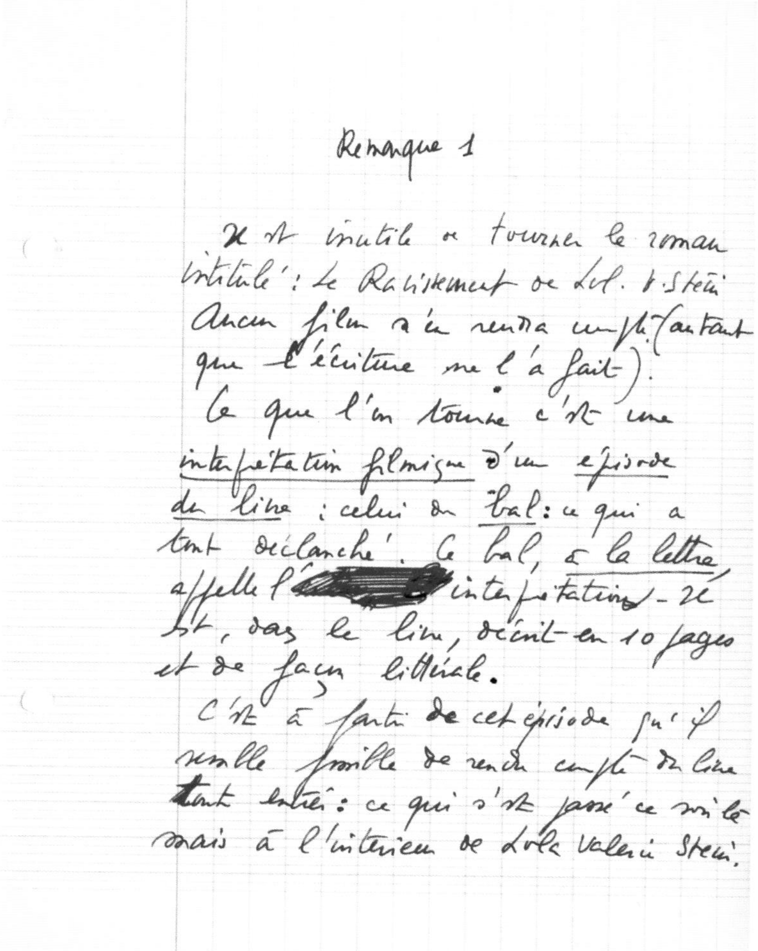

Remarque 1

Il est inutile de tourner le roman intitulé : Le Ravissement de Lol V. Stein. Aucun film n'en rendra compte (autant que l'écriture ne l'a fait).
Ce que l'on tourne c'est une interprétation filmique d'un épisode du livre : celui du bal : ce qui a tout déclenché. Le bal, à la lettre, appelle l'[illegible] interprétation. Il est, dans le livre, décrit en 10 pages et de façon littérale.
C'est à partir de cet épisode qu'il semble possible de rendre compte du livre tout entier : ce qui s'est passé ce soir-là mais à l'intérieur de Lola Valérie Stein.

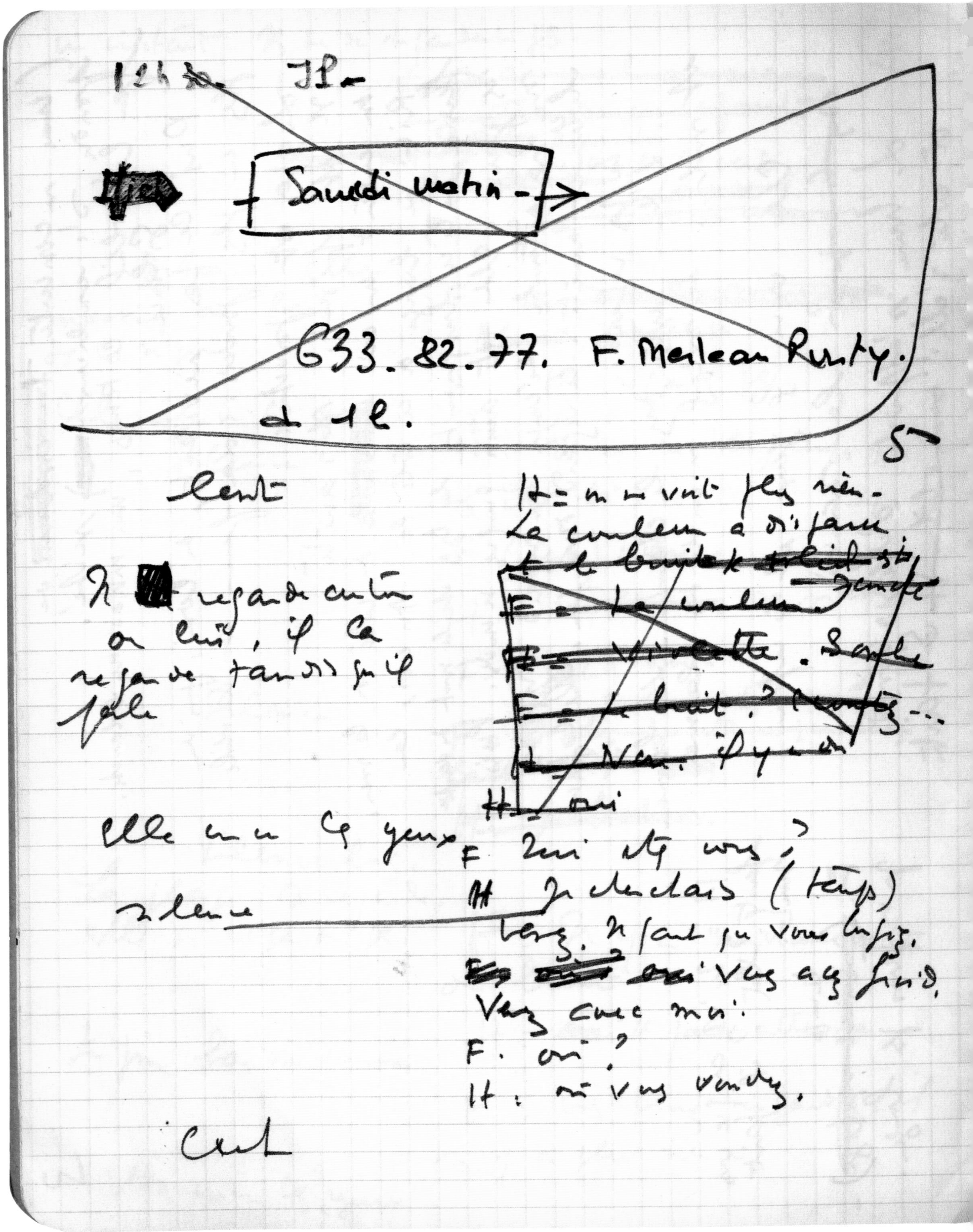

Double page du manuscrit *L'Amour*, rédigé dans un cahier à spirale. Dans ce roman, telle une suite au *Ravissement de Lol V. Stein*, la scène du bal de S. Thala est reprise. Le terme *cut* montre qu'il s'agit là d'une écriture empreinte de l'influence cinématographique. C'est d'ailleurs à partir de ce texte que Marguerite Duras, en 1972, adapte et réalise pour le cinéma *La Femme du Gange*. Comme souvent, la vie réelle se mêle à l'écriture : on peut lire les coordonnées de Merleau-Ponty sur la page de gauche du cahier.

Elle marche à côté de lui.
Puis a un sourire dans les yeux
Elle s'arrête, repart.

Ils m'ont mise
F. ~~j'ai~~ enceinte – J'ai
mal au cœur
H = ~~Vous~~ avez essayé de vomir?
F = les ... à rien, ça recommence
après

ils marchent – lui
regarde tout alentour

cut

Ils sont dans un café désert.
elle boit q.q.-chose qui fume
dans un verre, lentement
Il la regarde.
elle, non.
~~Il se souvient des enfants~~
~~pas [redacted] se détournent l'un de~~
~~l'autre, regardent dehors~~
Elle n'a pas entendu.
Elle cherche

H = vous avez faim.
H = vous allez mieux.
F : oui.
H : vous êtes pleine de
sable, de sel.

F : est-ce que c'est l'été?
H : oui

cut

Ils marchent. Nuit
Elle regarde très attentivement
les immeubles

H : ~~vous~~ vous ne vous
souvenez plus de rien?
F : C'est ~~l'hôtel~~ là (temps)
~~...~~ là (temps)
H = Il faut passer la
rivière, le long de la gare.
silence
H = Ils viennent vous voir?
F : ~~De~~ temps en temps.

1

Opoponax, c'est l'exécution capitale de quatre-vingt-dix pour cent des livres qui ont été faits sur l'enfance. C'est la fin d'une certaine littérature et j'en remercie le ciel. C'est un livre admirable et à la fois très important parce qu'il est régi par une règle de fer, jamais enfreinte ou presque jamais, celle de n'utiliser qu'un matériau descriptif pur, et qu'un outil, le langage objectif, pur.

Outside, 1981

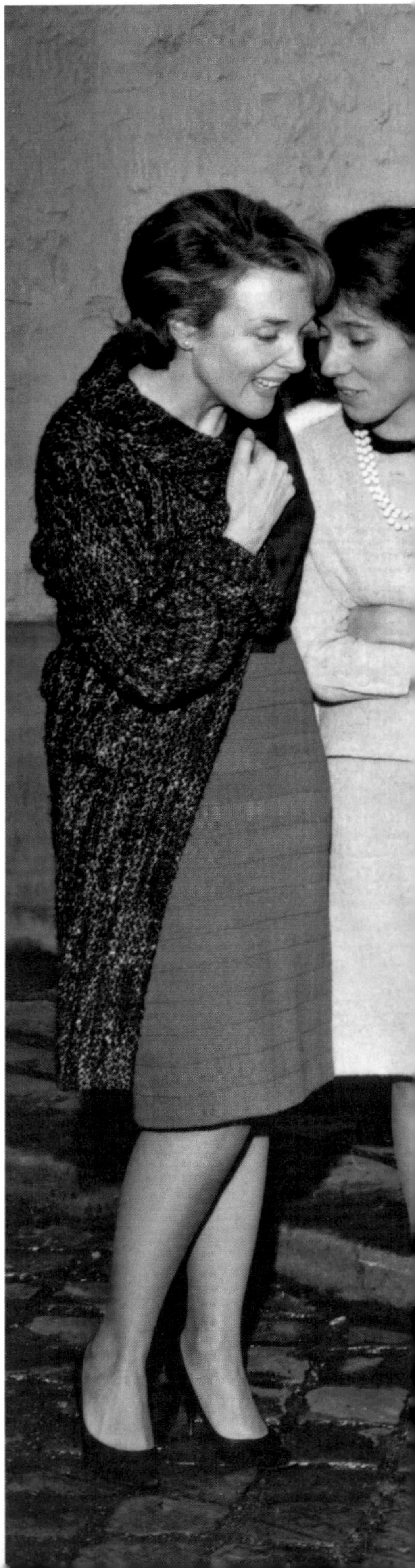

C'est ça le plus grand danger qu'on court. Parlez des femmes aux hommes, ils vous diront tous: «À notre avis, la femme, etc.» On rit. Ils ne comprennent pas pourquoi on rit. Je pense que chaque femme devrait faire l'expérience autour de soi; c'est vertigineux à quel point l'homme est aliéné.

Les Parleuses, 1974

Je me méfie de toutes ces formes un peu obtuses du militantisme qui ne conduisent pas toujours à une émancipation féminine.

Marguerite Duras, La Passion suspendue, entretiens avec L. Pallotta della Torre, 2013

---

1 La romancière et théoricienne féministe Monique Wittig, en 1964, au cours d'une séance de dédicace lors de la remise du prix Médicis pour son livre *L'Opoponax*. L'année précédente, Gérard Jarlot avait reçu le prix pour *Un chat qui aboie*, édité en 1963 aux éditions Gallimard. Marguerite Duras devient membre du jury du prix Médicis en 1960 et y siège jusqu'en 1967. Participant à la revue *Sorcières* dans les années 1975-1976, elle ne se réclame pas du féminisme, mais soutient depuis toujours la cause des femmes. Ainsi, c'est dans un petit appartement de la rue de Vaugirard qu'elle prête à Antoinette Fouque, Monique Wittig et Josyane Chanel, qu'est fondé le Mouvement de libération des femmes, le 1er octobre 1968.

2 Les membres du jury du prix Fémina du cinéma, en 1964. De gauche à droite Micheline Presle, Yvonne Baby, Florence Malraux, Michèle Manceaux, Christiane Rochefort, Anne Philipe, Monique Lange, Marguerite Duras et Françoise Giroud autour du lauréat, le réalisateur Alain Jessua, le 17 février 1964, pour son film *La Vie à l'envers*.

2

1

2

Mon premier film est La Musica. *L'histoire était déjà écrite, il suffisait de la tourner. J'ai eu envie de faire du cinéma parce que les films qu'on faisait avec mes romans étaient pour moi insoutenables.* *Le Monde extérieur, Outside 2*, 1993

3

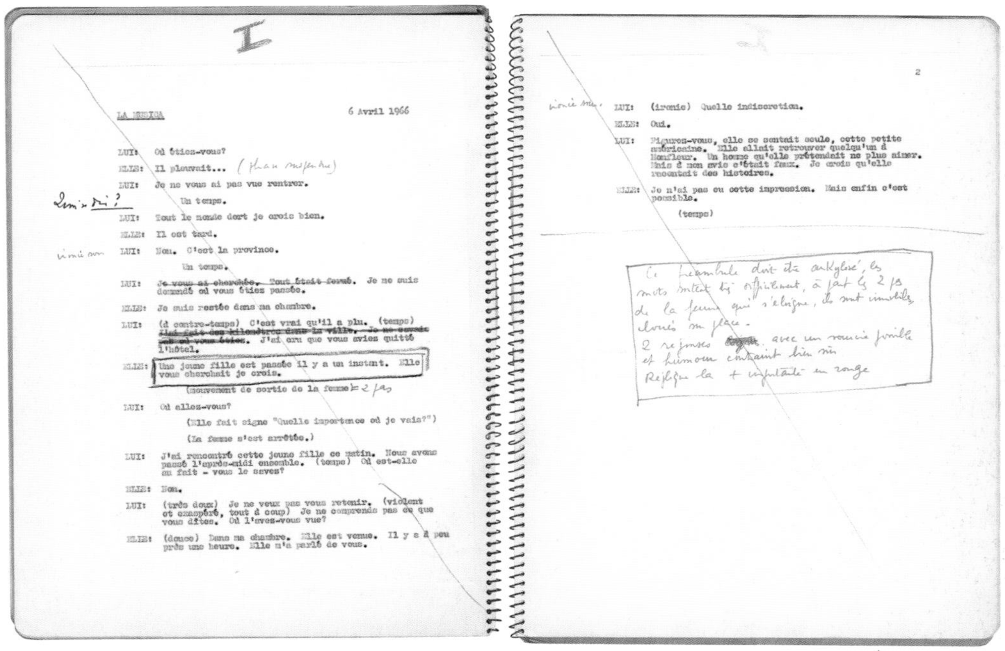
I

LA MUSICA — 6 Avril 1966

LUI: Où étiez-vous?

ELLE: Il pleuvait...

LUI: Je ne vous ai pas vue rentrer.

Un temps.

LUI: Tout le monde dort je crois bien.

ELLE: Il est tard.

LUI: Non. C'est la province.

Un temps.

LUI: ~~Je vous ai cherchée. Tout était fermé.~~ Je me suis demandé où vous étiez passée.

ELLE: Je suis restée dans ma chambre.

LUI: (à contre-temps) C'est vrai qu'il a plu. (temps) ~~J'ai fait des kilomètres dans la ville. Je ne savais pas où vous étiez.~~ J'ai cru que vous aviez quitté l'hôtel.

ELLE: Une jeune fille est passée il y a un instant. Elle vous cherchait je crois.

(mouvement de sortie de la femme)

LUI: Où allez-vous?

(Elle fait signe "Quelle importance où je vais?")

(La femme s'est arrêtée.)

LUI: J'ai rencontré cette jeune fille ce matin. Nous avons passé l'après-midi ensemble. (temps) Où est-elle au fait - vous le savez?

ELLE: Non.

LUI: (très doux) Je ne veux pas vous retenir. (violent et exaspéré, tout à coup) Je ne comprends pas ce que vous dites. Où l'avez-vous vue?

ELLE: (douce) Dans ma chambre. Elle est venue. Il y a à peu près une heure. Elle m'a parlé de vous.

2

LUI: (ironie) Quelle indiscretion.

ELLE: Oui.

LUI: Figurez-vous, elle se sentait seule, cette petite américaine. Elle allait retrouver quelqu'un à Honfleur. Un homme qu'elle prétendait ne plus aimer. Mais à mon avis c'était faux. Je crois qu'elle racontait des histoires.

ELLE: Je n'ai pas eu cette impression. Mais enfin c'est possible.

(temps)

4

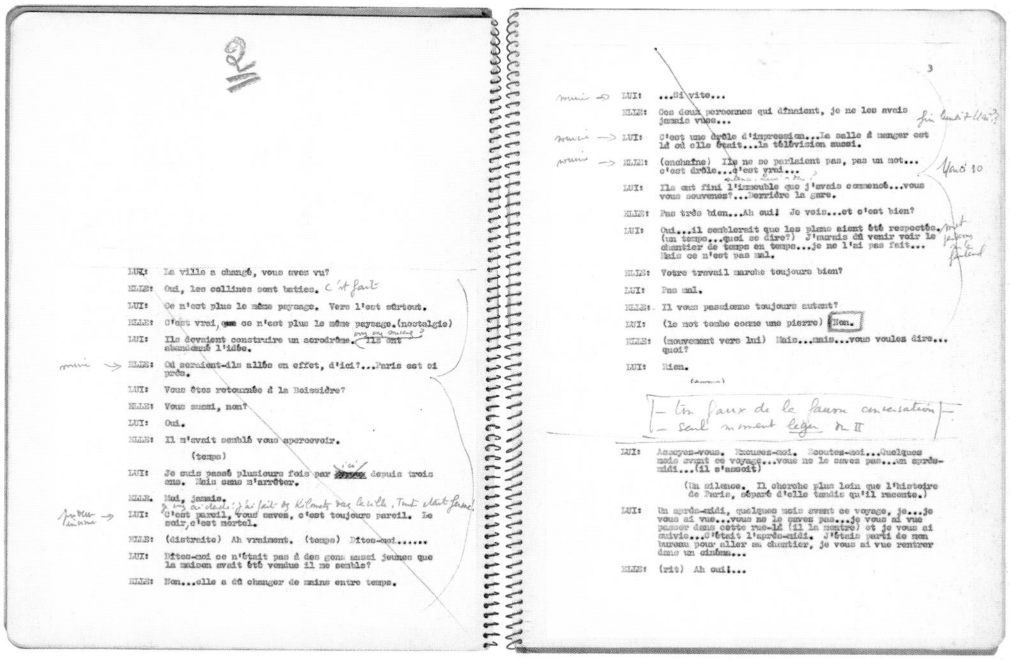
LUI: La ville a changé, vous avez vu?

ELLE: Oui, les collines sont baties. C'est fait

LUI: Ce n'est plus le même paysage. Vers l'est surtout.

ELLE: C'est vrai, ce n'est plus le même paysage. (nostalgie)

LUI: Ils devaient construire un aerodrôme. Ils ont abandonné l'idée.

ELLE: Où seraient-ils allés en effet, d'ici?...Paris est si près.

LUI: Vous êtes retournée à la Boissière?

ELLE: Vous aussi, non?

LUI: Oui.

ELLE: Il m'avait semblé vous apercevoir.

(temps)

LUI: Je suis passé plusieurs fois par ici depuis trois ans. Mais sans m'arrêter.

ELLE. Moi, jamais.

LUI: C'est pareil, vous savez, c'est toujours pareil. Le soir, c'est mortel.

ELLE: (distraite) Ah vraiment. (temps) Dites-moi......

LUI: Dites-moi ce n'était pas à des gens aussi jeunes que la maison avait été vendue il me semble?

ELLE: Non...elle a dû changer de mains entre temps.

3

LUI: ...Si vite...

ELLE: Ces deux personnes qui dînaient, je ne les avais jamais vues...

LUI: C'est une drôle d'impression...La salle à manger est là où elle était...la télévision aussi.

ELLE: (enchaîne) Ils ne se parlaient pas, pas un mot... c'est drôle...c'est vrai...

Mardi 10

LUI: Ils ont fini l'immeuble que j'avais commencé...vous vous souvenez?...Derrière la gare.

ELLE: Pas très bien...Ah oui! Je vois...et c'est bien?

LUI: Oui...il semblerait que les plans aient été respectés. (un temps...quoi se dire?) J'aurais dû venir voir le chantier de temps en temps...je ne l'ai pas fait... Mais ce n'est pas mal.

ELLE: Votre travail marche toujours bien?

LUI: Pas mal.

ELLE: Il vous passionne toujours autant?

LUI: (le mot tombe comme une pierre) Non.

ELLE: (mouvement vers lui) Mais...mais...vous voulez dire... quoi?

LUI: Rien.

LUI: Asseyez-vous. Excusez-moi. Ecoutez-moi...Quelques mois avant ce voyage...vous ne le savez pas...un après-midi...(il s'assoit)

(Un silence. Il cherche plus loin que l'histoire de Paris, séparé d'elle tandis qu'il raconte.)

LUI: Un après-midi, quelques mois avant ce voyage, je...je vous ai vue...vous ne le savez pas...je vous ai vue passer dans cette rue-là (il la montre) et je vous ai suivie...C'était l'après-midi. J'étais parti de mon bureau pour aller au chantier, je vous ai vue rentrer dans un cinéma...

ELLE: (rit) Ah oui!...

5

1 Marguerite Duras dirige Robert Hossein sur le plateau de tournage de *La Musica* en mai 1966. Sorti en 1967, coréalisé avec Paul Seban, c'est le premier film de Marguerite Duras, qui a été adapté de sa pièce pour le cinéma. Delphine Seyrig y joue le rôle féminin au côté de Julie Dassin.

2 Les acteurs Claire Deluca et René Erouk dans *La Musica*, mise en scène par Alain Astruc au Studio des Champs-Élysées en septembre 1965.

3 Couverture d'un cahier d'écolier d'Outa, le fils de Marguerite Duras, dans lequel est rédigée la pièce *La Musica*. Marguerite Duras se sert très souvent des cahiers déjà entamés de son fils, ainsi n'est-il pas rare de voir se côtoyer des dessins d'enfants et des textes de l'auteur.

4 et 5 Pages intérieures du cahier à spirale de *La Musica*.

1

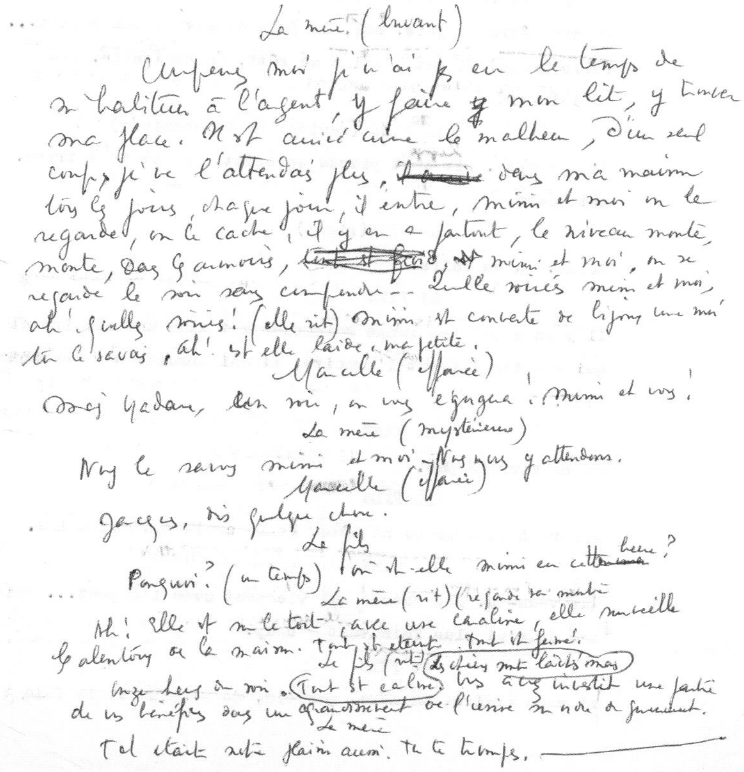

La mère (buvant)

Marcelle (effacée)

La mère (mystérieuse)

Marcelle (effacée)

Le fils

La mère (rit)

La mère

2

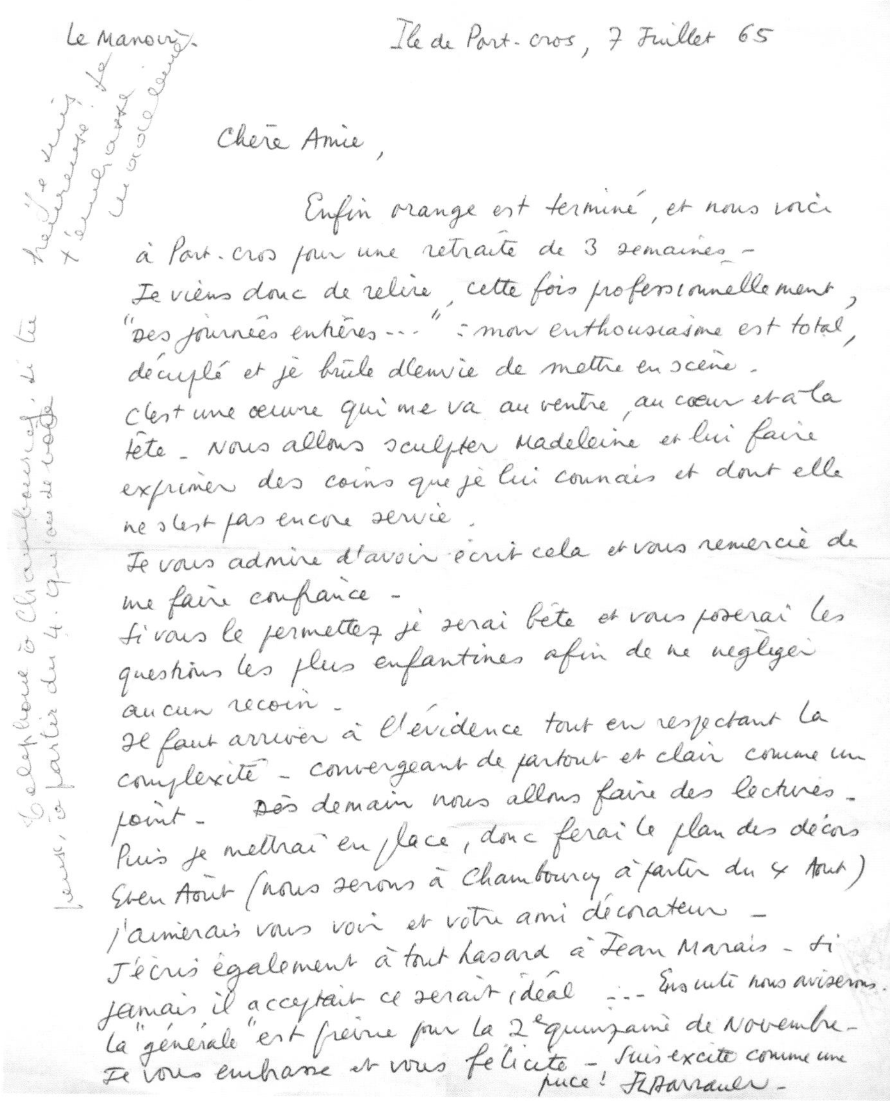

Le Manoir.

Île de Port-Cros, 7 Juillet 65

Chère Amie,

Enfin orange est terminé, et nous voici à Port-Cros pour une retraite de 3 semaines –
Je viens donc de relire, cette fois professionnellement, "Des journées entières…" : mon enthousiasme est total, décuplé et je brûle d'envie de mettre en scène.
C'est une œuvre qui me va au ventre, au cœur et à la tête – Nous allons sculpter Madeleine et lui faire exprimer des coins que je lui connais et dont elle ne s'est pas encore servie.
Je vous admire d'avoir écrit cela et vous remercie de me faire confiance –
Si vous le permettez je serai bête et vous poserai les questions les plus enfantines afin de ne négliger aucun recoin –
Il faut arriver à l'évidence tout en respectant la complexité – convergeant de partout et clair comme un point – Dès demain nous allons faire des lectures –
Puis je mettrai en place, donc ferai le plan des décors. Si en Août (nous serons à Chambourcy à partir du 4 Août) j'aimerais vous voir et votre ami décorateur –
J'écris également à tout hasard à Jean Marais – si jamais il acceptait ce serait idéal … Ensuite nous aviserons.
La "générale" est prévue pour la 2e quinzaine de Novembre –
Je vous embrasse et vous félicite – Suis excité comme une puce ! JLBarrault –

3

1 Marguerite Duras et Jo Downing sur le pont du *France* en 1965. Installé en France dans les années 1950, Jo Downing, peintre franco-américain, fréquente le milieu de Saint-Germain-des-Prés. C'est à lui que sont confiés les décors de la pièce *Des journées entières dans les arbres* pour la compagnie Jean-Louis Barrault–Madeleine Renaud à l'Odéon-Théâtre de France en 1965.

2 Manuscrit de la pièce *Des journées entières dans les arbres*. Dans cette archive sont évoqués les personnages du fils adoré, de la mère ingrate et de Mimi, la fille méprisée.

3 Lettre de Jean-Louis Barrault à Marguerite Duras du 7 juillet 1965, dans laquelle il dit être «excité comme une puce» à l'idée de monter ce projet pour Madeleine Renaud.

Quand j'ai écrit le texte des Journées entières dans les arbres, *il me semblait que cet écrit, oui je le croyais, avait seulement trait à l'amour de la mère pour son fils – amour fou, mouvement océanique qui engloutit tout dans sa profondeur.* […] *Cette mère qui le préférait à tout, à nous, à tous. Et lui, sujet innocent de cette fantastique fascination qu'il exerce sur elle, il souhaite qu'elle meure et de ne plus être préféré à personne et de s'engloutir enfin, lui aussi, dans le sort commun, dans le gouffre commun des orphelins du monde.*
Le Monde extérieur, Outside 2, 1993

1 Couverture des *Cahiers Renaud-Barrault*, numéro 52, décembre 1965, édité chez Gallimard. Ce numéro consacre un dossier au travail de Marguerite Duras dont certains auteurs et intellectuels de l'époque tels Madeleine Chapsal, Jacques Lacan, Jean Lagrolet ou Raymond Queneau donnent leurs analyses. On y lit également un extrait du *Vice-consul.*

2 Madeleine Renaud et Marguerite Duras, dont c'est la première collaboration, lors de la générale de la pièce *Des journées entières dans les arbres*, le 3 décembre 1965 à l'Odéon-Théâtre de France, dans une mise en scène de Jean-Louis Barrault.

3 Madeleine Renaud au cours d'une représentation de la pièce *Des journées entières dans les arbres.*

4 Madeleine Renaud et Yves Saint Laurent étaient très complices. Le couturier a régulièrement habillé les actrices de Marguerite Duras, au théâtre comme au cinéma. C'est lui qui habille Madeleine Renaud pour *Des journées entières dans les arbres*, en 1965.

5 Madeleine Renaud et Jean Desailly dans *Des journées entières dans les arbres*, en décembre 1965, sur la scène de l'Odéon-Théâtre de France

6 Madeleine Renaud durant une répétition de la pièce *Des journées entières dans les arbres*, à l'Odéon-Théâtre de France en décembre 1965.

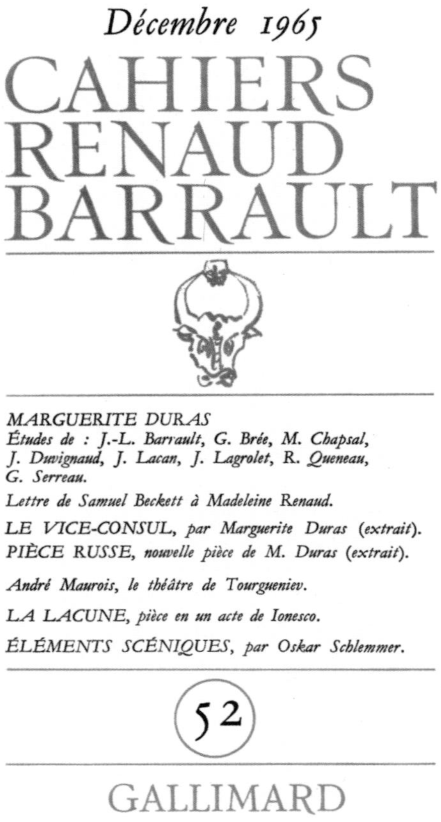

Décembre 1965

CAHIERS RENAUD BARRAULT

MARGUERITE DURAS
Études de : J.-L. Barrault, G. Brée, M. Chapsal, J. Duvignaud, J. Lacan, J. Lagrolet, R. Queneau, G. Serreau.

Lettre de Samuel Beckett à Madeleine Renaud.

LE VICE-CONSUL, par Marguerite Duras (extrait).

PIÈCE RUSSE, nouvelle pièce de M. Duras (extrait).

André Maurois, le théâtre de Tourgueniev.

LA LACUNE, pièce en un acte de Ionesco.

ÉLÉMENTS SCÉNIQUES, par Oskar Schlemmer.

52

GALLIMARD

1

2

3

4

5

6

1

2

Mon ami Georges Figon avait trente-cinq ans quand il a bénéficié d'une remise de peine. […] Il y a quelque chose dans son histoire que je n'accepterai jamais, c'est sa fin, sa mort. Quand il a été libéré, Figon a été heureux pendant quelques semaines. Ça s'est détraqué d'un seul coup. […] Hors de Fresnes, Figon est tombé dans une solitude définitive. Nous l'avons écouté pendant des heures, des journées, des nuits. […] Si Figon a été heureux, c'est en prison. […] Le quotidien de sa vie libre a été fait du retour au quotidien de sa vie carcérale.
La Vie matérielle, 1987

La tentation de dire ce que je pensais, pour dénoncer l'injustice sociale de la résistance des Français à réfléchir à la guerre d'Algérie, à la montée des régimes totalitaires, à la militarisation de la planète, à une moralisation forcée de la société, ça, je l'ai toujours eue. Ce qui m'intéressait le plus c'était l'impact que tout ça avait sur chaque individu : tout ce qui en lui est folie, geste gratuit, crime passionnel ou désespéré. Ou alors simplement mon intérêt envers certains aspects de l'homme que le système judiciaire se permet de traiter à l'instar de n'importe quel autre, irréversible, événement de la nature.
Marguerite Duras, La Passion suspendue, entretiens avec L. Pallotta della Torre, 2013

3

4

1 Marguerite Duras dans les années 1960.

2 Marguerite Duras à son arrivée au Palais de justice de Paris, le 23 février 1966. Elle se trouve mêlée, tout comme le cinéaste Georges Franju, à l'affaire Ben Barka, du nom du militant nationaliste marocain, Mehdi Ben Barka, dirigeant de l'Union nationale des forces populaires (UNFP), principal parti d'opposition. On la voit ici, venue assister au procès en diffamation intenté par le député Pierre Lemarchand, ami d'enfance et avocat de Georges Figon, au journal *L'Express* à propos de l'affaire Ben Barka.

3 Georges Figon, barbouze qui navigue entre le *milieu* et certains intellectuels de l'époque, entretient avec Marguerite Duras des liens amicaux depuis un entretien qu'elle a réalisé de lui pour *France Observateur*, en 1962, à sa sortie de onze années de prison. Cet *Entretien avec un voyou sans repentir* est filmé rue Saint-Benoît par Pierre Desgraupes pour *Cinq colonnes à la Une* et retranscrit dans *Outside*. En 1965, à la suite de divers échecs professionnels et financiers dans la presse et le cinéma, Georges Figon propose à Mehdi Ben Barka de confier à Georges Franju la réalisation d'un documentaire sur la Décolonisation dont les commentaires et le scénario seraient écrits par Marguerite Duras. C'est ainsi qu'il organise le rendez-vous du 29 octobre 1965 entre Georges Franju et Mehdi Ben Barka chez Lipp, boulevard Saint-Germain. Enlevé à son arrivée au rendez-vous devant la brasserie Lipp en pleine journée, le corps de Ben Barka ne sera jamais retrouvé. Quand à Figon, il sera retrouvé criblé de balles trois mois plus tard.

4 Marguerite Duras chez elle, rue Saint-Benoît, en 1966. Depuis toujours engagée, elle continue, parallèlement à son travail littéraire, à prendre activement part à la vie politique de l'époque.

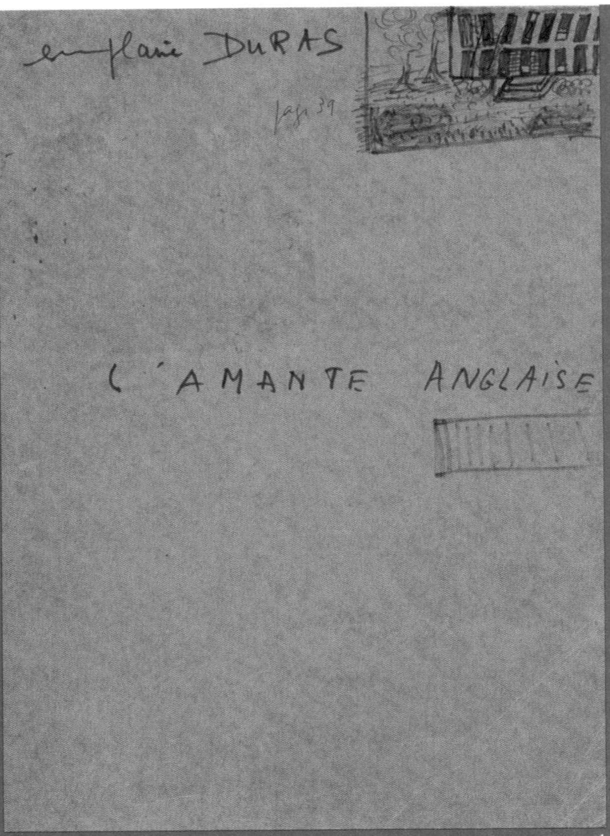
exemplaire DURAS

page 39

L'AMANTE ANGLAISE

1

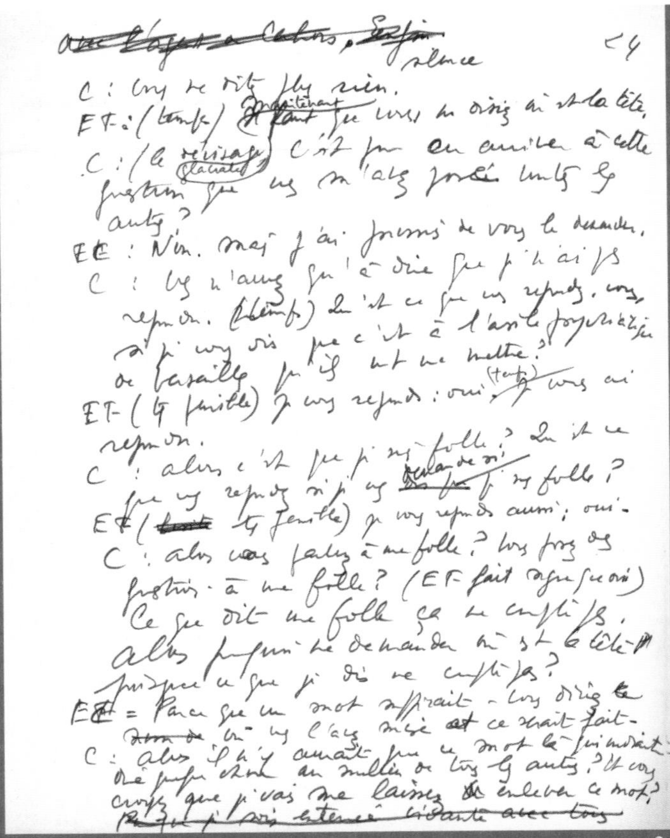
2

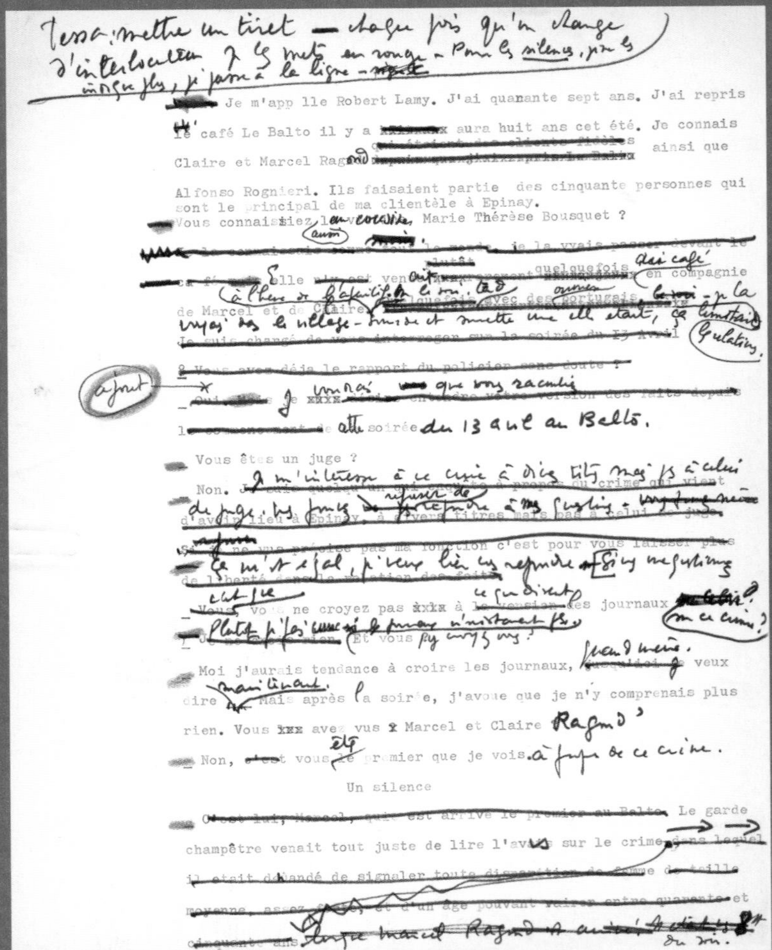
Je m'appelle Robert Lamy. J'ai quarante sept ans. J'ai repris le café Le Balto il y a [...] aura huit ans cet été. Je connais Claire et Marcel Ragond ainsi que Alfonso Rognieri. Ils faisaient partie des cinquante personnes qui sont le principal de ma clientèle à Epinay.

Vous connaissiez la cousine Marie Thérèse Bousquet ?

Vous êtes un juge ?

Moi j'aurais tendance à croire les journaux, [...] Mais après la soirée, j'avoue que je n'y comprenais plus rien. Vous avez vus Marcel et Claire Ragond ?

Non, c'est vous le premier que je vois à propos de ce crime.

Un silence

champêtre venait tout juste de lire l'avis sur le crime

3

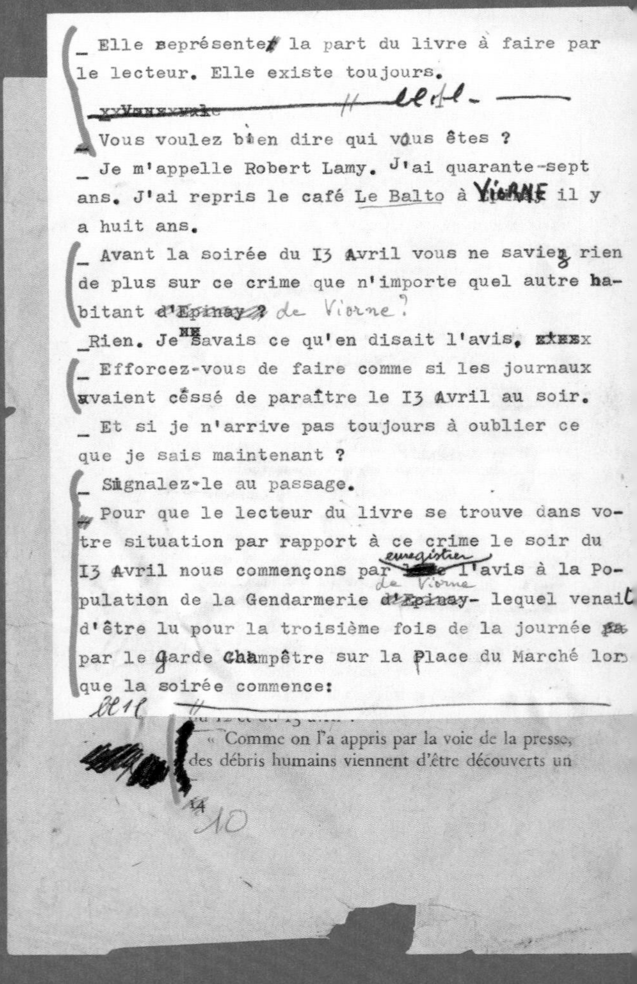
_ Elle représente la part du livre à faire par le lecteur. Elle existe toujours.

_ Vous voulez bien dire qui vous êtes ?

_ Je m'appelle Robert Lamy. J'ai quarante-sept ans. J'ai repris le café Le Balto à Vïorne il y a huit ans.

_ Avant la soirée du 13 Avril vous ne saviez rien de plus sur ce crime que n'importe quel autre habitant de Vïorne ?

_Rien. Je ne savais ce qu'en disait l'avis.

_ Efforcez-vous de faire comme si les journaux avaient cessé de paraître le 13 Avril au soir.

_ Et si je n'arrive pas toujours à oublier ce que je sais maintenant ?

_ Signalez-le au passage.

_ Pour que le lecteur du livre se trouve dans votre situation par rapport à ce crime le soir du 13 Avril nous commençons par l'enregistrement de l'avis à la Population de la Gendarmerie de Vïorne lequel venait d'être lu pour la troisième fois de la journée par le Garde Champêtre sur la Place du Marché lors que la soirée commence:

« Comme on l'a appris par la voie de la presse, des débris humains viennent d'être découverts un

1 Couverture du dossier des manuscrits du roman *L'Amante anglaise*, adapté de la pièce *Les Viaducs de la Seine-et-Oise*. Dans ce roman, Marguerite Duras revient sur le fait divers sordide d'un couple de quinquagénaires qui, après avoir tué une cousine sourde et muette, la dépècent et la jettent en morceaux du haut d'un viaduc de la Seine-et-Oise. Marguerite Duras est depuis toujours passionnée par les faits divers et par le milieu carcéral et judiciaire en général.

2, 3 et 4 Trois versions de travail du texte de *L'Amante anglaise*. La première version est entièrement manuscrite et correspond à la page 24 de la première épreuve.
La deuxième version est dactylographiée et annotée de la main de Marguerite Duras.
La troisième est une épreuve corrigée par l'auteur, ce sont deux versions d'un même passage. Ici encore, on apprécie le travail sans cesse affiné de l'auteur.

5 Madeleine Renaud et Michaël Lonsdale, dans la mise en scène de Claude Régy de *L'Amante anglaise* au petit TNP (salle Gémier) du Théâtre de Chaillot, à Paris, en décembre 1968. Peu satisfaite des *Viaducs de la Seine-et-Oise*, Marguerite Duras a récrit l'histoire pour *L'Amante anglaise* en 1967, et l'adapte pour le théâtre l'année suivante. La collaboration de Claude Régy et Marguerite Duras débute avec *L'Amante anglaise*.
Cette fois encore, c'est Yves Saint Laurent qui habille Madeleine Renaud. La pièce est reprise régulièrement par Claude Régy pendant plus de vingt ans : Michaël Lonsdale y tient toujours le rôle de l'interrogateur et Madeleine Renaud celui de Claire Lannes. Le rôle de Pierre Lannes est interprété plusieurs fois par Claude Dauphin, puis par Jean Servais et Pierre Dux.

5

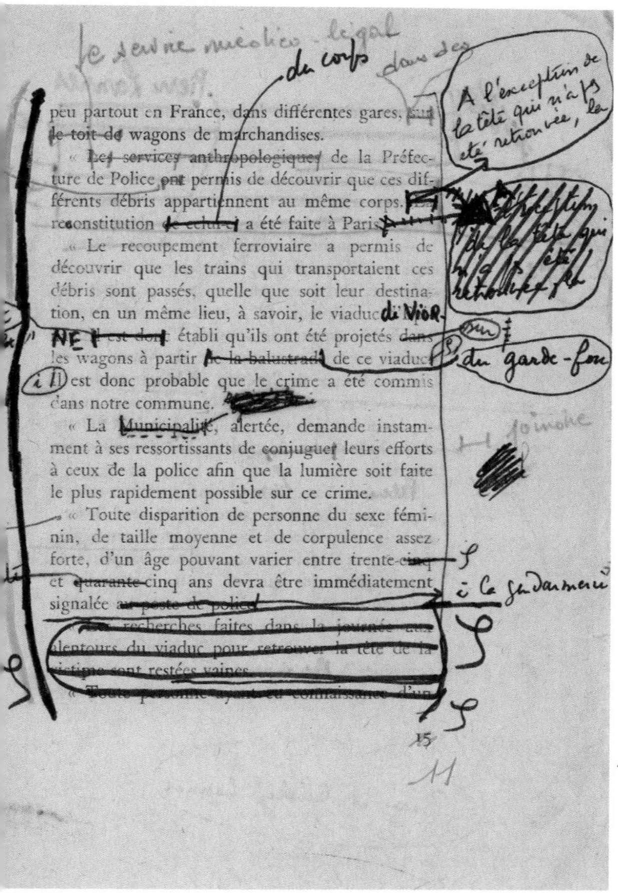

peu partout en France, dans différentes gares, sur le toit de wagons de marchandises.
« Les services anthropologiques de la Préfecture de Police ont permis de découvrir que ces différents débris appartiennent au même corps. La reconstitution de celui-ci a été faite à Paris.
« Le recoupement ferroviaire a permis de découvrir que les trains qui transportaient ces débris sont passés, quelle que soit leur destination, en un même lieu, à savoir, le viaduc de Viorne. Il est donc établi qu'ils ont été projetés dans les wagons à partir de la balustrade de ce viaduc. Il est donc probable que le crime a été commis dans notre commune.
« La Municipalité, alertée, demande instamment à ses ressortissants de conjuguer leurs efforts à ceux de la police afin que la lumière soit faite le plus rapidement possible sur ce crime.
« Toute disparition de personne du sexe féminin, de taille moyenne et de corpulence assez forte, d'un âge pouvant varier entre trente-cinq et quarante-cinq ans devra être immédiatement signalée au poste de police.

15

4

« En lisant les romans de Marguerite Duras, j'avais vu, dans sa bibliographie, qu'il existait une pièce de théâtre, *Les Viaducs de la Seine-et-Oise*. Je lui ai téléphoné pour lui demander les droits, qu'elle m'a donnés, et je pense que dès les répétitions, elle s'est rendu compte qu'en obéissant à certaines lois du théâtre – deux actes, deux décors, des figurants – elle avait amenuisé son écriture. Elle est rentrée chez elle, et elle a fait un roman exactement sur le même sujet, qui s'est appelé *L'Amante anglaise*. Ayant renoncé au théâtre pour revenir au roman, avec sa logique bien à elle, elle m'appelle en me disant : "*Il faut que tu lises ça,* L'Amante anglaise, *on peut faire du théâtre avec ça.*" C'était pour moi aussi une grande nouveauté : la porte ouverte pour monter des textes non théâtraux, ce dont je ne me suis d'ailleurs absolument pas privé depuis… Mais, surtout, le phénomène avec *L'Amante anglaise*, c'est qu'il était impossible de faire une mise en scène. Parce qu'il s'agissait uniquement de questions-réponses entre deux personnes. J'avais placé un acteur sur scène, assis sur une chaise, et un autre dans le public, que les spectateurs ressentaient, mais ne voyaient pas. Or, en écoutant les gens nous parler du spectacle, on s'est aperçu qu'ils avaient vu un véritable film : le pavillon en pierre meulière, les escaliers menant aux chambres, la cave où elle avait découpé un corps en morceau, les rambardes d'où elle jetait les morceaux de cadavre dans des wagons de marchandises… Ils avaient vu tout ça ! C'était bien la preuve que l'écriture a en elle-même une puissance dramatique et qu'on peut en faire l'élément central du travail. C'était pour moi une découverte fabuleuse, que je dois à Marguerite Duras. C'était en 1968, date charnière. »

Extrait d'un entretien entre Claude Régy et Éric Vigner paru dans le *Magazine n°5 du Théâtre de Lorient*, décembre 2012.

Le Shaga *est une pièce uniquement élaborée sur le langage. C'est une langue qui n'existe pas et qu'une femme se met soudain à parler un matin en se réveillant. J'ai voulu faire une pièce avec des mots, à partir des mots, mais non pas une pièce de mots. J'ai voulu aussi démontrer ce que les idées reçues deviennent chez des gens dérangés psychiquement, qui parlent et que la parole entraîne. Lorsqu'on attaque une institution, comme celle du langage, on est dans la subversion. C'est une transgression,* Le Shaga. *Les écrivains n'en peuvent plus. On a envie de jouer avec les mots, de les faire servir à autre chose, et c'est ce que j'essaie de faire, de prendre un mot, de le vider de son sens et de lui en redonner un autre. Au fond de tout cela il y a une intuition de l'absurdité et ça c'est comme dans* Les Eaux et Forêts, *c'est tout mon théâtre. Et à la fin du* Shaga, *il y a quelque chose comme une ouverture chez ces fous qui est infiniment plus juste que celle des autres. Leur mystère, c'est cette faculté fantastique de fabulation, qu'ils ont tous les trois. Là, ils décollent et ils vont très loin parce que le langage lui-même devient objet de dérision.*
In *Les Cahiers de la Comédie-Française*, n°14, 1994-1995

1

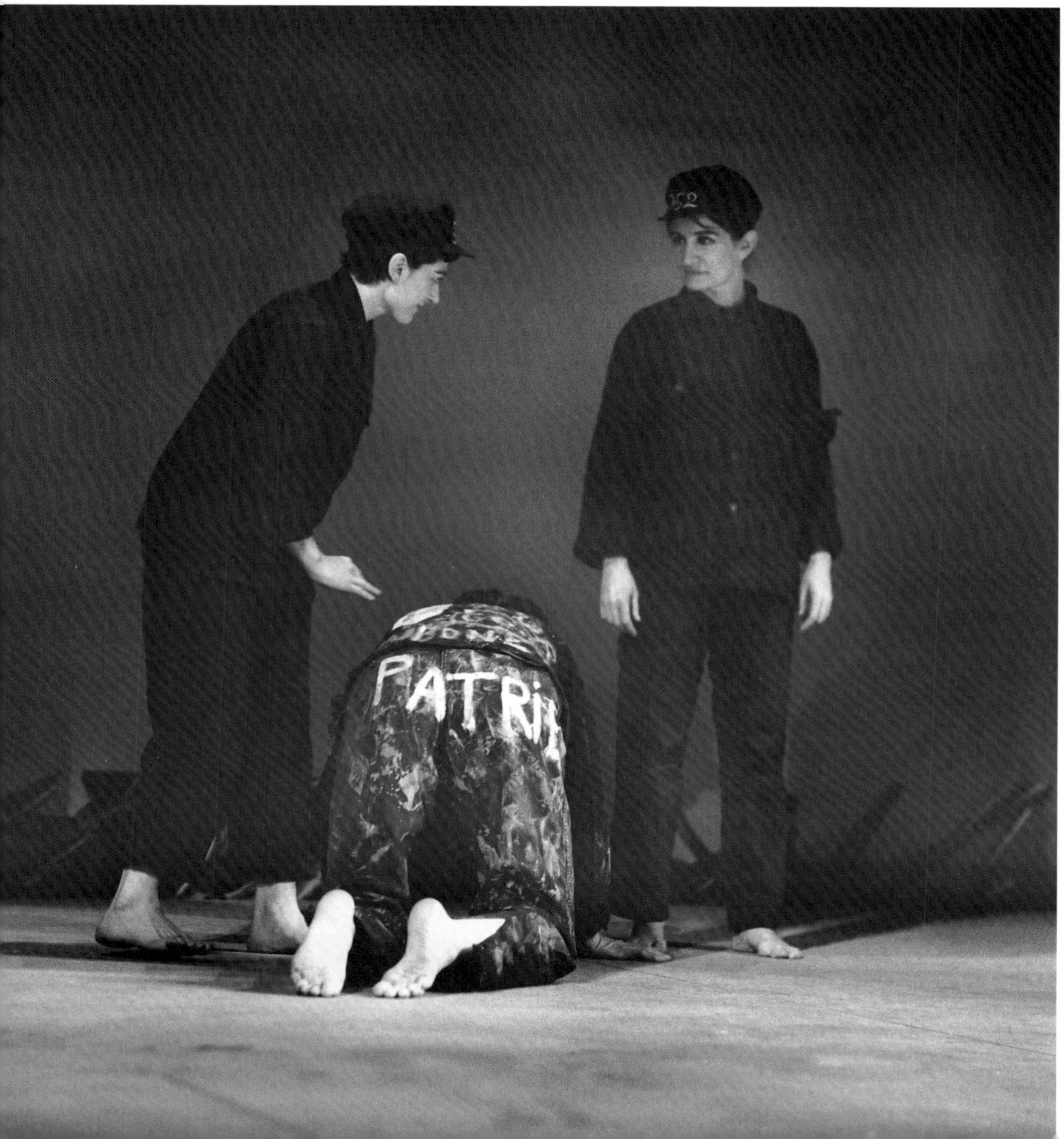

2

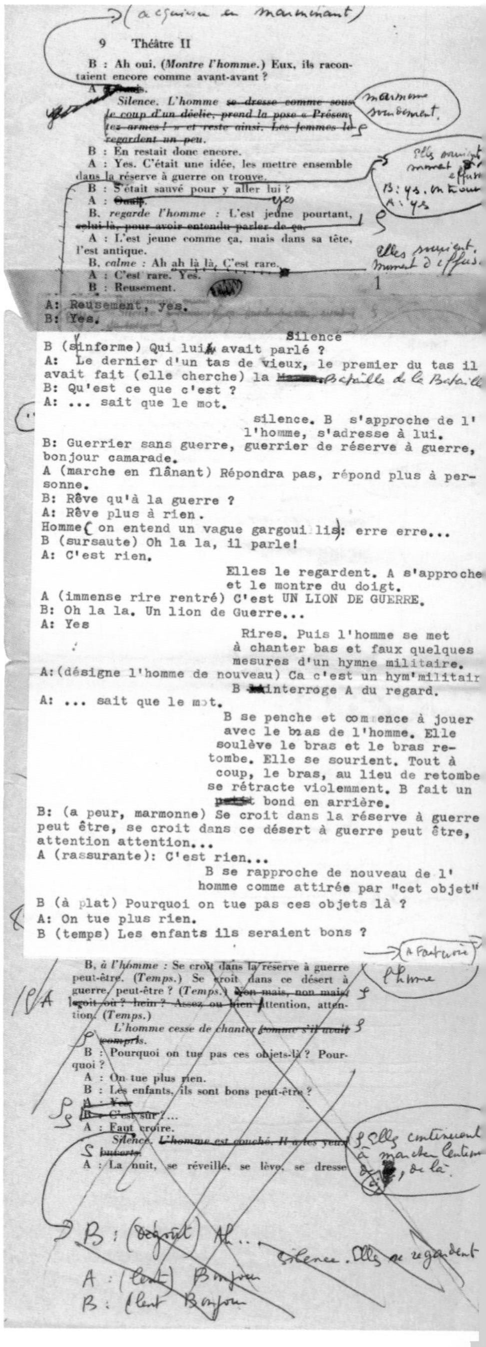

9 Théâtre II

B : Ah oui. (*Montre l'homme.*) Eux, ils racontaient encore comme avant-avant ?
A : ...s.
Silence. L'homme se dresse comme sous le coup d'un déclic, prend la pose « Présentez armes ! » et reste ainsi. Les femmes le regardent un peu.
B : En restait donc encore.
A : Yes. C'était une idée, les mettre ensemble dans la réserve à guerre on trouve.
B : S'était sauvé pour y aller lui ?
A : Ouais.
B, *regarde l'homme* : L'est jeune pourtant, celui-là, pour avoir entendu parler de ça.
A : L'est jeune comme ça, mais dans sa tête, l'est antique.
B, *calme* : Ah ah là là. C'est rare.
A : C'est rare. Yes.
B : Reusement.
1

A: Reusement, yes.
B: Yes.
Silence
B (sinforme) Qui lui avait parlé ?
A: Le dernier d'un tas de vieux, le premier du tas il avait fait (elle cherche) la
B: Qu'est ce que c'est ?
A: ... sait que le mot.
silence. B s'approche de l' l'homme, s'adresse à lui.
B: Guerrier sans guerre, guerrier de réserve à guerre, bonjour camarade.
A (marche en flânant) Répondra pas, répond plus à personne.
B: Rêve qu'à la guerre ?
A: Rêve plus à rien.
Homme(on entend un vague gargouillis): erre erre...
B (sursaute) Oh la la, il parle!
A: C'est rien.
Elles le regardent. A s'approche et le montre du doigt.
A (immense rire rentré) C'est UN LION DE GUERRE.
B: Oh la la. Un lion de Guerre...
A: Yes
Rires. Puis l'homme se met à chanter bas et faux quelques mesures d'un hymne militaire.
A:(désigne l'homme de nouveau) Ca c'est un hym'militair
B interroge A du regard.
A: ... sait que le mot.
B se penche et commence à jouer avec le bras de l'homme. Elle soulève le bras et le bras retombe. Elle se sourient. Tout à coup, le bras, au lieu de retombe se rétracte violemment. B fait un petit bond en arrière.
B: (a peur, marmonne) Se croit dans la réserve à guerre peut être, se croit dans ce désert à guerre peut être, attention attention...
A (rassurante): C'est rien...
B se rapproche de nouveau de l' homme comme attirée par "cet objet"
B (à plat) Pourquoi on tue pas ces objets là ?
A: On tue plus rien.
B (temps) Les enfants ils seraient bons ?

B, *à l'homme* : Se croit dans la réserve à guerre peut-être. (*Temps.*) Se croit dans ce désert à guerre, peut-être ? (*Temps.*) Non mais, non mais, le voit où ? hein ? Assez ou bien attention, attention. (*Temps.*)
L'homme cesse de chanter comme s'il avait compris.
B : Pourquoi on tue pas ces objets-là ? Pourquoi ?
A : On tue plus rien.
B : Les enfants, ils sont bons peut-être ?
A : Yes.
B : C'est sûr ?...
A : Faut croire.
Silence. L'homme est couché. Il a les yeux fermés.
A : La nuit, se réveille, se lève, se dresse

3

1 *Le Shaga* et *Yes, peut-être* sont montées et mises en scène par Marguerite Duras au théâtre Gramont à Paris en janvier 1968. Les acteurs Claire Deluca, René Erouk et Marie-Ange Dutheil jouent dans les deux pièces. Ils entourent ici Marguerite Duras au cours d'une répétition de la pièce *Le Shaga* au théâtre Gramont, à Paris, en janvier 1968.

2 Les trois acteurs Claire Deluca, René Erouk et Marie-Ange Dutheil durant une représentation de *Yes, peut-être*, mise en scène par Marguerite Duras au théâtre Gramont à Paris en janvier 1968. Cette pièce est à la fois radicale dans sa forme et très engagée sur le fond.

3 Impressionnant placard d'épreuves de *Yes, peut-être*, extrêmement travaillé, remanié et annoté par Marguerite Duras.

4 et 5 Deux versions du *Shaga*. La première est un manuscrit et la seconde un document dactylographié annoté de la main de Marguerite Duras.

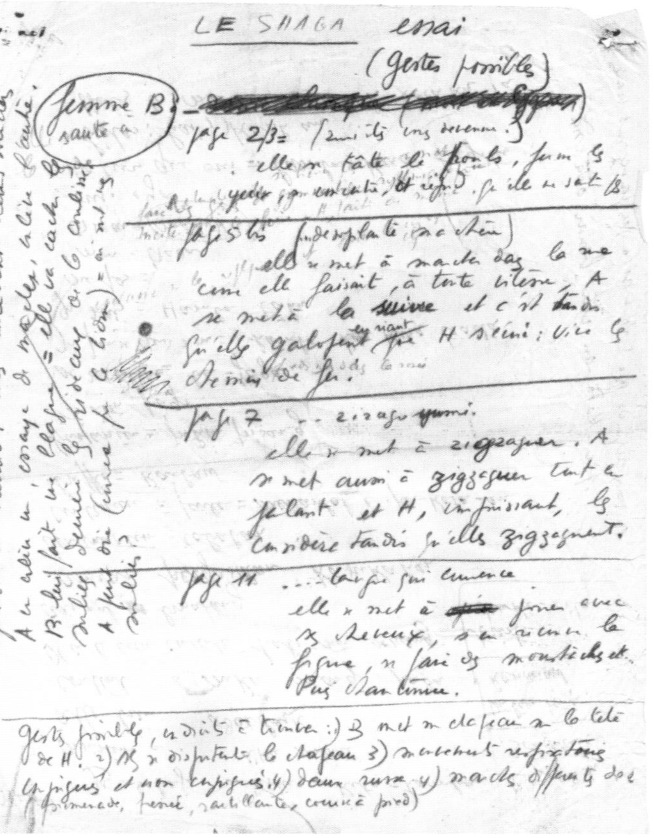

4

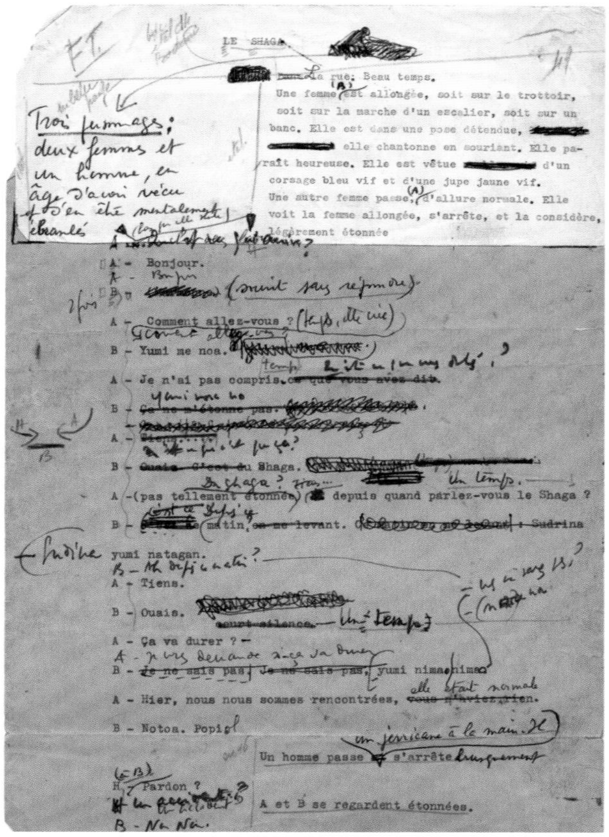

5

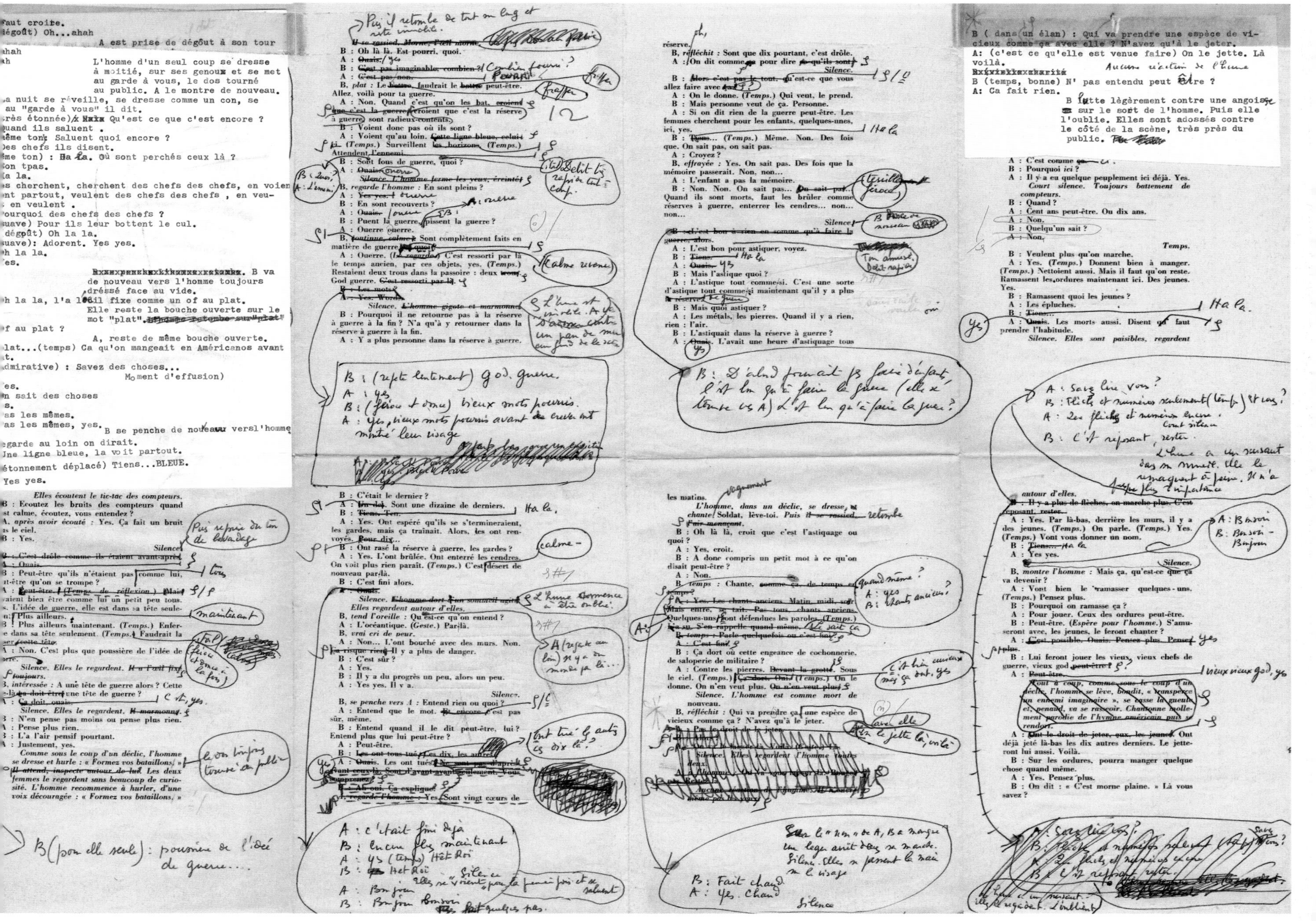

GEORGES SAUGE
SOUS les Pavés, la

TOUS AU MEETING DU
COMITE D'ACTION 6ème
VENDREDI 7 JUIN
18H 30 PLACE St GERMAIN DES PRES
PRESSE
7 JUIN
A l'Appel des Travailleurs de RENAULT

2

TROP TARD CRS
LE MOUVEMENT POPULAIRE N'A PAS DE TEMPLE
solidarité
EFFECTIVE
étudiants
travailleurs
ORTF
L'ELAN EST DONNE
POUR UNE
LUTTE PROLONGEE
PAS DE RECTANGLE BLANC POUR UN PEUPLE ADULTE
INDÉPENDANCE et AUTONOMIE de l'O.R.T.F.
AUTHENTIQUE ET MODERNE
P.C.F.
C.F.

3

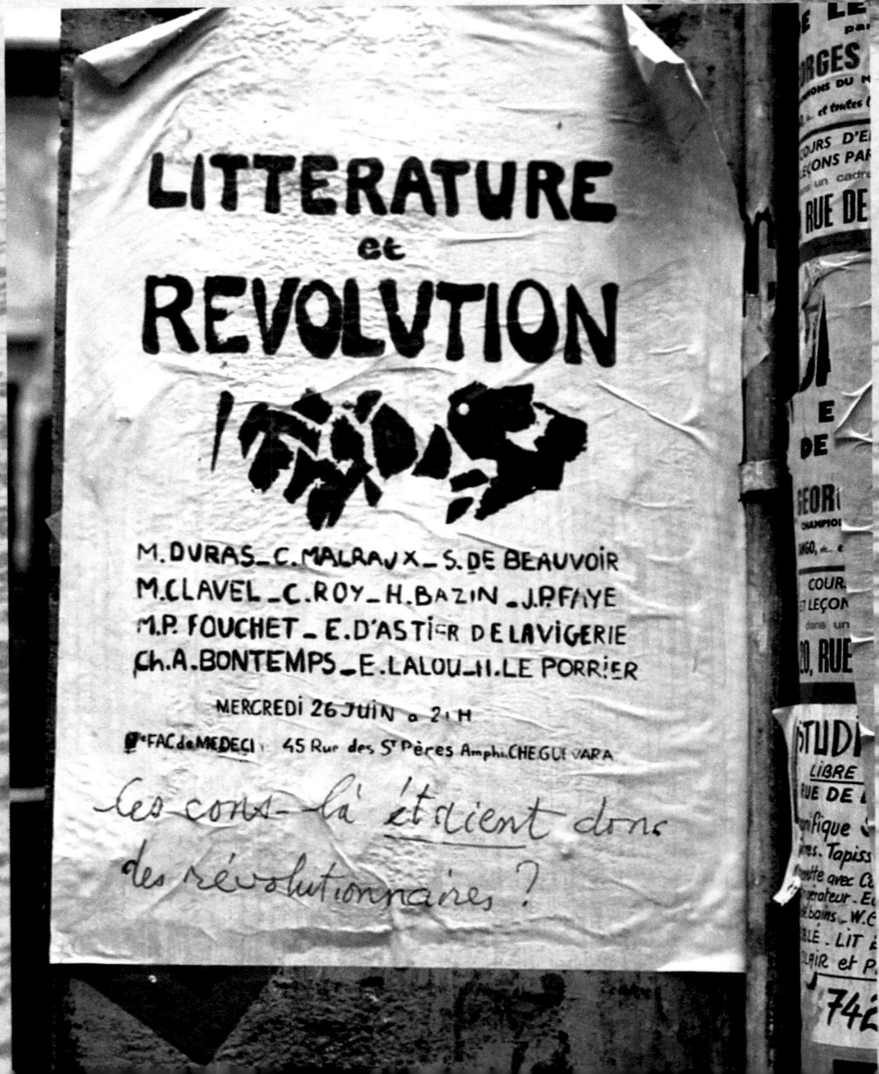
LITTERATURE
et
REVOLUTION
M. DURAS _ C. MALRAUX _ S. DE BEAUVOIR
M. CLAVEL _ C. ROY _ H. BAZIN _ J.P. FAYE
M.P. FOUCHET _ E. D'ASTIER DE LA VIGERIE
Ch. A. BONTEMPS _ E. LALOU _ M. LE PORRIER
MERCREDI 26 JUIN à 21 H
FAC de MEDECI 45 Rue des St Pères Amphi CHE GUEVARA
Ces cons-là étaient donc des révolutionnaires ?

4

1

1 « Il est interdit d'interdire », « Nous ne savons pas où nous allons, mais ce n'est pas une raison pour ne pas y aller », ces fameux slogans ont été écrits par Marguerite Duras. En mai 1968, alors âgée de cinquante-quatre ans, l'écrivain s'engage avec ferveur dans ce mouvement qu'elle considère comme « sa révolution » et dont elle défend la « sauvagerie essentielle ». Paris, juin 1968.

2 Affiche contre la presse « complice » durant les événements de Mai 68. Paris, juin 1968.

3 Affiches collées dans la nuit sur les murs de l'École de médecine, durant les événements de Mai 68. Paris, juin 1968.

4 Affiche appelant à un débat autour de la littérature et de la révolution dans l'un des amphithéâtres de l'École de médecine, collée sur les murs de la rue de Seine durant les événements de Mai 68. Marguerite Duras est la première des signataires de l'appel parmi d'autres intellectuels éminents de l'époque, tels Clara Malraux, Simone de Beauvoir, Maurice Clavel ou encore Claude Roy. Le graffiti à la main témoigne des débats du moment. Paris, juin 1968.

5 *La Cause du peuple*, le journal de la gauche prolétarienne, est créé le 1er mai 1968 par Roland Castro. Il connaît une histoire un peu chaotique avec des saisies et des interdictions régulières pendant les quelques années qui suivent Mai 68. Jean-Paul Sartre dirige le journal dans les années 1970 et Marguerite Duras soutient l'Association des amis de *La Cause du peuple*, fondée par Simone de Beauvoir. Il lui arrive de vendre le journal, comme ici Simone de Beauvoir et Jean-Paul Sartre dans les années 1970, bien qu'elle qualifie ce dernier de théoricien et d'idéologue.

5

«À la suite de l'appel du mouvement du 22 mars, au cours de son assemblée générale du 14 mai, il a été décidé de la création de comités d'action révolutionnaire sur tous les lieux de travail. Un certain nombre d'artistes, de comédiens, d'étudiants et d'ouvriers ont décidé de fonder un Comité d'action révolutionnaire sur les lieux de la culture bourgeoise. L'Odéon fut choisi non pas pour attaquer personnellement une compagnie, mais pour que le Théâtre de France cesse pour une durée illimitée d'être un théâtre. Il devient à partir du 16 mai, premièrement: un lieu de rencontre entre ouvriers, étudiants, artistes et comédiens; deuxièmement, une permanence révolutionnaire créatrice qui entreprend un travail de réflexion sur notre refus de la diffusion du spectacle marchandise; troisièmement, un lieu de meeting politique ininterrompu, comme cela commence dès ce soir, à 24 heures.»
Communiqué du Comité d'action révolutionnaire lu et adressé à la presse le jour de l'occupation

1

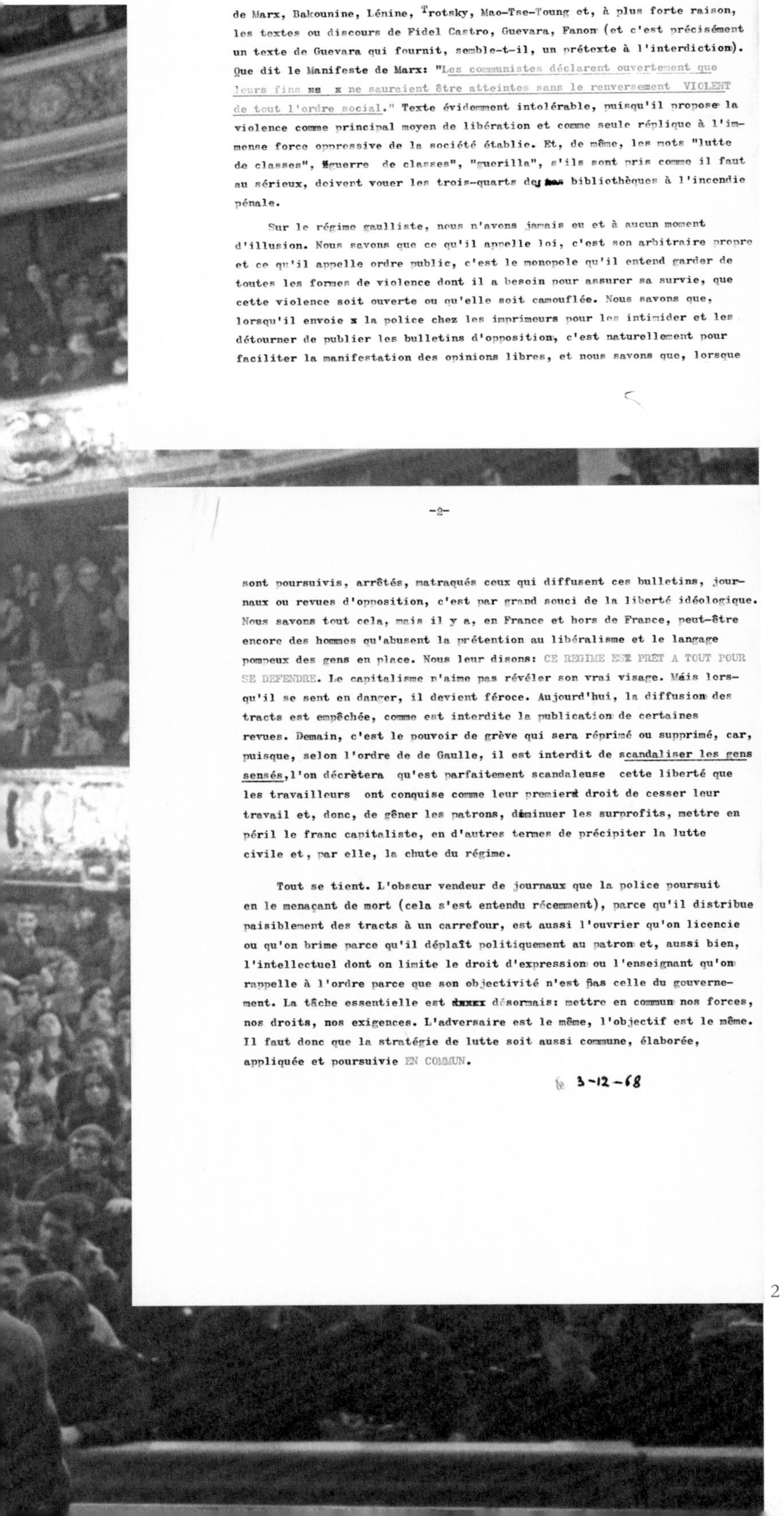

Le comité d'action étudiants-écrivains souhaite avertir les hommes libres de ce pays et des autres pays qu'en interdisant la revue tricontinental, revue purement idéologique qui du reste ne traite d'aucune question spécifiquement française, mais des problèmes concernant l'Amérique, l'Asie et l'Afrique, le régime gaulliste a fait un nouveau pas dans la répression. C'est désormais la liberté de réflexion politique, la liberté de parole et d'écriture qui est directement et manifestement visée.

Et en voici la preuve: pour essayer de justifier l'interdiction, le ministère de l'intérieur ouvre "une information pour provocation, non suivie d'effet, aux crimes d'incendies volontaires, d'homicides volontaires et d'attentats par explosifs". Relisons bien cette proposition de délit. Elle est telle qu'elle doit rendre impossible la publication ou nécessaire la destruction de tout texte de critique radicale, à commencer par les oeuvres de Marx, Bakounine, Lénine, Trotsky, Mao-Tse-Toung et, à plus forte raison, les textes ou discours de Fidel Castro, Guevara, Fanon (et c'est précisément un texte de Guevara qui fournit, semble-t-il, un prétexte à l'interdiction). Que dit le Manifeste de Marx: "Les communistes déclarent ouvertement que leurs fins ne sauraient être atteintes sans le renversement VIOLENT de tout l'ordre social." Texte évidemment intolérable, puisqu'il propose la violence comme principal moyen de libération et comme seule réplique à l'immense force oppressive de la société établie. Et, de même, les mots "lutte de classes", "guerre de classes", "guerilla", s'ils sont pris comme il faut au sérieux, doivent vouer les trois-quarts des bibliothèques à l'incendie pénale.

Sur le régime gaulliste, nous n'avons jamais eu et à aucun moment d'illusion. Nous savons que ce qu'il appelle loi, c'est son arbitraire propre et ce qu'il appelle ordre public, c'est le monopole qu'il entend garder de toutes les formes de violence dont il a besoin pour assurer sa survie, que cette violence soit ouverte ou qu'elle soit camouflée. Nous savons que, lorsqu'il envoie la police chez les imprimeurs pour les intimider et les détourner de publier les bulletins d'opposition, c'est naturellement pour faciliter la manifestation des opinions libres, et nous savons que, lorsque

-2-

sont poursuivis, arrêtés, matraqués ceux qui diffusent ces bulletins, journaux ou revues d'opposition, c'est par grand souci de la liberté idéologique. Nous savons tout cela, mais il y a, en France et hors de France, peut-être encore des hommes qu'abusent la prétention au libéralisme et le langage pompeux des gens en place. Nous leur disons: CE REGIME EST PRÊT A TOUT POUR SE DEFENDRE. Le capitalisme n'aime pas révéler son vrai visage. Mais lorsqu'il se sent en danger, il devient féroce. Aujourd'hui, la diffusion des tracts est empêchée, comme est interdite la publication de certaines revues. Demain, c'est le pouvoir de grève qui sera réprimé ou supprimé, car, puisque, selon l'ordre de de Gaulle, il est interdit de scandaliser les gens sensés, l'on décrètera qu'est parfaitement scandaleuse cette liberté que les travailleurs ont conquise comme leur premier droit de cesser leur travail et, donc, de gêner les patrons, diminuer les surprofits, mettre en péril le franc capitaliste, en d'autres termes de précipiter la lutte civile et, par elle, la chute du régime.

Tout se tient. L'obscur vendeur de journaux que la police poursuit en le menaçant de mort (cela s'est entendu récemment), parce qu'il distribue paisiblement des tracts à un carrefour, est aussi l'ouvrier qu'on licencie ou qu'on brime parce qu'il déplaît politiquement au patron et, aussi bien, l'intellectuel dont on limite le droit d'expression ou l'enseignant qu'on rappelle à l'ordre parce que son objectivité n'est pas celle du gouvernement. La tâche essentielle est désormais: mettre en commun nos forces, nos droits, nos exigences. L'adversaire est le même, l'objectif est le même. Il faut donc que la stratégie de lutte soit aussi commune, élaborée, appliquée et poursuivie EN COMMUN.

3-12-68

2

3

1 L'Odéon investi par les étudiants lors d'une assemblée générale en mai 1968. Madeleine Renaud et Jean-Louis Barrault tentent de calmer les esprits en déclarant que leur théâtre n'est pas « un théâtre bourgeois ». Jean-Louis Barrault, qui le dirige alors, n'a plus le soutien de son ministre André Malraux, chargé des Affaires culturelles, et perd sa place. Le théâtre reste fermé pendant plusieurs mois.

2 Texte dactylographié daté du 3 décembre 1968 du Comité d'action étudiants-écrivains, fondé pendant les événements de Mai 68. Marguerite Duras participe à sa création aux côtés de Maurice Blanchot, Jean Schuster, Robert Antelme et Dionys Mascolo, et contribue à la rédaction des déclarations collectives. Les comités d'action sont constitués de collectifs de dix à quinze personnes, qui regroupent leurs membres par professions ou par quartiers.

3 Jean Rostand, Jean Guéhenno, membres de l'Académie française, et Hervé Bazin, au cours d'une manifestation pour l'autonomie de l'ORTF devant les locaux de l'actuelle Maison de la Radio à Paris, 1968.

4 Louis Aragon et Elsa Triolet, parmi d'autres écrivains, lors de manifestations du Comité national des écrivains. Le 5 mai 1968, Marguerite Duras, avec d'autres artistes et intellectuels, appelle au boycott de l'ORTF, propose l'assaut de la Bourse ainsi que la suppression de la Société des gens de lettres. C'est à cette époque qu'elle fait une interview de Romain Goupil, alors tout jeune lycéen de seize ans.

5 L'Odéon-Théâtre de France à Paris, dans le VIe arrondissement, est occupé par les étudiants à partir du 15 mai 1968. À l'extérieur, un drapeau noir et un drapeau rouge flottent au-dessus du fronton. Pendant un mois, comme les universités de la Sorbonne et de Censier, l'Odéon devient un lieu de rassemblement des militants révolutionnaires qui, pour certains, s'y établiront un temps.

4

5

nrf

5 RUE SÉBASTIEN-BOTTIN PARIS VII

le 17/1/69

Chère Marguerite,

Votre lettre est arrivée ici comme un coup de tonnerre!

Gaston m'a dit que j'avais le visage d'un amant trompé! La formule est heureuse bien que je ne pense pas qu'il ait tout à fait raison, car je suis vaniteusement convaincu que dans votre coeur vous me restez fidèle.

Cela dit, pour avoir l'air moins "trompé" que je ne semble l'être aux yeux de toute la N.R.F il me serait utile de savoir avec qui vous avez signé et, pour rehausser mon prestige défaillant j'aimerais aussi pouvoir assurer d'une voix mâle que votre "infidélité" n'est que passagère et que vous me conservez toujours votre confiance pour la publication de vos prochains livres.

Mais je ne puis, ni ne veux le faire sans votre autorisation.

J'ai essayé à plusieurs reprises de vous joindre au téléphone jusqu'ici sans succès. Si je n'y parviens pas ce soir je vous appellerai à nouveau lundi.

Je vous embrasse,

Robert.

1

1 Lettre manuscrite de Robert Gallimard adressée à Marguerite Duras en 1969, dans laquelle l'éditeur révèle avec ironie et sympathie son sentiment «d'amant trompé», à l'évocation de son dernier roman à venir, *Détruire dit-elle*, que Marguerite Duras a choisi de publier aux Éditions de Minuit.

2 Photo du tournage de *Détruire dit-elle*, 1969, premier film que Marguerite Duras réalise seule. Tourné peu après les événements de Mai 68, il marque un tournant dans son œuvre. En prenant la caméra, elle se livre à un certain nombre d'innovations formelles. Elle donne ici des indications à ses acteurs Michaël Lonsdale, Nicole Hiss et Henri Garcin.

Maurice Blanchot, à propos de Détruire, *m'avait dit une chose qui m'avait amusée et puis, en même temps, frappée* […] *: « Il faut le donner sans cesse. C'est-à-dire mettre à peine un noir à la fin du film et repartir à la première image. »* *Les Parleuses*, 1974

2

Ce qui dominera toujours, et ça nous fait pleurer, c'est l'enfer et l'injustice du monde du travail. L'enfer des usines, les exactions du mépris, de l'injustice du patronat, de son horreur, de l'horreur du régime capitaliste, de tout le malheur qui en découle, du droit des riches à disposer du prolétariat et d'en faire la raison même de son échec et jamais de sa réussite.

Écrire, 1993

1

2

1 À l'initiative de Roland Castro, suite au décès de cinq travailleurs africains morts de froid dans un foyer insalubre d'Aubervilliers dans la nuit du 1er janvier 1970, le bâtiment du CNPF (Centre national du patronat français, actuel Medef) est occupé par un groupe d'intellectuels. Les locaux sont entièrement envahis et les occupants déroulent des banderoles aux balcons. Les slogans font état du sentiment d'injustice raciale qui plane autour de l'événement. Ce type de drames est à l'époque tristement banal, les bidonvilles et les taudis insalubres étant courants. Cet événement contribue, dans l'été qui suit, à l'aboutissement de la loi Vivien sur la résorption du logement insalubre.

2 Les forces de l'ordre interviennent et embarquent Marguerite Duras, Maurice Clavel et Jean Genet. Blessée, Marguerite Duras se retrouve à l'hôpital Beaujon.

3 Marguerite Duras, entourée de Roland Castro et Jean Genet ; ce jour-là étaient également présents Dionys Mascolo, Maurice Clavel, Pierre Vidal-Nacquet et de nombreux autres universitaires et intellectuels.

RANÇAIS ET MMIGRÉS
MÊME
EXPLOITATION
MÊME
COMBA
LE
LE

Je crois que les juifs, ce trouble pour moi si fort, et que je vois en toute lumière, devant quoi je me tiens dans une clairvoyance tuante, ça rejoint l'écrit. [...] *Le mot juif dit en même temps la puissance de mort que l'homme peut s'octroyer et sa reconnaissance par nous. C'est parce que les nazis n'ont pas reconnu cette horreur en eux qu'ils l'ont commise. Les juifs, ce trouble, ce déjà-vu, a dû certainement commencer – pour moi – avec l'enfance en Asie, les lazarets hors des villages, l'endémie de la peste, du choléra, de la misère, les rues condamnées des pestiférés sont les premiers camps de concentration que j'ai vus.*
Les Yeux verts, 1980

1

2

1 Marguerite Duras, entourée de Sami Frey et Michaël Lonsdale, sur le tournage du film *Jaune le soleil*, sorti en 1971.

2 Marguerite Duras pendant le tournage de *Jaune le soleil*, 1970.

3 et 4 Épreuves annotées par Marguerite Duras de deux versions d'un même passage d'*Abahn Sabana David*. Ce roman évoque – comme le film *Aurelia Steiner*, qu'elle réalise neuf ans plus tard – la condition de la judéité à travers l'histoire d'un Juif jamais prénommé, condamné à mort par Gringo, chef du parti auquel appartient David, ouvrier du ciment. Marguerite Duras entretient avec la culture juive et l'histoire du peuple juif un rapport très étroit et compassionnel. Comme régulièrement à l'époque, l'auteur mêle l'idéologie politique à son œuvre littéraire.

5 *Jaune le soleil* est l'adaptation cinématographique d'*Abahn Sabana David*, réalisée par Marguerite Duras en 1971. Dans ces tapuscrits du script corrigés de sa main, les dialogues rendent compte de son analyse autour de la thématique du rejet du Juif, de sa figure d'exclu parmi d'autres minorités évoquées.

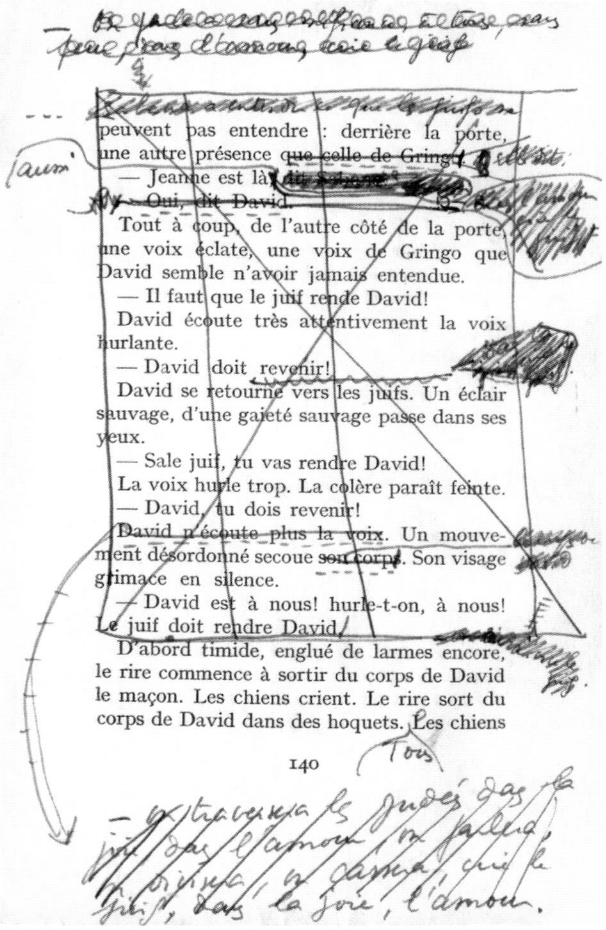

peuvent pas entendre : derrière la porte, une autre présence que celle de Gringo.

— Jeanne est là, dit Sabana.

— Oui, dit David.

Tout à coup, de l'autre côté de la porte, une voix éclate, une voix de Gringo que David semble n'avoir jamais entendue.

— Il faut que le juif rende David!

David écoute très attentivement la voix hurlante.

— David doit revenir!

David se retourne vers les juifs. Un éclair sauvage, d'une gaieté sauvage passe dans ses yeux.

— Sale juif, tu vas rendre David!

La voix hurle trop. La colère paraît feinte.

— David, tu dois revenir!

David n'écoute plus la voix. Un mouvement désordonné secoue son corps. Son visage grimace en silence.

— David est à nous! hurle-t-on, à nous! Le juif doit rendre David.

D'abord timide, englué de larmes encore, le rire commence à sortir du corps de David le maçon. Les chiens crient. Le rire sort du corps de David dans des hoquets. Les chiens

140

3

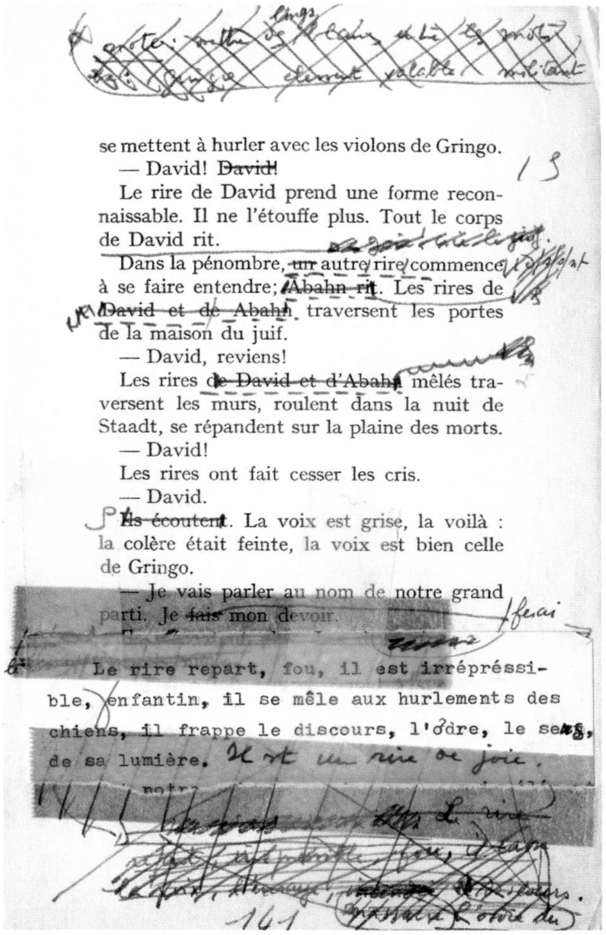

se mettent à hurler avec les violons de Gringo.

— David! David!

Le rire de David prend une forme reconnaissable. Il ne l'étouffe plus. Tout le corps de David rit.

Dans la pénombre, un autre rire commence à se faire entendre; Abahn rit. Les rires de David et de Abahn traversent les portes de la maison du juif.

— David, reviens!

Les rires de David et d'Abahn mêlés traversent les murs, roulent dans la nuit de Staadt, se répandent sur la plaine des morts.

— David!

Les rires ont fait cesser les cris.

— David.

Ils écoutent. La voix est grise, la voilà : la colère était feinte, la voix est bien celle de Gringo.

— Je vais parler au nom de notre grand parti. Je fais mon devoir.

Le rire repart, fou, il est irrépressible, enfantin, il se mêle aux hurlements des chiens, il frappe le discours, l'odre, le sens, de sa lumière. Il est un rire de joie.

161

4

5

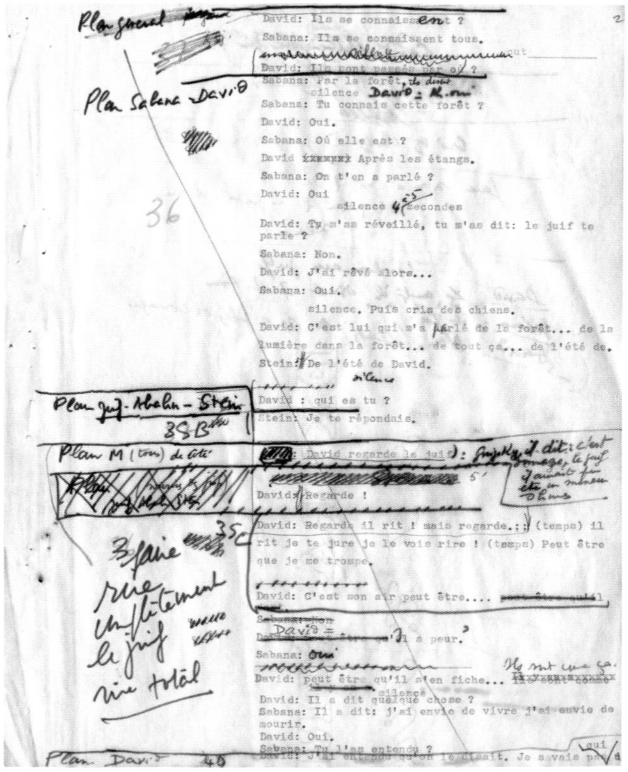

David: Ils se connaissent ?
Sabana: Ils se connaissent tous.
David: Ils sont passés par où ?
Sabana: Par la forêt.
silence
Sabana: Tu connais cette forêt ?
David: Oui.
Sabana: Où elle est ?
David: Après les étangs.
Sabana: On t'en a parlé ?
David: Oui
silence 4 secondes
David: Tu m'as réveillé, tu m'as dit: le juif te parle ?
Sabana: Non.
David: J'ai rêvé alors...
Sabana: Oui.
silence. Puis cris des chiens.
David: C'est lui qui m'a parlé de la forêt... de la lumière dans la forêt... de tout ça... de l'été de.
Stein: De l'été de David.
David: Qui es tu ?
Stein: Je te répondais.
David regarde le juif.
David: Regarde !
David: Regarde il rit ! mais regarde... (temps) il rit je te jure je le vois rire ! (temps) Peut être que je me trompe.
David: C'est son air peut être....
David: peut être qu'il s'en fiche...
David: Il a dit quelque chose ?
Sabana: Il a dit: j'ai envie de vivre j'ai envie de mourir.
David: Oui.
Sabana: Tu l'as entendu ?

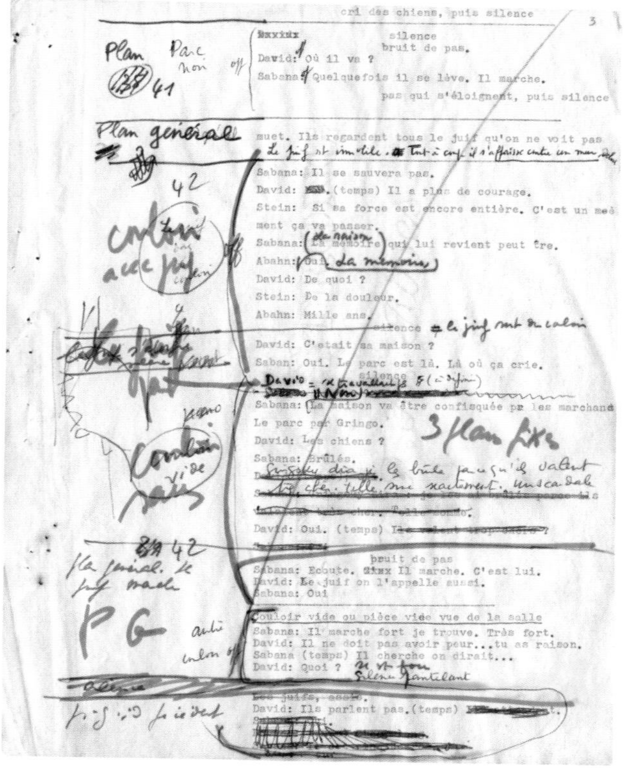

cri des chiens, puis silence
silence
bruit de pas.
David: Où il va ?
Sabana: Quelquefois il se lève. Il marche.
pas qui s'éloignent, puis silence
muet. Ils regardent tous le juif qu'on ne voit pas
Sabana: Il se sauvera pas.
David: (temps) Il a plus de courage.
Stein: Sa force est encore entière.
Abahn: Oui.
Sabana: De quoi ?
Stein: De la douleur.
Abahn: Mille ans.
David: C'était sa maison ?
Sabana: Oui. Le parc est là. Là où ça crie.
Sabana: La maison va être confisquée par les marchands. Le parc par Gringo.
David: Les chiens ?
Sabana: Brûlés.
David: Oui. (temps)
bruit de pas
Sabana: Ecoute. Il marche. C'est lui.
David: Le juif on l'appelle aussi.
Sabana: Oui
Couloir vide ou pièce vide vue de la salle
Sabana: Il marche fort je trouve. Très fort.
David: Il ne doit pas avoir peur... tu as raison.
Sabana (temps) Il cherche on dirait...
David: Quoi ?
David: Ils parlent pas.(temps)

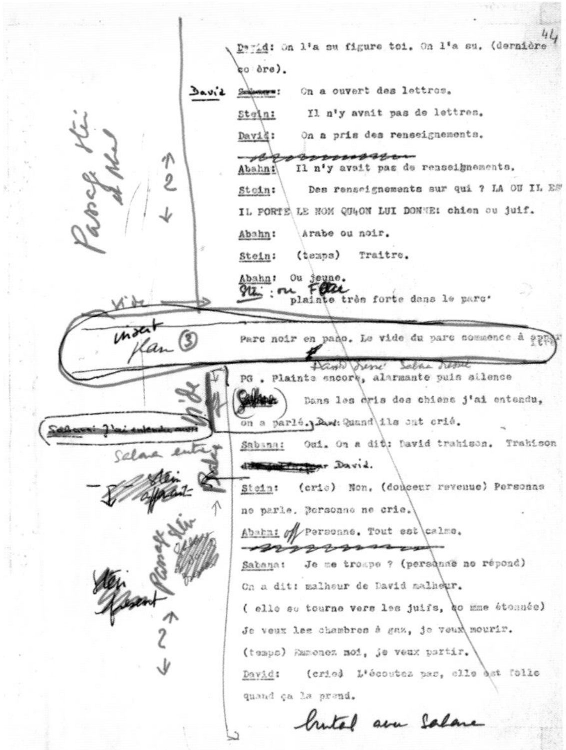

David: On l'a su figure toi. On l'a su.
Sabana: On a ouvert des lettres.
Stein: Il n'y avait pas de lettres.
David: On a pris des renseignements.
Abahn: Il n'y avait pas de renseignements.
Stein: Des renseignements sur qui ? LA OU IL EST IL PORTE LE NOM QU'ON LUI DONNE: chien ou juif.
Abahn: Arabe ou noir.
Stein: (temps) Traître.
Abahn: Ou jeune.
plainte très forte dans le parc
Parc noir en pano. Le vide du parc commence à
PG . Plainte encore, alarmante puis silence
Dans les cris des chiens j'ai entendu, on a parlé. Quand ils ont crié.
Sabana: Oui. On a dit: David trahison. Trahison
Stein: (crie) Non. (douceur revenue) Personne ne parle. Personne ne crie.
Abahn: Personne. Tout est calme.
Sabana: Je me trompe ? (personne ne répond)
On a dit: malheur de David malheur.
(elle se tourne vers les juifs, étonnée)
Je veux les chambres à gaz, je veux mourir.
(temps) Ramenez moi, je veux partir.
David: (crie) L'écoutez pas, elle est folle quand ça la prend.

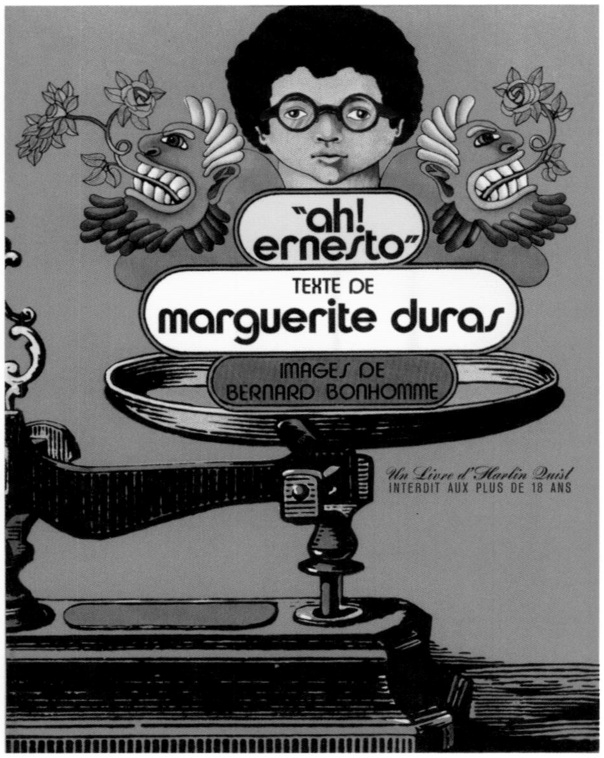

1

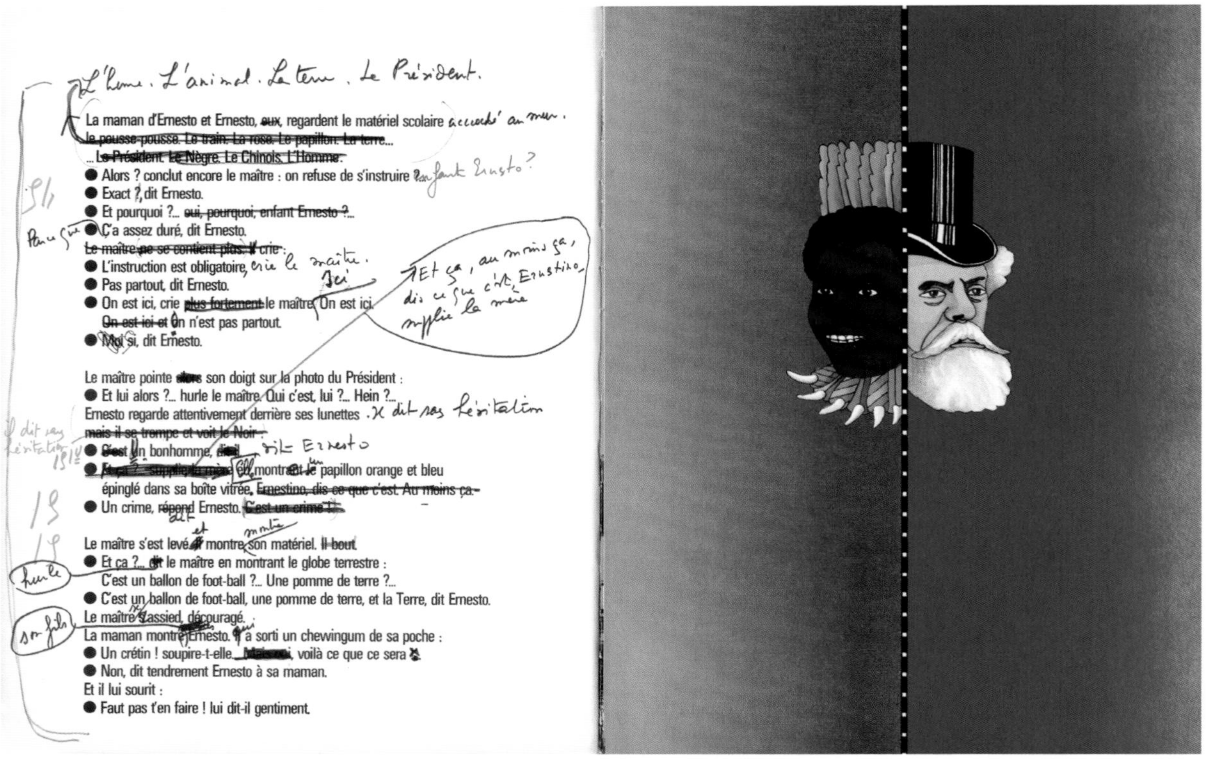

La maman d'Ernesto et Ernesto, eux, regardent le matériel scolaire
le pousse-pousse. Le train. La rose. Le papillon. La terre...
... Le Président. Le Nègre. Le Chinois. L'Homme.
- Alors ? conclut encore le maître : on refuse de s'instruire ?...
- Exact ?, dit Ernesto.
- Et pourquoi ?... oui, pourquoi, enfant Ernesto ?...
- Ça assez duré, dit Ernesto.

Le maître ne se contient plus. Il crie :
- L'instruction est obligatoire,
- Pas partout, dit Ernesto.
- On est ici, crie plus fortement le maître. On est ici.
On est ici et on n'est pas partout.
- Moi si, dit Ernesto.

Le maître pointe alors son doigt sur la photo du Président :
- Et lui alors ?... hurle le maître. Qui c'est, lui ?... Hein ?...

Ernesto regarde attentivement derrière ses lunettes
mais il se trompe et voit le Noir :
- C'est un bonhomme,
- montrant le papillon orange et bleu épinglé dans sa boîte vitrée. Ernestino, dis ce que c'est. Au moins ça.
- Un crime, répond Ernesto. C'est un crime !...

Le maître s'est levé montre son matériel. Il bout.
- Et ça ?... dit le maître en montrant le globe terrestre :
C'est un ballon de foot-ball ?... Une pomme de terre ?...
- C'est un ballon de foot-ball, une pomme de terre, et la Terre, dit Ernesto.

Le maître s'assied, découragé.
La maman montre Ernesto. Il a sorti un chewingum de sa poche :
- Un crétin ! soupire-t-elle, voilà ce que ce sera.
- Non, dit tendrement Ernesto à sa maman.

Et il lui sourit :
- Faut pas t'en faire ! lui dit-il gentiment.

2

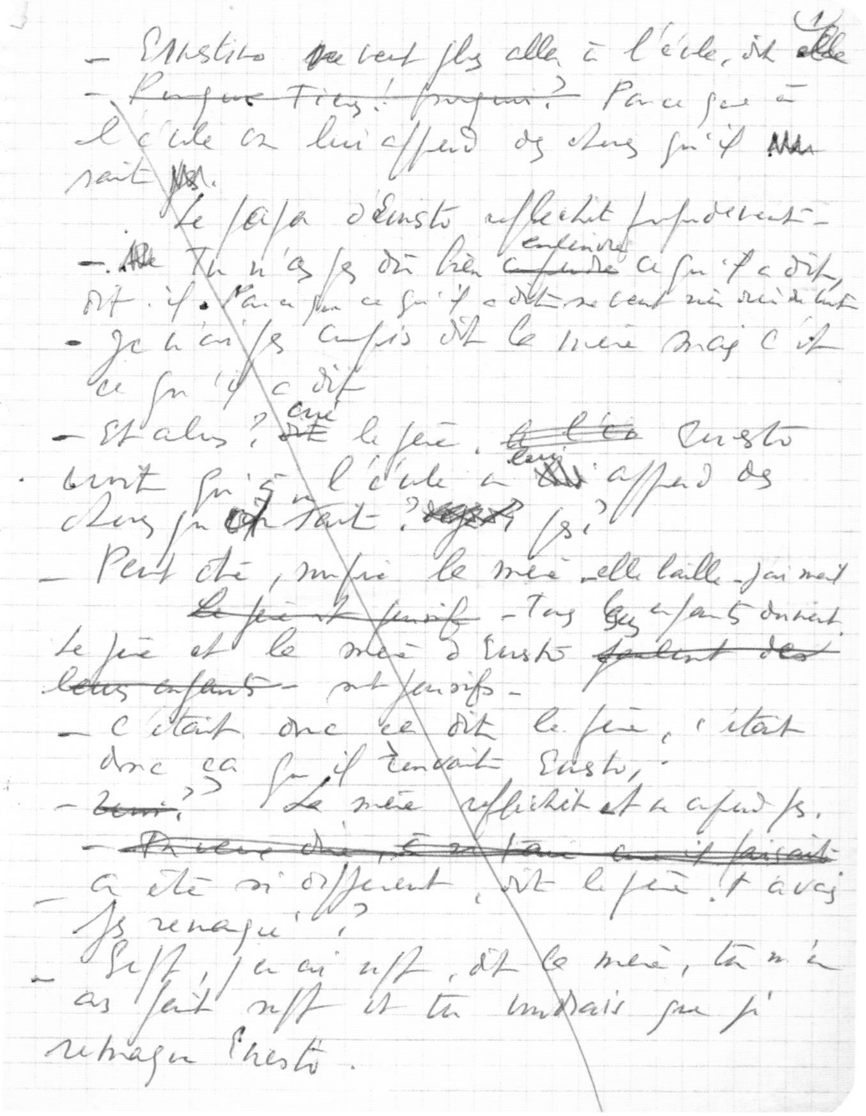

3

1 et 2 Couverture du livre et épreuve annotée par Marguerite Duras d'une page intérieure du livre *Ah! Ernesto*. Illustré par Bernard Bonhomme, il est son unique livre pour enfants.

3, 4 et 5 Ce conte relate l'histoire d'Ernesto, un enfant qui refuse d'aller à l'école pour apprendre des choses qu'il ne sait pas, comme en témoignent ces diverses versions d'un même passage. Le personnage d'Ernesto apparaît également dans le film *Les Enfants*, en 1985, sous les traits d'Axel Bougosslavsky. En 1982, avant *Les Enfants*, Jean-Marie Straub et Danielle Huillet ont fait une adaptation du conte dans leur court métrage intitulé *En rachâchant*. Ernesto apparaît encore dans le roman *La Pluie d'été*, qui paraît en 1990 aux éditions P.O.L. Comme souvent dans l'œuvre de Marguerite Duras, et surtout à partir de ces années, les histoires s'écrivent en plusieurs fois et sous plusieurs formes dans un long processus de récriture et d'adaptation.

La folie d'Ernesto, dans un monde entièrement assujetti à la logique du consensus, réside dans cette liberté débordante, excessive, révolutionnaire, dont il voudrait disposer. [...] Ernesto, comme moi, a appris à dire non.

Marguerite Duras, La Passion suspendue, entretiens avec L. Pallotta della Torre, 2013

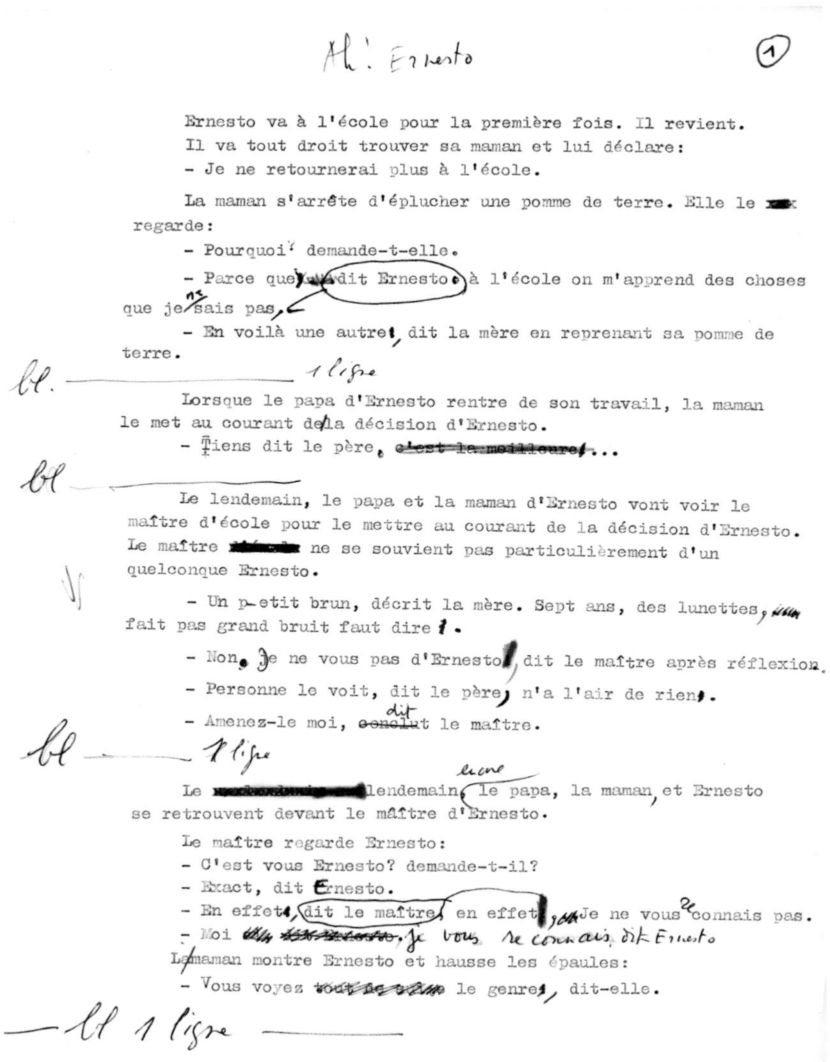

Ah ! Ernesto (1)

Ernesto va à l'école pour la première fois. Il revient.
Il va tout droit trouver sa maman et lui déclare:
- Je ne retournerai plus à l'école.

La maman s'arrête d'éplucher une pomme de terre. Elle le [redacted] regarde:
- Pourquoi? demande-t-elle.
- Parce que, dit Ernesto, à l'école on m'apprend des choses que je ne sais pas.
- En voilà une autre, dit la mère en reprenant sa pomme de terre.

bl. ———— 1 ligne

Lorsque le papa d'Ernesto rentre de son travail, la maman le met au courant de la décision d'Ernesto.
- Tiens dit le père, ~~c'est la meilleure~~...

bl ————

Le lendemain, le papa et la maman d'Ernesto vont voir le maître d'école pour le mettre au courant de la décision d'Ernesto. Le maître [redacted] ne se souvient pas particulièrement d'un quelconque Ernesto.

- Un petit brun, décrit la mère. Sept ans, des lunettes, fait pas grand bruit faut dire.
- Non, je ne vous pas d'Ernesto, dit le maître après réflexion.
- Personne le voit, dit le père, n'a l'air de rien.
- Amenez-le moi, ~~conclut~~ dit le maître.

bl ———— 1 ligne

Le [redacted] lendemain, le papa, la maman, et Ernesto se retrouvent devant le maître d'Ernesto.

Le maître regarde Ernesto:
- C'est vous Ernesto? demande-t-il?
- Exact, dit Ernesto.
- En effet, dit le maître, en effet, Je ne vous connais pas.
- Moi je vous ne connais, dit Ernesto
La maman montre Ernesto et hausse les épaules:
- Vous voyez ~~tout de suite~~ le genre, dit-elle.

—— bl 1 ligne ————

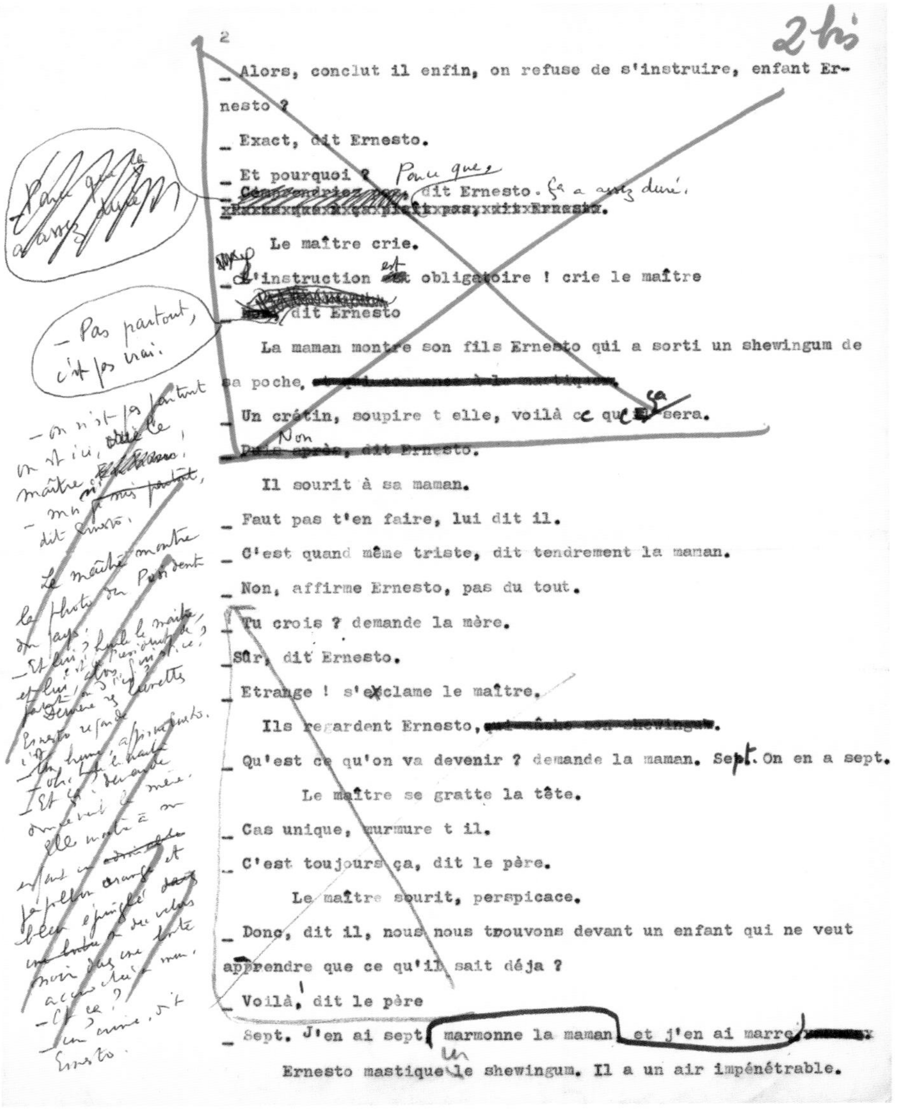

2 — 2 bis

_ Alors, conclut il enfin, on refuse de s'instruire, enfant Ernesto ?
_ Exact, dit Ernesto.
_ Et pourquoi ? Parce que, ~~Comprendriez pas~~, dit Ernesto. Ça a assez duré.
Le maître crie.
_ L'instruction est obligatoire ! crie le maître
_ [redacted] dit Ernesto
La maman montre son fils Ernesto qui a sorti un shewingum de sa poche, [redacted]
_ Un crétin, soupire t elle, voilà ce qu'ça sera.
_ Non, dit Ernesto.
Il sourit à sa maman.
_ Faut pas t'en faire, lui dit il.
_ C'est quand même triste, dit tendrement la maman.
_ Non, affirme Ernesto, pas du tout.
_ Tu crois ? demande la mère.
_ Sûr, dit Ernesto.
_ Etrange ! s'exclame le maître.
Ils regardent Ernesto, [redacted].
_ Qu'est ce qu'on va devenir ? demande la maman. Sept. On en a sept.
Le maître se gratte la tête.
_ Cas unique, murmure t il.
_ C'est toujours ça, dit le père.
Le maître sourit, perspicace.
_ Donc, dit il, nous nous trouvons devant un enfant qui ne veut apprendre que ce qu'il sait déja ?
_ Voilà ! dit le père
_ Sept. J'en ai sept, marmonne la maman, et j'en ai marre [redacted]
Ernesto mastique un shewingum. Il a un air impénétrable.

— Pas partout, c'est pas vrai.

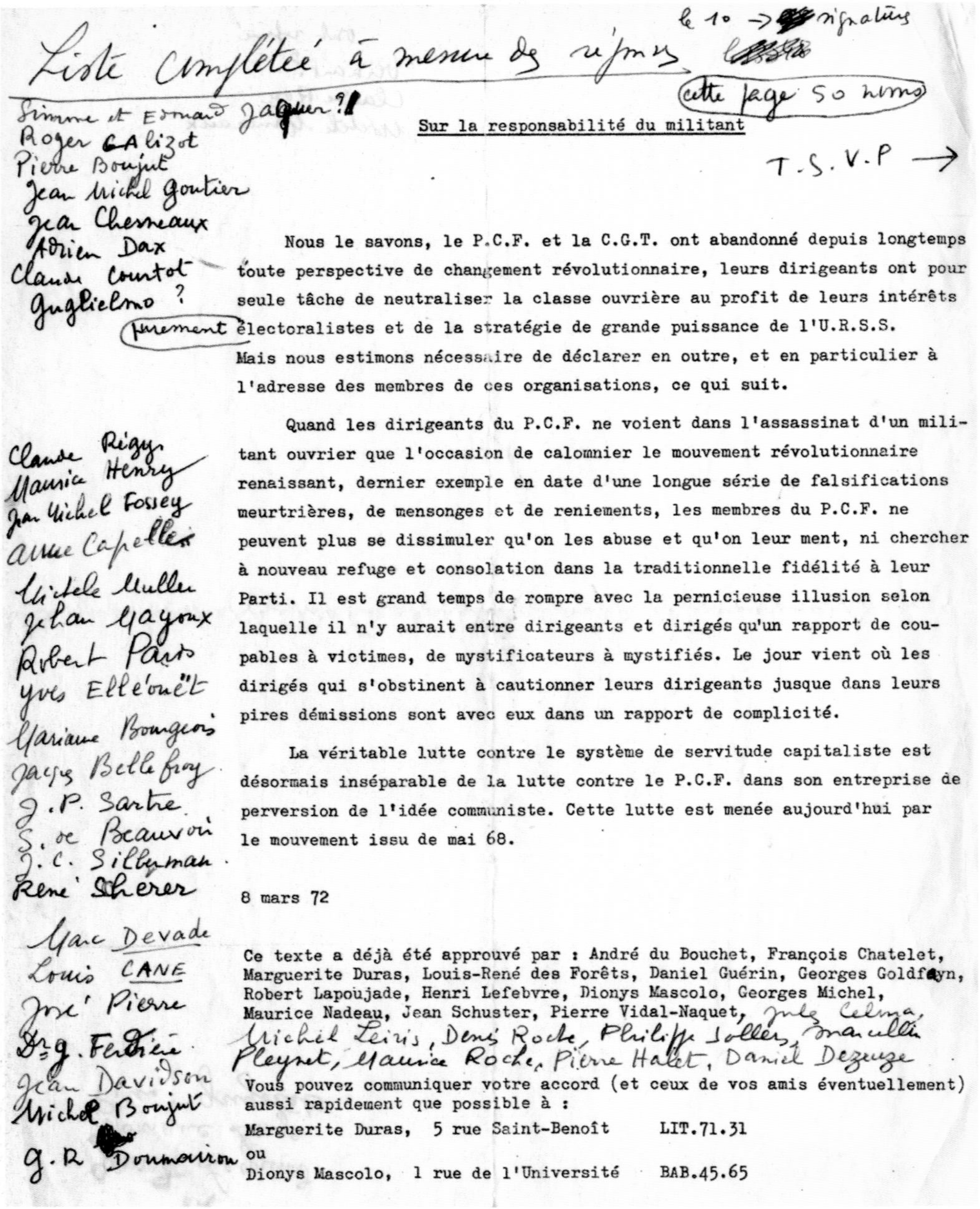

Liste complétée à mesure des réponses

le 10 → signatures

cette page 50 noms

T.S.V.P →

Simone et Edmond Jaguer ?

Roger Gallizot

Pierre Boujut

Jean Michel Goutier

Jean Chesneaux

Adrien Dax

Claude Courtot

Guglielmo ?

(purement)

Sur la responsabilité du militant

Nous le savons, le P.C.F. et la C.G.T. ont abandonné depuis longtemps toute perspective de changement révolutionnaire, leurs dirigeants ont pour seule tâche de neutraliser la classe ouvrière au profit de leurs intérêts électoralistes et de la stratégie de grande puissance de l'U.R.S.S. Mais nous estimons nécessaire de déclarer en outre, et en particulier à l'adresse des membres de ces organisations, ce qui suit.

Quand les dirigeants du P.C.F. ne voient dans l'assassinat d'un militant ouvrier que l'occasion de calomnier le mouvement révolutionnaire renaissant, dernier exemple en date d'une longue série de falsifications meurtrières, de mensonges et de reniements, les membres du P.C.F. ne peuvent plus se dissimuler qu'on les abuse et qu'on leur ment, ni chercher à nouveau refuge et consolation dans la traditionnelle fidélité à leur Parti. Il est grand temps de rompre avec la pernicieuse illusion selon laquelle il n'y aurait entre dirigeants et dirigés qu'un rapport de coupables à victimes, de mystificateurs à mystifiés. Le jour vient où les dirigés qui s'obstinent à cautionner leurs dirigeants jusque dans leurs pires démissions sont avec eux dans un rapport de complicité.

La véritable lutte contre le système de servitude capitaliste est désormais inséparable de la lutte contre le P.C.F. dans son entreprise de perversion de l'idée communiste. Cette lutte est menée aujourd'hui par le mouvement issu de mai 68.

8 mars 72

Ce texte a déjà été approuvé par : André du Bouchet, François Chatelet, Marguerite Duras, Louis-René des Forêts, Daniel Guérin, Georges Goldfayn, Robert Lapoujade, Henri Lefebvre, Dionys Mascolo, Georges Michel, Maurice Nadeau, Jean Schuster, Pierre Vidal-Naquet, Jules Celma, Michel Leiris, Denis Roche, Philippe Sollers, Marcelin Pleynet, Maurice Roche, Pierre Halet, Daniel Dezeuze

Vous pouvez communiquer votre accord (et ceux de vos amis éventuellement) aussi rapidement que possible à :

Marguerite Duras, 5 rue Saint-Benoît LIT.71.31

ou

Dionys Mascolo, 1 rue de l'Université BAB.45.65

Claude Rigys

Maurice Henry

Jean Michel Fossey

Anne Capelle

Michèle Muller

Jehan Mayoux

Robert Pasto

Yves Elléouët

Marianne Bourgeois

Jacques Bellefroy

J.P. Sartre

S. de Beauvoir

J.C. Silbermann

René Scherer

Marc Devade

Louis Cane

José Pierre

G. Ferdière

Jean Davidson

Michel Boujut

G. R. Doumayrou

1

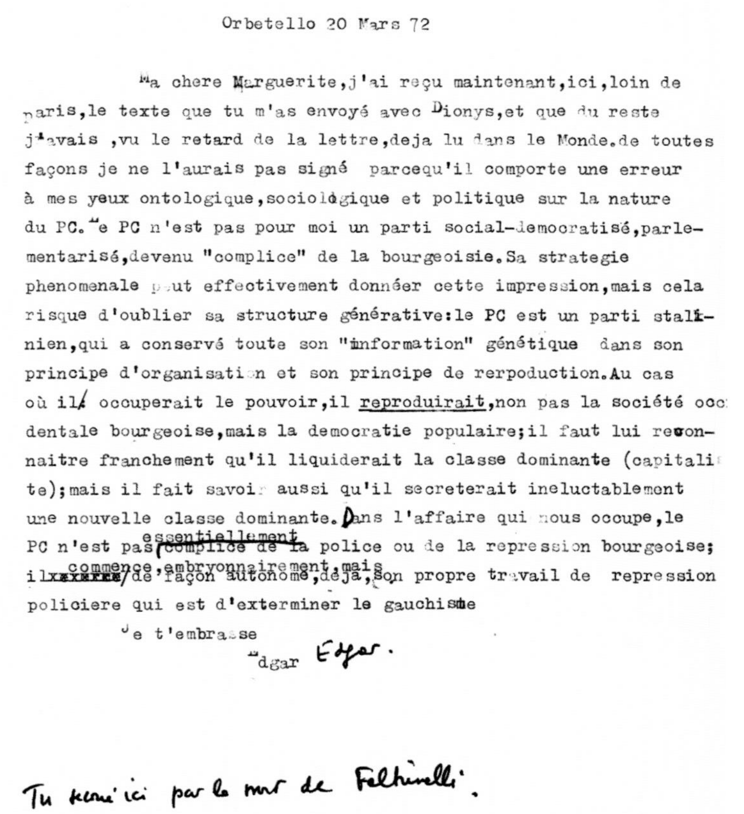

Orbetello 20 Mars 72

Ma chere Marguerite, j'ai reçu maintenant, ici, loin de paris, le texte que tu m'as envoyé avec Dionys, et que du reste j'avais, vu le retard de la lettre, deja lu dans le Monde. de toutes façons je ne l'aurais pas signé parcequ'il comporte une erreur à mes yeux ontologique, sociologique et politique sur la nature du PC. Le PC n'est pas pour moi un parti social-democratisé, parlementarisé, devenu "complice" de la bourgeoisie. Sa strategie phenomenale peut effectivement donnéer cette impression, mais cela risque d'oublier sa structure générative: le PC est un parti stalinien, qui a conservé toute son "information" génétique dans son principe d'organisation et son principe de rerpoduction. Au cas où il occuperait le pouvoir, il reproduirait, non pas la société occidentale bourgeoise, mais la democratie populaire; il faut lui reconnaitre franchement qu'il liquiderait la classe dominante (capitaliste); mais il fait savoir aussi qu'il secreterait ineluctablement une nouvelle classe dominante. Dans l'affaire qui nous occupe, le PC n'est pas essentiellement ~~complice de la~~ police ou de la repression bourgeoise; il commence, embryonnairement, mais de façon autonome, deja, son propre travail de repression policiere qui est d'exterminer le gauchisme

Je t'embrasse

Edgar Edgar.

Tu seras ici par le mur de Feltrinelli.

2

1 Première page du texte «Sur la responsabilité du militant» dans une version dactylographiée et annotée par Marguerite Duras. Rédigé en 1972 conjointement avec Dionys Mascolo, ce texte est publié dans *Le Nouvel Observateur*, la revue *Tel Quel* et *Le Monde*. Ce texte de protestation contre l'attitude du PCF après la mort du militant ouvrier Pierre Overney au cours d'une manifestation témoigne de l'engagement et des prises de position omniprésents dans la vie de Marguerite Duras. Les noms des nombreux signataires figurent ici en marge. Quelques mois plus tôt Marguerite Duras signait le «Manifeste des 343 salopes» pour soutenir la loi sur l'avortement, publié en une du *Nouvel Observateur* le 5 avril 1971.

2 Lettre d'Edgar Morin à Marguerite Duras du 20 mars 1972 commentant le texte sur le «militant» que Marguerite Duras a soumis à son jugement.

3 Page tirée d'un agenda personnel de Marguerite Duras, dans lequel elle a recopié *Le Temps des cerises*, de Jean-Baptiste Clément, mis en musique par Antoine Renard, véritable hymne révolutionnaire de la gauche prolétarienne.

4 Marguerite Duras dans les années 1970.

dimanche **1** **janvier**
Jour de l'an

Quand nous chanterons le temps des cerises
Et gai rossignol et merle moqueur
Seront tous en fête.
Les belles auront la folie en tête
Et les amoureux le soleil au cœur
Quand nous chanterons le temps des cerises
Sifflera bien mieux le merle moqueur

×

Mais il est bien court le temps des cerises
Où l'on s'en va deux cueillir en rêvant
Des pendants d'oreille
Cerises d'amour aux robes pareilles
Tombant sous les feuilles en gouttes de sang
Mais il est bien court le temps des cerises
Pendants de corail qu'on cueille en rêvant

×

Quand vous en serez au temps des cerises
Si vous avez peur des chagrins d'amour
Évitez les belles.
Moi qui ne crains point les peines cruelles
Je ne vivrai point sans souffrir un jour
Quand vous en serez au temps des cerises
Vous aurez aussi des peines d'amour

×

J'aimerai toujours le temps des cerises
C'est de ce temps-là que je garde au cœur
Une plaie ouverte
Et Dame Fortune en m'étant offerte
Ne pourra jamais fermer ma douleur
J'aimerai toujours le temps des cerises
Et le souvenir que je garde au cœur

3

4

Je vois que le pouvoir quel qu'il soit, celui du peuple ou d'une faction, est toujours un épisode nauséabond de l'histoire de l'homme et du monde. Dans tous les cas la prise de pouvoir est usurpation du pouvoir précédent. Le terme de légalité appliqué au pouvoir en place devrait être de nature comique. Je crois que le pouvoir de la misère est aussi insane que celui de l'argent, que celui de la foi.
Les Yeux verts, 1980

1

On croit toujours qu'il faut partir d'une histoire pour faire du cinéma. Ce n'est pas vrai. Pour Nathalie Granger, *je suis complètement partie de la maison. Vraiment, tout à fait. J'avais la maison dans la tête constamment, constamment, et puis ensuite une histoire est venue s'y loger.*
Les Lieux de Marguerite Duras, 1977

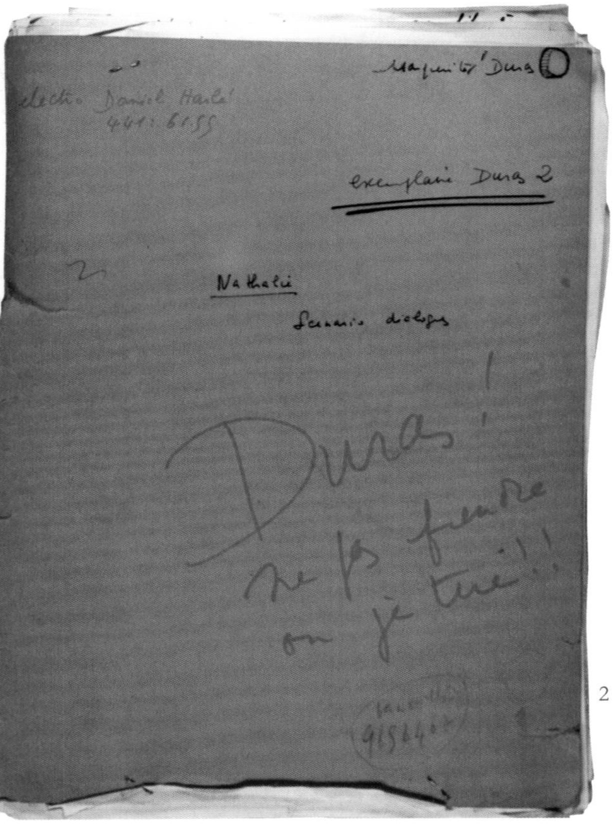

2

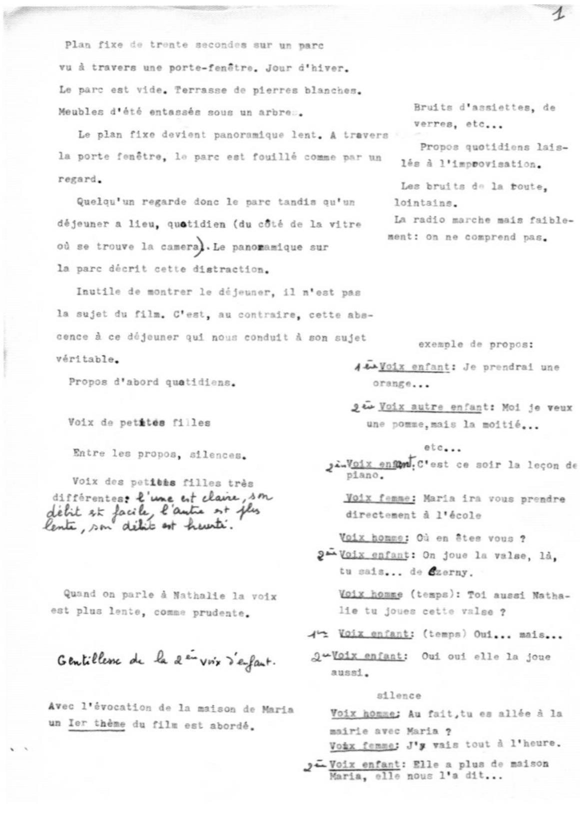

1

Plan fixe de trente secondes sur un parc vu à travers une porte-fenêtre. Jour d'hiver. Le parc est vide. Terrasse de pierres blanches. Meubles d'été entassés sous un arbre.

Le plan fixe devient panoramique lent. A travers la porte fenêtre, le parc est fouillé comme par un regard.

Quelqu'un regarde donc le parc tandis qu'un déjeuner a lieu, quotidien (du côté de la vitre où se trouve la camera). Le panoramique sur la parc décrit cette distraction.

Inutile de montrer le déjeuner, il n'est pas la sujet du film. C'est, au contraire, cette absence à ce déjeuner qui nous conduit à son sujet véritable.

Propos d'abord quotidiens.

Voix de petites filles

Entre les propos, silences.

Voix des petites filles très différentes: l'une est claire, son débit est facile, l'autre est plus lente, son débit est heurté.

Quand on parle à Nathalie la voix est plus lente, comme prudente.

Gentillesse de la 2ème voix d'enfant.

Avec l'évocation de la maison de Maria un Ier thème du film est abordé.

Bruits d'assiettes, de verres, etc...

Propos quotidiens laissés à l'improvisation.

Les bruits de la route, lointains.

La radio marche mais faiblement: on ne comprend pas.

exemple de propos:

1ère Voix enfant: Je prendrai une orange...

2ème Voix autre enfant: Moi je veux une pomme, mais la moitié...

etc...

2ème Voix enfant: C'est ce soir la leçon de piano.

Voix femme: Maria ira vous prendre directement à l'école

Voix homme: Où en êtes vous ?

2ème Voix enfant: On joue la valse, là, tu sais... de Czerny.

Voix homme (temps): Toi aussi Nathalie tu joues cette valse ?

1ère Voix enfant: (temps) Oui... mais...

2ème Voix enfant: Oui oui elle la joue aussi.

silence

Voix homme: Au fait, tu es allée à la mairie avec Maria ?

Voix femme: J'y vais tout à l'heure.

2ème Voix enfant: Elle a plus de maison Maria, elle nous l'a dit...

3

1 Les deux actrices principales du film, Jeanne Moreau et Lucia Bosè, pendant le tournage de *Nathalie Granger*, attablées dans la cuisine de la maison de Marguerite Duras à Neauphle-le-Château, 1972.

2 Couverture du dossier contenant les manuscrits de *Nathalie Granger*, où figure cet avertissement de la main de Marguerite Duras : « Ne pas prendre, ou je tue ! » Dans ce troisième film, s'amorce le style caractéristique de l'auteur, avec l'utilisation de voix hors cadre et de silences très longs. Dans *Nathalie Granger*, les comédiennes Lucia Bosè et Jeanne Moreau ne parlent pratiquement pas. Lorsqu'elles s'expriment, c'est un son postsynchronisé que l'on entend, séparé du corps des actrices.

3 Détails des plans du scénario de *Nathalie Granger* réalisé en 1972 par Marguerite Duras. Le film est entièrement tourné dans la maison de Neauphle-le-Château. Benoît Jacquot, pour la première fois son assistant, ainsi que la scripte du film Geneviève Dufour, Ghislain Cloquet, le chef opérateur de Bresson et Demy, Jeanne Moreau et Lucia Bosè, s'installent tous à Neauphle, chez Marguerite Duras. C'est Gérard Depardieu, alors très peu connu, qu'elle choisit pour jouer le voyageur de commerce.

4 Marguerite Duras pendant le tournage de *Nathalie Granger*. On distingue le jeune assistant caméra Bruno Nuytten et, en retrait, Jeanne Moreau attendant sa prochaine scène.

5 Extraits de planches-contacts du tournage de *Nathalie Granger*, 1972

6 Photo de tournage de *Nathalie Granger*, dans le jardin de Neauphle-le-Château, 1972.

4

5

6

La maison de Nathalie Granger *est une maison qui se casse à la fin, elle se casse, elle est détruite.* [...] *Tout le monde y rentre. Elle est ouverte, et c'est ce petit accident qui fait que la petite fille n'ira plus à l'école, dont on ne sait plus du tout ce qu'elle va devenir, qui fait que la maison se casse.* [...] *Je n'aurais pas pu faire un film où la maison se serait refermée. Ma maison est toujours ouverte.*
Les Parleuses, 1974

Elle n'est pas très grande.
Elle est très très mince.
Quarante-cinq kilos.
En toutes saisons de l'année
elle a la peau dorée,
d'une finesse extraordinaire.
La bouche ressemble
à un quartier d'orange.
Les yeux sont mordorés.
Ils ont la douceur d'une
soie. Le regard est d'une
intelligence qui ne connaît
pas le répit. Intelligente
comme avant la gloire,
toujours elle le sera. [...]
Jeanne est libre. *Outside*, 1981

Marguerite Duras et Jeanne Moreau
dans les années 1970.

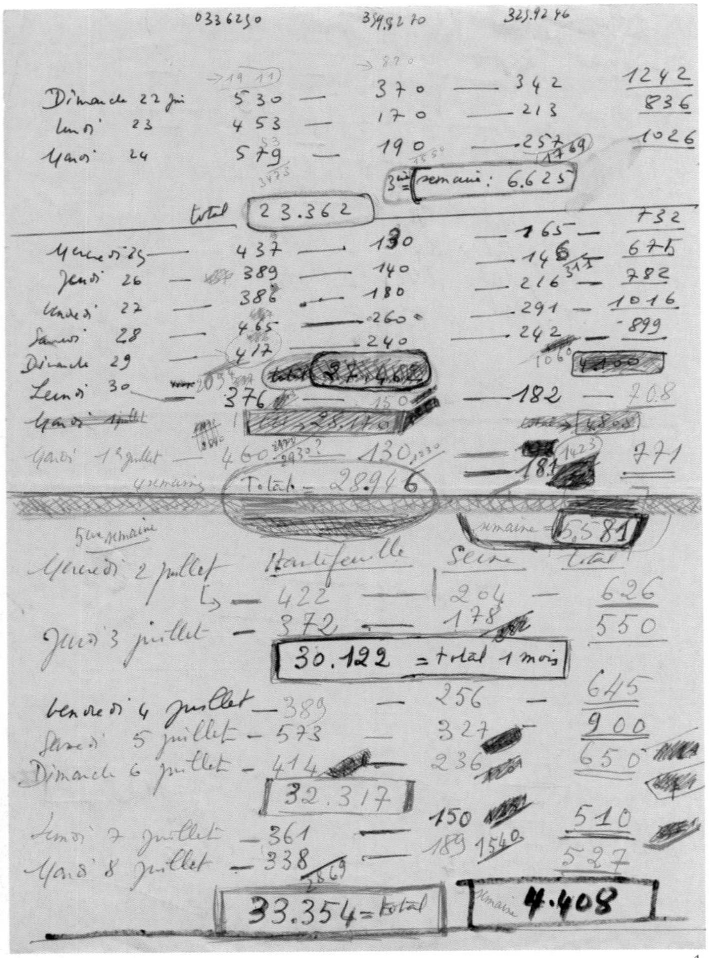
Dimanche 22 juin 530 — 370 — 342 1242
Lundi 23 453 — 170 — 213 836
Mardi 24 579 — 190 — 257 1026
total 23.362
3e semaine : 6.625
Mercredi 2 juillet Hautefeuille Seine total
422 — 204 — 626
Jeudi 3 juillet — 372 — 178 550
30.122 = total 1 mois
Vendredi 4 juillet — 389 — 256 — 645
Samedi 5 juillet — 573 — 327 900
Dimanche 6 juillet — 414 — 236 650
32.317
Lundi 7 juillet — 361 — 150 510
Mardi 8 juillet — 338 — 189 527
33.354 = total
semaine 4.408

1

2

3

1 *India Song*, réalisé par Marguerite Duras, sort en 1975, un an après *La Femme du Gange*, premier volet de la trilogie dite « du cycle indien », qui s'achève en 1976 avec *Son nom de Venise dans Calcutta désert*. En 1975, le film obtient diverses récompenses, dont le prix de l'Association française d'art et d'essai à Cannes, ainsi que le grand prix de l'Académie du cinéma. Delphine Seyrig est nominée pour le césar de la meilleure actrice en 1976, année inaugurale de la cérémonie. Toutes ces distinctions contribuent au succès du film, dont Marguerite Duras prend la mesure régulièrement et consciencieusement en faisant le relevé des entrées entre 1975 et 1977.

2 Partition de la chanson *India Song*, du compositeur d'origine argentine Carlos D'Alessio, écrite par Marguerite Duras et interprétée par Jeanne Moreau. La chanson est nominée au césar de la meilleure musique écrite pour un film, en 1976. À l'origine, Marguerite Duras voulait utiliser le standard « Blue Moon » pour la bande-son, mais les droits étant beaucoup trop importants, elle a confié à Carlos D'Alessio la composition de la musique d'*India Song*.

3 Planche-contact du tournage d'*India Song* montrant Marguerite Duras et Delphine Seyrig entre deux scènes.

4 Photo du tournage d'*India Song*, probablement avant la scène inaugurale du bal, dans laquelle Delphine Seyrig porte sa robe dessinée par Yves Saint Laurent. Delphine Seyrig dit s'être inspirée des poses des mannequins de la maison Saint Laurent.

India Song *a été projeté pendant cinq ans au cinéma Le Seine. Je croisais des jeunes dans les rues, ils chantaient tout bas les tangos de Carlos D'Alessio. Après quatre jours de tournage, Delphine m'a dit tout bas : je crois que tu es en train de faire un très beau film.*

Le Monde extérieur, Outside 2, 1993

La performance fantastique de Delphine Seyrig dans India Song *c'est qu'elle ne se présente jamais comme étant celle appelée Anne-Marie Stretter, mais comme son double lointain, contestable, comme dépeuplé, et qu'elle n'a jamais pris ce rôle comme manque à jouer, mais au contraire, comme si la référence à l'écrit Anne-Marie Stretter restait intacte.* *Outside*, 1981

Photographie du tournage d'*India Song*. Dans le film documentaire *La Couleur des mots* de 1984, de Jean Mascolo et Jérôme Beaujour, Bruno Nuytten, directeur de la photographie, commente ainsi le sein dénudé de Delphine Seyrig : « Tu n'as pas seulement le sein, tu as, sous le sein, la respiration. La vie, donc la mortalité. »

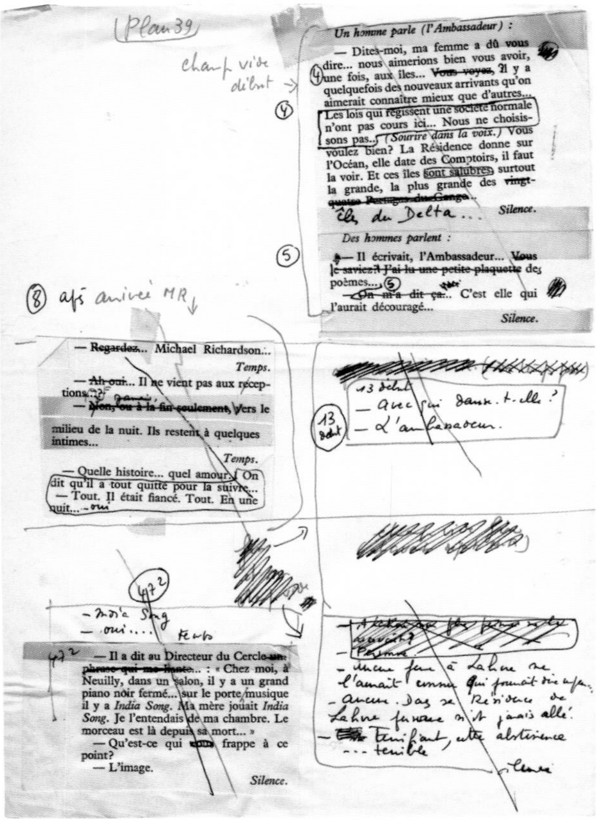
Un homme parle (l'Ambassadeur) :

— Dites-moi, ma femme a dû vous dire... nous aimerions bien vous avoir, une fois, aux îles... Vous voyez, il y a quelquefois des nouveaux arrivants qu'on aimerait connaître mieux que d'autres... Les lois qui régissent une société normale n'ont pas cours ici... Nous ne choisissons pas... (Sourire dans la voix.) Vous voulez bien? La Résidence donne sur l'Océan, elle date des Comptoirs, il faut la voir. Et ces îles sont salubres, surtout la grande, la plus grande des vingt-quatre Portiques du Gange. *Silence.*

Des hommes parlent :

— Il écrivait, l'Ambassadeur... Vous le saviez? J'ai lu une petite plaquette de poèmes...

— On m'a dit ça... C'est elle qui l'aurait découragé...

Silence.

— Regardez... Michael Richardson...

Temps.

— Ah oui... Il ne vient pas aux réceptions...

— Non, ou à la fin seulement, vers le milieu de la nuit. Ils restent à quelques intimes...

Temps.

— Quelle histoire... quel amour... On dit qu'il a tout quitté pour la suivre...

— Tout. Il était fiancé. Tout. En une nuit...

— Il a dit au Directeur du Cercle : « Chez moi, à Neuilly, dans un salon, il y a un grand piano noir fermé... sur le porte-musique il y a *India Song*. Ma mère jouait *India Song*. Je l'entendais de ma chambre. Le morceau est là depuis sa mort... »

— Qu'est-ce qui frappe à ce point?

— L'image.

Silence.

1

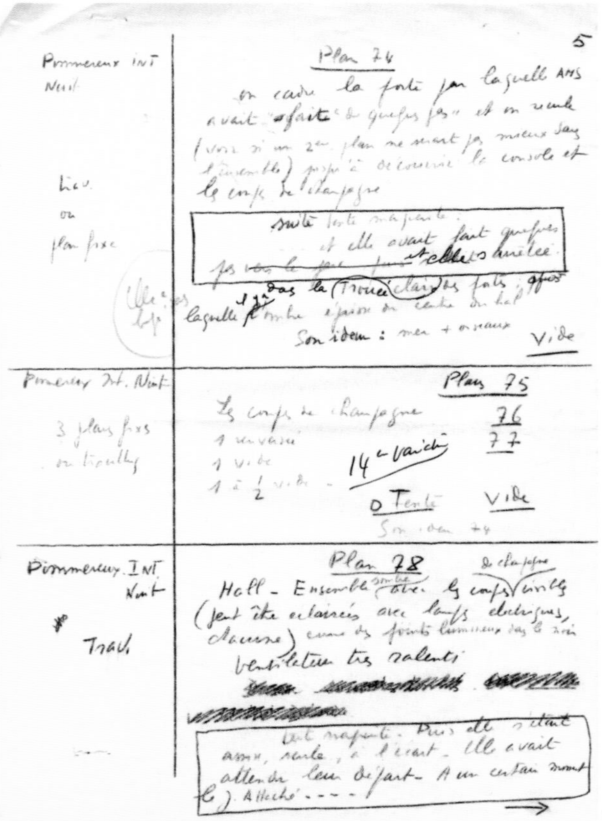

2

3

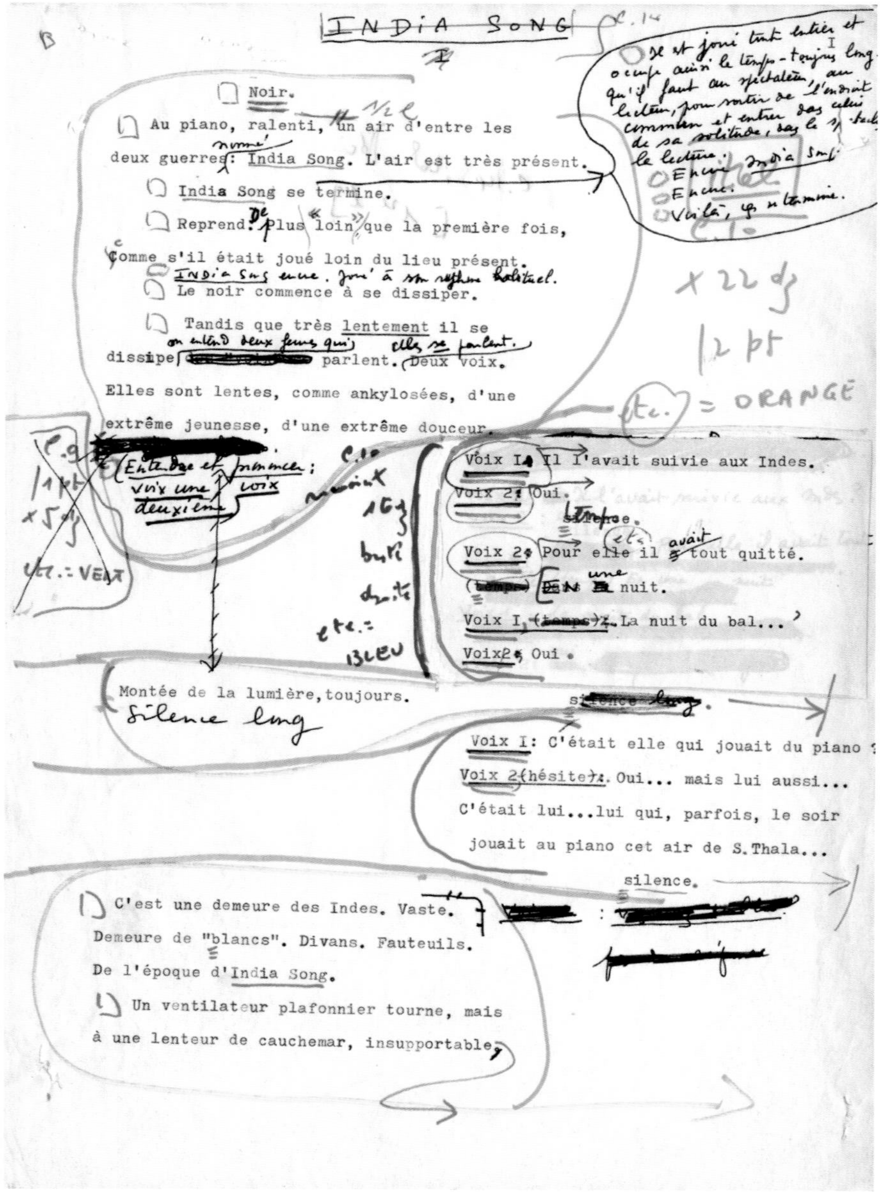
INDIA SONG

Noir.

Au piano, ralenti, un air d'entre les deux guerres : India Song. L'air est très présent.

India Song se termine.

Reprend. Plus loin que la première fois, comme s'il était joué loin du lieu présent.

Le noir commence à se dissiper.

Tandis que très lentement il se dissipe, parlent. Deux voix.

Elles sont lentes, comme ankylosées, d'une extrême jeunesse, d'une extrême douceur.

Voix I. Il l'avait suivie aux Indes.

Voix 2. Oui.

Voix 2. Pour elle il a tout quitté.

En une nuit.

Voix I. La nuit du bal...?

Voix 2. Oui.

Montée de la lumière, toujours.

Voix I: C'était elle qui jouait du piano ?

Voix 2 (hésite). Oui... mais lui aussi...

C'était lui... lui qui, parfois, le soir jouait au piano cet air de S. Thala...

silence.

C'est une demeure des Indes. Vaste.

Demeure de "blancs". Divans. Fauteuils.

De l'époque d'India Song.

Un ventilateur plafonnier tourne, mais à une lenteur de cauchemar, insupportable.

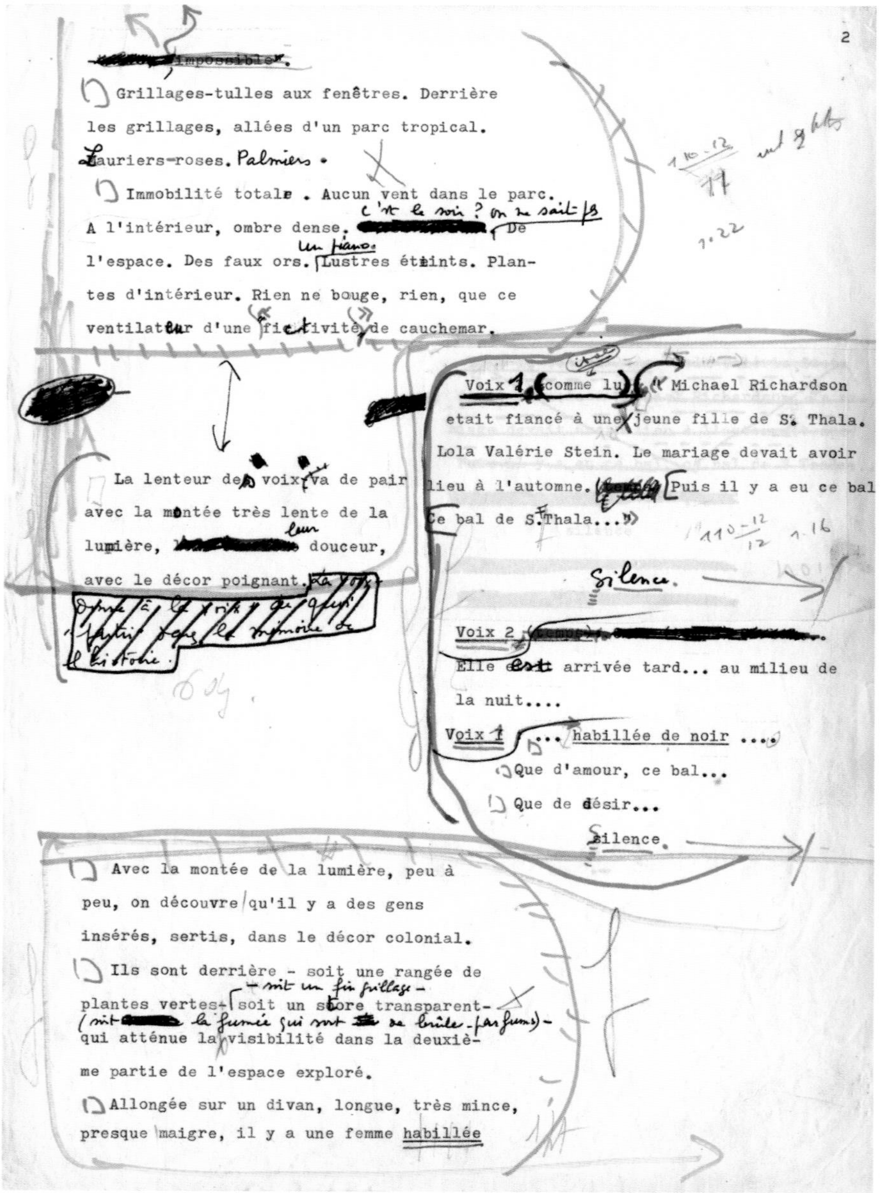
2

impossible.

Grillages-tulles aux fenêtres. Derrière les grillages, allées d'un parc tropical.

Lauriers-roses. Palmiers.

Immobilité totale. Aucun vent dans le parc.

A l'intérieur, ombre dense. De l'espace. Des faux ors. Lustres éteints. Plantes d'intérieur. Rien ne bouge, rien, que ce ventilateur d'une festivité de cauchemar.

La lenteur des voix va de pair avec la montée très lente de la lumière, douceur, avec le décor poignant.

Voix 1. comme lui. Michael Richardson était fiancé à une jeune fille de S. Thala. Lola Valérie Stein. Le mariage devait avoir lieu à l'automne. Puis il y a eu ce bal. Ce bal de S. Thala...

Silence.

Voix 2.

Elle est arrivée tard... au milieu de la nuit....

Voix 1 .... habillée de noir ....

Que d'amour, ce bal...

Que de désir...

Silence.

Avec la montée de la lumière, peu à peu, on découvre qu'il y a des gens insérés, sertis, dans le décor colonial.

Ils sont derrière - soit une rangée de plantes vertes - soit un store transparent - qui atténue la visibilité dans la deuxième partie de l'espace exploré.

Allongée sur un divan, longue, très mince, presque maigre, il y a une femme habillée

La géographie est inexacte, complètement. Je me suis fabriqué une Inde, des Indes comme on disait avant, pendant le colonialisme. Calcutta c'était pas la capitale et on ne peut pas aller en une après-midi de Calcutta aux bouches du Gange. L'île, c'est Ceylan, c'est Colombo, The Prince of Whales de Colombo, il est pas là du tout. Et le Népal, il peut pas y aller dans la journée chasser, là-bas, l'ambassadeur de France. Et Lahore est très loin, Lahore, c'est au Pakistan.
Les Parleuses, 1974

1 et 2 *India Song* a d'abord été écrit à la demande de Peter Hall, en 1972, pour une mise en scène à Londres. Deux versions de découpages des plans du film de la main de Marguerite Duras avec toutes sortes d'indications montrent comment l'auteur travaille, soit à partir du texte de la pièce dialoguée, soit, de façon plus factuelle, à partir d'un tableau.

3 Deux pages du manuscrit d'*India Song* corrigé par Marguerite Duras, qui illustrent visuellement tout le travail du son pour expliquer son approche sonore de désynchronisation. Ainsi voit-on véritablement la bande-son présenter les voix *off* qui assurent une partie de la narration, et l'image qui se révèle en sous-couche.
Cette même bande-son est utilisée à l'identique dans le dernier volet du cycle, *Son nom de Venise dans Calcutta désert*, sur des images des même lieux, mais cette fois désertés.
Quelques semaines avant le tournage du film, le responsable des émissions dramatiques de l'actuelle France Culture, Alain Trutat, propose à Marguerite Duras de créer pour la radio une version d'*India Song*. Michaël Lonsdale est déjà le vice-consul de Lahore, mais c'est la voix de Viviane Forrester, l'amie fidèle de Marguerite Duras, qui incarne Anne-Marie Stretter.
La scène du cri du vice-consul, faite en prise directe depuis un couloir du studio, est restée une anecdote célèbre de cette grande production radiophonique. L'histoire de la fiction sur France Culture est d'ailleurs étroitement liée à l'œuvre de Marguerite Duras, qui en reste l'une des figures incontournables.

4 Photo de tournage d'*India Song*. Anne-Marie Stretter, incarnée par Delphine Seyrig, est ici contemplée par ses amants joués par Claude Mann, Vernon Dobtcheff, Didier Flamand et Mathieu Carrière.

4

Parce que l'adhésion immédiate que j'ai eue à ce château Rothschild était telle que je n'aurais pas pu tourner ailleurs, j'aurais plutôt renoncé au film que d'y renoncer. Cette adhésion immédiate, elle ne peut pas s'expliquer à partir d'un lieu de fiction. Autre chose parlait là. J'avais trouvé le lieu pour dire la fin du monde. Le colonialisme, ici, c'est un détail, le colonialisme, la lèpre et la faim aussi. *Les Parleuses*, 1974

Ça a été une fête, India Song, *pour nous tous. Il n'y a jamais eu la moindre mésentente, pas un nuage dans le ciel du parc Rothschild. Et toujours, la jeune Laotienne, avant chaque plan, chantait l'air laotien de la mendiante. Et nous, on pleurait. Cette fête a recommencé avec* Son nom de Venise dans Calcutta désert. *Le Monde extérieur, Outside 2*, 1993

1

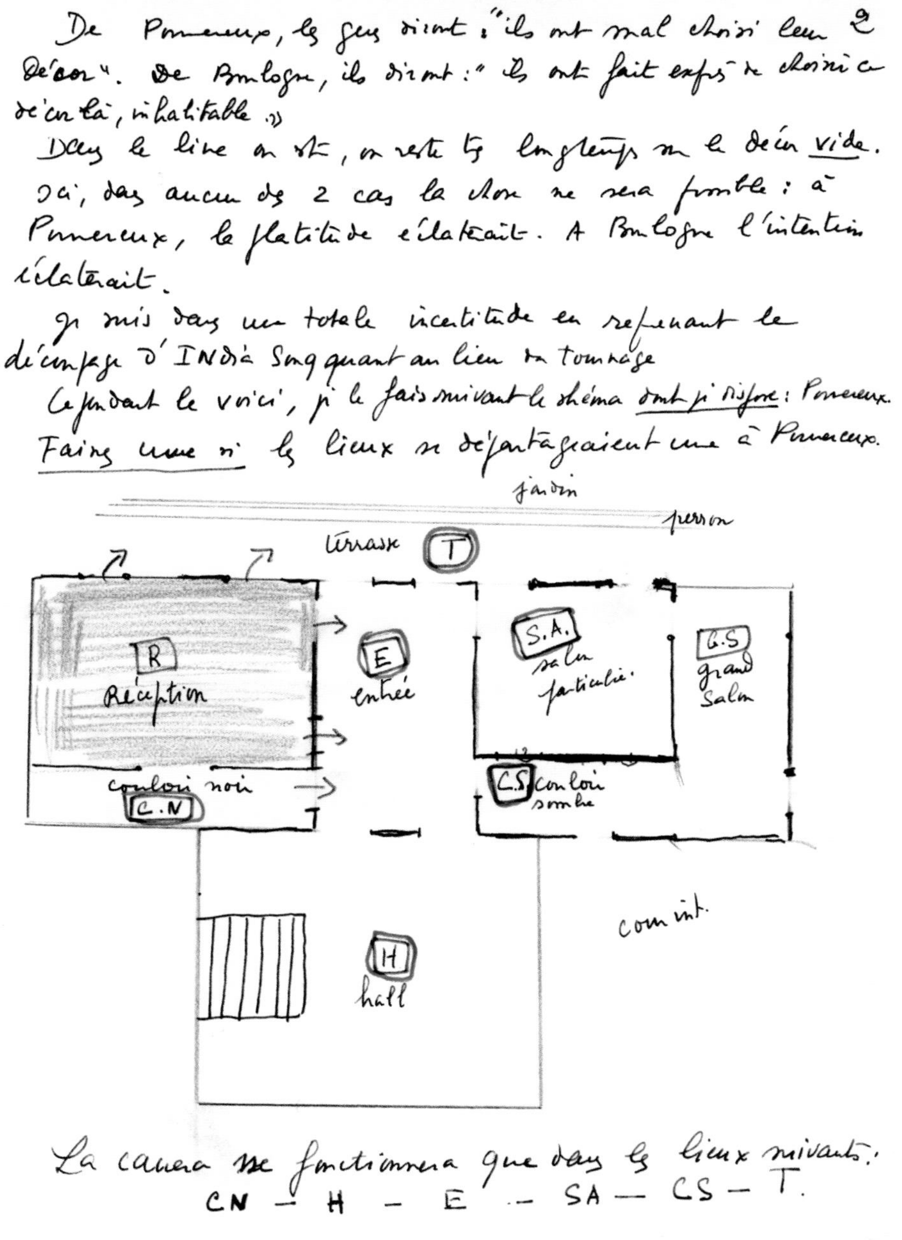
De Pomereux, les gens disent : « ils ont mal choisi leur décor ». De Boulogne, ils disent : « Ils ont fait exprès de choisir ce décor-là, inhabitable »
Dans le livre on sort, on reste très longtemps sur le décor vide.
Ici, dans aucun des 2 cas la chose ne sera possible : à Pomereux, la platitude éclaterait. A Boulogne l'intention éclaterait.
Je suis dans une totale incertitude en reprenant le découpage d'INDIA Song quant au lieu du tournage
Cependant le voici, je le fais suivant le schéma dont je dispose : Pomereux.
Faisons comme si les lieux se départageaient entre à Pomereux.

La caméra ne fonctionnera que dans les lieux suivants :
CN – H – E – SA – CS – T.

2

1 Planche-contact des décors extérieurs du film *Son nom de Venise dans Calcutta désert*, réalisé par Marguerite Duras en 1976. Les ruines du palais Rothschild ainsi que la musique de D'Alessio sont à nouveau convoqués dans ce dernier volet du cycle indien ponctué de longs travellings sur les lieux désertés du tournage.

2 Schéma pour le décor du film *India Song*. Pour ce film, dont l'action se déroule en Inde, à Calcutta, Marguerite Duras hésite au début entre deux lieux de tournage, le palais Rothschild à Boulogne, dans la banlieue ouest de Paris, et l'hôtel Pomereu, à Paris. Les deux sont finalement retenus pour ne devenir qu'un seul et unique lieu, réel et fictif à la fois, qui offre à l'auteur l'ambiance majestueuse et un peu défraîchie qu'elle recherche.

À vrai dire je ne sais pas très bien d'où il vient Carlos D'Alessio, on dit du pays argentin, mais lorsque j'ai entendu sa musique pour la première fois, j'ai vu qu'il venait du pays de partout, j'ai vu des frontières aplanies, des défenses disparues, la libre circulation des fleuves, de la musique, du désir, et j'ai vu que j'étais aussi bien de cette nation argentine que lui, Carlos D'Alessio, de ce Viêtnam du Pacifique Sud, quelle joie, j'ai été très heureuse, et je lui ai demandé de faire la musique pour un film de moi, il a dit oui, j'ai dit sans argent, il a dit oui, et moi j'ai fait les images et les paroles en raison du blanc que je lui laissais pour sa musique à lui et je lui ai expliqué que ce film se passait dans un pays qui nous était inconnu, aussi bien à lui qu'à moi, les Indes coloniales, l'étendue crépusculaire, de lèpre et de faim des amants de Calcutta, et que nous devions les inventer tous les deux en entier. Nous l'avons fait. Et de cette façon la chose s'est faite, nous avons fait complètement ensemble lui et moi ce film du titre India Song *et le film a été terminé et il est sorti de nos mains, et il nous a quittés, et il est en train de parcourir le monde contenant à jamais dans son être les éclats douloureux arrachés de notre corps, et nous laissant toujours privés de lui car de lui nous serons toujours privés, et de même toujours privés de nous-mêmes ensemble le faisant, nous laissant là, à faire d'autres musiques, d'autres films, d'autres chansons, et à toujours nous aimer aussi fort, tellement, si vous saviez.* *Outside*, 1981

On sait la place majeure qu'a donnée Marguerite Duras à la musique dans son œuvre. Elle aime autant les grands musiciens classiques que les chanteurs populaires. Elle voue une véritable passion à certaines musiques comme celle du *Clavier bien tempéré* de Bach et les chansons d'Édith Piaf dont « Les mots d'amour » qui ouvre la pièce *Savannah Bay,* ou encore les standards américains, comme le morceau « Blue Moon ». Elle a pris l'habitude d'en consigner les paroles dans des cahiers ou comme ici sur les feuilles d'un agenda daté de 1978. Elle entretient un rapport très étroit avec le compositeur Carlos D'Alessio, et leur collaboration a duré longtemps. Marguerite Duras écrit les textes et Carlos D'Alessio les met en musique. Jeanne Moreau interprète les chansons, dont celle d'*India Song* ou la « Rumba des îles », sur laquelle Jeanne Moreau et Marguerite Duras dialoguent. Carlos D'Alessio compose pour Marguerite Duras la musique des trois films du cycle indien, ainsi que celle d'autres œuvres de l'auteur, comme *Des journées entières dans les arbres*, *Baxter, Vera Baxter*, *Le Navire Night* et *Les Enfants*, ou encore celle d'*Éden Cinéma* pour le théâtre.

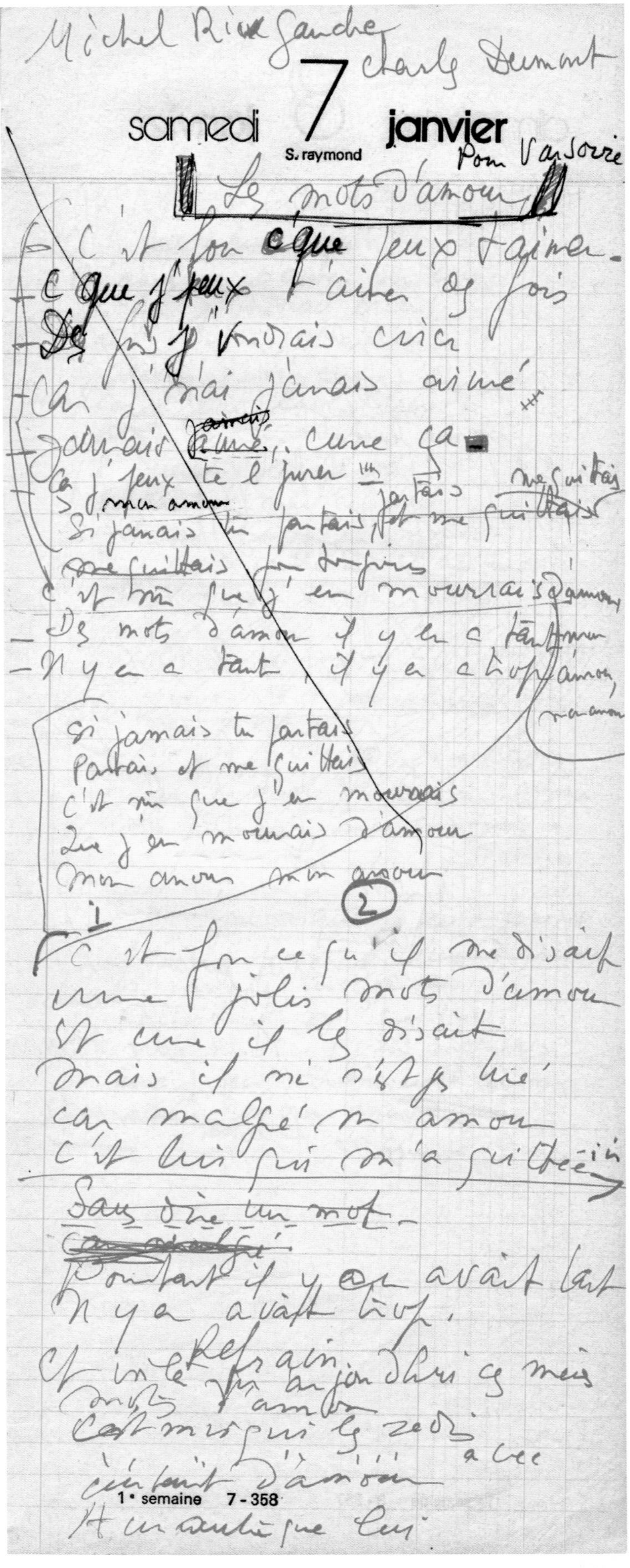

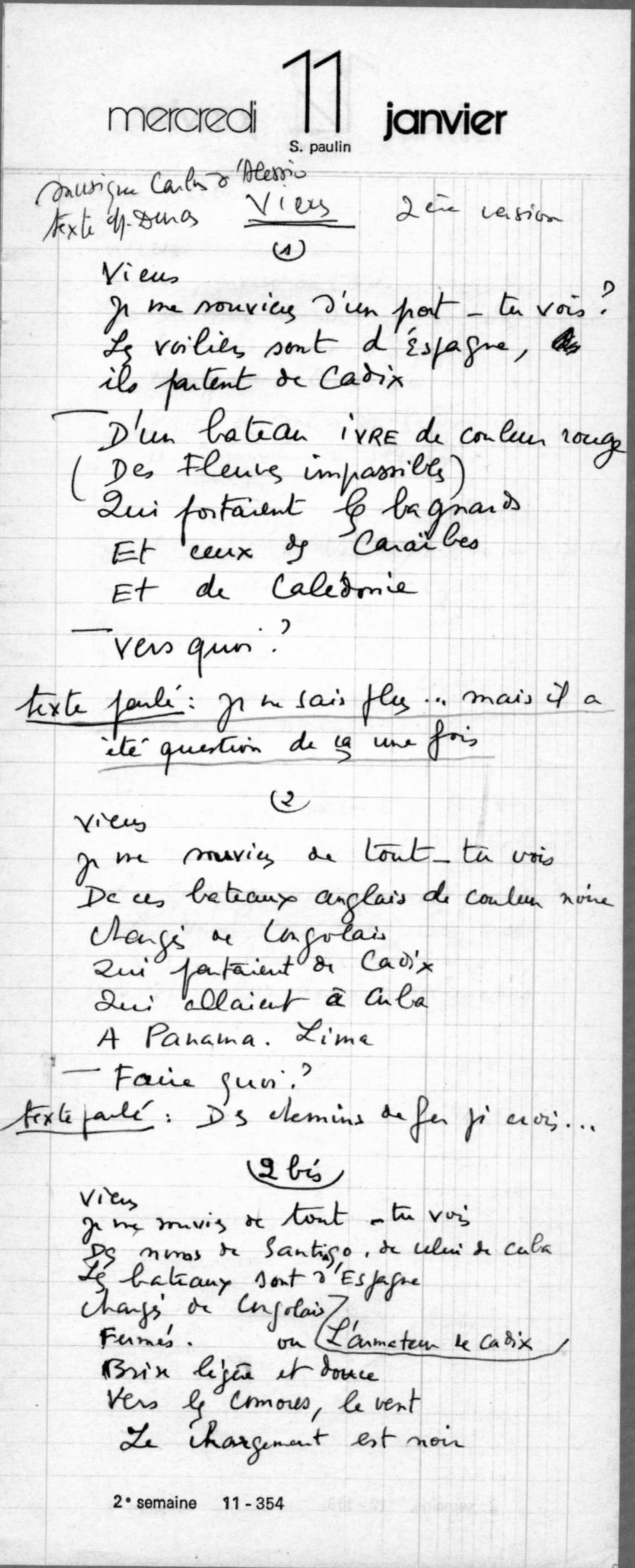

mercredi 11 janvier
S. paulin

musique Carlos d'Alessio
texte M. Duras — Vieux — 2ème version

(1)

Vieux
Je me souviens d'un port – tu vois?
Les voiliers sont d'Espagne,
ils partent de Cadix
— D'un bateau IVRE de couleur rouge
(Des Fleuves impassibles)
Qui portaient les bagnards
Et ceux des Caraïbes
Et de Calédonie
— Vers quoi?

texte parlé : Je ne sais plus.. mais il a été question de ça une fois

(2)

Vieux
Je me souviens de tout – tu vois
De ces bateaux anglais de couleur noire
Chargés de Congolais
Qui partaient de Cadix
Qui allaient à Cuba
A Panama. Lima
— Faire quoi?

texte parlé : Des chemins de fer je crois...

(2 bis)

Vieux
Je me souviens de tout – tu vois
Des noirs de Santiago, de celui de Cuba
Les bateaux sont d'Espagne
Chargés de Congolais
Fermés. ou (L'armateur de Cadix)
Brise légère et douce
Vers les Comores, le vent
Le chargement est noir

2e semaine 11 - 354

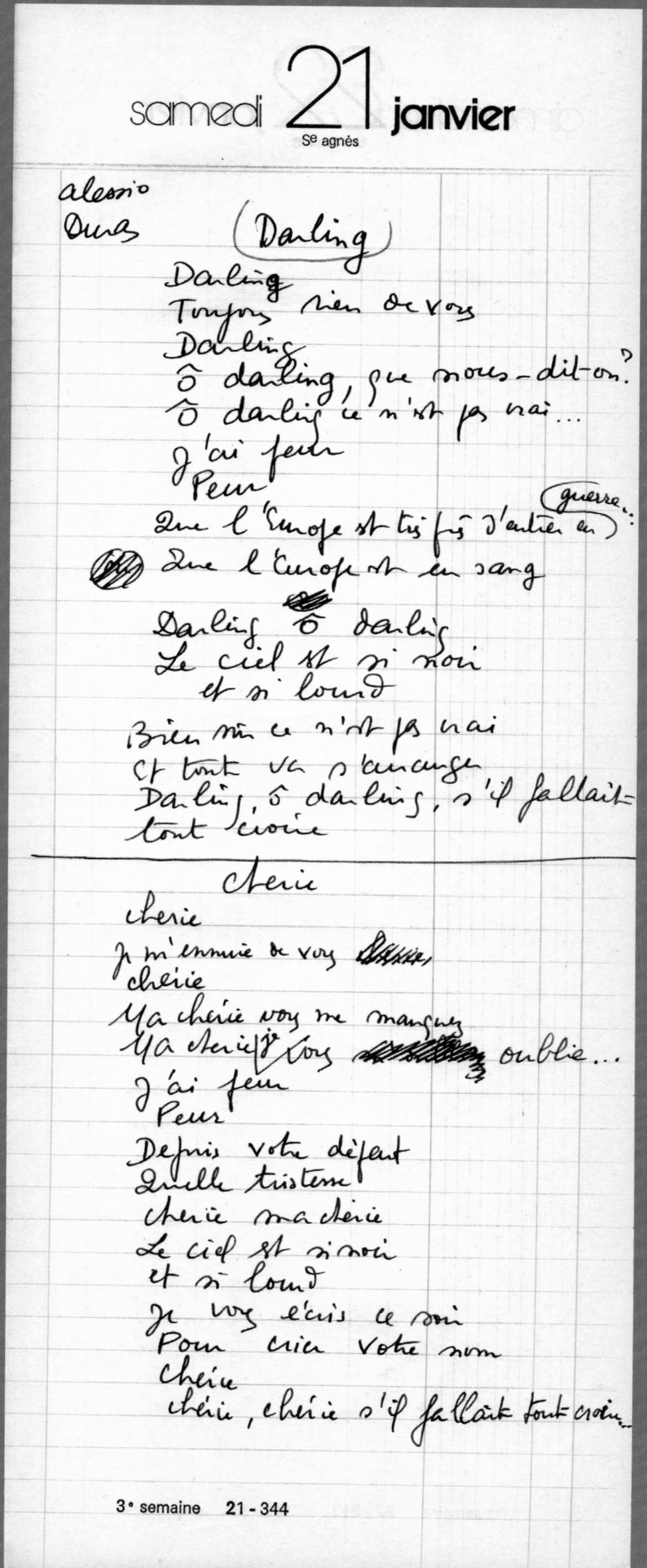

samedi 21 janvier
Se agnès

alessio
Duras

(Darling)

Darling
Toujours rien de vous
Darling
Ô darling, que nous dit-on?
Ô darling ce n'est pas vrai...
J'ai peur
Peur
Que l'Europe est très près d'entrer en (guerre...)
Que l'Europe est en sang
Darling ô darling
Le ciel est si noir
et si lourd
Bien sûr ce n'est pas vrai
et tout va s'arranger
Darling, ô darling, s'il fallait tout croire

Chérie

Chérie
Je m'ennuie de vous,
chérie
Ma chérie vous me manquez
Ma chérie je vous oublie...
J'ai peur
Peur
Depuis votre départ
Quelle tristesse
Chérie ma chérie
Le ciel est si noir
et si lourd
Je vous écris ce soir
Pour crier votre nom
Chérie
chérie, chérie s'il fallait tout croire...

3e semaine 21 - 344

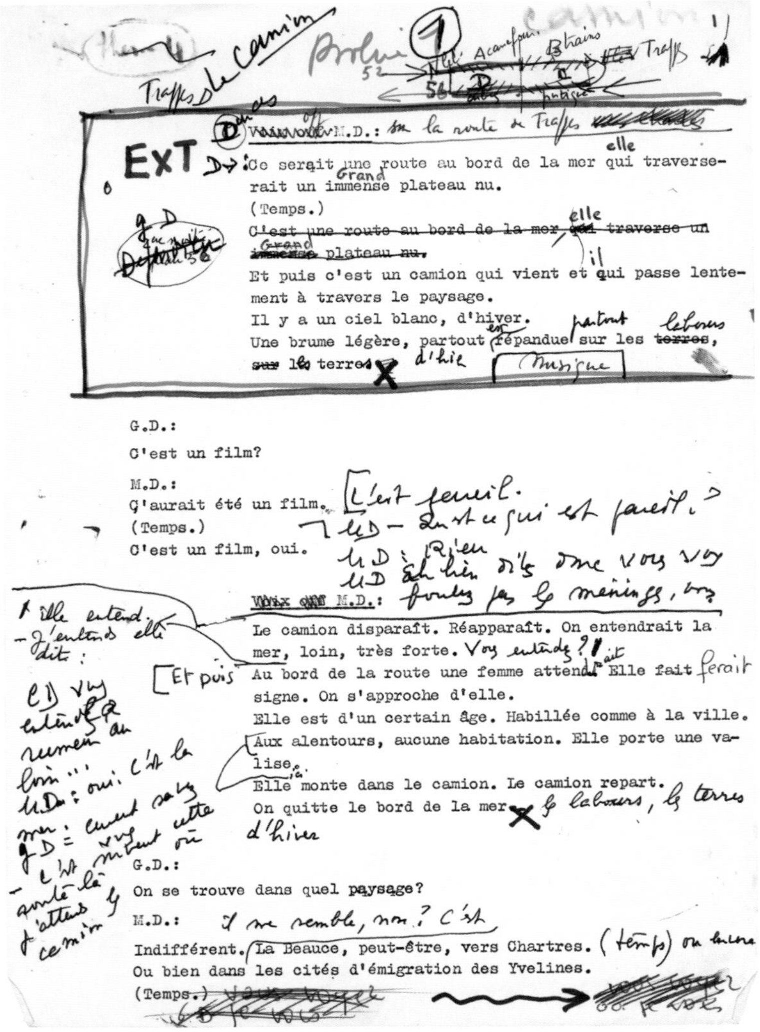

~~Voix off~~ M.D.:

Ce serait une route au bord de la mer qui traverserait un immense plateau nu.

(Temps.)

~~C'est une route au bord de la mer qui traverse un immense plateau nu.~~

Et puis c'est un camion qui vient et qui passe lentement à travers le paysage.

Il y a un ciel blanc, d'hiver.

Une brume légère, partout répandue sur les ~~terres~~, ~~sur~~ les terres.

G.D.:

C'est un film?

M.D.:

Ç'aurait été un film.

(Temps.)

C'est un film, oui.

~~Voix off~~ M.D.:

Le camion disparaît. Réapparaît. On entendrait la mer, loin, très forte.

Au bord de la route une femme attend. Elle fait signe. On s'approche d'elle.

Elle est d'un certain âge. Habillée comme à la ville.

Aux alentours, aucune habitation. Elle porte une valise.

Elle monte dans le camion. Le camion repart.

On quitte le bord de la mer.

G.D.:

On se trouve dans quel paysage?

M.D.:

Indifférent. La Beauce, peut-être, vers Chartres.

Ou bien dans les cités d'émigration des Yvelines.

(Temps.)

1

1 Tapuscrit avec corrections manuscrites de la page 1 du script du film *Le Camion*, réalisé par Marguerite Duras en 1977. En 1972, avec *Nathalie Granger*, le film précède le livre ; avec *India Song*, en 1974, l'écrit précède l'image. Dans *Le Camion*, Marguerite Duras est à la fois auteur et personnage. Ce film est à l'époque radicalement différent de tous les autres, tant dans son aspect que dans sa démarche et dans sa facture. C'est un film qui est « dit ». Il est dit au temps du conditionnel : M. D., Marguerite Duras, et G. D., Gérard Depardieu, comme le montre l'archive, parlent d'un film qui « pourrait » se faire. C'est au spectateur de fournir l'effort intellectuel de transposer le film au présent. L'œuvre, sélectionnée au Festival international du cinéma de Cannes en 1977, divise la critique, et, excepté quelques inconditionnels de Marguerite Duras, peu en comprennent la démarche.

2 Photo de tournage du film *Le Camion*, avec Marguerite Duras dans la cabine du camion Berliet, équipée du dispositif de caméra.

3 Photo de tournage du film *Le Camion*, 1977, à Neauphle-le-Château, dans le grenier de la maison, avec Gérard Depardieu et Marguerite Duras, assis autour de la table ronde avant d'entamer leur dialogue.

2

Je ne sais pas si on peut parler de mise en scène, ni même de montage dans Le Camion*, mais peut-être seulement d'une mise en place. Dans la chaîne de la représentation il y a un créneau blanc : en général, un texte, on l'apprend, on le joue, on le représente. Là, on le lit.* […] *Je ne sais pas ce qui s'est passé, j'ai fait ça d'instinct, je m'aperçois que la représentation a été éliminée.*

Le Camion*, c'est aussi bien une mise en cause de la responsabilité de la classe ouvrière que de la responsabilité des spectateurs. Ce même immobilisme, la même panne, depuis des décennies. C'est ce spectateur-là qui se remettra entre les mains de tous les pouvoirs, de toutes les idéologies.*

Outside, 1981

3

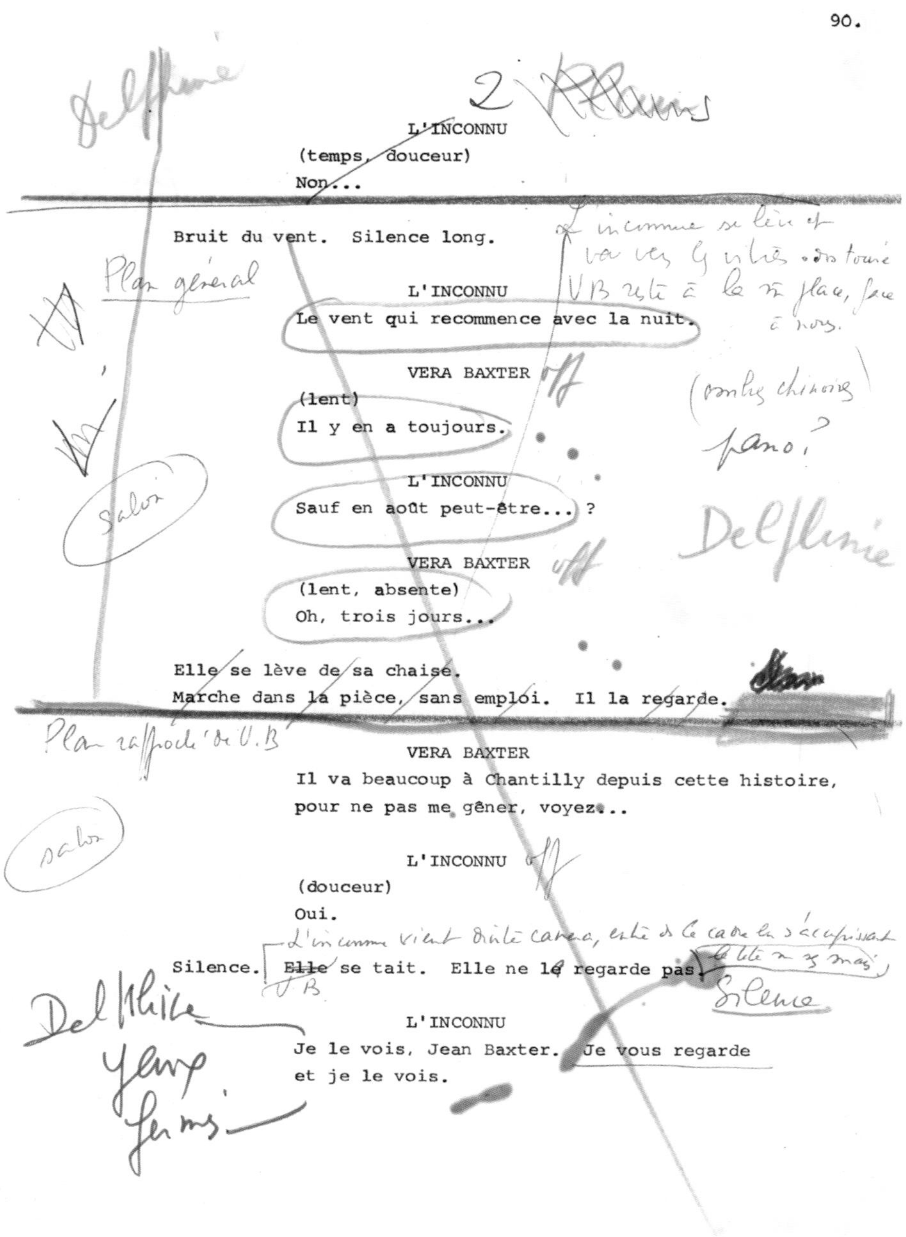

90.

L'INCONNU
(temps, douceur)
Non...

Bruit du vent. Silence long.

L'INCONNU
Le vent qui recommence avec la nuit.

VERA BAXTER
(lent)
Il y en a toujours.

L'INCONNU
Sauf en août peut-être... ?

VERA BAXTER
(lent, absente)
Oh, trois jours...

Elle se lève de sa chaise.
Marche dans la pièce, sans emploi. Il la regarde.

VERA BAXTER
Il va beaucoup à Chantilly depuis cette histoire,
pour ne pas me gêner, voyez...

L'INCONNU
(douceur)
Oui.

Silence. Elle se tait. Elle ne le regarde pas.

L'INCONNU
Je le vois, Jean Baxter. Je vous regarde
et je le vois.

1

2

1 Page 90 du brouillon du script du film *Baxter, Vera Baxter*, annoté par Marguerite Duras. Pour ce film, elle retrouve Delphine Seyrig et Gérard Depardieu ainsi que Noëlle Chatelet et Claudine Gabay. Dans une maison louée près des plages de Thionville-sur-Mer, deux femmes évoquent la vie de l'une d'elles, Vera, durant une journée entière jusqu'au coucher du soleil. La musique de flûte andine composée par Carlos D'Alessio sous-tend les dialogues, comme autant de paroles dites d'un long chant. La version publiée du film est intitulée *Vera Baxter ou les Plages de l'Atlantique*.

2 Photographie de l'équipe de tournage de *Baxter, Vera Baxter* autour de Marguerite Duras, dont font partie en particulier Jean Mascolo, Ghislain Cloquet et Bruno Nuytten. On aperçoit au premier plan à gauche, assis en tailleur, le compositeur Carlos D'Alessio, 1977.

3 Photographie de *Baxter, Vera Baxter*, de Marguerite Duras, en 1977.

Vera Baxter. Vous n'en n'avez pas entendu parler ? Qui est-elle ? Elle a dû être une fille, je pense dans un pensionnat. Famille catholique. Elle a eu des frères. Dans sa famille il y avait des enfants. Elle fait partie d'une famille nombreuse et elle a dû se marier très tôt. À vingt ans. Avec un ami de ses frères. Et elle a eu trois enfants du même homme ; de cet homme avec lequel elle s'est mariée à vingt ans. Quand nous la rencontrons nous, dans le film, avec le film, on pourrait dire par le film, elle a trente-sept ans. [...] *Elle va louer une villa pour l'été pour venir en été en compagnie d'un amant. Son premier amant.* [...] *Jean Baxter le mari de Vera Baxter n'est jamais vu. Il est entendu au téléphone, c'est la voix de François Perrier, mais il n'est jamais vu.* *Pour le cinéma,* Ina, 1977

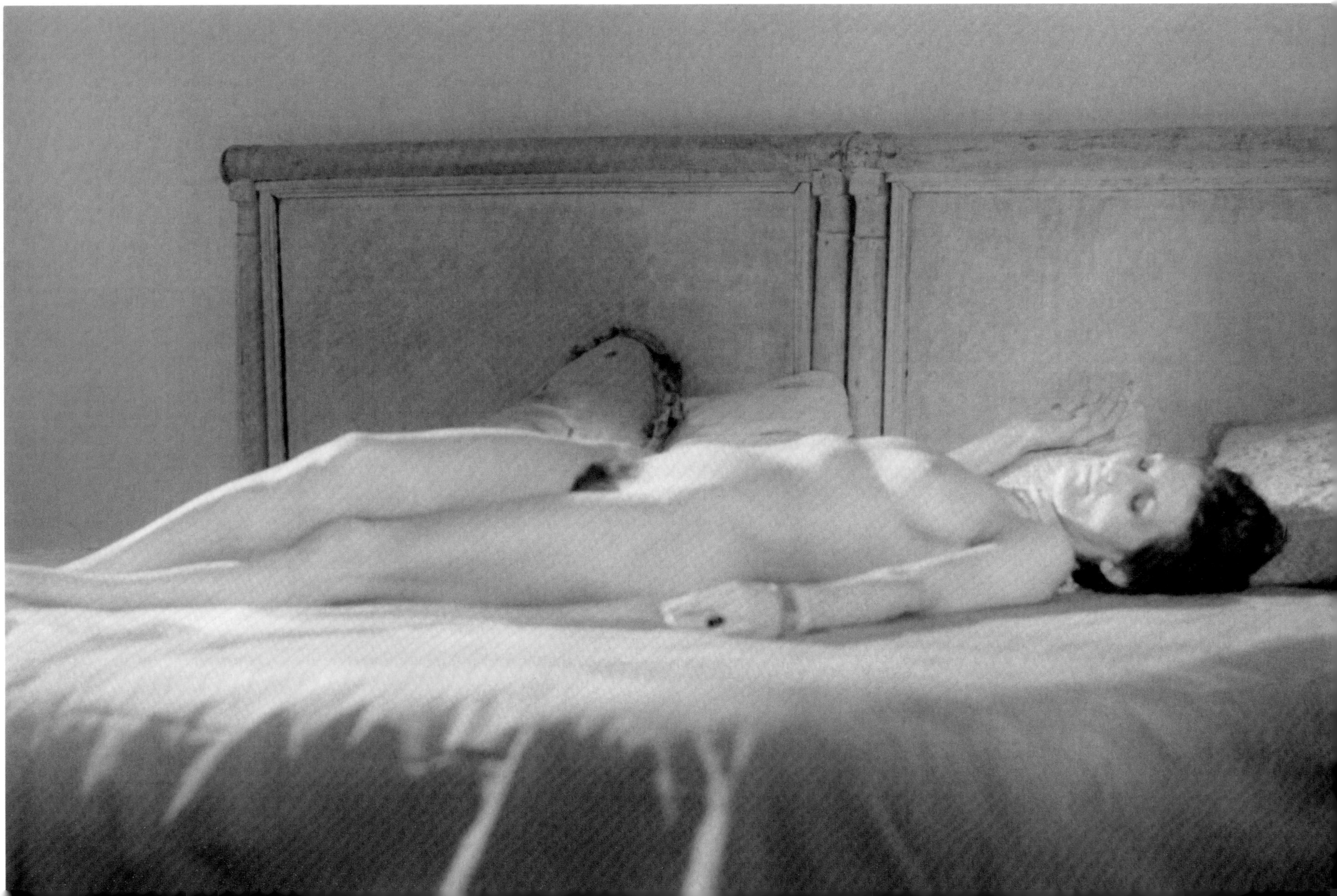

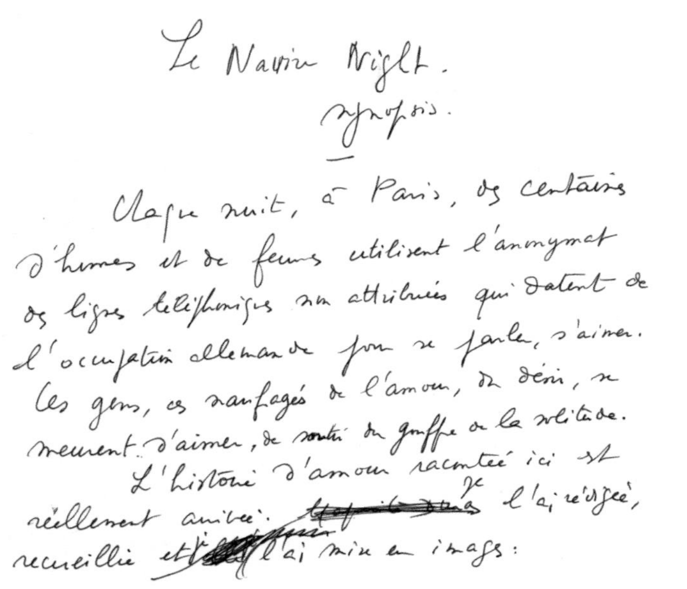
Le Navire Night.
synopsis.

Chaque nuit, à Paris, des centaines d'hommes et de femmes utilisent l'anonymat des lignes téléphoniques non attribuées qui datent de l'occupation allemande pour se parler, s'aimer. Les gens, ces naufragés de l'amour, du désir, se meurent d'aimer, de sortir du gouffre de la solitude.
L'histoire d'amour racontée ici est réellement arrivée. Je l'ai rédigée, recueillie et l'ai mise en images :

1

2

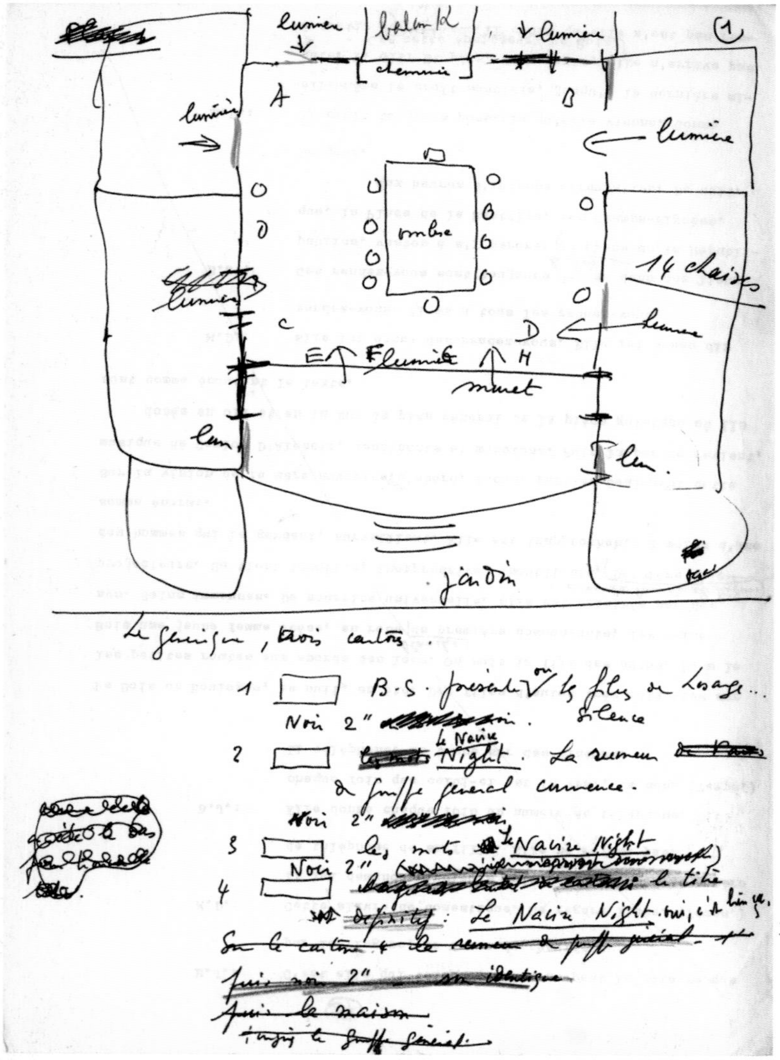

3

1 Synopsis manuscrit du film *Le Navire Night*, réalisé par Marguerite Duras en 1979, et interprété par Bulle Ogier, Dominique Sanda et Matthieu Carrière.
Le scénario part d'une conversation téléphonique passionnelle imaginée par Marguerite Duras entre un homme et une femme anonymes, utilisant les lignes téléphoniques non attribuées et oubliées, datant d'un réseau de l'époque de l'Occupation allemande à Paris, qu'elle nomme «gouffre téléphonique». Utilisées ainsi la nuit, ces lignes redécouvertes par de nouveaux interlocuteurs, hommes et femmes, créent un nouveau réseau secret. Se superposent à ces conversations celles de Benoît Jacquot et de Marguerite Duras autour du thème de la Grèce et de son versant mythologique. Les images, elles, proposent de longs travellings sur la Seine, la nuit. *Le Navire Night* est à la fois texte, scénario et pièce. Toute la perméabilité du travail littéraire de Marguerite Duras est portée, dans cette œuvre, à son comble. La composition musicale a été confiée au violoniste Ami Flammer, alors jeune concertiste, interprète en particulier de musique yiddish.

2 Marguerite Duras entourée de Bulle Ogier et de Michaël Lonsdale dans une loge du théâtre Édouard-VII à Paris, au cours d'une répétition de la pièce *Le Navire Night* en mars 1979, mise en scène par Claude Régy.

3 Schéma de mise en scène pour le film *Le Navire Night*. Sur la partie inférieure du manuscrit, le générique, également dessiné par Marguerite Duras, détaille les différentes apparitions des cartons.

4 Michaël Lonsdale au cours d'une répétition du *Navire Night*, de Marguerite Duras, au théâtre Édouard-VII, en mars 1979. Après *Les Viaducs de la Seine-et-Oise* en 1963, *L'Amante anglaise* en 1968 et *Éden Cinéma* en 1977, c'est le quatrième texte de Marguerite Duras que Claude Régy monte au théâtre.

J'ai commencé le tournage du Navire Night *le lundi 31 juillet 1978. J'avais fait un découpage. Pendant le lundi et le mardi qui a suivi, du 1er août, j'ai tourné les plans prévus dans le découpage. Le mardi soir, j'ai vu les rushes du lundi. Sur mon agenda, ce jour-là, j'ai écrit: film raté.*
Le Navire Night, Césarée Cesarea, Les Mains négatives, 1989

Avec le film noir, j'en serais donc arrivée à l'image idéale, à celle du meurtre avoué du cinéma. C'est ce que je crois avoir découvert ces derniers temps dans mon travail.
Si je ne retrouve pas le texte tel qu'il est survenu sur la page, la voix écrite, je recommence. J'ai recommencé le Night *quatre fois.*
Les Yeux verts, 1980

Bulle Ogier et Michaël Lonsdale au cours d'une répétition du *Navire Night*, de Marguerite Duras, au théâtre Édouard-VII, dans la mise en scène de Claude Régy à Paris, en mars 1979.

1980-

1996

La consécration

« Quand on écrit, il y a comme un instinct qui joue. L'écrit est déjà là dans la nuit. Écrire serait à l'extérieur de soi dans une confusion des temps : entre écrire et avoir écrit, entre avoir écrit et devoir écrire encore, entre savoir et ignorer ce qu'il en est, partir du sens plein, en être submergé et arriver jusqu'au non-sens. L'image du bloc noir au milieu du monde n'est pas hasardeuse», écrit Marguerite Duras dans *La Vie matérielle.*

Elle tente des pistes nouvelles. Avec *L'Homme assis dans le couloir*, dont elle dit qu'il était déjà en germe dans le scénario de *Hiroshima mon amour*, elle s'aventure à décrire des scènes sexuelles à travers le prisme du voyeurisme. Décrire, c'est voir. Mais voir au-delà même du rapport sexuel. Tenter d'approcher la jouissance. Ne pas craindre le regard des autres. Ne pas avoir de garde-fous. Elle dit vouloir se recentrer sur l'écriture. Est-elle déçue par l'accueil de ses films ? Quand le patron de *Libération*, Serge July, lui demande de faire une chronique à l'été 1980, elle accepte aussitôt avec l'idée d'en faire un livre. «Je me suis dit que ça suffisait comme ça avec mes films en loques, dispersés, sans contrat, perdus, que ce n'était pas la peine de faire carrière de négligence à ce point-là.» *L'Été 80* parle de tout et de rien, de Nixon, de Gdańsk, des jeux Olympiques, de la pluie et du beau temps, d'un petit enfant maigre d'une colonie de vacances sur la plage de Trouville, des bateaux d'Antifer, des orages sur la mer. Duras retrouve avec bonheur ce genre qu'elle a porté au plus haut dans ses chroniques de *France Observateur* au début des années soixante qu'elle publie à cette période sous le titre de *Outside*. Dans certains passages de *L'Été 80* affleurent certaines sources qui irrigueront *La Maladie de la mort*. L'auteur avance comme une voyante et procède par fulgurances faisant de ses livres une expérience à vivre. Elle écrit sur tout indifféremment en mêlant les différents genres : le politique, le social, l'intime, l'universel, l'idéologique. Elle peut passer, dans une même phrase, du regard d'un enfant à la lutte des classes.

Marguerite vit un nouvel amour. Elle a rencontré Yann à Caen lors d'une projection d'*India Song*. Yann lui écrit. Des lettres qui l'émeuvent. Un jour il débarque chez elle à Trouville et n'en repartira pas. Yann est entré dans sa vie et, très vite, elle fait de lui une figure tutélaire de son propre univers. Elle lui donne un nom : Yann Andréa Steiner. Elle le fait jouer dans ses films et le met en scène dans ses textes. Il trouve sa place auprès d'elle comme compagnon littéraire et comme source d'inspiration. C'est lui qui lui conseille de poursuivre l'écriture de ce qui deviendra *L'Amant* et de ne pas se contenter d'en faire un texte de légendes photographiques de son album familial.

Marguerite est à Trouville le jour où elle apprend qu'on lui a attribué le prix Goncourt ; elle dédaigne de venir à Paris pour le recevoir. Est-ce le souvenir de l'échec du *Barrage* qui la guide ? *L'Amant*, avant même l'obtention du prix, caracole en tête des ventes, et Marguerite en est ravie. C'est la première fois qu'elle rencontre un succès populaire. Dans son appartement de la rue Saint-Benoît, elle a mis dans son entrée une photographie de pingouins sur une plage. Elle les compare à ses nouveaux lecteurs. Elle est l'invitée de Bernard Pivot, à *Apostrophes*, et entretient savamment le mystère sur la part autobiographique de ce texte, tendant à faire accréditer la thèse qu'elle y délivre un moment de son adolescence. Elle joue de l'ambiguïté. Et pourtant *L'Amant* est bien un roman car l'écriture pour elle est un dépeuplement du vécu. À Jean-Pierre Ceton, elle avoue : « On n'est personne dans la vie vécue, on est quelqu'un dans les livres. Et plus on est quelqu'un dans les livres, moins on l'est dans la vie vécue. » Elle ajoute : « Je suis constamment dans la jalousie de ce que j'écris. Je suis jalouse de mes livres. » Certains lecteurs assidus, et lecteurs de la première heure, se sentent trahis par cet excès de reconnaissance littéraire et médiatique et affectent de dire que *L'Amant* n'est pas un des meilleurs Duras. Mais il suffit d'ouvrir *L'Amant* pour être saisi par la pureté du style, par la simplicité de la langue et la beauté de la narration et pour espérer que ce texte demeure l'un des classiques de la littérature du XXe siècle.

L'année suivante, en 1985, elle publie *La Douleur*. Ce n'est pas de la littérature, c'est un chantier de la mémoire, une revisitation de son passé. Sa publication entraînera une rupture avec Robert Antelme qui n'avait pas été prévenu qu'elle parlerait de son retour des camps. Marguerite n'en a cure. Marguerite se surexpose et parle d'elle quelquefois à la troisième personne. Elle publie ensuite *La Pute de la côte normande*. Au départ, il y eut une commande de transcription de *L'Homme atlantique* pour le théâtre. Peu satisfaite, elle a décidé d'en faire un livre. Dans ce texte, elle dévoile la nature de la relation avec Yann, à la fois son impossibilité et sa nécessité. Yann part chaque nuit et Marguerite l'attend. Marguerite écrit le livre sur l'attente de Yann. Il l'apostrophe : « Qu'est-ce que vous foutez à écrire tout le temps, toute la journée ? Vous êtes abandonnée par tous. Vous êtes folle, vous êtes la pute de la côte normande, une connarde, vous embarrassez. »

Marguerite a subi une cure de désintoxication quatre ans auparavant et, depuis, a une propension à croire que la mort est là, à portée de sa vie. Elle va en faire un de ses personnages. Elle publie *La Maladie de la mort* qui se passe dans le huis clos d'une chambre. Avec *Les Yeux bleus cheveux noirs*, elle traite des mêmes thèmes que dans *La Maladie de la mort* et *La Pute de la côte normande* en amplifiant la tonalité de la détestation : celle d'un homme pour le corps, le sexe, la vie d'une femme. Il la paye pour la regarder dormir dans une chambre proche de la mer. Il ne la touche pas. Il tourne autour de son corps. Il pleure. Quelquefois il crie. C'est à la fois du théâtre, un récit, de la poésie. Comme *Emily L.* qui met en scène un couple rencontré par hasard dans un bar près d'un fleuve en Normandie. L'auteur prend de plus en plus de risques et affine sa méthode : « Écrire selon soi et le moment qu'on traverse, soi, à ce moment-là, jeter l'écriture au-dehors, la maltraiter presque, oui, la maltraiter, ne rien enlever de sa masse inutile, rien, la laisser entière avec le reste, ne rien assagir, ni vitesse ni lenteur, laisser tout dans l'état d'apparition. » Elle ne fait pas mystère qu'elle écrit à partir de son désespoir d'aimer un homme qui n'aime pas les femmes. L'image de la vieille femme hurleuse qui s'épouvante de cet amour malheureux vient se substituer à celle de la jeune femme ravissante courtisée par l'homme à la peau de pluie. Elle s'en moque et écrit ce qui lui arrive. Comme ces Coréens qui viennent envahir régulièrement son espace et qu'elle est la seule à voir. Elle a beau demander à ses amis de la protéger. Personne ne peut l'aider. Elle commence à envisager la possibilité de ne plus pouvoir écrire. Elle est à bout de souffle et pourtant continue à parler de la vie comme elle va dans un livre de conversations, un petit bijou de profondeur et de drôlerie qui s'intitule *La Vie matérielle*. Elle souffre d'insuffisance respiratoire. Elle est hospitalisée puis opérée et mise dans un coma artificiel en octobre 1988. Elle n'en sortira qu'en juin 1989. Depuis, elle se vit comme une miraculée. Elle a faim de tout : de théâtre, de cinéma et d'écriture.

« Ma vie est un film doublé, mal monté, mal interprété, mal ajusté, une erreur en somme. Un polar sans tueries, sans flics ni victimes, sans sujet, de rien. Il pourrait être un vrai film dans ces conditions et non il est faux. Allez savoir ce qu'il faudrait pour qu'il ne le soit pas. »

Elle publie *La Pluie d'été*, variation romanesque de son film *Les Enfants*, exemple rare d'un travail cinématographique devenu, au fil des repérages, matière à fiction. Au centre du récit, il y a Ernesto, gamin génial branché sur l'origine du monde et qui sait tout sur tout en ayant refusé d'apprendre quoi que ce soit.

L'adaptation cinématographique de *L'Amant* ayant finalement échoué, Marguerite se résout à vendre ses droits à Claude Berri. C'est Jean-Jacques Annaud qui fera le film. Mais le travail de scénario qu'elle a accompli l'amènera à revisiter les mythologies que l'on a pu construire à partir de son roman. Elle se détache donc de ce livre et entreprend la rédaction de *L'Amant de la Chine du Nord*, texte où elle avouera avoir moins inventé que dans *L'Amant* et où elle utilise une langue cassée qu'elle nomme elle-même « langue dingo ».

Dans ses déclarations à la presse elle affecte de faire inflation de narcissisme. Elle adore ce qu'elle appelle son charabia. Mais la pensée de la mort la taraude. De la mort physique elle se moque, mais non de la cessation de l'écriture. C'est cela la vraie mort. Elle publiera trois livres encore, dont *Écrire*, mais ce sont des textes qui ne sont pas passés par le corps à corps avec la page.

Elle se prépare à la mort. Yann est là qui la protège jour et nuit. Elle continue à lui dicter ce qui la traverse. Elle est, comme elle dit, morte un peu. Elle ne sait plus très bien qui elle est. Elle sait seulement qu'elle a envie d'écrire. À Yann qui lui pose la question de savoir à quoi ça sert d'écrire elle répond : « C'est à la fois se taire et parler. Écrire ça veut dire aussi chanter quelquefois. »

Il y a une chose que je sais faire, c'est regarder la mer, peu de gens ont écrit sur la mer comme je l'ai fait dans L'Été 80. *Voilà, c'est ça : la mer dans* L'Été 80, *c'est ce que je n'ai pas vécu. C'est ce qui m'est arrivé et que je n'ai pas vécu, c'est ce que j'ai mis dans un livre parce que ça n'aurait pas été possible de le vivre.* […] L'Été 80 *est devenu le seul journal de ma vie. Celui de ma perdition près de la mer dans le mauvais été de 1980.*
La Vie matérielle, 1987

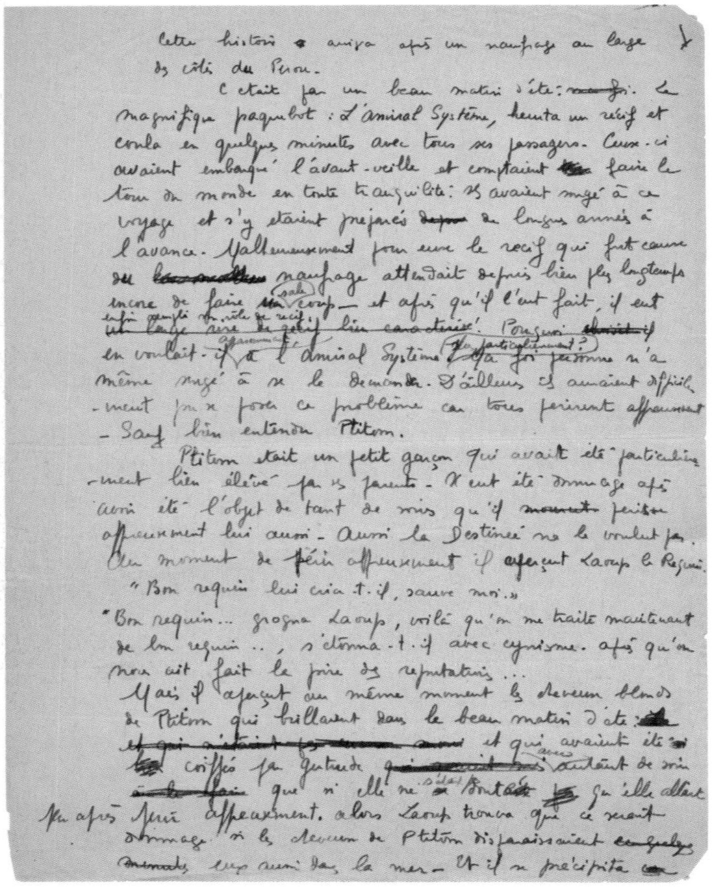

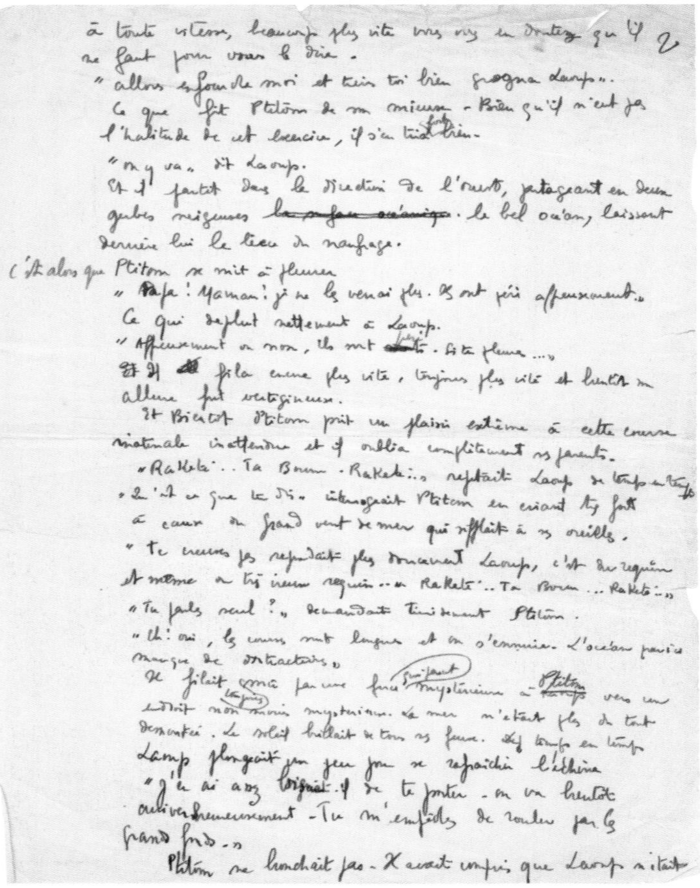

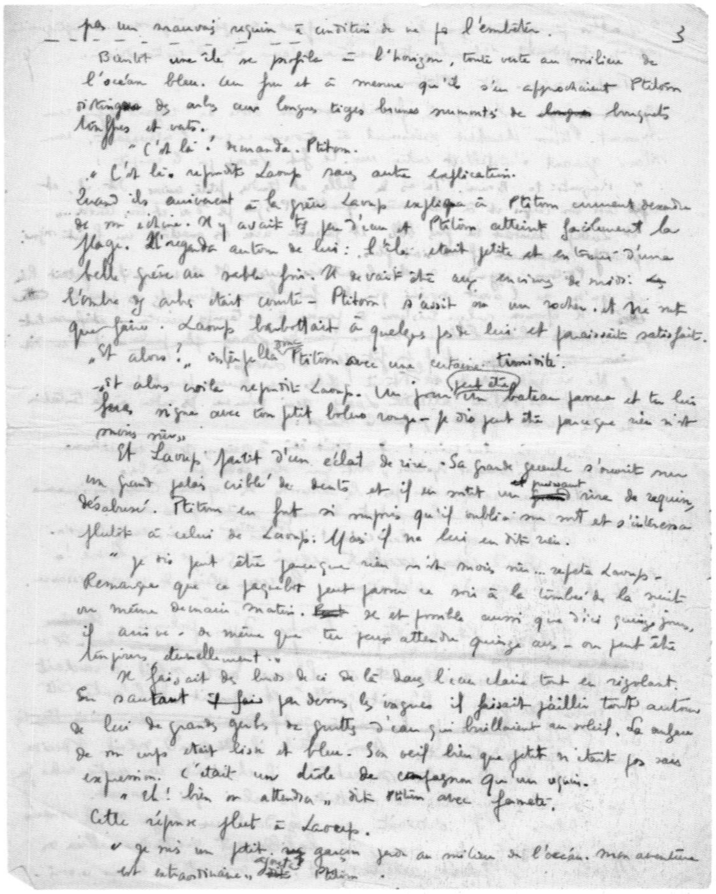

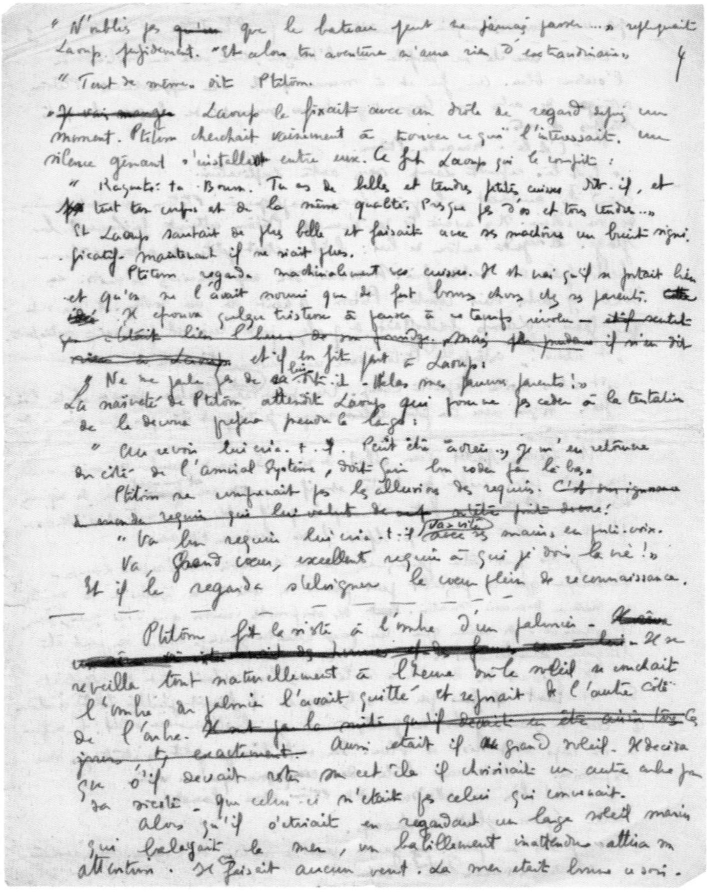

1

2

3

1 C'est au cours de l'été 1980 que Serge July lui propose d'écrire des chroniques pour le journal *Libération*. Depuis son appartement des Roches Noires, elle écrit des textes sur ce qu'elle voit, ce qu'elle imagine voir. Les textes sont parfois des chroniques sur l'actualité du monde, comme la grève du port de Gdańsk en Pologne. Elle y évoque également ses thèmes fétiches comme l'enfance. Dans le manuscrit intitulé dans ses archives « La source », il s'agit de Ptitom, un petit enfant aperçu depuis ses fenêtres sur la plage et qu'elle observe. Tous les textes parus dans le journal sont rassemblés dans le recueil *L'Été 80*.

2 Marguerite Duras vit désormais à Trouville avec Yann Andréa, son dernier amant, jeune homme qui, à la suite d'une correspondance épistolaire, a sonné chez l'écrivain un soir à Trouville, et n'est plus reparti. Marguerite Duras le laisse entrer dans sa vie et lui donne une place dans son œuvre.

3 Entourée de ses amis proches, Marguerite Duras ne sort plus guère. On l'aperçoit ici dans une soirée au Palace le 20 mars 1980, avec Bulle Ogier et Raoul Escari, après un concert d'Ingrid Caven.

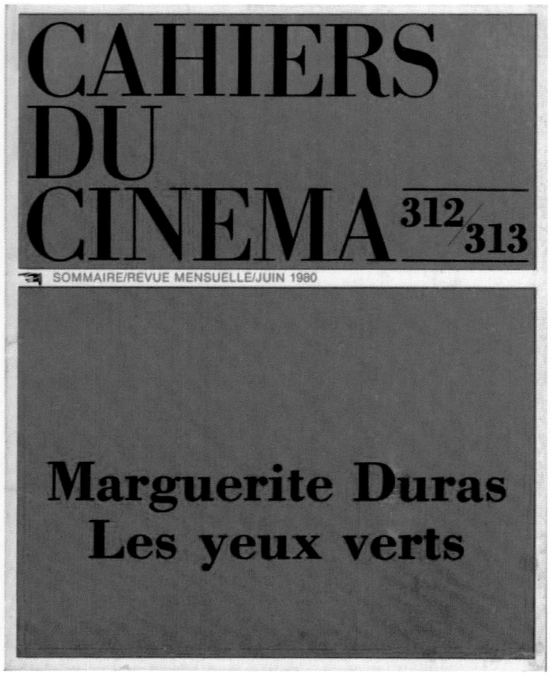

1

Beaucoup de gens penseront que je suis « à côté » en parlant du cinéma. Que je ne sais pas très bien de quoi je parle en parlant du cinéma. Moi je dis que tout le monde peut parler du cinéma. Le cinéma est là et on en fait. Rien ne préexiste au cinéma. On a envie d'en faire la plupart du temps parce que sa pratique ne nécessite aucun don en particulier, c'est un peu comme le maniement d'une automobile. La majorité des livres se font de la sorte. Mais on ne les confond pas avec les autres livres, ceux qui se font dans la méconnaissance des lois du genre. Mais comme pour le cinéma, il arrive de se tromper, de prendre les Cahiers du cinéma *pour* Tel Quel*, comme de prendre* Cris et chuchotements *pour un film porno.*
Les Yeux verts, 1980

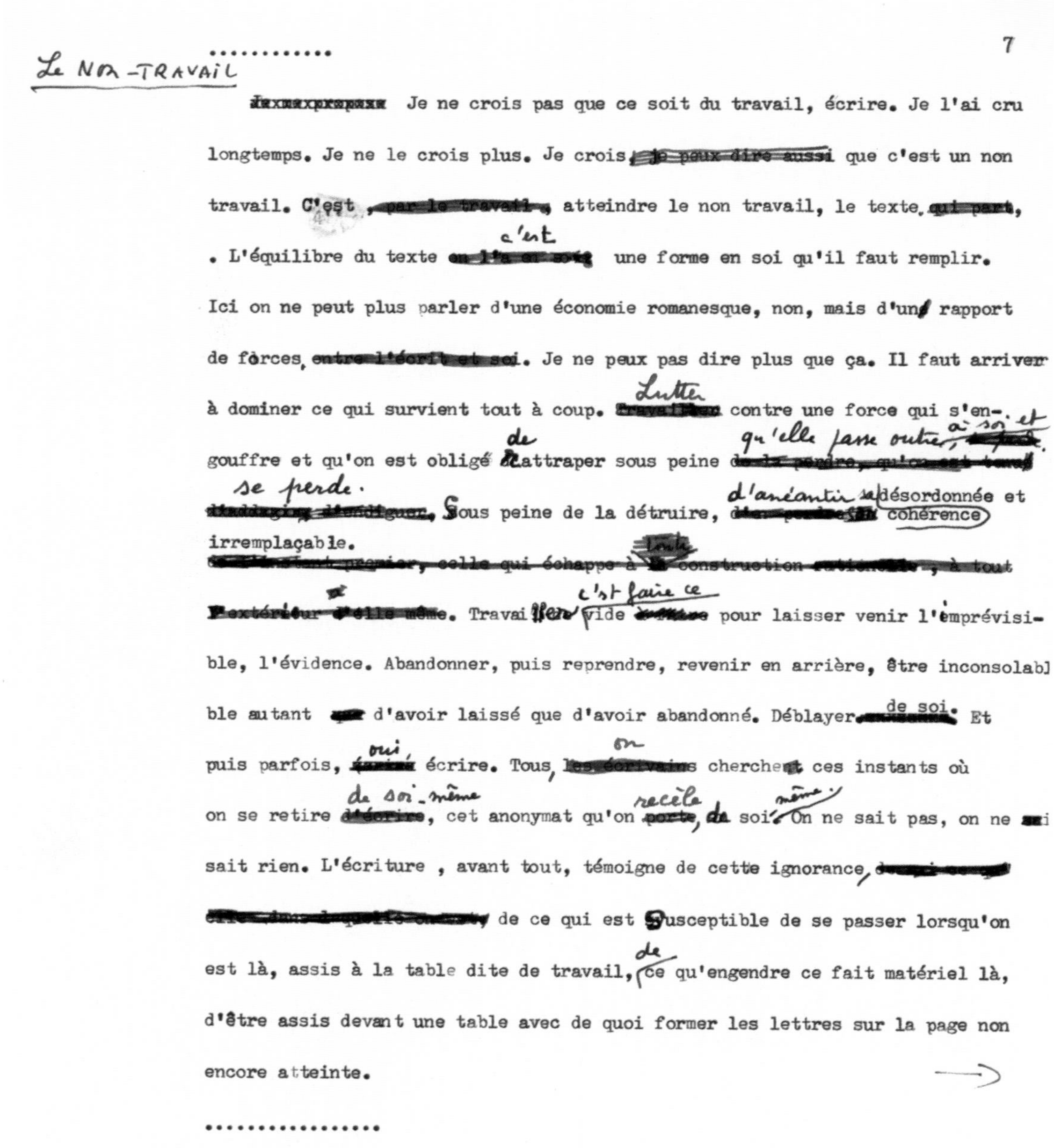
LE NON-TRAVAIL 7

[redacted] Je ne crois pas que ce soit du travail, écrire. Je l'ai cru longtemps. Je ne le crois plus. Je crois[redacted] que c'est un non travail. C'est [redacted] atteindre le non travail, le texte[redacted]. L'équilibre du texte c'est [redacted] une forme en soi qu'il faut remplir. Ici on ne peut plus parler d'une économie romanesque, non, mais d'un rapport de forces[redacted]. Je ne peux pas dire plus que ça. Il faut arriver à dominer ce qui survient tout à coup. Lutter [redacted] contre une force qui s'engouffre et qu'on est obligé de rattraper sous peine qu'elle passe outre, à soi et [redacted] se perde. [redacted] Sous peine de la détruire, d'anéantir sa [redacted] désordonnée et cohérence irremplaçable.
[redacted] toute [redacted]. Travailler c'est faire ce vide [redacted] pour laisser venir l'imprévisible, l'évidence. Abandonner, puis reprendre, revenir en arrière, être inconsolable autant [redacted] d'avoir laissé que d'avoir abandonné. Déblayer [redacted] de soi. Et puis parfois, oui, écrire. Tous, on [redacted] cherche ces instants où on se retire de soi-même [redacted], cet anonymat qu'on recèle [redacted] de soi-même. On ne sait pas, on ne sait rien. L'écriture, avant tout, témoigne de cette ignorance[redacted] de ce qui est susceptible de se passer lorsqu'on est là, assis à la table dite de travail, de ce qu'engendre ce fait matériel là, d'être assis devant une table avec de quoi former les lettres sur la page non encore atteinte. →

....

2

1 La revue des *Cahiers du cinéma* offre à Marguerite Duras la rédaction en chef du numéro double de juin 1980, *Les Yeux verts*, qu'elle investit en mêlant textes, photographies, lettres et articles.

2 Brouillon dactylographié et annoté par Marguerite Duras d'un texte écrit pour *Les Yeux verts* et qui évoque et développe sa fameuse théorie de l'écriture comme un « non-travail ».

3 Dans un autre brouillon des *Yeux verts*, dactylographié et annoté par elle, Marguerite Duras évoque la figure d'Aurélia Steiner, personnage emblématique régulièrement convoqué dans son œuvre.

4 Pour ce numéro des *Cahiers du cinéma*, Marguerite Duras a mis à l'œuvre son travail d'écrivain, comme le montre cette archive entièrement manuscrite avec ses corrections et annotations multiples.

5 Marguerite Duras en 1990.

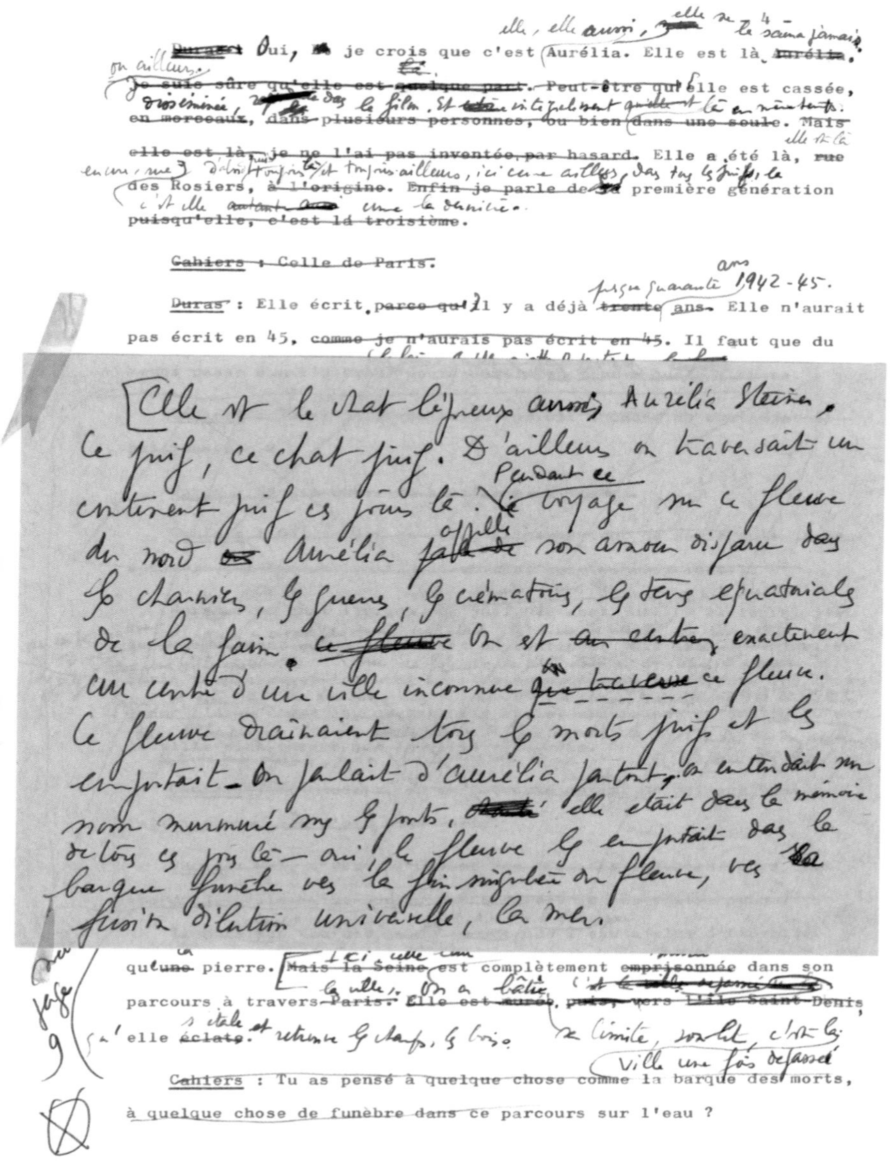

Duras : Oui, je crois que c'est Aurélia. Elle est là Aurélia. Je suis sûre qu'elle est quelque part. Peut-être qu'elle est cassée, en morceaux, dans plusieurs personnes, ou bien dans une seule. Mais elle est là, je ne l'ai pas inventée par hasard. Elle a été là, rue des Rosiers, à l'origine. Enfin je parle de la première génération puisqu'elle, c'est la troisième.

Cahiers : Celle de Paris.

Duras : Elle écrit parce qu'il y a déjà trente ans. Elle n'aurait pas écrit en 45, comme je n'aurais pas écrit en 45. Il faut que du

Elle et le chat lépreux aussi Aurélia Steiner, ce juif, ce chat juif. D'ailleurs on traversait un continent juif ces jours là. Pendant ce voyage sur le fleuve du nord Aurélia appelle son amour disparu dans les charniers, les guerres, les crématoires, les terres équatoriales de la faim. On est exactement au centre d'une ville inconnue ce fleuve. Le fleuve drainait tous les morts juifs et les emportait. On parlait d'Aurélia partout, on entendait son nom murmuré sur les ports, elle était dans la mémoire de tous ces gens-là — où le fleuve les emportait dans la barque funèbre vers la fin singulière du fleuve, vers la fusion d'attention universelle, la mer.

quelque pierre. Mais la Seine est complètement emprisonnée dans son parcours à travers Paris. Elle est aussi, puis, vers l'île Saint-Denis qu'elle éclate.

Cahiers : Tu as pensé à quelque chose comme la barque des morts, à quelque chose de funèbre dans ce parcours sur l'eau ?

3

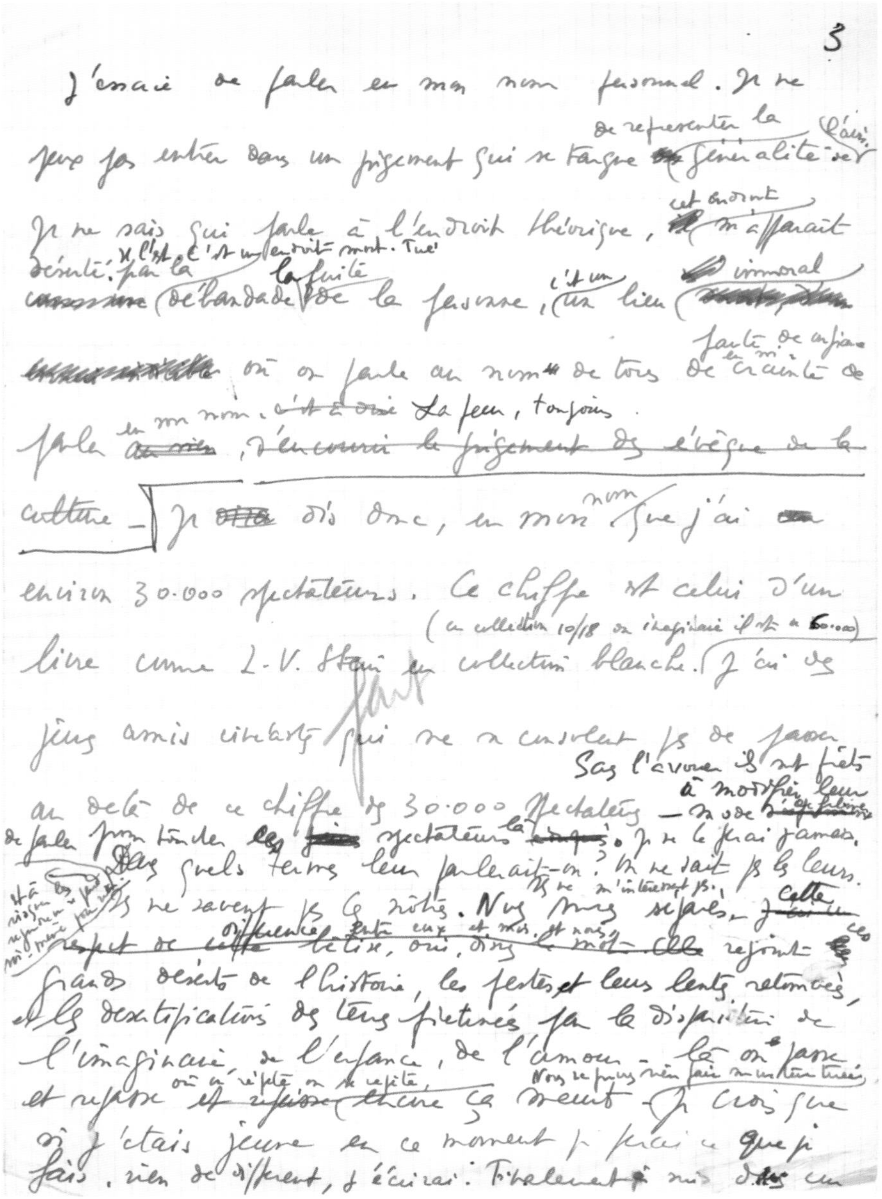

3

J'essaie de parler en mon nom personnel. Je ne peux pas entrer dans un jugement qui se targue de représenter la généralité. Je ne sais qui parle à l'endroit théorique, cet endroit m'apparaît [...] débandade de la personne, c'est un lieu immoral où on parle au nom de tous de crainte de parler en son nom, c'est à dire la peur, toujours. [...] Je dis donc, en mon nom, que j'ai environ 30.000 spectateurs. Ce chiffre est celui d'un livre comme L.V. Stein en collection blanche. (en collection 10/18 on imagine il est à 60.000) J'ai des jeunes amis cinéastes qui ne se consolent pas de passer au delà de ce chiffre des 30.000 spectateurs [...] Je ne le ferai jamais. [...] les grands déserts de l'histoire, les pestes et leurs lentes retombées, et les désertifications des terres piétinées par la disparition de l'imaginaire, de l'enfance, de l'amour [...] Je crois que si j'étais jeune en ce moment je ferais ce que je fais, rien de différent, j'écrirais. [...]

4

5

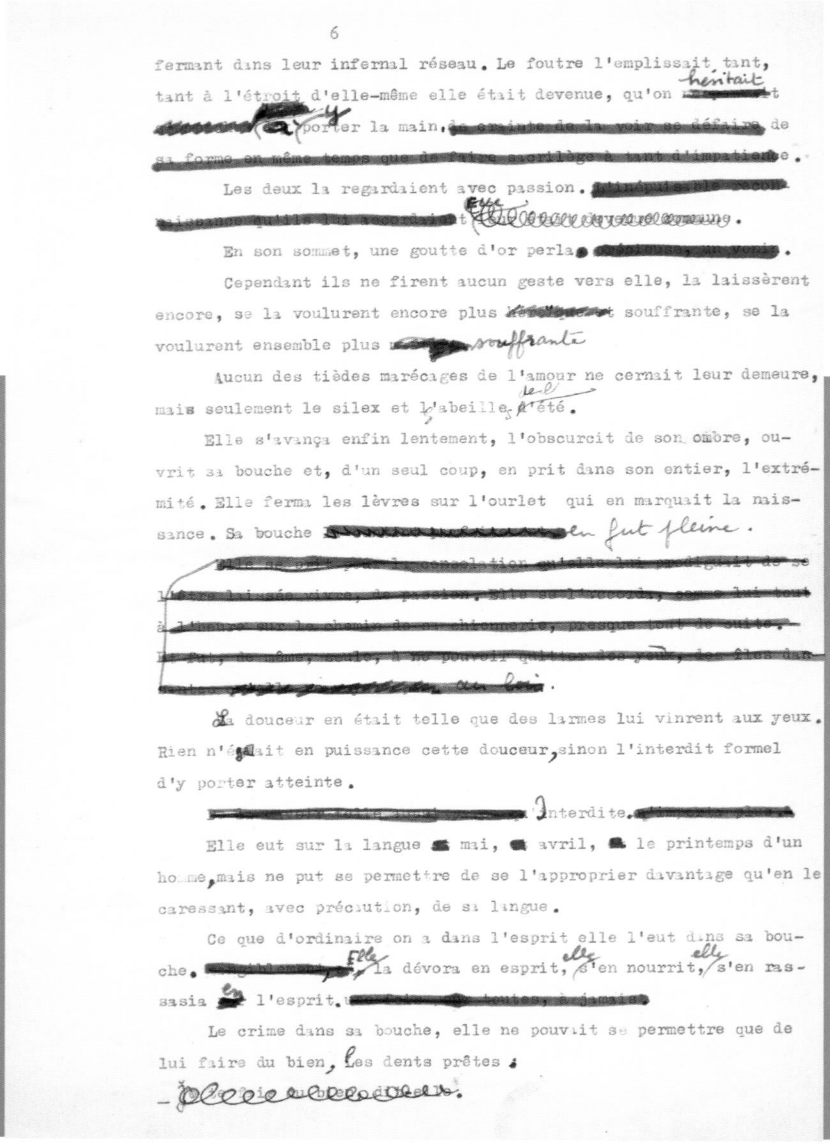

6

fermant dans leur infernal réseau. Le foutre l'emplissait tant, tant à l'étroit d'elle-même elle était devenue, qu'on [redacted] porter la main, [redacted] de [redacted].

Les deux la regardaient avec passion. [redacted] t [redacted].

En son sommet, une goutte d'or perla [redacted].

Cependant ils ne firent aucun geste vers elle, la laissèrent encore, se la voulurent encore plus [redacted] souffrante, se la voulurent ensemble plus [redacted] souffrante

Aucun des tièdes marécages de l'amour ne cernait leur demeure, mais seulement le silex et l'abeille, l'été.

Elle s'avança enfin lentement, l'obscurcit de son ombre, ouvrit sa bouche et, d'un seul coup, en prit dans son entier, l'extrémité. Elle ferma les lèvres sur l'ourlet qui en marquait la naissance. Sa bouche [redacted] en fut pleine.

[redacted].

La douceur en était telle que des larmes lui vinrent aux yeux. Rien n'égalait en puissance cette douceur, sinon l'interdit formel d'y porter atteinte.

[redacted] Interdite. [redacted]

Elle eut sur la langue [redacted] mai, [redacted] avril, [redacted] le printemps d'un homme, mais ne put se permettre de se l'approprier davantage qu'en le caressant, avec précaution, de sa langue.

Ce que d'ordinaire on a dans l'esprit elle l'eut dans sa bouche. [redacted] Elle la dévora en esprit, elle s'en nourrit, elle s'en rassasia [redacted] l'esprit. [redacted]

Le crime dans sa bouche, elle ne pouvait se permettre que de lui faire du bien, les dents prêtes :

— [redacted].

1

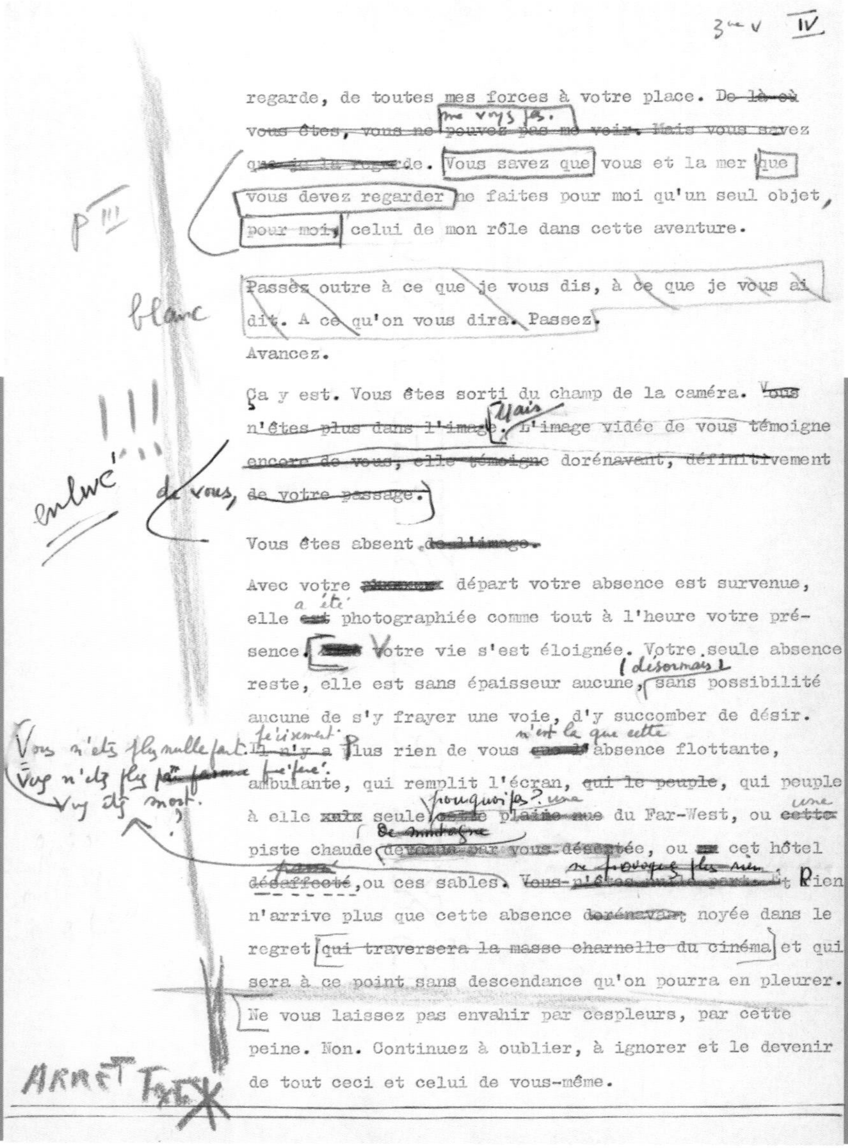

3e v IV

regarde, de toutes mes forces à votre place. ~~De là où vous êtes, vous ne pouvez pas me voir. Mais vous savez que je la regarde.~~ Vous savez que vous et la mer que vous devez regarder ne faites pour moi qu'un seul objet, ~~pour moi,~~ celui de mon rôle dans cette aventure.

Passez outre à ce que je vous dis, à ce que je vous ai dit. A ce qu'on vous dira. Passez.

Avancez.

Ça y est. Vous êtes sorti du champ de la caméra. ~~Vous n'êtes plus dans l'image.~~ Mais l'image vidée de vous témoigne ~~encore de vous, elle témoigne~~ dorénavant, ~~définitivement~~ de vous, ~~de votre passage.~~

Vous êtes absent ~~de l'image.~~

Avec votre [redacted] départ votre absence est survenue, elle ~~est~~ a été photographiée comme tout à l'heure votre présence. [redacted] Votre vie s'est éloignée. Votre seule absence reste, elle est sans épaisseur aucune, (désormais) sans possibilité aucune de s'y frayer une voie, d'y succomber de désir. ~~Il n'y a~~ Plus rien de vous [redacted] absence flottante, ambulante, qui remplit l'écran, ~~qui le peuple~~, qui peuple à elle [redacted] seule ~~cette plaine nue~~ du Far-West, ou ~~cette~~ une piste chaude ~~devenue par vous désertée~~, ou [redacted] cet hôtel ~~désaffecté~~, ou ces sables. ~~Vous n'êtes nulle part.~~ Rien n'arrive plus que cette absence ~~dorénavant~~ noyée dans le regret ~~qui traversera la masse charnelle du cinéma~~ et qui sera à ce point sans descendance qu'on pourra en pleurer.

Ne vous laissez pas envahir par cespleurs, par cette peine. Non. Continuez à oublier, à ignorer et le devenir de tout ceci et celui de vous-même.

ARRÊT TEXTE

2

1 Marguerite Duras boit maintenant beaucoup trop et fait des expériences extrêmes au point de mettre sa vie en danger. Au cours de cette période elle séjourne régulièrement à l'hôpital. Cependant, à chaque sortie, et quand son état le lui permet, étroitement soutenue et entourée de ses proches amis et acteurs, elle reprend l'écriture et la réalisation. *L'Homme assis dans le couloir*, *L'Homme atlantique* et *La Maladie de la mort*, très courts romans qui tournent plus ou moins autour de thématiques communes, sont publiés successivement entre 1980 et 1982.
L'Homme assis dans le couloir est le court récit d'une femme qui décrit le couple qu'elle voit en train de faire l'amour, comme l'évoque ce passage dactylographié et annoté par Marguerite Duras.

2 *L'Homme atlantique*, incarné par Yann Andréa, est d'abord un film réalisé en 1981 par Marguerite Duras. Elle filme son amant et, en voix *off*, lit des lettres qui lui sont adressées. Elle en donne une version écrite, aux Éditions de Minuit en 1982, dont ici la dernière page du tapuscrit annoté de sa main.

3 Yann Andréa et Marguerite Duras, le 15 mars 1990.

4 Émouvant brouillon de *La Maladie de la mort* qui témoigne de sa volonté d'écrire alors que sa santé décline.

3

Là où l'imaginaire est le plus fort, c'est entre l'homme et la femme. C'est là où ils sont séparés par une frigidité dont la femme se réclame de plus en plus et qui terrasse l'homme qui la désire. La femme elle-même, la plupart du temps, ne sait pas ce qu'est ce mal qui la prive de désir. Elle ne sait pas, beaucoup plus souvent qu'on le croit, ce qu'est le désir, comment il se présente à la femme, elle croit qu'il y a des choses à faire pour qu'elle le ressente à son tour comme certaines autres femmes. […] *Dans l'hétérosexualité il n'y a pas de solution. L'homme et la femme sont irréconciliables et c'est cette tentative impossible et à chaque amour renouvelée qui en fait la grandeur. La passion de l'homosexualité c'est l'homosexualité. Ce que l'homosexuel aime comme son amant, sa patrie, sa création, sa terre, ce n'est pas son amant, c'est l'homosexualité.*

La Vie matérielle, 1987

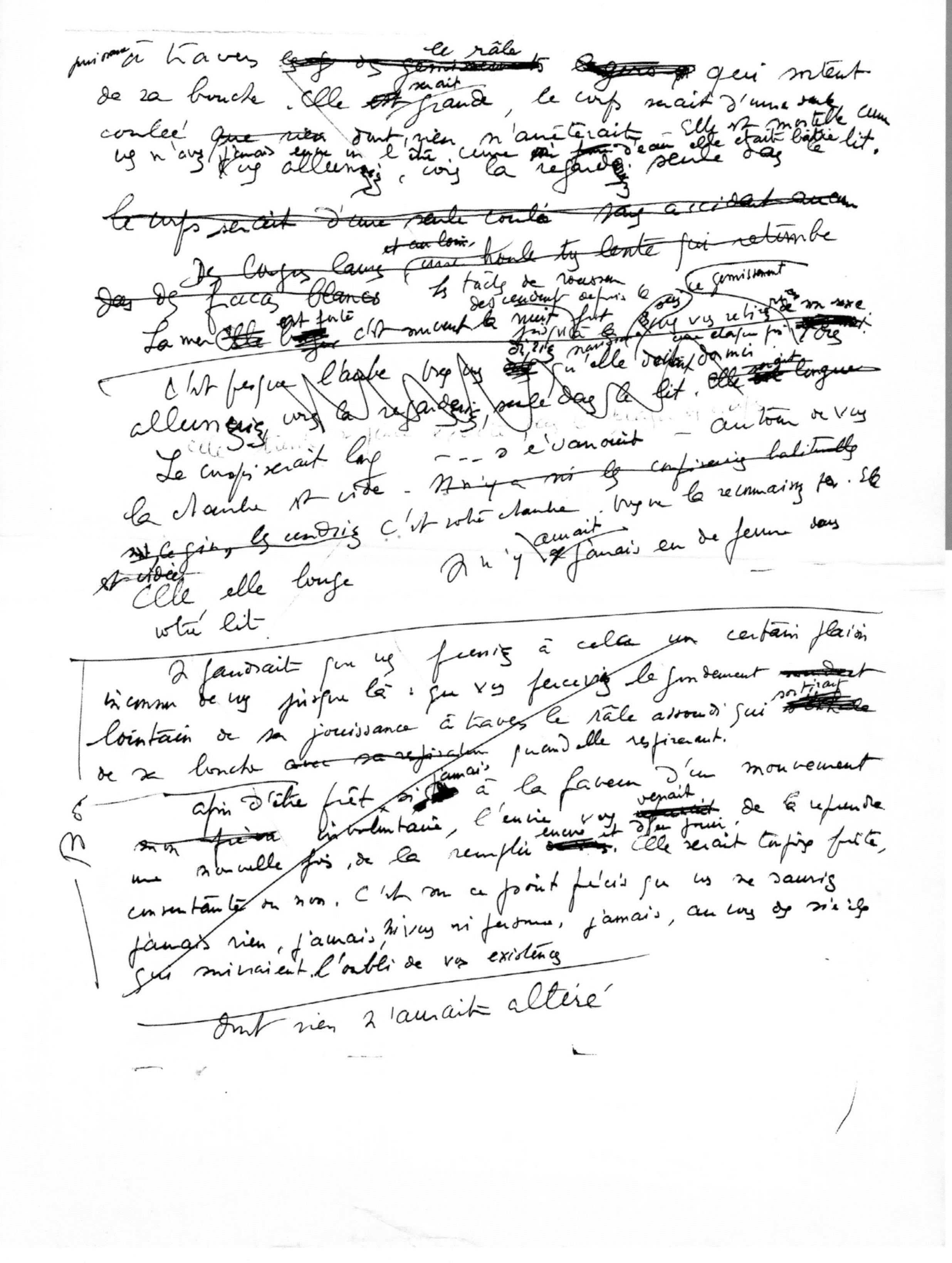

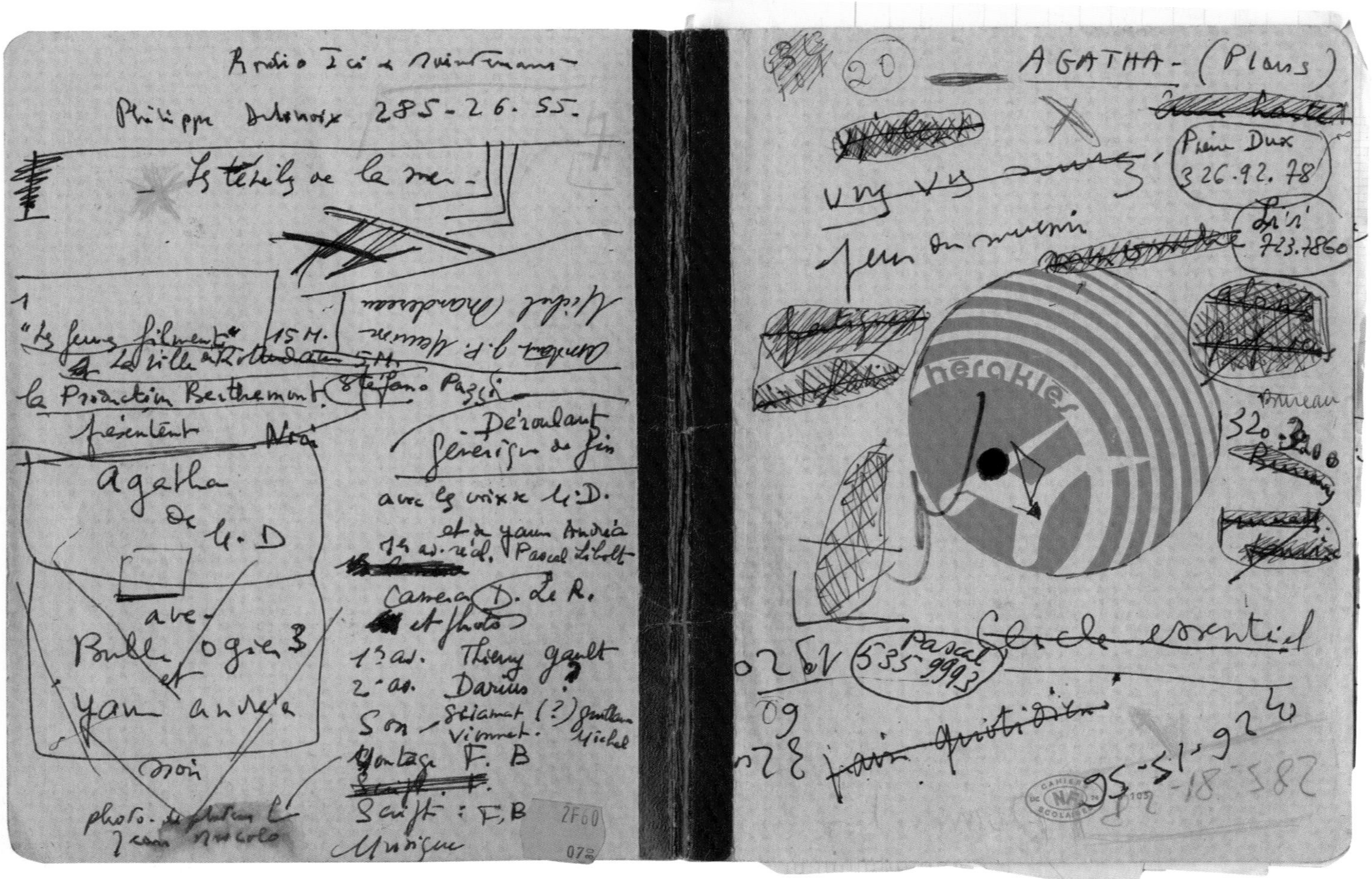
AGATHA - (Plans)
Agatha de M.D
Musique

1

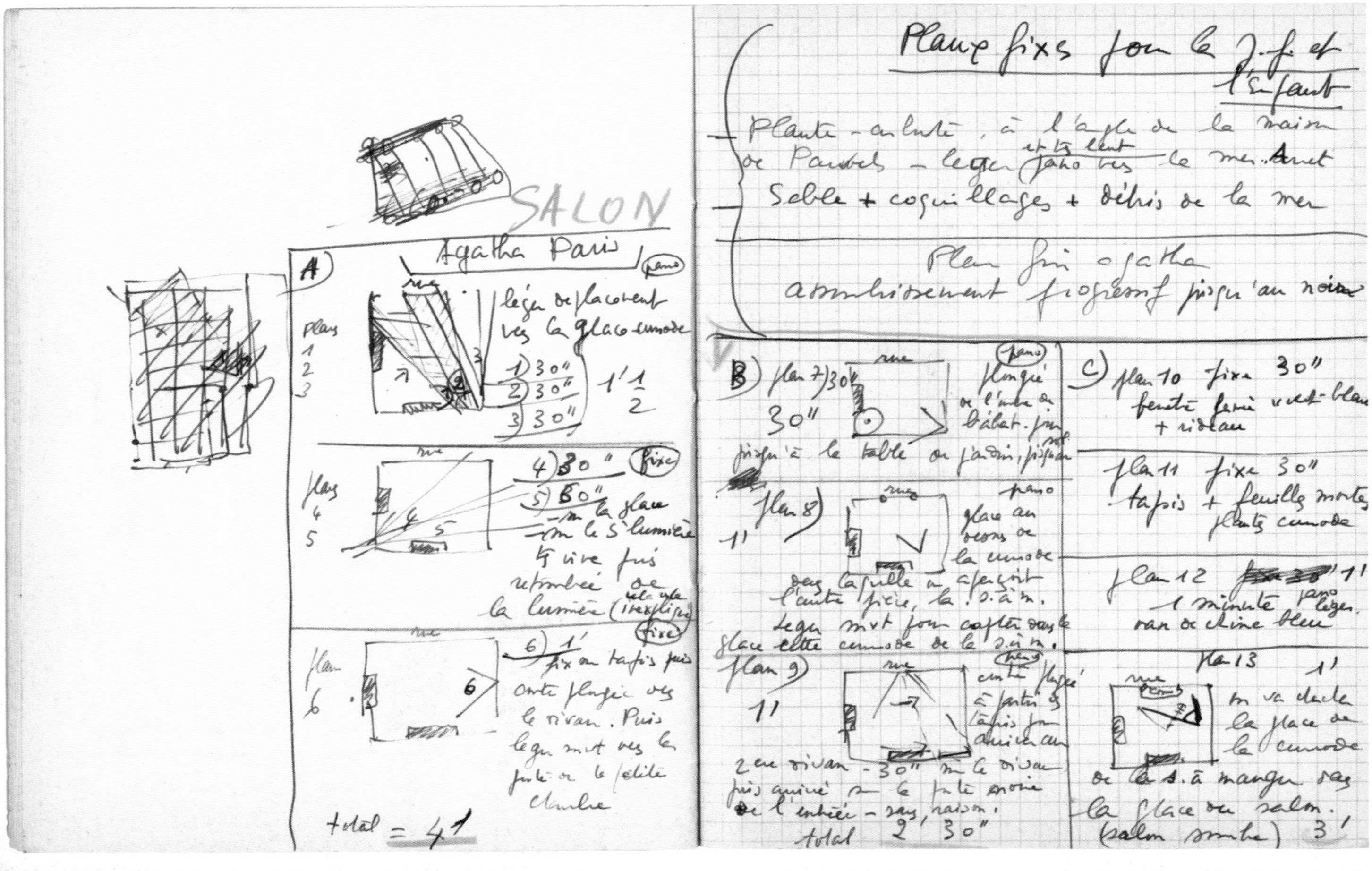
SALON
Agatha Paris
Plans fixes pour la j.f. et l'enfant
total = 41

2

3

On m'a demandé pourquoi j'avais pris Bulle Ogier pour faire Agatha et qu'elle ne dise rien, qu'elle se taise. Je pense que c'était pour la séparer de sa voix, pour qu'on la voie, que sa voix soit la mienne, tenue par moi. Il faut à un moment opérer cela sur les comédiens, les séparer du rôle qu'ils jouent, c'est-à-dire du rôle de leur personnage en tant que comédien. Je crois que c'est pour cela que Bulle Ogier se tait dans Agatha.

Je fais toujours des plans de travail et le premier jour de tournage venu je change tout. Dans aucun de mes films je n'ai respecté le plan de travail initial. Le moment que je préfère pendant le tournage, c'est après la prise de vues, la joie, le plaisir des techniciens, ce bonheur dans lequel on est ensemble.

Le Monde extérieur - Outside 2, 1993

---

1 et 2 *Agatha et les Lectures illimitées* est une adaptation filmée, réalisée par Marguerite Duras en 1982, de sa pièce *Agatha*, écrite en 1981. Le film est entièrement tourné dans le magnifique hall des Roches Noires, face à la mer. Le couple que forment Bulle Ogier et Yann Andréa incarne la sœur et le frère évoquant leur amour interdit. En voix *off*, en surimpression sonore, Marguerite Duras raconte elle aussi leur histoire. Le scénario et les plans, comme souvent, ont été consignés dans un cahier de notes.

3 C'est la musique de Brahms que Marguerite Duras choisit pour *Agatha et les Lectures illimitées*. Elle ne lit pas bien la musique et n'est pas une virtuose, mais elle entretient un rapport de fascination et d'adoration avec certaines musiques. Elle aime infiniment le piano, très présent dans ses œuvres, souvent joué par un enfant, comme elle l'a fait elle-même enseigner avec assiduité à son fils Outa. Convoquée symboliquement dans les titres qu'elle choisit pour ses livres, la musique joue un véritable rôle dans l'œuvre de Marguerite Duras. Elle en commande régulièrement des compositions ou la fait interpréter, en écho aux dialogues de ses personnages, dans ses romans comme dans ses films.

4 Photo du plateau de tournage d'*Agatha* dans le hall des Roches Noires à Trouville.

4

Elle me raconte : le génie commence par la douleur. Le temps qui s'écoule entre le moment où le personnage entre dans l'acteur et celui où l'acteur le projette est un temps terrifiant. Alors Jean-Louis Barrault l'enferme, dirait-on, dans ce cercle magique que l'on trace autour des chasseurs noirs lors de certaines cérémonies propitiatoires. Personne n'a le droit d'approcher l'écorchée vive. Jean-Louis lui parle avec une infinie douceur. [...] *Le supplice dure une quinzaine de jours. Madeleine est dans l'angoisse, elle dort peu, elle ne mange pas, elle maigrit. Il faut attendre. Ça n'est jamais arrivé encore que le miracle ne se produise pas mais la crainte demeure la même devant cette perspective. C'est tout d'un coup que cessent la douleur, la recherche, que Madeleine surgit hors du cercle. Car c'est bien sûr lorsqu'elle ne l'attendait plus que le personnage est entré.*
Outside, 1981

1

2

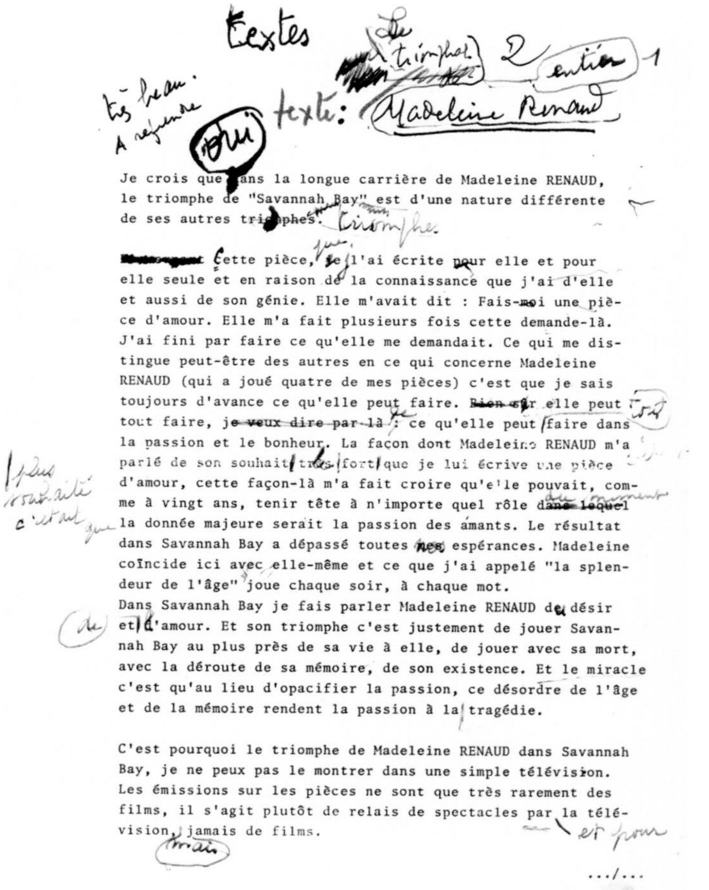

Textes
texte : Madeleine Renaud

Je crois que dans la longue carrière de Madeleine RENAUD, le triomphe de "Savannah Bay" est d'une nature différente de ses autres triomphes.

Cette pièce, je l'ai écrite pour elle et pour elle seule et en raison de la connaissance que j'ai d'elle et aussi de son génie. Elle m'avait dit : Fais-moi une pièce d'amour. Elle m'a fait plusieurs fois cette demande-là. J'ai fini par faire ce qu'elle me demandait. Ce qui me distingue peut-être des autres en ce qui concerne Madeleine RENAUD (qui a joué quatre de mes pièces) c'est que je sais toujours d'avance ce qu'elle peut faire. Bien sûr elle peut tout faire, je veux dire par là : ce qu'elle peut faire dans la passion et le bonheur. La façon dont Madeleine RENAUD m'a parlé de son souhait très fort que je lui écrive une pièce d'amour, cette façon-là m'a fait croire qu'elle pouvait, comme à vingt ans, tenir tête à n'importe quel rôle dans lequel la donnée majeure serait la passion des amants. Le résultat dans Savannah Bay a dépassé toutes mes espérances. Madeleine coïncide ici avec elle-même et ce que j'ai appelé "la splendeur de l'âge" joue chaque soir, à chaque mot.
Dans Savannah Bay je fais parler Madeleine RENAUD de désir et d'amour. Et son triomphe c'est justement de jouer Savannah Bay au plus près de sa vie à elle, de jouer avec sa mort, avec la déroute de sa mémoire, de son existence. Et le miracle c'est qu'au lieu d'opacifier la passion, ce désordre de l'âge et de la mémoire rendent la passion à la tragédie.

C'est pourquoi le triomphe de Madeleine RENAUD dans Savannah Bay, je ne peux pas le montrer dans une simple télévision. Les émissions sur les pièces ne sont que très rarement des films, il s'agit plutôt de relais de spectacles par la télévision, jamais de films.

.../...

3

L'histoire de Savannah Bay*, en fin de compte, lorsque vous sortirez de la pièce, vous ne saurez pas si c'est une légende ou si c'est une histoire véritable. Ça n'a aucune espèce d'importance qu'elle soit vraie ou non, n'est-ce pas, le principal, c'est la conviction de la comédienne qui la raconte. La vérité est là : du moment que la comédienne le dit, l'histoire est vraie.*

Savannah Bay, 1982

4

1 Madeleine Renaud et Bulle Ogier lors d'une répétition de *Savannah Bay*, pièce mise en scène par Marguerite Duras au théâtre du Rond-Point en septembre 1983.

2 Bulle Ogier et Marguerite Duras lors d'une répétition de *Savannah Bay* au théâtre du Rond-Point en septembre 1983.

3 Marguerite Duras a écrit *Savannah Bay* pour Madeleine Renaud. L'actrice a longtemps incarné la mère de Marguerite Duras au théâtre ; elle endosse cette fois le rôle de la grand-mère. Dans cet extrait d'un texte intitulé « Le triomphe de Madeleine Renaud », l'auteur lui rend hommage après la création de *Savannah Bay*.

4 Lors d'une soirée en l'honneur de Madeleine Renaud et Jean-Louis Barrault, Marguerite Duras est entourée d'Yves Saint Laurent, de Madeleine Renaud et de Catherine Deneuve, le 13 décembre 1982.

5 Avec *Savannah Bay*, Marguerite Duras rend un hommage au théâtre et aux acteurs, mettant en scène une femme brisée par le malheur mais qui se doit à son art. Afin de mieux privilégier la présence des acteurs et valoriser leur texte, le dispositif choisi par l'auteur est ainsi très dépouillé, comme le montre le schéma de la scénographie.

6 Marguerite Duras fait à nouveau appel à Yves Saint Laurent pour les costumes. Elle sait précisément ce qu'elle veut, au point de dessiner jusqu'aux étoffes et de détailler les motifs à la suite de ses notes et de ses croquis consignés dans un cahier d'écolier.

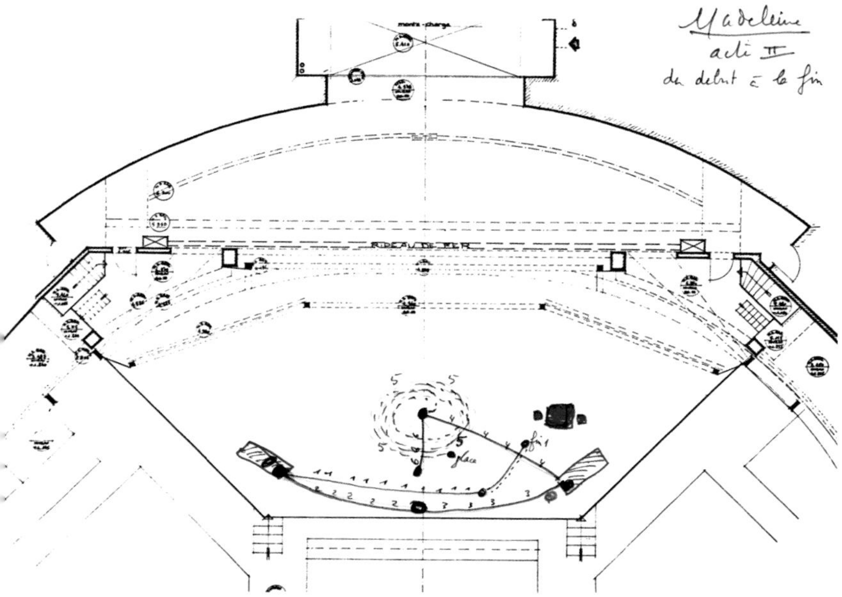

5

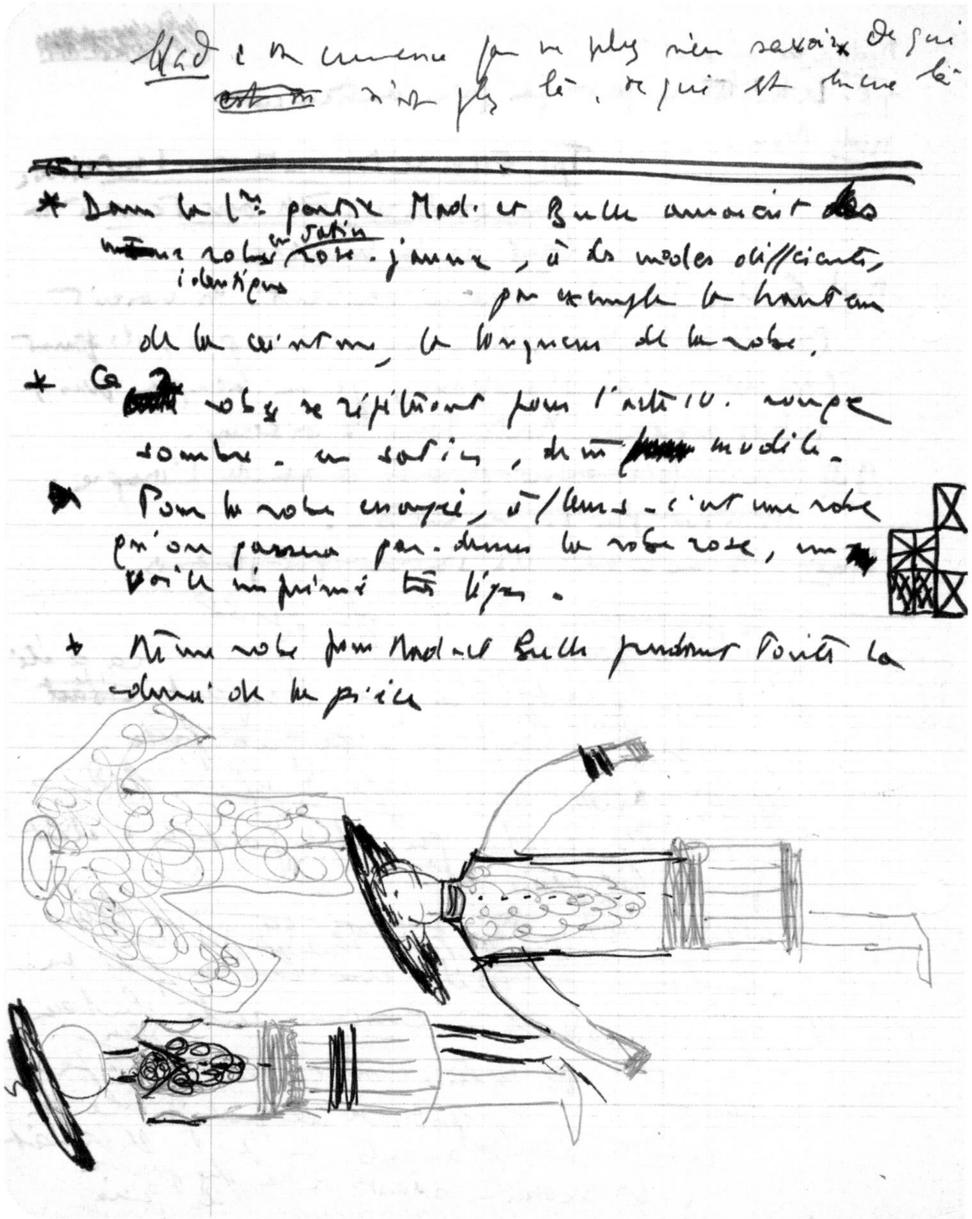

Mad et Bulle commencent par ne plus rien savoir de qui n'est plus là, ce qui est encore là

* Dans la 1re partie Mad. et Bulle auraient des robes satin rose. jaune, à des modèles différents, identiques par exemple la hauteur de la ceinture, la longueur de la robe.
* Ces robes se répètent pour l'acte II. rouge sombre. en satin, de même modèle.
* Pour la robe orangée, à l'acte... c'est une robe qu'on passera par-dessus la robe rose, un voile imprimé très léger.
* Même robe pour Mad. et Bulle pendant toute la durée de la pièce

6

Tu ne sais plus qui tu es, qui tu as été, tu sais que tu as joué, tu ne sais plus ce que tu as joué, ce que tu joues, tu joues, tu sais que tu dois jouer, tu ne sais plus quoi tu joues. Ni quels sont tes rôles, ni quels sont tes enfants vivants ou morts. Ni quels sont les lieux, les scènes, les capitales, les continents où tu as crié la passion des amants. Sauf que la salle a payé et qu'on lui doit le spectacle. Tu es la comédienne de théâtre, la splendeur de l'âge du monde, son accomplissement, l'immensité de sa dernière délivrance. Tu as tout oublié sauf Savannah, Savannah Bay. Savannah Bay, c'est toi. M. D. *Savannah Bay*, 1982

1 Les deux extraits de brouillons dactylographiés et annotés par Marguerite Duras sont comme une partition sur laquelle Bulle Ogier et Madeleine Renaud se parlent, se répondent en parallèle ou entremêlent leurs voix. La pièce devait initialement s'intituler *C'est fou c'que je peux t'aimer*, paroles tirées de la chanson «Les mots d'amour» d'Édith Piaf, qui ouvre la pièce et la parcourt.

2 Madeleine Renaud et Bulle Ogier lors d'une répétition de *Savannah Bay*, pièce mise en scène par Marguerite Duras au théâtre du Rond-Point en septembre 1983.

2

1

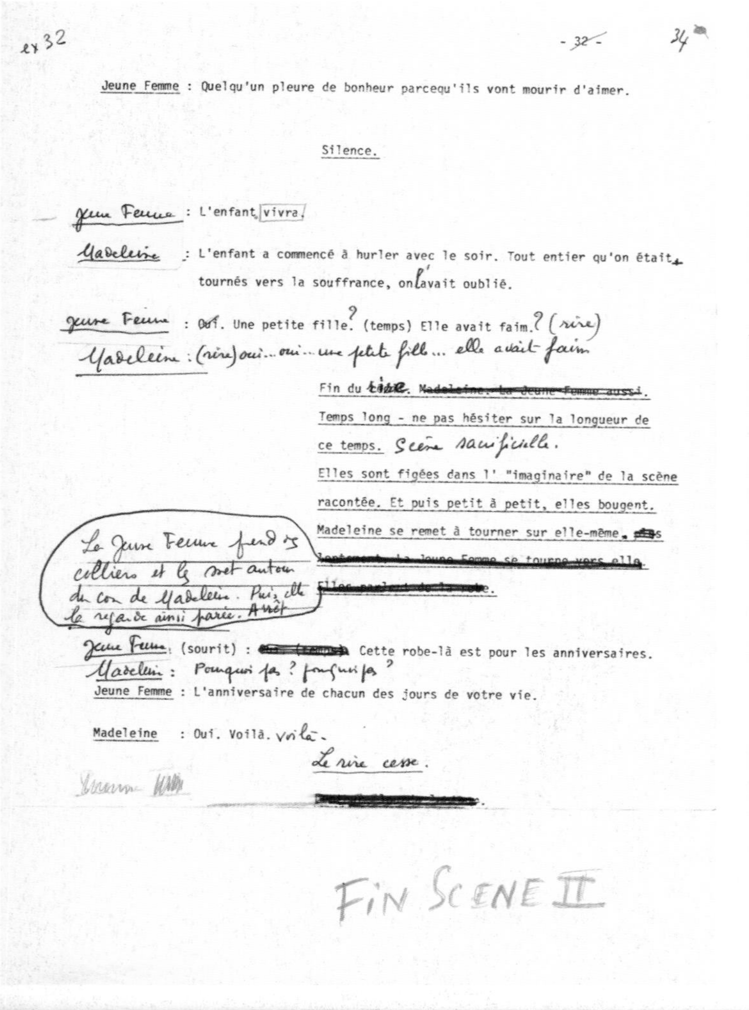

ex 32 - 32 - 34

Jeune Femme : Quelqu'un pleure de bonheur parcequ'ils vont mourir d'aimer.

Silence.

Jeune Femme : L'enfant vivra.

Madeleine : L'enfant a commencé à hurler avec le soir. Tout entier qu'on était, tournés vers la souffrance, on l'avait oublié.

Jeune Femme : Oui. Une petite fille ? (temps) Elle avait faim ? (rire)

Madeleine : (rire) oui... oui... une petite fille... elle avait faim

Fin du ~~rire~~. ~~Madeleine. La Jeune Femme aussi.~~

Temps long - ne pas hésiter sur la longueur de ce temps. Scène sacrificielle.

Elles sont figées dans l' "imaginaire" de la scène racontée. Et puis petit à petit, elles bougent.

Madeleine se remet à tourner sur elle-même.

La Jeune Femme prend ses colliers et les met autour du cou de Madeleine. Puis elle la regarde ainsi parée. Arrêt.

Jeune Femme (sourit) : [redacted] Cette robe-là est pour les anniversaires.

Madeleine : Pourquoi pas ? pourquoi pas ?

Jeune Femme : L'anniversaire de chacun des jours de votre vie.

Madeleine : Oui. Voilà. voilà.

Le rire cesse.

[redacted]

FIN SCENE II

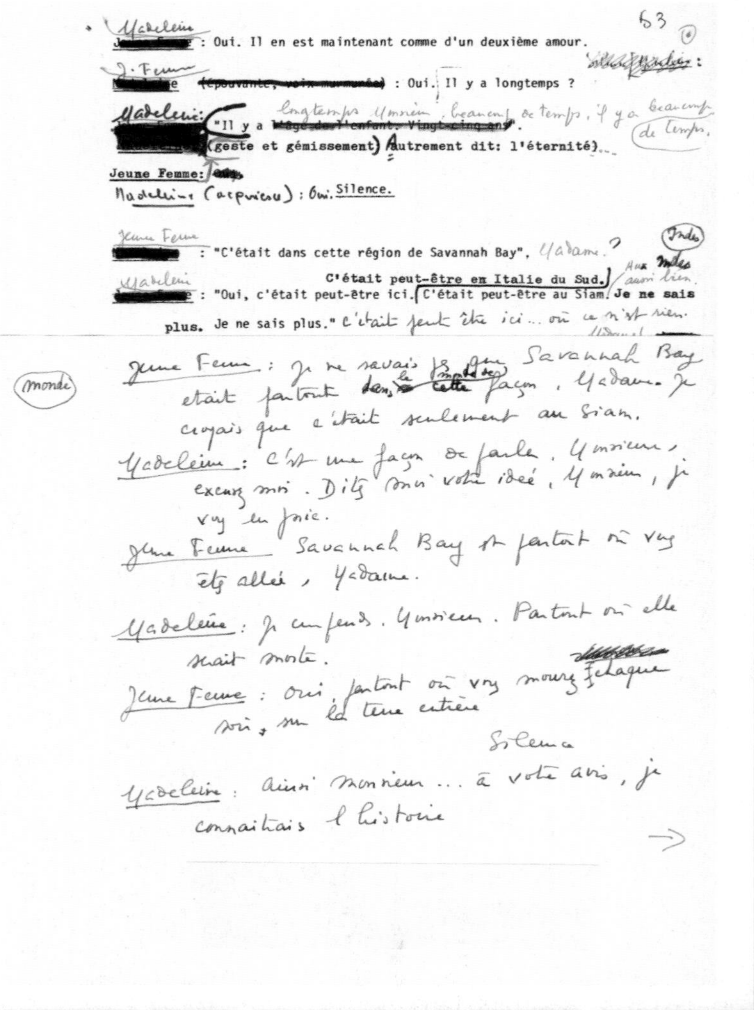

63

Madeleine : Oui. Il en est maintenant comme d'un deuxième amour.

Jeune Femme : Oui. Il y a longtemps ?

Madeleine : "Il y a ~~l'âge de l'enfant. Vingt-cinq ans~~" longtemps Monsieur, beaucoup de temps, il y a beaucoup de temps. [redacted] (geste et gémissement) Autrement dit: l'éternité)

Jeune Femme :

Madeleine (acquiesce) : Oui. Silence.

Jeune Femme : "C'était dans cette région de Savannah Bay", Madame ? (Inde)

C'était peut-être en Italie du Sud.

Madeleine : "Oui, c'était peut-être ici. C'était peut-être au Siam. Je ne sais plus. Je ne sais plus." C'était peut être ici... où ce n'est rien.

(monde)

Jeune Femme : Je ne savais pas que Savannah Bay était partout de la même façon, Madame. Je croyais que c'était seulement au Siam.

Madeleine : C'est une façon de parler, Monsieur, excusez-moi. Dites-moi votre idée, Monsieur, je vous en prie.

Jeune Femme : Savannah Bay est partout où vous êtes allée, Madame.

Madeleine : Je comprends. Monsieur. Partout où elle serait morte.

Jeune Femme : Oui, partout où vous mourez chaque soir, sur la terre entière

Silence

Madeleine : Ainsi monsieur... à votre avis, je connaissais l'histoire

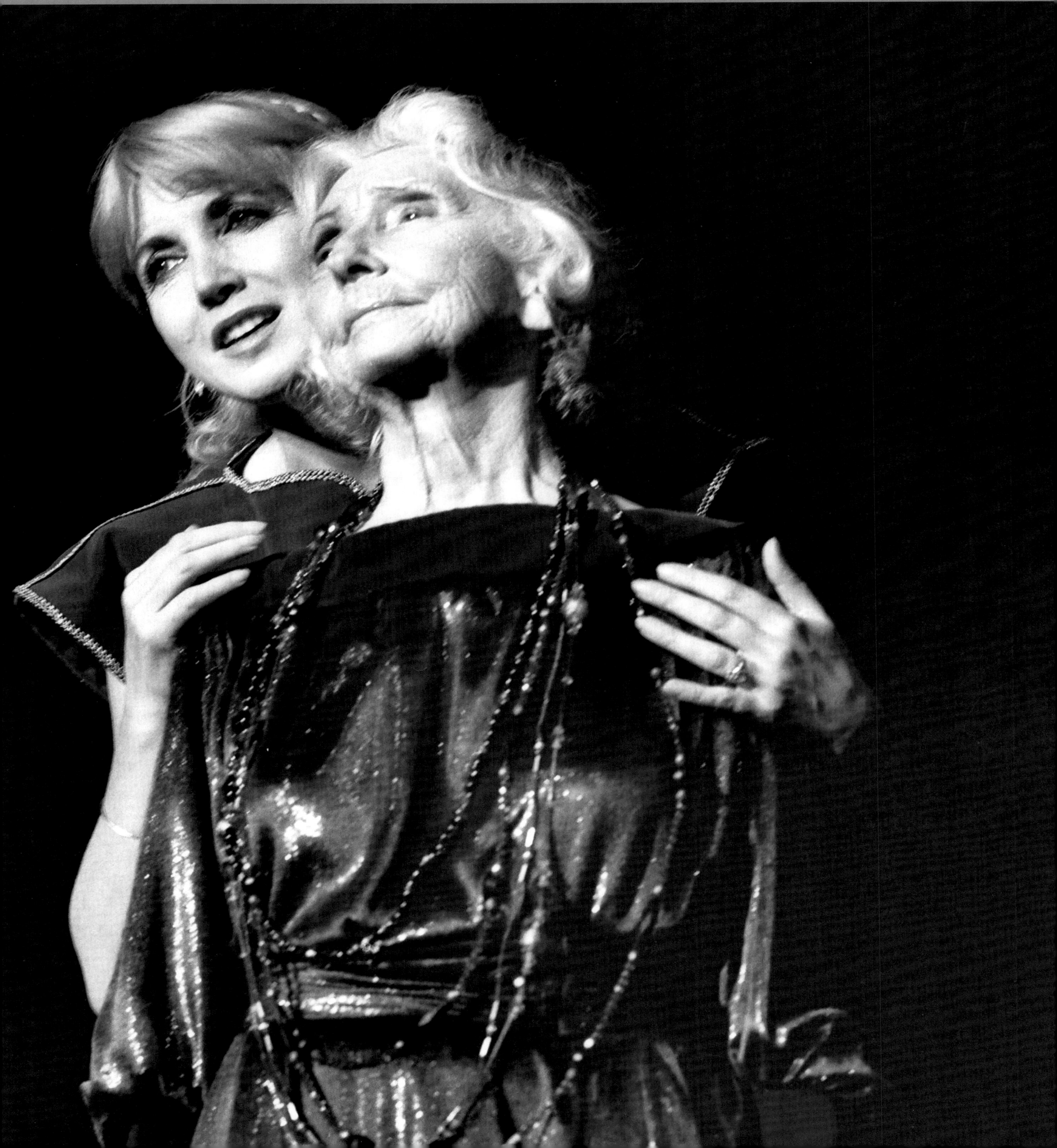

1 *L'Amant* obtient le prix Goncourt le 12 novembre 1984. François Nourissier, président de l'académie Goncourt, fait l'annonce traditionnelle du lauréat au restaurant Drouant à Paris. Le livre est un succès mondial. En avril 1985, le journal *Le Monde* signale qu'au cours des sept premiers mois le livre a été réimprimé dix-huit fois, atteignant un total provisoire de 750 000 exemplaires. Vingt ans plus tard, plus de 2,5 millions d'exemplaires ont été vendus.

2, 3, 4 et 5 Avant même qu'elle ait obtenu le prix Goncourt, Bernard Pivot consacre un numéro entier de son émission *Apostrophes* à Marguerite Duras, le 28 septembre 1984, dans un entretien devenu un monument télévisuel.

6 Marguerite Duras discutant avec son éditeur Jérôme Lindon pendant le tournage de l'émission *Apostrophes*.
À l'origine, *L'Amant* devait être un projet de livre de photographies de famille intitulé *La Photographie absolue*, que Marguerite Duras aurait commentées. Sous l'influence de Yann Andréa, elle décide finalement d'en faire un roman.

Le livre, je crois, transmet cet énorme plaisir que dix heures par jour, j'ai éprouvé à l'écrire. D'habitude, la littérature française confond le sérieux d'un livre avec le fait qu'il soit ennuyeux. Et en effet, si les gens ne terminent pas les livres qu'ils lisent, c'est parce qu'ils sont tous imbus de prétention, la prétention stupide de vouloir renvoyer à quelque chose d'autre. Finalement on ne pourra plus dire que Duras écrit « des trucs intellectuels ». […] Mon écriture est la même depuis toujours. Ici, tout au plus, je me laisse aller sans crainte. Les gens n'ont plus peur de ce qui, en apparence en tout cas, semble incohérent. […] L'Amant *est un livre tellement plein de littérature qu'elle semble paradoxalement très loin. On ne la voit pas. On ne doit pas voir l'artifice. C'est tout. […] L'écriture a pris le dessus, elle allait plus vite que moi, et ce n'est qu'en le relisant que je me suis aperçue de la façon dont il était construit sur des métonymies. Il y a des mots, comme « désert », « blanc », « jouissance », qui se détachent et connotent le récit tout entier.*
Marguerite Duras, La Passion suspendue, entretiens avec L. Pallotta della Torre, 2013

1

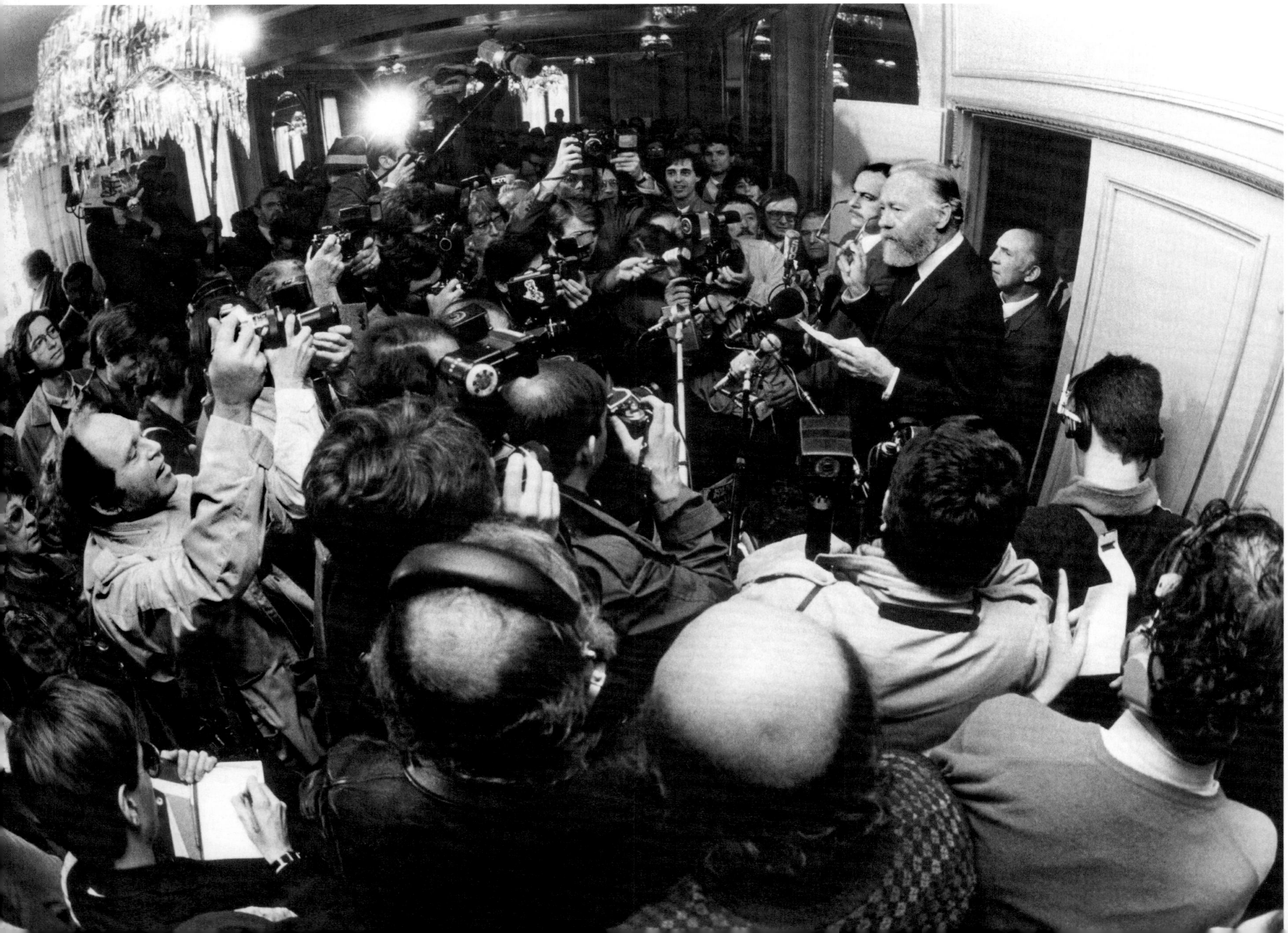

2

3

4

5

6

1 Marguerite Duras chez elle, en septembre 1984, rue Saint-Benoît. Derrière elle, on distingue une photographie de pingouins sur la banquise. À l'époque, elle aime dire en plaisantant qu'il s'agit de ses «lecteurs de *L'Amant*». Traduit dans plus de quarante langues, le livre est un des plus gros succès littéraire des soixante dernières années.

2 Marguerite Duras en 1984.

1

2

Je ne veux pas vous parler de comment j'aurais fait L'Amant. *Je l'aurais fait d'une façon linéaire.* [...] *Il n'y a pas de cinéma sans écriture, c'est-à-dire sans le fait que l'image est portée par l'écriture : elle est d'abord dite dans l'écriture.* [...] *Dans* L'Amant de la Chine du Nord, *les rues sont pleines tout le temps. Il y a le Chinois, il y a la petite, il y a aussi d'autres Chinois, d'autres autos, d'autres, des moussons, des pluies, des danses, des chants, des... C'est ça qui fait le film... Le film que je voulais faire, enfin que je ferai jamais, que je voulais écrire, écrire voilà. Et pas du tout décrire.*
Le Monde extérieur - Outside 2, 1993

1

1 Jean-Jacques Annaud et ses acteurs sur le tournage de *L'Amant*. En 1992, Jean-Jacques Annaud réalise une adaptation de *L'Amant*. Le cinéaste dit avoir été plus inspiré par le roman que par le scénario lui-même. Qualifiant ses relations avec Marguerite Duras de «houleuses et insolites», il propose de l'histoire une version très personnelle. Le roman avait déjà été un succès, le film, produit par Claude Berri, l'est également, avec plus de trois millions d'entrées. En compétition lors de la 18e cérémonie des Césars, en 1992, notamment face au film *Indochine*, de Régis Wargnier, il remporte plusieurs prix dont le césar de la meilleure musique de film, ceux de la meilleure photographie et des meilleurs costumes, ainsi que l'oscar de la meilleure photographie. Les paysages du Viêtnam servent de décors extérieurs. Jane March, actrice inconnue, incarne la jeune fille, l'amant chinois est Tony Leung Ka Fai, une star hong-kongaise. Melvil Poupaud joue le jeune frère. Jeanne Moreau prête sa voix à la narratrice.

2 *L'Amant*, de Jean-Jacques Annaud, avec Tony Leung Ka Fai et Jane March, 1992.

3 et 4 Peu de temps après la sortie du film, Marguerite Duras cherche à rétablir sa vérité. Replongée dans son passé, elle y revient une fois encore, allant toujours plus avant dans son travail de mémoire et d'exigence littéraire. Sept ans après *L'Amant*, elle publie une ultime version de son histoire d'adolescence, *L'Amant de la Chine du Nord*, dont ici un passage entièrement manuscrit et un autre dactylographié et annoté par l'auteur.

2

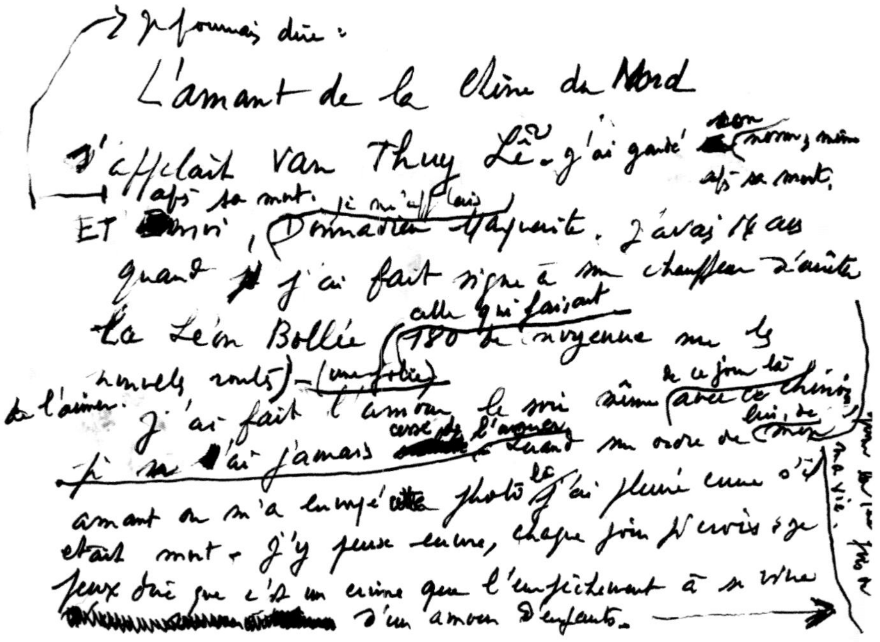

Je pourrais dire :

L'amant de la Chine du Nord

s'appelait Van Thuy Lê. J'ai gardé son nom, même après sa mort.

ET moi, Donnadieu Marguerite. J'avais 16 ans quand j'ai fait signe à son chauffeur d'arrêter la Léon Bollée (celle qui faisait 180 de moyenne sur les nouvelles routes) — une folie. J'ai fait l'amour le soir même avec ce Chinois [...] amant on m'a empêché [...] J'ai pleuré comme s'il était mort. J'y pense encore, chaque jour. J'écris. Je peux dire que c'est un crime que l'empêchement à sa vie d'un amour d'enfants.

3

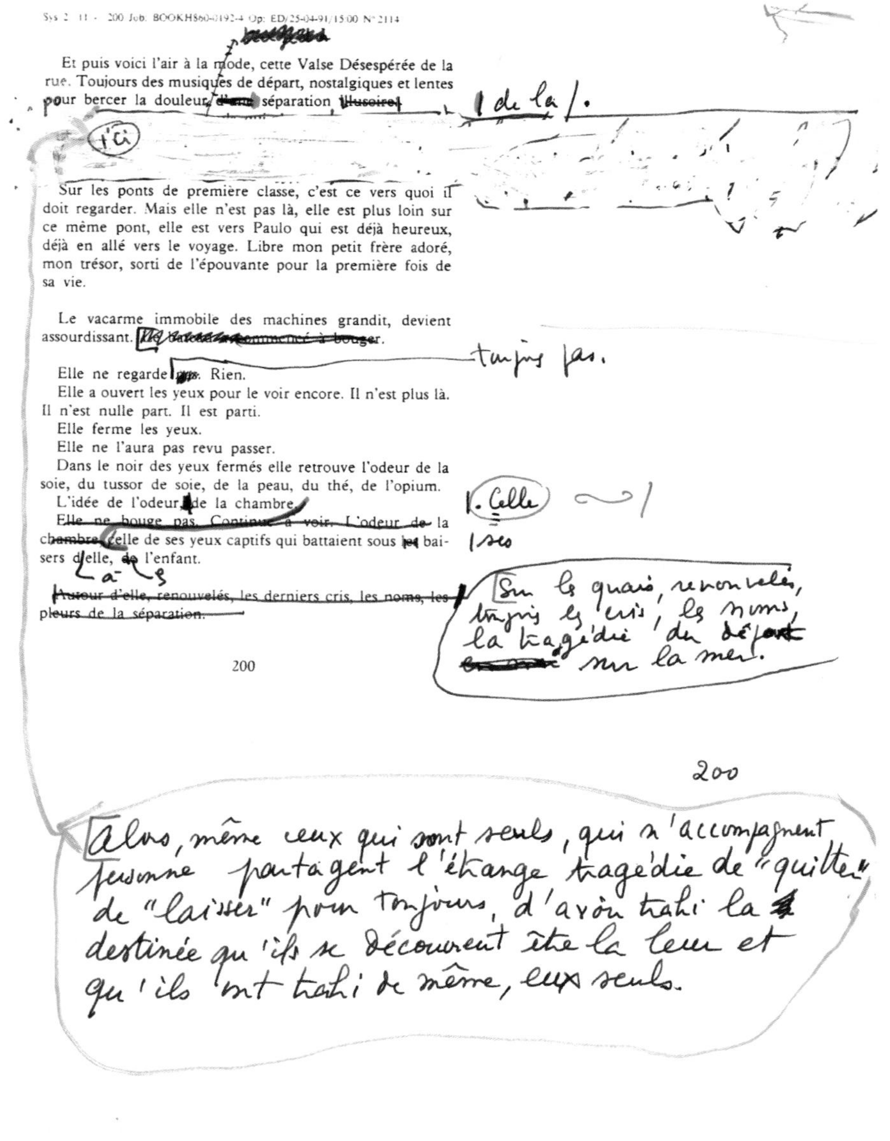

Sys 2 11 - 200 Job: BOOKH860-0192-4 Op: ED/25-04-91/15:00 N° 2114

Et puis voici l'air à la mode, cette Valse Désespérée de la rue. Toujours des musiques de départ, nostalgiques et lentes pour bercer la douleur ~~d'une~~ séparation ~~illusoire~~. | de la /.

(ici)

Sur les ponts de première classe, c'est ce vers quoi il doit regarder. Mais elle n'est pas là, elle est plus loin sur ce même pont, elle est vers Paulo qui est déjà heureux, déjà en allé vers le voyage. Libre mon petit frère adoré, mon trésor, sorti de l'épouvante pour la première fois de sa vie.

Le vacarme immobile des machines grandit, devient assourdissant. ~~Le bateau a commencé à bouger~~.

Elle ne regarde ~~pas~~ toujours pas. Rien.

Elle a ouvert les yeux pour le voir encore. Il n'est plus là. Il n'est nulle part. Il est parti.

Elle ferme les yeux.

Elle ne l'aura pas revu passer.

Dans le noir des yeux fermés elle retrouve l'odeur de la soie, du tussor de soie, de la peau, du thé, de l'opium.

L'idée de l'odeur de la chambre. Celle

~~Elle ne bouge pas. Continue à voir. L'odeur de la chambre,~~ celle de ses yeux captifs qui battaient sous ~~les~~ ses baisers d'elle, ~~de~~ l'enfant.

~~Autour d'elle, renouvelés, les derniers cris, les noms, les pleurs de la séparation.~~

Sur les quais, renouvelés, toujours les cris, les noms, la tragédie du départ sur la mer.

200

200

Alors, même ceux qui sont seuls, qui n'accompagnent personne partagent l'étrange tragédie de "quitter" de "laisser" pour toujours, d'avoir trahi la destinée qu'ils se découvrent être la leur et qu'ils ont trahi de même, eux seuls.

4

Je peux filmer, il me semble, plus facilement que j'écris. Pour un film je peux toujours écrire, je crois pouvoir l'affirmer, toujours. Pour un livre, non. Le livre à remplir me terrifie toujours, il me terrifiera toujours. Le film, non. Pourtant quand je revois mes films je les trouve tout autant écrits que mes livres.

Le Monde extérieur - Outside 2, 1993

1 Marguerite Duras, Pierre Arditi et André Dussolier sur le tournage du film *Les Enfants*, en 1984.

2 Le roman *La Pluie d'été* est lui-même une reprise du livre *Ah ! Ernesto.* Ernesto, enfant surdoué d'une famille nombreuse et peu argentée, entretient avec sa sœur une relation complice et interdite que la fin de la pluie d'été vient clore symboliquement. Ce brouillon dactylographié et corrigé par Marguerite Duras de la page 39 du roman montre le passage d'un dialogue entre les parents d'Ernesto et l'instituteur. Marguerite Duras reprend les dialogues du film dans sa version littéraire, comme souvent dans son travail d'écriture où les formats choisis se répondent et s'entrelacent.

3 Affiche du film *Les Enfants.* Peu de temps après la sortie de *L'Amant*, Marguerite Duras retourne au cinéma et réalise *Les Enfants* en 1984, avec son fils Jean Mascolo et son ami Jean-Marc Turine. Le film est une adaptation de son conte pour enfant *Ah ! Ernesto*, édité en 1971. La photographie du film est assurée par Bruno Nuytten. André Dussolier et Pierre Arditi jouent respectivement le directeur d'école et le journaliste. Marguerite Duras fait à nouveau appel à Carlos D'Alessio pour la musique. C'est Axel Bougosslavsky, acteur fétiche de Claude Régy, qui incarne Ernesto, pourtant censé avoir sept ans.

4 Marguerite Duras et Axel Bougosslavsky pendant le tournage du film *Les Enfants*, en 1984.

1

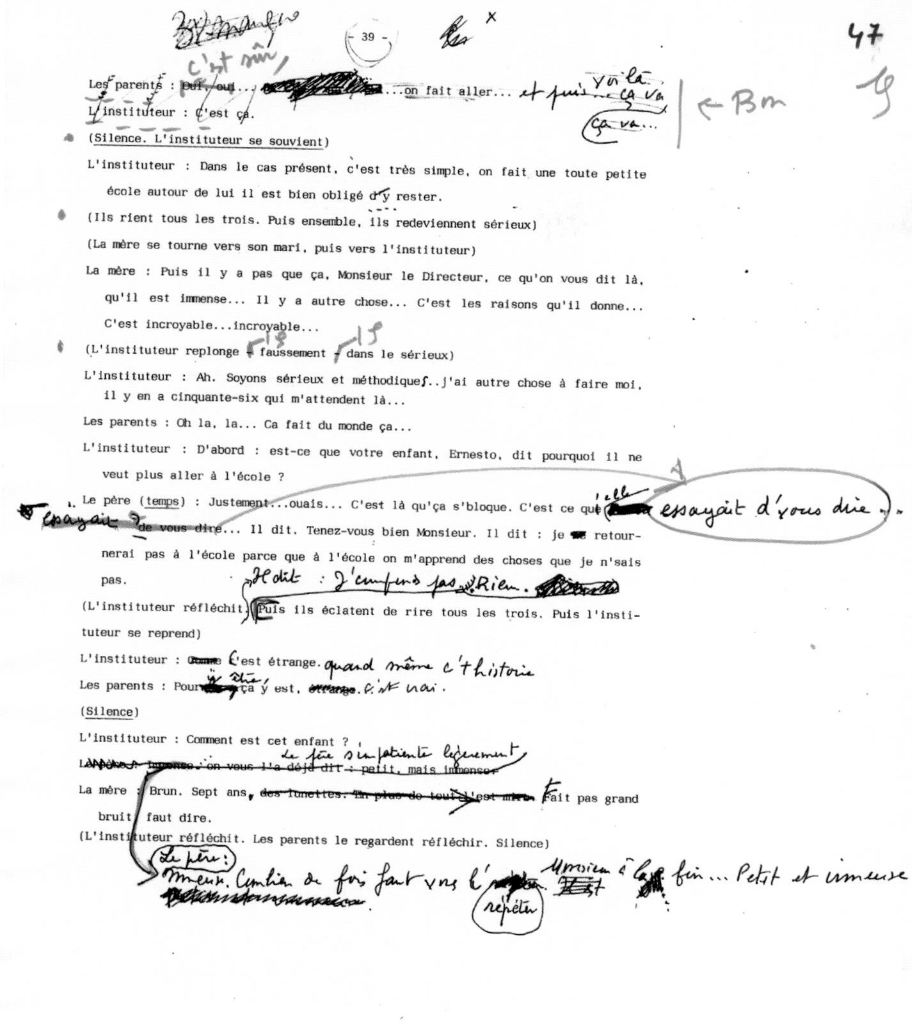

47

- 39 -

Les parents : Oui, oui... ...on fait aller... et puis voilà, ça va, ça va...

L'instituteur : C'est ça.

(Silence. L'instituteur se souvient)

L'instituteur : Dans le cas présent, c'est très simple, on fait une toute petite école autour de lui il est bien obligé d'y rester.

(Ils rient tous les trois. Puis ensemble, ils redeviennent sérieux)

(La mère se tourne vers son mari, puis vers l'instituteur)

La mère : Puis il y a pas que ça, Monsieur le Directeur, ce qu'on vous dit là, qu'il est immense... Il y a autre chose... C'est les raisons qu'il donne... C'est incroyable...incroyable...

(L'instituteur replonge - faussement - dans le sérieux)

L'instituteur : Ah. Soyons sérieux et méthodique...j'ai autre chose à faire moi, il y en a cinquante-six qui m'attendent là...

Les parents : Oh la, la... Ca fait du monde ça...

L'instituteur : D'abord : est-ce que votre enfant, Ernesto, dit pourquoi il ne veut plus aller à l'école ?

Le père (temps) : Justement...ouais... C'est là qu'ça s'bloque. C'est ce qu'il essayait d'vous dire... de vous dire... Il dit. Tenez-vous bien Monsieur. Il dit : je retournerai pas à l'école parce que à l'école on m'apprend des choses que je n'sais pas. Il dit : J'comprends pas. Rien.

(L'instituteur réfléchit) Puis ils éclatent de rire tous les trois. Puis l'instituteur se reprend)

L'instituteur : C'est étrange quand même c't'histoire

Les parents : Pour ça y est, c'est vrai.

(Silence)

L'instituteur : Comment est cet enfant ?

Le père s'impatiente légèrement

La mère : Brun. Sept ans, fait pas grand bruit, faut dire.

(L'instituteur réfléchit. Les parents le regardent réfléchir. Silence)

Le père : Combien de fois faut vous l'répéter Monsieur à la fin... Petit et immense

2

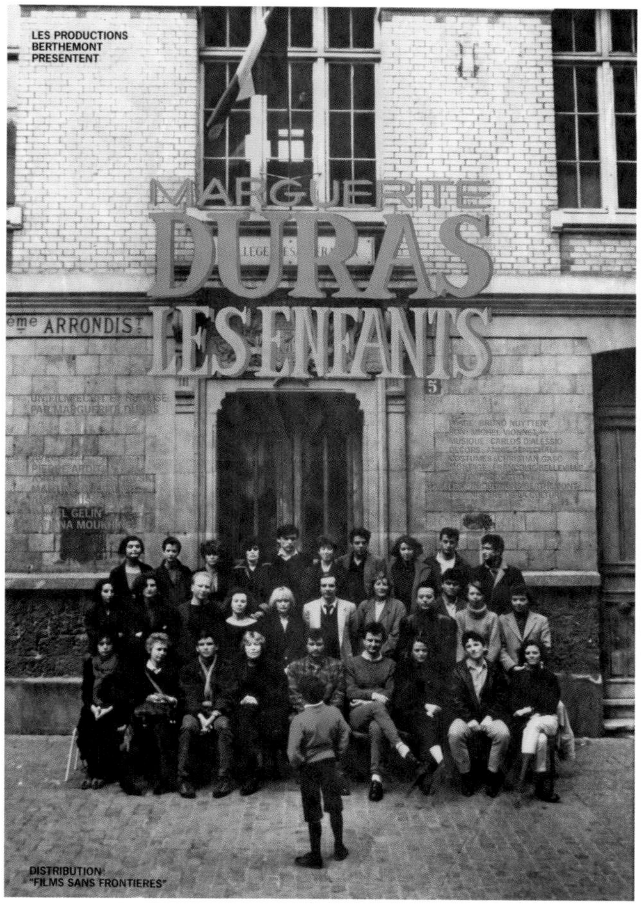

3

4

Marguerite Duras
La consécration

C'est en 1985 que Marguerite Duras retrouve par hasard, dans ses fameuses armoires bleues, aujourd'hui détruites, de sa maison de Neauphle-le-Château, un exceptionnel document d'archives composé d'écrits rédigés entre 1943 et 1949, conservés aujourd'hui avec les autres archives de l'auteur à Caen, à l'Institut mémoires de l'édition contemporaine. Composé de cahiers distincts, cet ensemble de manuscrits constitue à lui seul un véritable fonds dans lequel toute l'œuvre de Marguerite Duras est en devenir. Les plus anciennes archives sont les *Cahiers de la guerre*, comme les appelle l'auteur, quatre petits cahiers à l'écriture très fine et régulière. Le Cahier beige, le Cahier de 100 pages et le Cahier rose marbré qui composent également ces archives sont autant de recueils dans lesquels sont à l'ébauche certains de ses grands romans comme *Un barrage contre le Pacifique*, *Le Marin de Gibraltar* et *L'Amant de la Chine du Nord*. Le Cahier de 100 pages est appelé *La Douleur-Journal* dans les archives de l'Imec. Relatant le retour et la convalescence de son mari Robert Antelme, les quatre premières pages ici reproduites évoquent la date d'avril 1945. Le roman *La Douleur* est publié en 1985 aux éditions P.O.L. Archive exceptionnelle, le Cahier de 100 pages est, comme les autres *Cahiers de la guerre*, un précieux dossier qui recèle également des textes et récits inédits, donnant ainsi un témoignage unique du travail littéraire de Marguerite Duras. Marguerite Duras a publié en 1976, dans la revue *Sorcières*, « Pas mort en déportation », où elle décrit la lente convalescence et le difficile retour à la vie de son mari Robert Antelme, revenu du camp de Dachau. Ce texte, publié anonymement dans le premier numéro de la revue, est la première version de *La Douleur*.

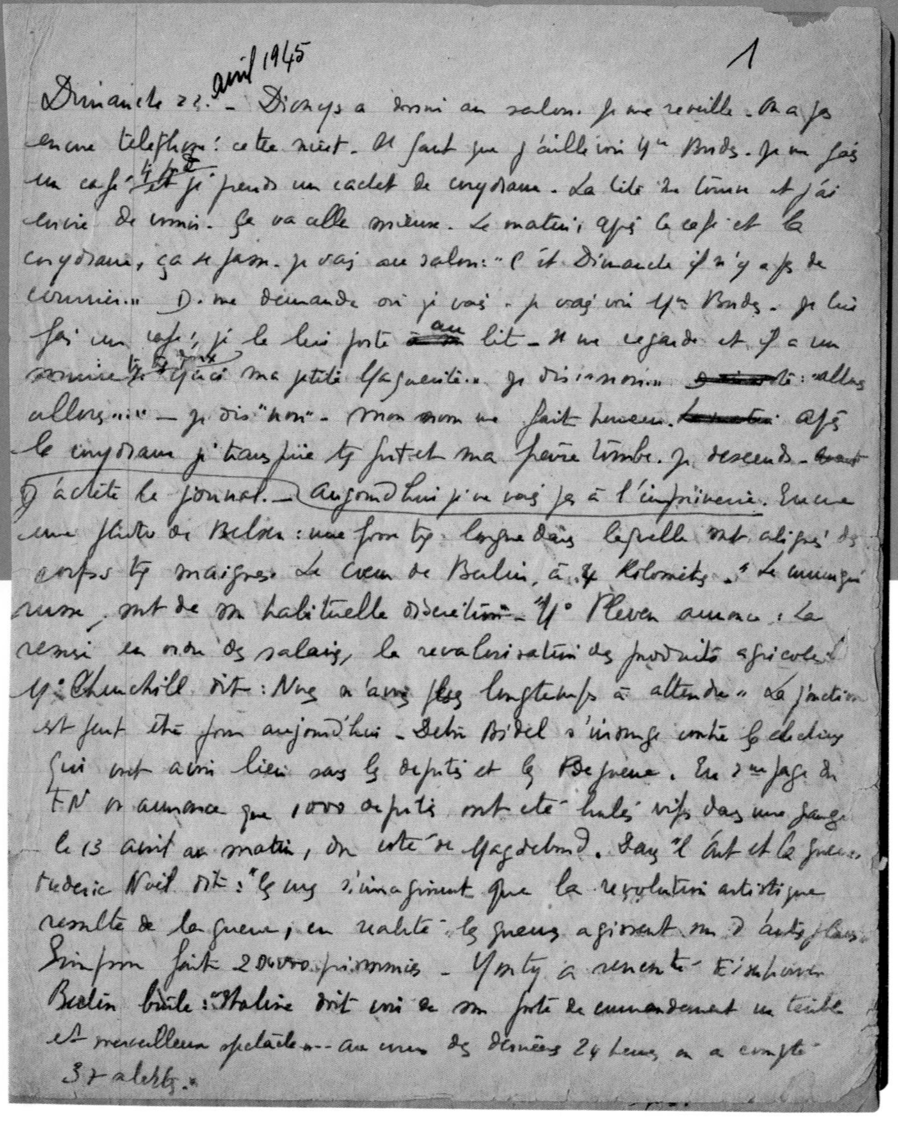

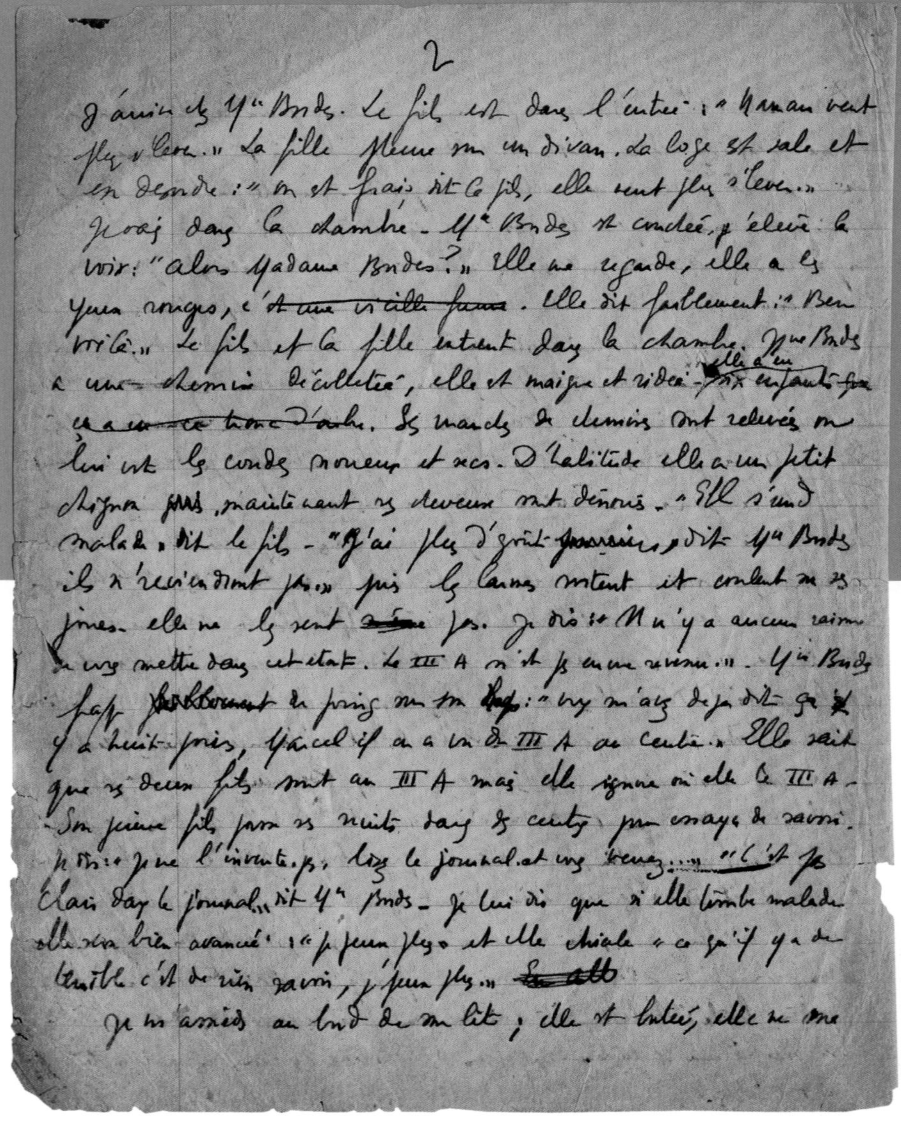

Je n'ai aucun souvenir de l'avoir écrit. Je sais que je l'ai fait, que c'est moi qui l'ai écrit, je reconnais mon écriture et le détail de ce que je raconte, je revois l'endroit, la gare d'Orsay, les trajets, mais je ne me vois pas écrivant ce journal. […] Comment ai-je pu écrire cette chose que je ne sais pas encore nommer et qui m'épouvante quand je la relis. […] La Douleur *est une des choses les plus importantes de ma vie. Le mot « écrit » ne conviendrait pas. Je me suis retrouvée devant des pages régulièrement pleines d'une petite écriture extrêmement régulière et calme. Je me suis trouvée devant un désordre phénoménal de la pensée et du sentiment auquel je n'ai pas osé toucher et au regard de quoi la littérature me fait honte.* Préface de *La Douleur*, 1985

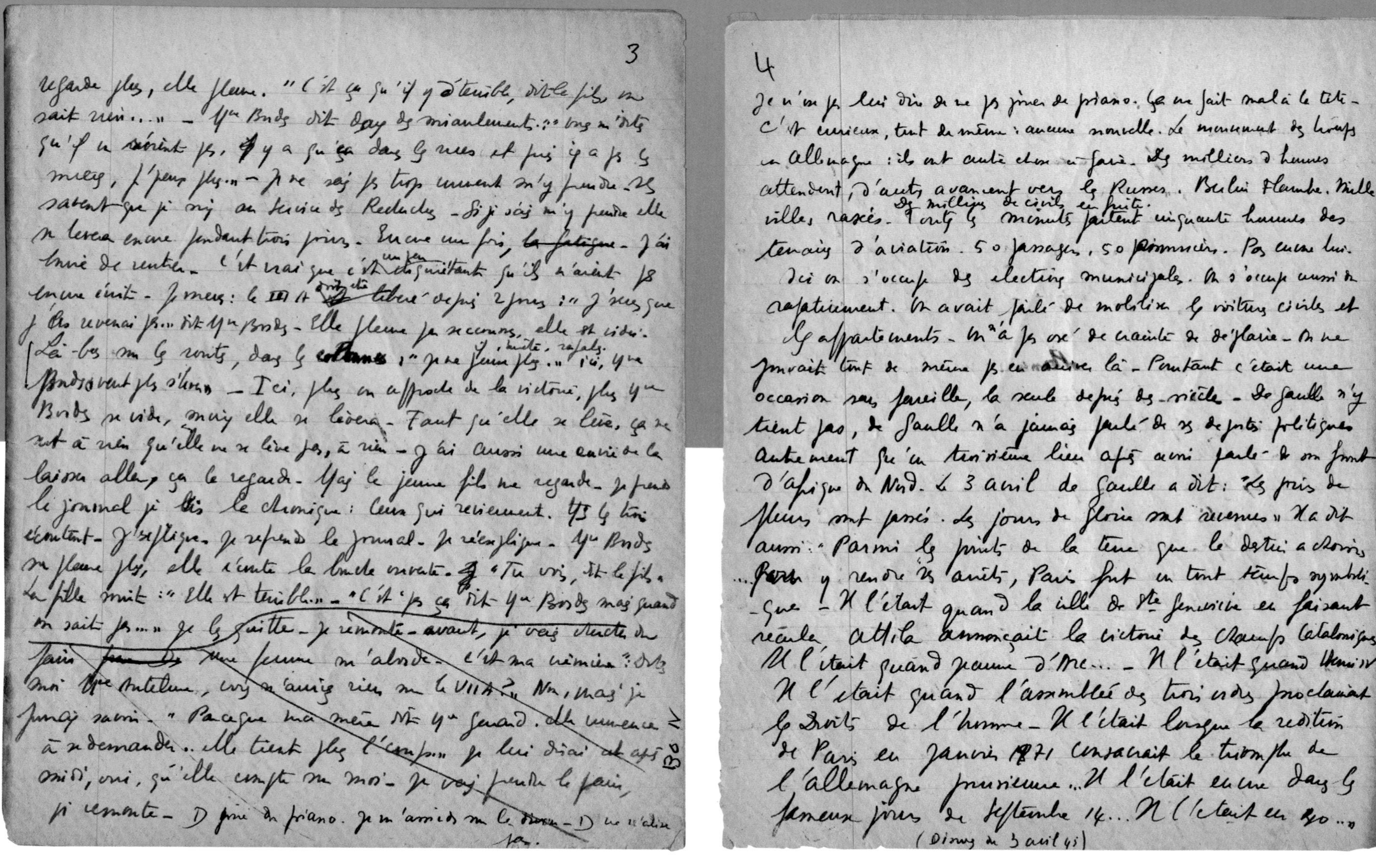

3

regarde plus, elle pleure. « C'est ça qui est terrible, dit le fils, on ne sait rien... » — Mme Bords dit dans ses miaulements : « Vous ne dites pas qu'il ne reviendrait pas. Il y a qu'à ça dans les rues et puis il n'y a pas les nièces, j'peux plus... » Je ne sais pas trop comment m'y prendre. Ils savent que je suis au Service des Recherches. Si je sais m'y prendre elle se lèvera encore pendant trois jours. Encore une fois, ~~la fatigue~~ — j'ai envie de rentrer. C'est vrai que c'est un peu dégoûtant qu'ils n'aient pas encore écrit. Je mens : le III A [illegible] libéré depuis 2 jours : « J'sais que j'les reverrai pas... » dit Mme Bords. Elle pleure par secousses, elle est vidée. Là-bas ils sont, dans les [illegible] ; « Je ne peux plus... » [illegible] Mme Bords [illegible]. Ici, plus on approche de la victoire, plus Mme Bords se vide, mais elle se lèvera. Faut qu'elle se lève, ça ne sert à rien qu'elle ne se lève pas, à rien. J'ai aussi une envie de la laisser aller, ça la regarde. Mais le jeune fils ne regarde. Je prends le journal je lis la chronique : Ceux qui reviennent. [illegible]. J'explique. Je reprends le journal. Je réexplique. Mme Bords ne pleure plus, elle écoute la bouche ouverte. « Tu vois, dit le fils. La fille dit : « Elle est terrible... » « C'est pas ça dit Mme Bords mais quand on sait pas... » Je les quitte. Je remonte. ~~Avant, je vais chercher du pain~~ une femme m'aborde. C'est ma voisine : « Dites-moi Mme Antelme, vous n'auriez rien sur le VII A ? » Non, mais je pourrais savoir. « Parce que ma mère dit Mme Genand. Elle commence à se demander... elle tient plus l'coup... » Je lui dirai cet après-midi, oui, qu'elle compte sur moi. Je vais prendre le pain, je remonte. D joue du piano. Je m'arrête sur le [illegible]. D ne s'arrête pas.

4

Je ne lui dis de ne pas jouer de piano. Ça me fait mal à la tête. C'est curieux, tout de même : aucune nouvelle. Le mouvement des troupes en Allemagne : ils ont autre chose à faire. Des milliers d'hommes attendent, d'autres avancent vers les Russes. Berlin flambe. Mille villes rasées. Des millions de civils en fuite. Toutes les minutes partent cinquante hommes des terrains d'aviation. 50 passagers, 50 prisonniers. Pas encore lui.

Ici on s'occupe des élections municipales. On s'occupe aussi de rapatriement. On avait parlé de mobiliser les voitures civiles et les appartements. On n'a pas osé de crainte de déplaire. On ne pouvait tout de même pas en arriver là. Pourtant c'était une occasion sans pareille, la seule depuis des siècles. De Gaulle n'y tient pas, de Gaulle n'a jamais parlé de ses déportés politiques autrement qu'en troisième lieu après avoir parlé de son front d'Afrique du Nord. Le 3 avril de Gaulle a dit : « Les jours de pleurs sont passés. Les jours de gloire sont revenus. » Il a dit aussi : « Parmi les points de la terre que le destin a choisis pour y rendre ses arrêts, Paris fut en tout temps symbolique. Il l'était quand la ville de Ste Geneviève en faisant reculer Attila annonçait la victoire des Champs Catalauniques. Il l'était quand Jeanne d'Arc... Il l'était quand Henri IV... Il l'était quand l'assemblée des trois ordres proclamait les Droits de l'homme. Il l'était lorsque la reddition de Paris en janvier 1871 consacrait le triomphe de l'Allemagne prussienne... Il l'était encore dans les fameux jours de septembre 14... Il l'était en 40... »
(Discours du 3 avril 45)

1 Première page de l'article de Marguerite Duras, «Sublime, forcément sublime Christine V.» du journal *Libération*, daté 17 juillet 1985.

2 Journalistes et photographes devant le domicile de Christine Villemin.

3 Christine Villemin sortant de chez elle.

4 Brouillon de l'article paru dans *Libération* le 17 juillet 1985 au sujet du meurtre du «petit Grégory» Villemin. Marguerite Duras défraie la chronique en s'emparant du fait divers à la demande de Serge July, qui lui commande un papier. Son article «Sublime, forcément sublime Christine V.», au titre très durassien, fait scandale, l'auteur y laissant entendre la criminalité de la mère de l'enfant, Christine Villemin. Marguerite Duras fait sien ce sujet et le travaille comme un exercice littéraire – en témoigne le brouillon très dense de la première page de l'article. Les nombreuses ratures, corrections et autres commentaires en marge attestent son importance, tant pour la forme stylistique que pour la charge polémique.
À sa publication, les réactions et commentaires sont nombreux. Serge July réitère, un peu provocateur mais moins polémique, en publiant en décembre 1987 un dialogue inattendu entre la star de la littérature française et celle du football français, Michel Platini.

1

L'ÉVÉNEMENT

AFFAIRE DE LA VOLOGNE, 273 ème JOUR

Dès que je vois la maison, je crie que le crime a existé. Je le crois. Au-delà de toute raison.

Marguerite Duras: sublime, forcément sublime Christine V.

Je ne verrai jamais Christine V. C'est trop tard. Mais j'ai vu le juge qui est certainement celui qui est le plus près de cette femme. C'est à lui qu'elle aura parlé le plus. Il dit: *« C'est affreux pour moi d'avoir à l'inculper, d'avoir à en passer par ce moment-là »*. Il dit que Christine est intelligente, qu'elle est fine, spirituelle. J'ai demandé comment était son visage. Comme Denis Robert, il parle aussi d'un joli visage mais d'une légère absence dans le regard. Ce matin, samedi, je vois une photo d'elle dans l'auto qui l'emmène à la prison, je retrouve aussi cette absence, cette inexpressivité légère qui vitrifie le regard.

La maison, je l'ai vue. Eric Favereau n'arrivait pas à trouver le chemin. C'est au gré des tours et des détours qu'elle nous est apparue, tout à coup. Seule sur le sommet d'une colline nue. Dès que je vois la maison, je crie que le crime a existé. C'est ce que je crois. C'est au-delà de la raison. Il fait une pluie légère que le vent rabat sur les portes et les fenêtres fermées comme le jour du crime. La maison est neuve. Elle est à vendre. C'est le châlet vosgien, aux toits de pentes inégales. Tout autour, des collines vides, des chemins déserts, en bas, les sapinières très sombres... Entre les sapinières, la rivière.

Le soir nous parlons du crime, nous en parlons tout le temps pendant quarante-huit heures. Là j'essaye de savoir pourquoi j'ai crié quand j'ai vu la maison. Je n'arrive pas à le savoir. Je rentre à Paris le lendemain, je téléphone à S.July, je lui dis que je ne ferai pas d'article. Et puis à deux heures du matin je commence à l'écrire. Je l'ai repris ce matin-là après un téléphone qui m'annonce que Christine V. est arrêtée.

Seule comme avant la vie

L'enfant a dû être tué à l'intérieur de la maison. Ensuite il a dû être noyé. C'est ce que je vois. C'est au-delà de la raison. Je vois ce crime sans juger de cette justice qui s'exerce à son propos. Rien. Je ne vois qu'elle au centre du monde quant à moi et ne relevant que du temps et de Dieu. Par Dieu je n'entends rien. Personne n'a vu l'enfant jouer devant la maison. La fermière qui est la première voisine n'a pas vu l'enfant ce soir-là, alors qu'elle le voyait tous les soirs lorsqu'elle ramenait ses vaches à l'étable. D'ailleurs ce tas de sable pour jouer, il n'existe pas. C'est un tas de gravier, mélangé à du ciment et du sable. Ça ne tient pas la forme, on ne peut pas jouer avec ça. La pelle qu'on a plantée dans le tas de gravier, je la vois comme un mensonge ou une erreur. Pour faire croire seulement. Un journaliste, un photographe ou un criminel. Le père avait fait poser sur les murs de la chambre de cet enfant un papier peint représentant des rallyes de motos. Il avait aussi acheté une petite moto pour se promener avec lui, pour lui apprendre C'était les motos que cet enfant aimait, les gros engins de course, rapides. Il n'avait que faire de jouer autrement.

L'enfant, oui, je ne peux pas m'empêcher de le croire, tout à coup, quel que soit le tueur, il a dû être tué dans la maison. On a fermé les volets pour ça. C'est ensuite qu'on est allé le noyer dans la rivière. On l'a tué ici, sans doute, dans la douceur, ou bien dans un amour soudain, incommensurable, devenu fou, d'avoir à le faire. De la rivière il n'est parti aucune plainte, aucun cri, personne n'a entendu d'enfant, quand on l'y a mis il était déjà mort.

La première personne qui a parlé de la disparition de l'enfant, c'est la mère de l'enfant, Christine V. C'est elle qui est allée voir la nourrice pour lui demander si elle ne l'avait pas vu, s'il n'était pas retourné chez elle. Une fois chez la nourrice, chose inattendue, bouleversante, je dois dire, Christine V. pose la question et aussitôt après elle parle d'elle, de son existence. Elle dit: *« Tu ne peux pas imaginer la vie que j'endure depuis des années »*. Est-ce que ce sont des lettres du corbeau dont elle parle? Il semblerait que dans ce cas elle aurait dit: la vie *que nous* endurons lui et moi. Au lieu d'être dans une angoisse immédiate, atroce, à cause de la disparition de son enfant, Christine V. parle de l'existence qu'elle a endurée. Comme si la disparition de cet enfant en inaugurant un malheur à venir fermait les vannes d'un malheur passé. C'est là, il me semble, que la raison du meurtre se rapprocherait de nous, qu'une sorte de relation causale décisive s'établirait entre la vie de Christine V. et la disparition de son enfant. Mais peut-être est-ce tout simplement trop tôt pour qu'elle s'inquiète vraiment de la disparition? Peut-être. On ne saura jamais. On peut dire ça: ou bien elle n'est pas inquiète pour l'enfant et dans ce cas elle vient parler avec la nourrice, prétextant de l'enfant disparu pour parler avec elle de sa vie. Peut-être qu'elle n'est pas inquiète aussi parce que c'est souvent qu'il partirait cet enfant. Qui sait? Comme ça, qu'il partirait avec son père et qu'ils oublieraient parfois de la prévenir et qu'elle ne s'en plaindrait pas parce qu'elle aimerait être abandonnée de la sorte, se retrouver seule comme avant la vie. C'est possible. Et que ce soit dans cet abandon que la confirmation du malheur s'installerait irrémédiablement chaque soir plus avant, c'est également possible. Et que les progrès de ce malheur elle ne les voit pas se faire, c'est certain elle ignorerait de plus en plus où elle va: une nuit qui descendrait sur elle Christine V. innocente qui peut-être a tué sans savoir comme moi j'écris sans savoir, les yeux contre la vitre à essayer de voir clair dans le noir grandissant du soir de ce jour d'octobre.

Ou bien elle a oublié. Quoi aurait-elle oublié? Cela: que pour elle il n'y aurait pas eu de disparition de l'enfant, que c'est seulement pour les autres qu'il y aurait eu disparition de l'enfant, qu'elle aurait dû cacher qu'elle savait du moment que les autres ignoraient encore. Cette imprudence, cette distraction, à savoir qu'au lieu de ne parler que de l'enfant, de sa disparition brutale, vertigineuse, ou de se taire, Christine V. fait une confidence profonde, intemporelle, sur sa propre existence. Je crois qu'on peut dire davantage encore, croire que Christine V. est allée voir la nourrice pour lui dire ça, cette phrase-là qui dirait tout en une fois l'enfer du passé et celui de l'avenir.

Elle a oublié autre chose. La nourrice, amie de Christine, habite à plus d'un kilomètre de chez elle. Que l'enfant ait pu retourner chez sa nourrice, qu'il ait fait cette distance à pied, paraît être la plus improbable des hypothèses, et c'est pourtant là que Christine V. va chercher son enfant.

Là où elle a le moins de chance de le retrouver. Donc elle y serait allée pour y être allée? Dans ce cas la confidence sur le malheur de sa vie aurait été de surcroît.

La vie, dans ces maisons, personne ne la connaît

Toutes ces circonstances, ces erreurs, ces imprudences, cette priorité qu'elle fait de son malheur sur celui de la perte de son enfant – et autre chose comme ce regard toujours pris de court – me porterait à croire que l'enfant n'aurait pas été le plus important dans la vie de Christine V. Pourquoi pas? Il arrive que les femmes n'aiment pas leurs enfants, ni leur maison, qu'elles ne soient pas les femmes d'intérieur qu'on attendait qu'elles soient. Qu'elles ne soient pas non plus les femmes de leur mari.

Qu'elles ne soient pas de bonnes mères, de même qu'elle ne soient pas fidèles, des fugueuses, et que malgré cela elles aient tout subi, le mariage, la baise, l'enfant, la maison, les meubles et que ça ne les ait changé en rien même pour un seul jour.

Pourquoi une maternité ne serait-elle pas mal venue?

Pourquoi la naissance d'une mère par la venue de l'enfant ne serait-elle pas ratée elle aussi par les paires de gifles de l'homme pour les beefsteaks mal cuits par exemple? Comme la jeunesse peut l'être de même par la paire de gifles pour un zéro en maths.

Quand elles ont un enfant qu'elles ne reconnaissent pas comme leur propre enfant, c'est peut-être qu'elles ne voulaient pas de cet enfant, qu'elles ne voulaient pas vivre. Et dans ce cas aucune morale, aucune sanction ne leur fera reconnaître que cet enfant est le leur. Il faut les laisser tranquille avec leurs histoires, ne pas les insulter, les frapper. Que toutes ces circonstances dites plus haut se soient trouvées enchaînées autour de Christine V. et qu'elle ait laissé faire comme si ces choses-là ne l'avaient pas regardé, c'est possible. Il se peut que Christine V. ait vécu une existence tout à fait artificielle dont elle n'avait que faire.

Christine V., il se pourrait qu'elle soit une vagabonde en vérité, une rocky de banlieue en vérité, sans feu ni loi, sans mariage contracté, à dormir avec n'importe qui, n'importe où, à manger n'importe quoi et que c'eût été dans ce malheur là qu'elle aurait pleuré pour de bon et ri de même. La vie qu'on mène réellement dans cette maison de la colline ou ailleurs, dans des maisons équivalentes, personne ne la connaît, même pas le juge. Entre ceux qui la connaissent le moins mal il y a d'abord des enfants et puis il y a des femmes.

La loi du couple faite par l'homme

Il se pourrait que Christine V. ait vécu avec un homme difficile à supporter.

Ça ne devait pas être un homme méchant, non, ce devait être un homme d'ordre, de devoir. Je vois la dureté de cet homme s'exercer sans trêve aucune, être de principe, éducative. Je crois voir qu'il dresse sa femme selon son idée et qu'il prend à ce dressage un certain plaisir grandissant, un certain désir. Quand la loi du couple est faite par l'homme, elle englobe toujours une sexualité obligée par l'homme de la part de la femme. Regardez bien autour de vous: quand les femmes sont comme celle-ci, inattentives, oublieuses de leurs enfants, c'est qu'elle vivent dans la loi de l'homme, qu'elles chassent des images, que toutes leurs forces, elles s'en servent pour ne pas voir, survivre. Il n'y a pas de jardin autour de la villa, c'est resté dans l'état du jour de finition des travaux. Elles ne font pas le jardin. Celles-là, elles ne plantent pas les fleurs de saison. Parfois elles s'asseyent devant la maison, exténuées par le vide du ciel, la dureté de la lumière. Et les enfants viennent autour d'elles et jouent avec leur corps, grimpent dessus, le défont, le décoiffent, le battent, et rient et elles, elles restent impassibles, elles laissent faire, et les enfants sont enchantés d'avoir une mère pour jouer et l'aimer.

Non, l'enfant ne devait pas être le plus important dans la vie de Christine V. Il ne devait rien y avoir de plus important dans sa vie à elle qu'elle-même. Dans sa vie à lui, si, l'enfant devait être le plus important de tout ce qu'il avait vécu, le plus beau, le plus inattendu, la manne de Dieu. C'est terrible. Il a dit d'elle que c'était une épouse merveilleuse et qu'il souhaitait

On l'a tué dans la douceur ou dans un amour devenu fou

La transgression de l'écriture

« *J'aime le crime* » : Marguerite Duras dit tout haut ce que nous pensons tous, plus ou moins bas. A preuve, cette passion collective pour l'affaire de L[illegible]. D'entrée, Marguerite Duras a été fascinée par Christine Villemin, qui au fil de ses lectures devenait intérieurement une héroïne de l'écriture de l'auteur de *L'Amant* dont j'invente à la fois l'idée et le titre: *Le Crime*. Marguerite Duras attendait que quelqu'un lui demande d'entrer dans « *la matérialité de la matière* », comme elle l'écrit. Elle s'est précipitée à Lépanges pour photographier les lieux et les visages Pour mesurer la densité de l'air. Mais surtout pour « voir » Christine Villemin. C'est ce qu'elle avait demandé à son avocat Me Garaud: « *seulement la voir quelques minutes, ne pas la déranger, surtout ne pas l'interroger* ».

Ce n'est pas un travail de journaliste, d'enquêteur à la recherche de la vérité. Mais celui d'un écrivain en plein travail, fantasmant la réalité en quête d'une vérité qui n'est sans doute pas la vérité, mais une vérité quand même, à savoir celle du texte écrit. Ce n'est de toute évidence pas la vérité de Christine Villemin, ni vraiment celle de Marguerite Duras, mais celle d'une femme « *sublime, forcément sublime* » flottant entre deux langages, celui de l'écrivain d'une part et celui bien réel, en grande partie non-dit, de Christine Villemin.

Reste que Christine Villemin est une personne vivante accusée du meurtre de son enfant, mais nécessairement « *présumée innocente* », parce que rien ne prouve que cette femme soit effectivement coupable. Et pour en revenir à Roland Barthes à propos de l'affaire Dominici: « *Voler son langage à un homme au nom même du langage, tous les meurtres légaux commencent par là.* » En cela, le texte de Marguerite Duras est scandaleux, car si elle ne vole pas son langage à Christine Villemin, elle ose rêver publiquement de la douleur de cette femme, transgressant son propre malaise et le nôtre, pour affoler le jeu de miroirs qu'offre à chacun de nous toute grande affaire criminelle. Parce qu'elle met en scène « la part maudite » de l'homme.

La littérature et la justice font rarement bon ménage. L'une dérègle quand l'autre règle. L'une transgresse quand l'autre est censée protéger, rendre théoriquement des individus réels plus intouchables encore. Et Christine Villemin, à l'heure actuelle, est une intouchable.

Pour Marguerite Duras, cette femme, Christine, d'une manière ou d'une autre, impose silence à la justice. Parce qu'elle ne peut pas être jugée pour ce qu'elle n'a pas fait ou pour ce qu'elle a fait: car plus que tout autre le monde de la douleur est un monde de silence.

S.J.

4 *LIBERATION • MERCREDI 17 JUILLET 1985*

2

3

Christine Villemin qui n'est pas capable d'aligner deux phrases, elle me passionne parce qu'elle a […] la violence insondable. Il y a une conduite instinctive qu'on peut essayer d'explorer, qu'on peut rendre au silence. Rendre au silence une conduite masculine est beaucoup plus difficile, beaucoup plus faux, parce que les hommes ce n'est pas le silence. Dans les temps anciens, dans les temps reculés, depuis des millénaires, le silence c'est les femmes. Donc la littérature c'est les femmes. Qu'on y parle d'elles ou qu'elles la fassent, c'est elles.
La Vie matérielle, 1987

4

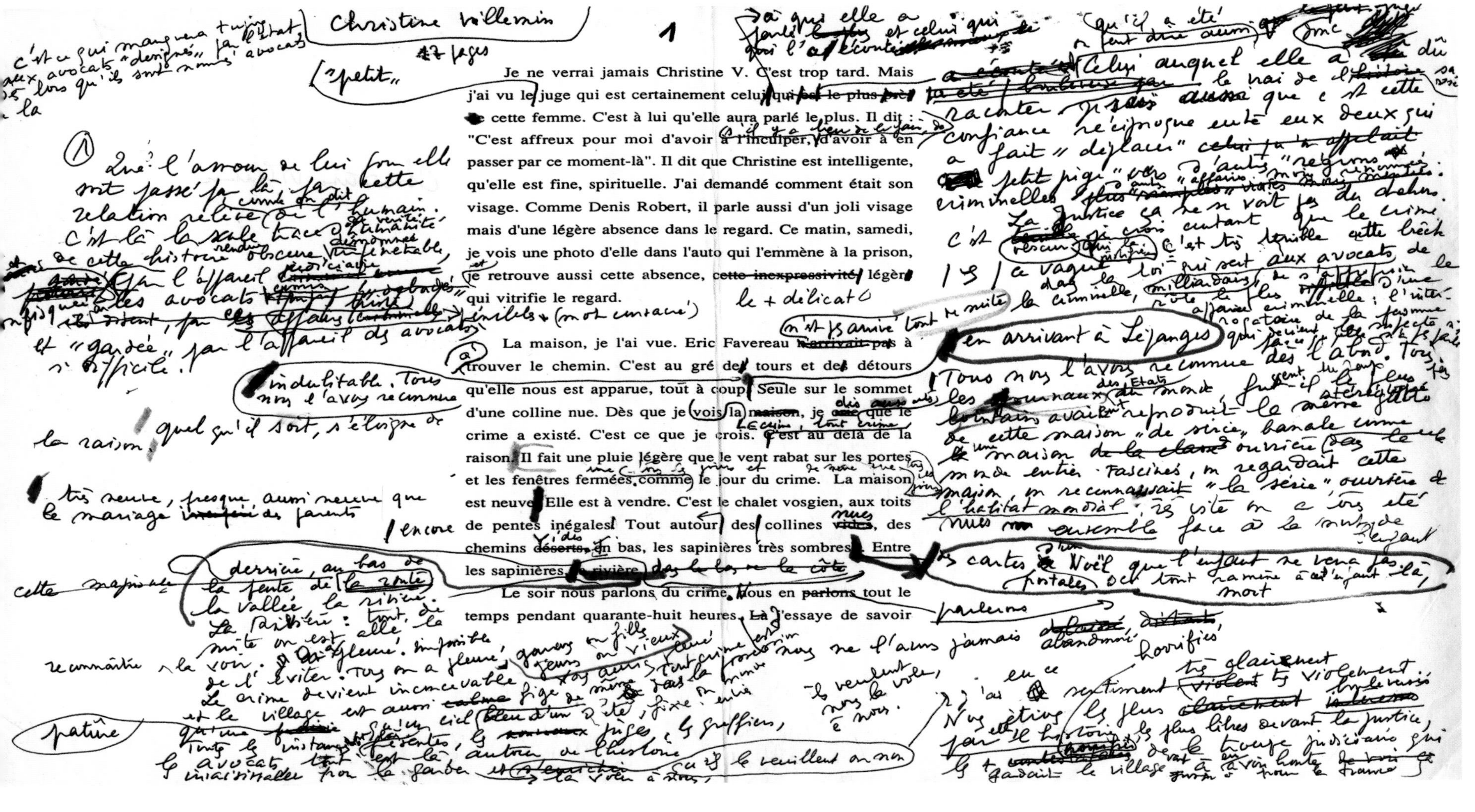

Christine Villemin

47 pages

"petit"

1

Je ne verrai jamais Christine V. C'est trop tard. Mais j'ai vu le juge qui est certainement celui qui est le plus près de cette femme. C'est à lui qu'elle aura parlé le plus. Il dit : "C'est affreux pour moi d'avoir à l'inculper, d'avoir à en passer par ce moment-là". Il dit que Christine est intelligente, qu'elle est fine, spirituelle. J'ai demandé comment était son visage. Comme Denis Robert, il parle aussi d'un joli visage mais d'une légère absence dans le regard. Ce matin, samedi, je vois une photo d'elle dans l'auto qui l'emmène à la prison, je retrouve aussi cette absence, cette inexpressivité légère qui vitrifie le regard.

La maison, je l'ai vue. Eric Favereau n'arrivait pas à trouver le chemin. C'est au gré des tours et des détours qu'elle nous est apparue, tout à coup. Seule sur le sommet d'une colline nue. Dès que je vois la maison, je crie que le crime a existé. C'est ce que je crois. C'est au delà de la raison. Il fait une pluie légère que le vent rabat sur les portes et les fenêtres fermées, comme le jour du crime. La maison est neuve. Elle est à vendre. C'est le chalet vosgien, aux toits de pentes inégales. Tout autour des collines vides, des chemins déserts. En bas, les sapinières très sombres. Entre les sapinières, la rivière dans le bas de la côte.

Le soir nous parlons du crime. Nous en parlons tout le temps pendant quarante-huit heures. Là j'essaye de savoir

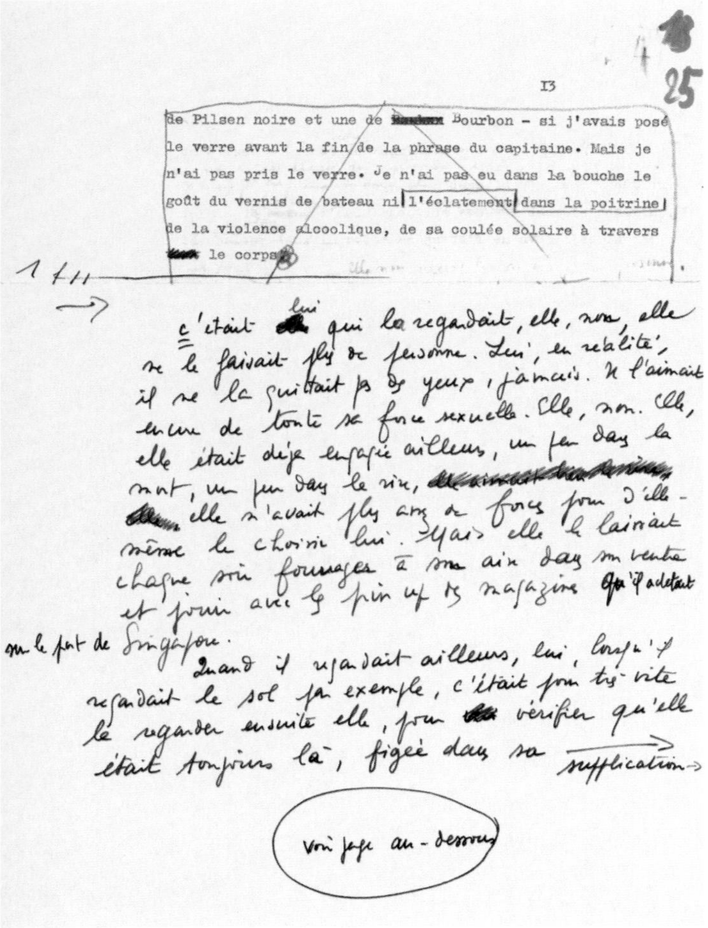

13

25

de Pilsen noire et une de Bourbon – si j'avais posé le verre avant la fin de la phrase du capitaine. Mais je n'ai pas pris le verre. Je n'ai pas eu dans la bouche le goût du vernis de bateau ni l'éclatement dans la poitrine de la violence alcoolique, de sa coulée solaire à travers le corps.

c'était lui qui la regardait, elle, non, elle ne le faisait plus de personne. Lui, en réalité, il ne la quittait pas des yeux, jamais. Il l'aimait encore de toute sa force sexuelle. Elle, non. Elle, elle était déjà engagée ailleurs, un peu dans la mort, un peu dans le vin, elle n'avait plus assez de force pour d'elle-même le choisir lui. Mais elle le laissait chaque soir fourrager à son aise dans son ventre et jouir avec les pin up des magazines qu'il achetait sur le port de Singapour.

Quand il regardait ailleurs, lui, lorsqu'il regardait le sol par exemple, c'était pour très vite le regarder ensuite elle, pour vérifier qu'elle était toujours là, figée dans sa supplication →

voir page au-dessous

1

1 *Emily L.* se passe dans un petit port en Normandie, sur la Seine, à Quillebeuf, près du Havre. Cette histoire volontairement banale, dans un lieu banal, lui vaut les railleries d'une partie de la critique, au point que le roman est pastiché sous le titre *Virginie Q.*, signé Marguerite Duraille (en vérité Patrick Rambaud, de l'académie Goncourt).

2 et 5 À cette époque, Marguerite Duras, qui alterne séjours à l'hôpital et périodes de convalescence, entretient un rapport différent à l'écriture. Parallèlement à ses articles et à ses romans, elle écrit sur son quotidien. Au cours d'un long entretien de plusieurs semaines avec son ami Jérôme Beaujour, rue Saint-Benoît, dans *La Vie matérielle*, elle livre sous forme de textes des impressions, des souvenirs, des analyses sur sa vie. Elle y aborde des sujets de son quotidien mais revient également sur des moments de sa vie beaucoup plus personnels et douloureux. Leur proximité dans le recueil donne à chacun des textes une valeur unique et très particulière. Certains sont dactylographiés et annotés par l'auteur, d'autres sont entièrement manuscrits, puis recomposés.

3 La cuisine de Neauphle-le-Château, évoquée dans *La Vie matérielle*, telle qu'elle était du temps de Marguerite Duras et qui a semble-t-il très peu changé. La table vue dans le film *Nathalie Granger* est toujours à sa place.

4 Une console dans l'appartement de Trouville où sont assemblés des souvenirs, des photos, des objets divers réunis par Marguerite Duras qui aime s'entourer de fétiches, comme elle l'évoque dans *La Vie matérielle*.

6 Marguerite Duras entretient avec ses écrits une relation toute particulière. Dans ce brouillon, elle témoigne de l'importance de l'archivage dans son œuvre.

7 Marguerite Duras est une figure intellectuelle incontournable dont l'avis est écouté. Elle assume ses convictions et le fait savoir, inflexible et fidèle à ses engagements. Elle n'hésite pas à s'imposer telle qu'elle est, comme le montre ce carton d'invitation à une réception à l'Élysée.

8 Marguerite Duras aborde aussi avec humour et autodérision la question de son image : dans un de ses brouillons dactylographié et annoté de sa main, elle évoque son fameux uniforme MD.

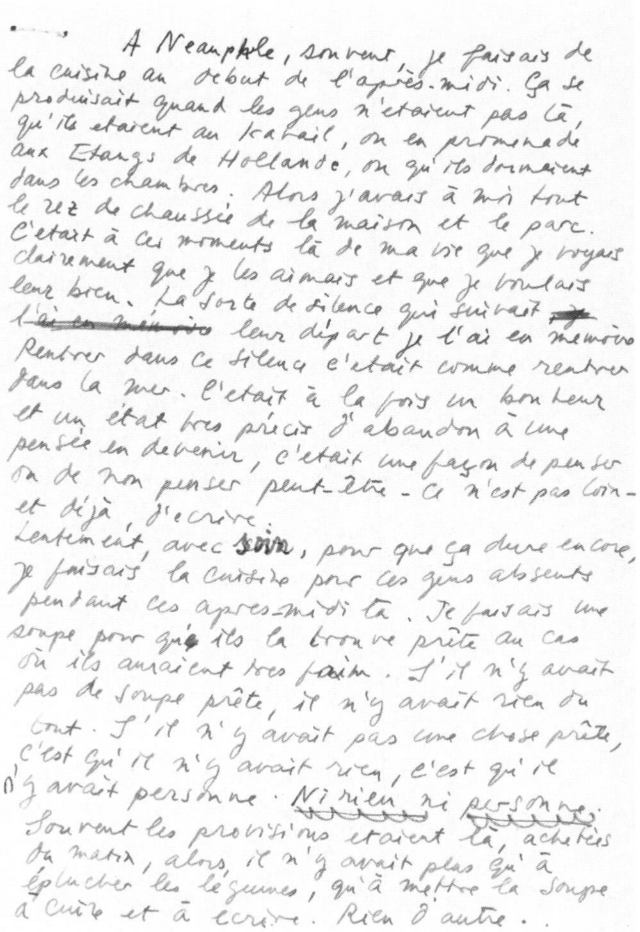

A Neauphle, souvent, je faisais de la cuisine au début de l'après-midi. Ça se produisait quand les gens n'étaient pas là, qu'ils étaient au travail, ou en promenade aux Étangs de Hollande, ou qu'ils dormaient dans les chambres. Alors j'avais à moi tout le rez de chaussée de la maison et le parc. C'était à ces moments là de ma vie que je voyais clairement que je les aimais et que je voulais leur bien. La sorte de silence qui suivait leur départ je l'ai en mémoire. Rentrer dans ce silence c'était comme rentrer dans la mer. C'était à la fois un bonheur et un état très précis d'abandon à une pensée en devenir, c'était une façon de penser ou de non penser peut-être – ce n'est pas loin – et déjà, d'écrire.
Lentement, avec soin, pour que ça dure encore, je faisais la cuisine pour ces gens absents pendant ces après-midi là. Je faisais une soupe pour qu'ils la trouve prête au cas où ils auraient très faim. S'il n'y avait pas de soupe prête, il n'y avait rien du tout. S'il n'y avait pas une chose prête, c'est qu'il n'y avait rien, c'est qu'il n'y avait personne. Ni rien ni personne.
Souvent les provisions étaient là, achetées du matin, alors, il n'y avait plus qu'à éplucher les légumes, qu'à mettre la soupe à cuire et à écrire. Rien d'autre..

2

Le livre ne représente tout au plus que ce que je pense certaines fois, certains jours, de certaines choses. Donc il représente aussi ce que je pense. Je ne porte pas en moi la dalle de la pensée totalitaire, je veux dire : définitive. J'ai évité cette plaie. […] *J'ai hésité à le publier mais aucune formation livresque prévue ou en cours n'aurait pu contenir cette écriture flottante de* La Vie matérielle, *ces allers et retours entre moi et moi, entre vous et moi dans ce temps qui nous est commun.*
La Vie matérielle, 1987

3

4

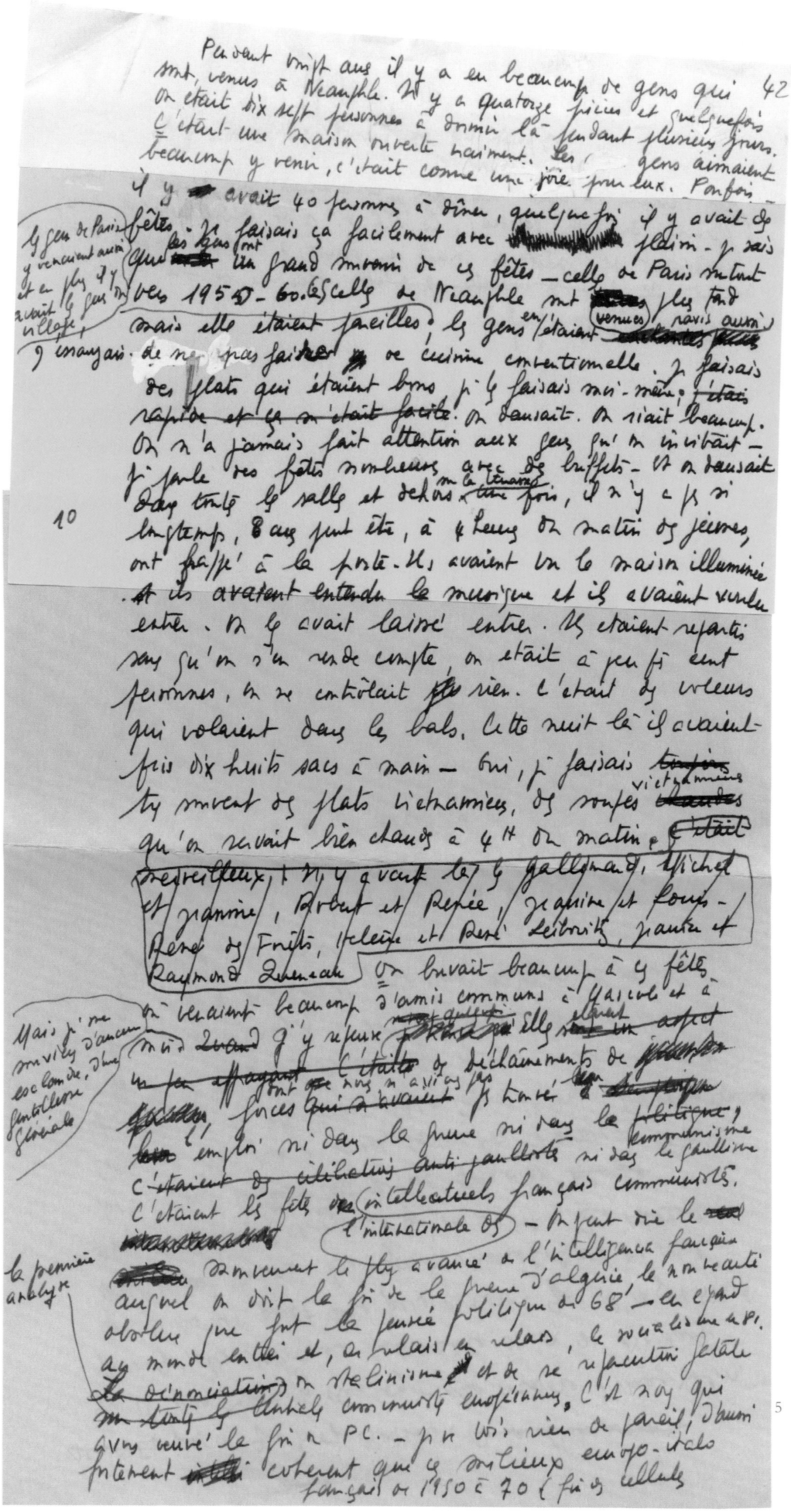

Pendant vingt ans il y a eu beaucoup de gens qui sont venus à Neauphle. Il y a quatorze pièces et quelquefois on était dix-sept personnes à dormir là pendant plusieurs jours. C'était une maison ouverte vraiment. Les gens aimaient beaucoup y venir, c'était comme une joie pour eux. Parfois il y avait 40 personnes à dîner, quelquefois il y avait des fêtes. Je faisais ça facilement avec plaisir. Je sais que les gens ont un grand souvenir de ces fêtes – celles de Paris surtout vers 1955-60. Celles de Neauphle sont venues plus tard mais elles étaient pareilles, les gens en étaient ravis aussi. J'essayais de ne pas faire de cuisine conventionnelle. Je faisais des plats qui étaient bons je les faisais moi-même. On dansait. On riait beaucoup. On n'a jamais fait attention aux gens qu'on invitait – je parle des fêtes nombreuses avec des buffets – et on dansait dans toutes les salles et dehors, sur la terrasse. Il n'y a pas si longtemps, 8 ans peut-être, à 4 heures du matin des jeunes ont frappé à la porte. Ils avaient vu la maison illuminée et ils avaient entendu la musique et ils avaient voulu entrer. On les avait laissé entrer. Ils étaient repartis sans qu'on s'en rende compte, on était à peu près cent personnes, on ne contrôlait rien. C'était des voleurs qui volaient dans les bals. Cette nuit-là ils avaient pris dix-huit sacs à main – Oui, je faisais très souvent des plats vietnamiens, des soupes vietnamiennes qu'on servait bien chauds à 4 H du matin. Il y avait les Gallimard, Michel et Jeannine, Robert et Renée, Jeanine et Louis-René des Forêts, Hélène et René Leibowitz, Jeanne et Raymond Queneau. On buvait beaucoup à ces fêtes. On venait beaucoup d'amis communs à Marcel et à moi. [illegible]

10

Les gens de Paris y venaient aussi et en plus il y avait les gens du village.

Mais je me souviens d'aucun esclandre, d'une gentillesse générale

la première analyse

5

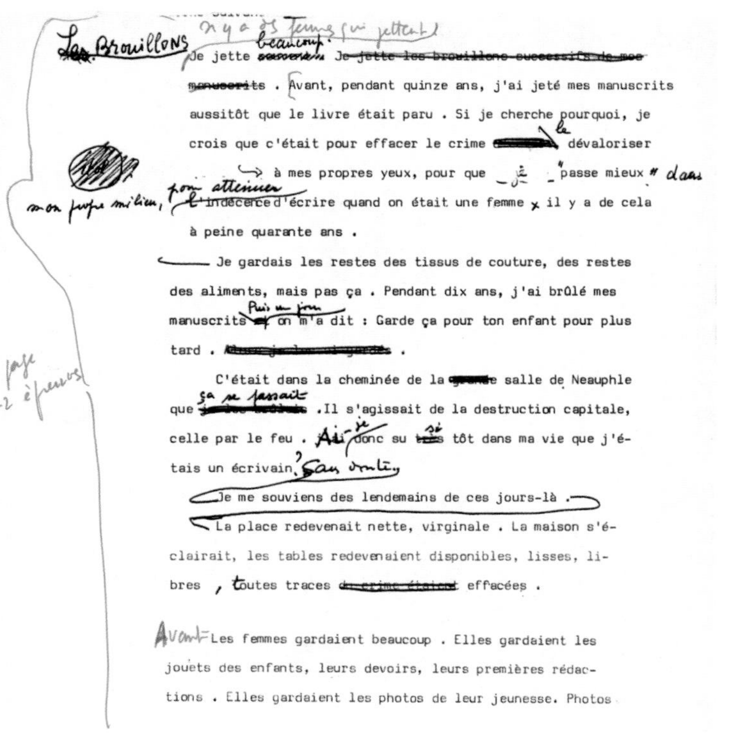

Les Brouillons

Il y a des femmes qui jettent beaucoup.

Je jette ~~souvent~~ ~~Je jette les brouillons successifs de mes manuscrits~~ . Avant, pendant quinze ans, j'ai jeté mes manuscrits aussitôt que le livre était paru . Si je cherche pourquoi, je crois que c'était pour effacer le crime le dévaloriser à mes propres yeux, pour que « ça » passe mieux dans mon propre milieu, pour atténuer l'indécence d'écrire quand on était une femme il y a de cela à peine quarante ans .

Je gardais les restes des tissus de couture, des restes des aliments, mais pas ça . Pendant dix ans, j'ai brûlé mes manuscrits Puis un jour on m'a dit : Garde ça pour ton enfant pour plus tard .

C'était dans la cheminée de la salle de Neauphle que ça se passait .Il s'agissait de la destruction capitale, celle par le feu . Ai-je donc su si tôt dans ma vie que j'étais un écrivain ? Sans doute.

Je me souviens des lendemains de ces jours-là .

La place redevenait nette, virginale . La maison s'éclairait, les tables redevenaient disponibles, lisses, libres , toutes traces effacées .

Avant Les femmes gardaient beaucoup . Elles gardaient les jouets des enfants, leurs devoirs, leurs premières rédactions . Elles gardaient les photos de leur jeunesse. Photos

page 72 épreuves

6

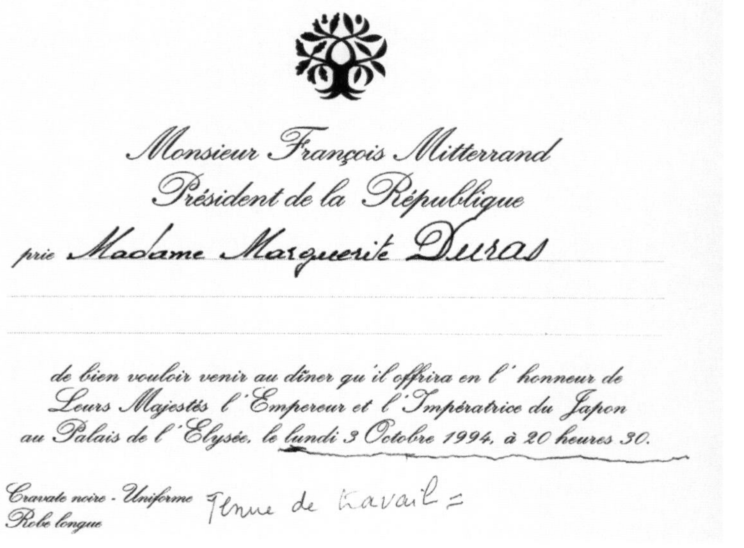

Monsieur François Mitterrand
Président de la République
prie Madame Marguerite Duras

de bien vouloir venir au dîner qu'il offrira en l'honneur de Leurs Majestés l'Empereur et l'Impératrice du Japon au Palais de l'Elysée, le lundi 3 Octobre 1994, à 20 heures 30.

Cravate noire - Uniforme Tenue de travail =
Robe longue

7

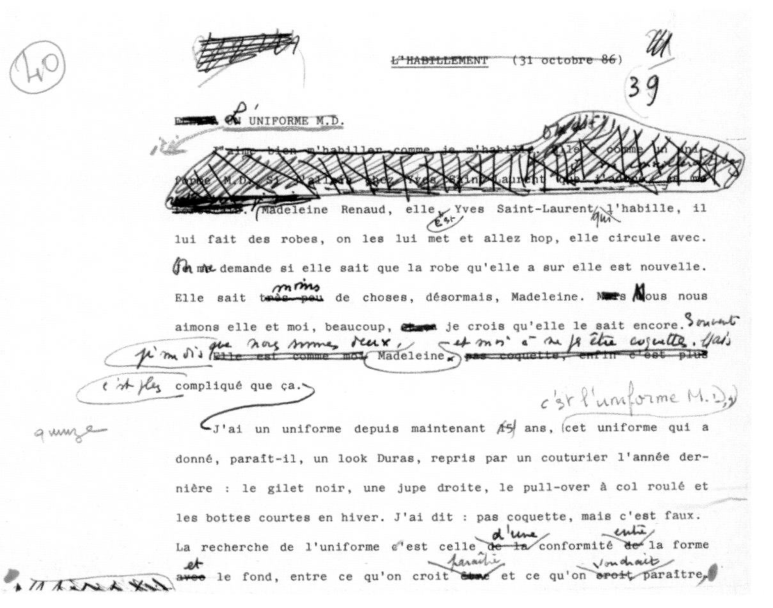

~~L'HABILLEMENT (31 octobre 86)~~ 39

40

L'UNIFORME M.D.

Madeleine Renaud, elle, c'est Yves Saint-Laurent qui l'habille, il lui fait des robes, on les lui met et allez hop, elle circule avec. On demande si elle sait que la robe qu'elle a sur elle est nouvelle. Elle sait moins de choses, désormais, Madeleine. Nous nous aimons elle et moi, beaucoup, je crois qu'elle le sait encore. Souvent je me dis que nous sommes deux, Madeleine et moi à ne pas être coquettes. Mais c'est plus compliqué que ça.

J'ai un uniforme depuis maintenant quinze ans, c'est l'uniforme M.D., cet uniforme qui a donné, paraît-il, un look Duras, repris par un couturier l'année dernière : le gilet noir, une jupe droite, le pull-over à col roulé et les bottes courtes en hiver. J'ai dit : pas coquette, mais c'est faux. La recherche de l'uniforme c'est celle d'une conformité entre la forme et le fond, entre ce qu'on croit paraître et ce qu'on voudrait paraître,

8

1

2

3

1 Marguerite Duras dans son appartement de Trouville, 1986-1987.

2 Avec Jérôme Beaujour, au cours d'un de leurs entretiens. Trouville, 1986-1987.

3 Attachée à la vie pratique, elle a établi une fameuse liste de courses, dont elle donne la teneur dans *La Vie matérielle*. Cette sorte de liste de premières nécessités, dans laquelle même le ron-ron du chat a sa place, se trouve en permanence accrochée au mur de la cuisine de Neauphle-le-Château.

4 Déjà à l'époque du «groupe de la rue Saint-Benoît», Marguerite Duras a une réputation de cordon bleu. Sur les tournages, à Neauphle-le-Château, elle assure la «cantine». Terrienne, elle attache une grande importance à la cuisine, même simple, comme sa fameuse soupe de poireaux dont elle donne la recette dans *Outside*; elle aime également préparer les plats de son enfance comme le *thit khô*, le porc au caramel, qu'elle consigne parmi de nombreuses autres recettes.

J'ai ce goût profond de gérer la maison. J'ai eu ce goût toute ma vie. Et il me reste encore quelque chose. Maintenant encore, il me faut savoir ce qu'il y a à manger dans les armoires, s'il y a tout ce qu'il faut, à tout moment, pour durer, vivre, survivre. Moi aussi je cherche encore l'autarcie du bateau, du voyage de la vie, pour les gens que j'aime et pour mon enfant.
La Vie matérielle, 1987

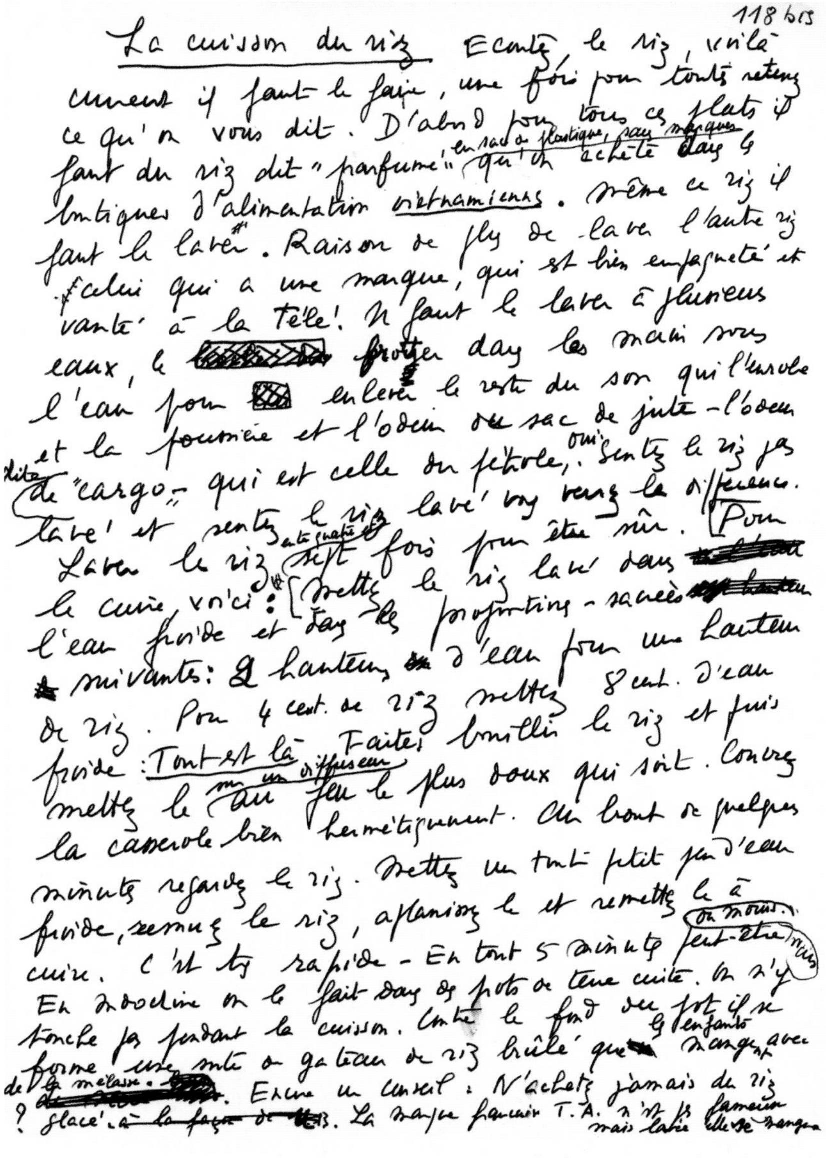
118 bis

La cuisson du riz. Ecoutez le riz, voilà comment il faut le faire, une fois pour toutes retenez ce qu'on vous dit. D'abord pour tous ces plats il faut du riz dit "parfumé" en sac de plastique, sans marque qu'on achète dans les boutiques d'alimentation vietnamiennes. Même ce riz il faut le laver. Raison de plus de laver l'autre riz celui qui a une marque, qui est bien empaqueté et vanté à la Télé. Il faut le laver à plusieurs eaux, le frotter dans les mains sous l'eau pour enlever le reste du son qui l'enrobe et la poussière et l'odeur du sac de jute – l'odeur de "cargo" qui est celle du pétrole. Sentez le riz pas lavé et sentez le riz lavé vous verrez la différence. Laver le riz sept fois pour être sûr. Pour le cuire, voici : mettez le riz lavé dans l'eau froide et dans les proportions sacrées suivantes : hauteur d'eau pour une hauteur de riz. Pour 4 cent. de riz mettez 8 cent. d'eau froide : Tout est là. Faites bouillir le riz et puis mettez le sur un diffuseur feu le plus doux qui soit. Couvrez la casserole bien hermétiquement. Au bout de quelques minutes regardez le riz. Mettez un tout petit peu d'eau froide, remuez le riz, aplanissez le et remettez le à cuire. C'est très rapide – En tout 5 minutes peut-être un peu moins. En Indochine on le fait dans des pots de terre cuite. On n'y touche pas pendant la cuisson. Contre le fond du pot il se forme une sorte de gâteau de riz brûlé que les enfants mangent avec de la mélasse. Encore un conseil : N'achetez jamais du riz glacé à la façon de [illegible]. La marque française T.A. n'est pas fameuse mais [illegible]
4

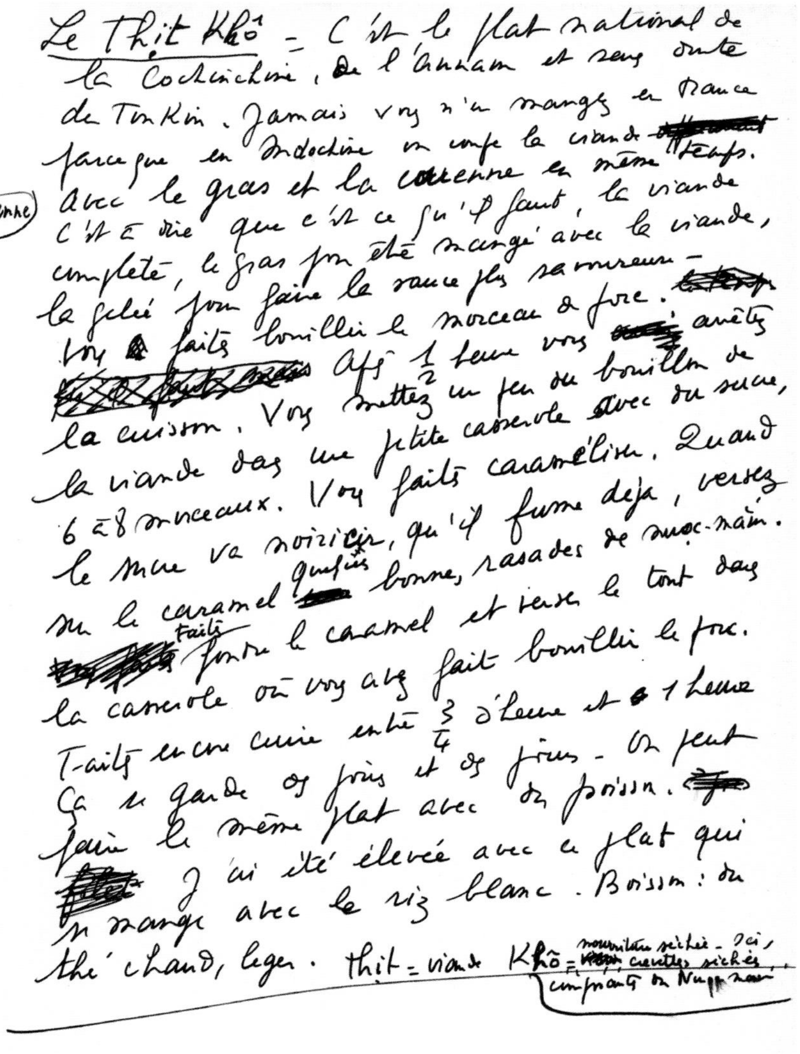
Le Thit Khô – C'est le plat national de la Cochinchine, de l'Annam et sans doute du Tonkin. Jamais vous n'en mangez en France parce qu'en Indochine on coupe la viande en même temps. Avec le gras et la couenne en même temps. Avec le gras et la couenne c'est ce qu'il faut, la viande c'est évident que c'est ce qu'il faut, la viande complète, le gras pour être mangé avec la viande, la gelée pour faire la sauce plus savoureuse. Vous faites bouillir le morceau de porc. Arrêtez la cuisson. Après 1/2 heure vous mettez un peu de bouillon de la cuisson. Vous mettez une petite casserole avec du sucre, la viande dans une petite casserole. Vous faites caraméliser. Quand 6 à 8 morceaux. Vous faites caraméliser. Quand le sucre va noircir, qu'il fume déjà, versez sur le caramel quelques bonnes rasades de nuoc-mam. Faites fondre le caramel et versez le tout dans la casserole où vous avez fait bouillir le porc. Faites encore cuire entre 3/4 d'heure et 1 heure. Ça se garde des jours et des jours. On peut faire le même plat avec du poisson. J'ai été élevée avec ce plat qui se mange avec le riz blanc. Boisson : du thé chaud, léger. Thit = viande Khô = nourriture séchée – ou, [illegible] cuites séchées, [illegible]

1 Marguerite Duras et François Mitterrand se connaissent depuis l'avant-guerre, du temps de leurs études à la faculté de droit dans les années 1930. Un peu plus de cinquante ans plus tard, à l'initiative de Michel Butel pour son magazine *L'Autre Journal*, ils entament entre 1985 et 1986 une longue conversation qui revient sur les années de guerre. Ils abordent également d'autres sujets politiques ou économiques du moment. Ces conversations sont rassemblées sous le titre *Le Bureau de poste de la rue Dupin* dont le titre évoque le terrible événement de l'arrestation de plusieurs membres du réseau de François Mitterrand, alias Jacques Morland, dont Robert Antelme, le 1er juin 1944. Ce recueil paraît chez Gallimard en 2006. Ce dialogue, qui permet de revenir sur de vieux souvenirs, mais aussi de mettre au jour des divergences de points de vue, prouve combien les vies de ces deux témoins privilégiés de l'histoire ont été secouées par les tumultes du siècle. Ils sont d'autant plus vivaces que c'est la période durant laquelle Marguerite Duras replonge dans ses souvenirs retrouvés dans ses *Cahiers de la guerre*.

2 Marguerite Duras, entre Françoise Giroud et Roland Dumas le 26 avril 1988, deux jours après le premier tour du scrutin des présidentielles de 1988.

3 Bien que mitterrandienne inconditionnelle lors des élections présidentielles de 1981, Marguerite Duras ne s'engage pas vraiment au côté de François Mitterrand, déçue par les positions diverses des candidats de gauche. C'est en 1988, lors du renouvellement de sa candidature, qu'elle lui apporte tout son soutien. Elle participe à des émissions télévisées, comme *L'Heure de vérité*, de Jack Lang, sur Antenne 2. Dans le public, aux côtés de Marguerite Duras, Pierre Bergé, Laurent Fabius, Françoise Sagan et Michel Piccoli au deuxième plan.

1

2

Être de gauche, qu'est-ce que c'est maintenant ? C'est un entendement à perte de vue qui a trait à la notion étrangère de soi-même à travers ces mots : sociétés de classe, encore, oui, absolument. C'est voir. Souffrir, ne pas pouvoir éviter la souffrance. C'est avoir envie de tuer et abolir la peine de mort. C'est avoir perdu et le savoir, savoir la valeur irréversible de la défaite, dans les terrains brûlés, avancer, avancer plus avant que jamais encore avant nous – on avait avancé. […] *Maintenant la gauche n'a plus un seul nom à citer à la face du monde – Mendès France est encore dans la clandestinité comme Léon Blum, comme Mitterrand, Mitterrand est le président clandestin de la République française. C'est aussi l'espoir dans l'anéantissement de l'espoir, la gauche.*

François Mitterrand est notoire mais populaire, c'est le plus royal de tous, c'est le plus naturel de tous, parce qu'un rien l'amuse, ce rôle qu'il tient en ce moment aussi, et ça c'est la merveille. Il ne connaît pas le dépit. Ce sont les seuls de tous, les seuls, Badinter, Mendès France et Mitterrand qui sachent fondamentalement la vanité du pouvoir. Ses adversaires ne le connaissent pas, lui les connaît en tant qu'individus et non pas comme adversaires. Il est joueur Mitterrand, il est amoureux, il n'est pas régionaliste, il ne pense qu'à la France, il sait qu'il est porteur d'une idée de justice sociale plus grande que lui, d'une utopie peut-être, ça il le sait absolument, mais sans quoi rien ne vaut la peine d'être vécu. Je n'ai jamais rencontré quelqu'un qui ait aussi peur de la mort que Mitterrand et en même temps personne d'aussi courageux. Son courage pendant la Résistance alors que sa tête était mise à prix était insensé.

Le Monde extérieur - Outside 2, 1993

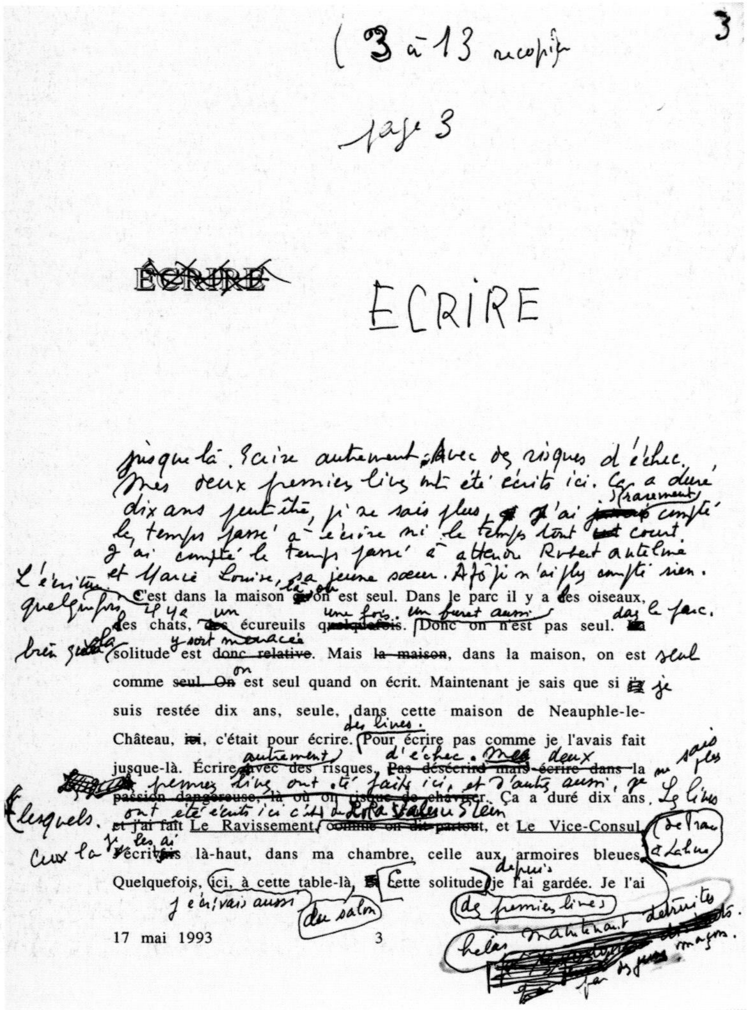

(3 à 13 recopié)

page 3

ÉCRIRE

C'est dans la maison qu'on est seul. Dans le parc il y a des oiseaux, des chats, des écureuils quelquefois. Donc on n'est pas seul. Mais la solitude est donc relative. Mais la maison, dans la maison, on est comme seul. On est seul quand on écrit. Maintenant je sais que si je suis restée dix ans, seule, dans cette maison de Neauphle-le-Château, ici, c'était pour écrire. Pour écrire pas comme je l'avais fait jusque-là. Écrire avec des risques. Ça a duré dix ans. et j'ai fait Le Ravissement, et Le Vice-Consul écrits là-haut, dans ma chambre, celle aux armoires bleues. Quelquefois, ici, à cette table-là, cette solitude je l'ai gardée. Je l'ai

17 mai 1993 3

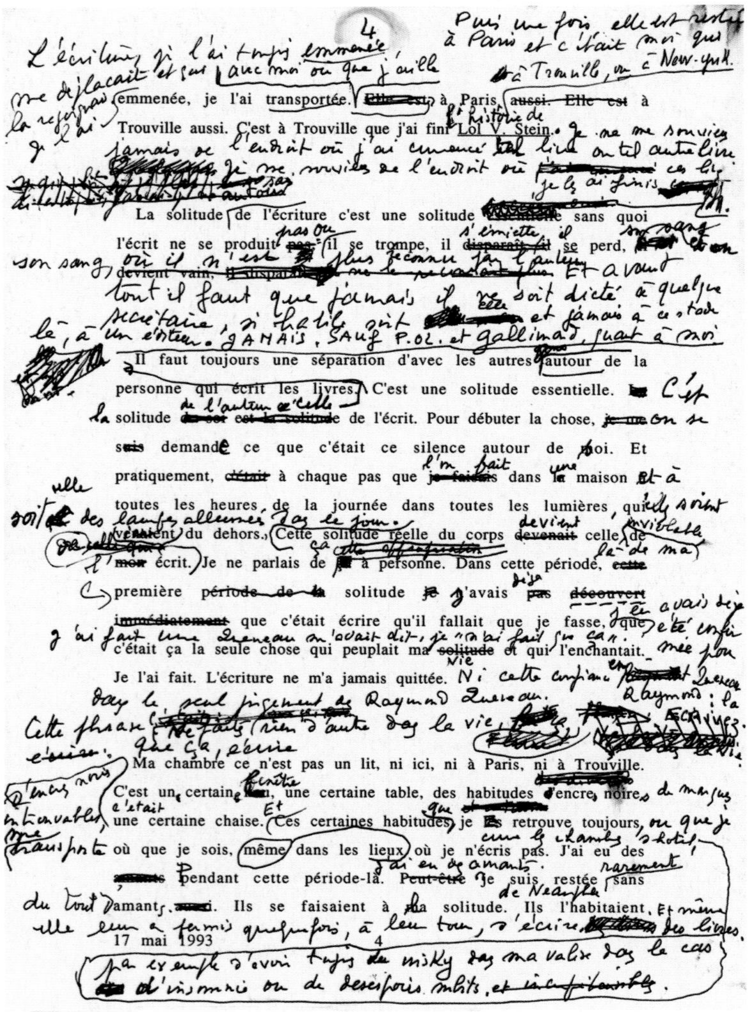

emmenée, je l'ai transportée. Elle est à Paris, aussi. Elle est à Trouville aussi. C'est à Trouville que j'ai fini Lol V. Stein.

La solitude de l'écriture c'est une solitude sans quoi l'écrit ne se produit pas, il se trompe, il se perd, devient vain.

Il faut toujours une séparation d'avec les autres autour de la personne qui écrit les livres. C'est une solitude essentielle. solitude de l'écrit. Pour débuter la chose, je me suis demandé ce que c'était ce silence autour de moi. Et pratiquement, c'était à chaque pas que je faisais dans la maison et à toutes les heures de la journée dans toutes les lumières, qu'elles soient venues du dehors. Cette solitude réelle du corps devenait celle de l'écrit. Je ne parlais de ça à personne. Dans cette période, cette première période de la solitude j'avais découvert immédiatement que c'était écrire qu'il fallait que je fasse. c'était ça la seule chose qui peuplait ma solitude et qui l'enchantait. Je l'ai fait. L'écriture ne m'a jamais quittée.

Ma chambre ce n'est pas un lit, ni ici, ni à Paris, ni à Trouville.

C'est un certain lieu, une certaine table, des habitudes d'encre noire, une certaine chaise. Ces certaines habitudes je les retrouve toujours, où que je sois, même dans les lieux où je n'écris pas. J'ai eu des amants pendant cette période-là. Je suis restée sans amant. Ils se faisaient à la solitude. Ils l'habitaient.

17 mai 1993 4

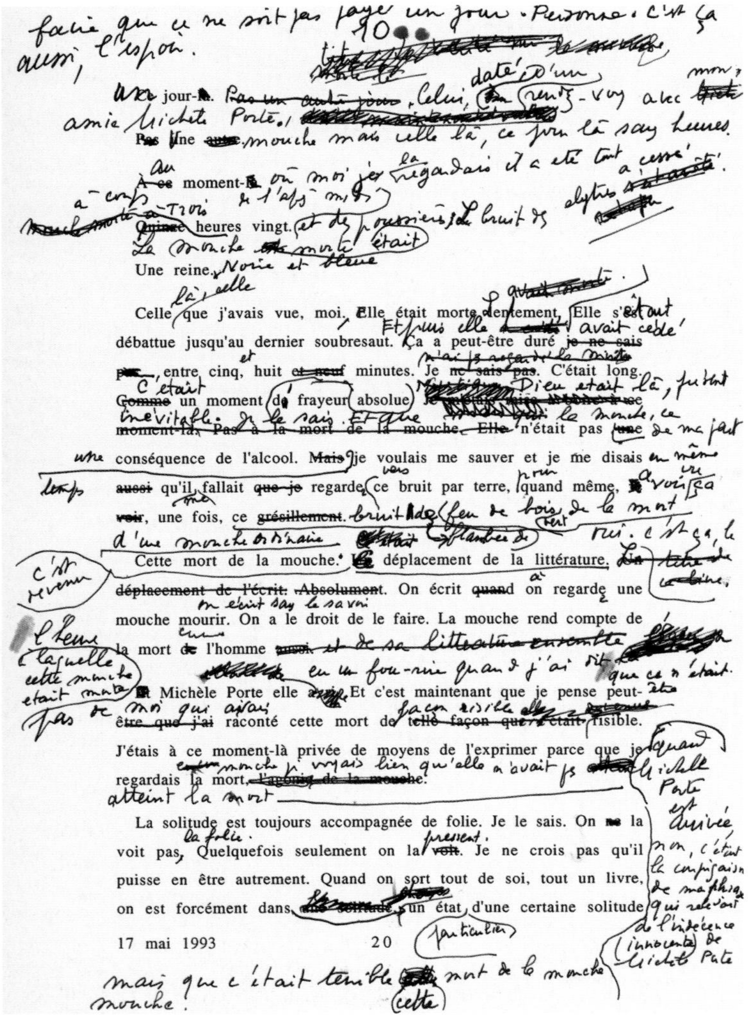

Une reine.

Celle que j'avais vue, moi, Elle était morte lentement, Elle s'était débattue jusqu'au dernier soubresaut. Ça a peut-être duré entre cinq, huit minutes. C'était long. un moment de frayeur absolue. conséquence de l'alcool. Je voulais me sauver et je me disais qu'il fallait regarder ce bruit par terre, quand même, une fois, ce grésillement.

Cette mort de la mouche. déplacement de la littérature. On écrit on regarde une mouche mourir. On a le droit de le faire. La mouche rend compte de la mort de l'homme

Michèle Porte elle Et c'est maintenant que je pense peut-être raconté cette mort de façon risible.

J'étais à ce moment-là privée de moyens de l'exprimer parce que je regardais la mort.

La solitude est toujours accompagnée de folie. Je le sais. On ne la voit pas, Quelquefois seulement on la voit. Je ne crois pas qu'il puisse en être autrement. Quand on sort tout de soi, tout un livre, on est forcément dans un état d'une certaine solitude

17 mai 1993 20

1 Quand Marguerite Duras publie le livre *Écrire*, elle a déjà entamé avec son ami le cinéaste Benoît Jacquot une singulière expérience autour d'un film, *La Mort du jeune aviateur anglais*, qui relate l'histoire du jeune W.J. Cliff, tué pendant la guerre et enterré en Normandie. Dans le film, Marguerite Duras parle en voix *off* sur les images de paysages qui défilent. Ce récit se retrouve dans *Écrire*, dédié au jeune aviateur. *Écrire* est en effet composé de divers récits dont le premier porte ce titre. L'auteur tente d'y faire l'analyse de sa propre démarche d'écrivain, de son rapport à l'acte d'écrire. Les brouillons dactylographiés et annotés des deux premières pages du livre sont très riches et montrent, comme une mise en abyme, l'exigence littéraire et stylistique de l'auteur.

2 Marguerite Duras en 1990.

3 *Le Nombre pur* est un autre des récits d'*Écrire*. Ce nombre pur évoque à lui seul, symboliquement, les condamnés que Marguerite Duras a toute sa vie cherché à défendre à travers ses combats et dans son œuvre. Le nombre 1 999 491 correspond au nombre des ouvriers qui ont travaillé aux usines de Boulogne-Billancourt jusqu'en 1992, il est également le matricule du dernier ouvrier à avoir franchi les portes de l'usine.

Ça va très loin, l'écriture… Jusqu'à en finir avec. C'est quelquefois intenable. Tout prend un sens tout à coup par rapport à l'écrit, c'est à devenir fou.

Écrire c'est aussi ne pas parler. C'est se taire. C'est hurler sans bruit.

Écrire quand même malgré le désespoir. Non : avec le désespoir. Quel désespoir, je ne sais pas le nom de celui-là. Écrire à côté de ce qui précède l'écrit c'est toujours le gâcher. Et il faut cependant accepter ça : gâcher le ratage c'est revenir vers un autre livre, vers un autre possible de ce même livre.

Écrire, 1993

2

journal : Autrement

Le nombre pur

Longtemps le mot "pur" a été récupéré dans le commerce des huiles de table. Longtemps l'huile d'olive a été garantie pure et jamais les autres huiles, qu'elles soient d'arachide ou de noix.

Ce mot ne fonctionne que lorsqu'il est seul. Par lui-même, de son seul fait, il ne qualifie rien ni personne. Je veux dire qu'il ne peut pas s'adapter, se définir en toute clarté à partir de son seul emploi. Ce mot n'est pas un concept, ni un défaut, ni un vice, ni une qualité. C'est un mot de la solitude. C'est un mot seul, oui c'est çà, monosyllabique et seul. C'est sans doute le mot le plus "pur" auprès de quoi et après quoi ses équivalences s'effacent d'elles-mêmes, et pour toujours elles sont déplacées.

J'oublie de dire : c'est un des mots sacrés de toutes les sociétés, de toutes les langues. Dans le monde entier, c'est ainsi pour ce mot. Dès que Christ est né, il a dû être prononcé quelque part et pour toujours. Un passant sur le chemin, en Samarie, ou une femme qui accouchait la Vierge. On sait rien. Quelque part et pour toujours il en est resté là, jusqu'à la crucifixion de Jésus Christ. Je ne suis pas croyante, n'est-ce pas, je crois seulement à l'existence du Christ, je crois que c'est vrai. Du Christ et de Jeanne d'Arc, tous deux martyrisés jusqu'à ce que s'ensuive leur mort. La pureté de ces morts-là s'affirme encore dans le monde entier. Moi qui ne prie pas, ~~je~~ ~~dis et~~ certains soirs j'en pleure, pour dépasser le présent obligatoire ~~à travers~~ d'une télévision sans âme aucune, maintenant orientée vers la mort des prolétariats du monde.

Je crois que Christ était un homme comme un autre homme. Jeanne d'Arc une femme de même. Je sais qu'ils sont morts de la même mort martyrisés tous les deux et terrifiante. ~~interminable des martyrs des premiers siècles de notre monde.~~

usines Renault de Billancourt. Il s'agirait de consigner les noms et prénoms de tous les hommes et femmes qui ont passé leur existence entière dans cette usine nationale, « fierté française », depuis soixante-dix ans, depuis sa fondation. Ce serait une liste exhaustive et sans commentaire aucun. Normalement, on ~~doit~~ devrait atteindre le chiffre d'une grande capitale. Aucun texte ne pourrait ~~contrebalancer~~ le chiffre. décrire ainsi ce travail chez Renault, sa peine totale, sa vie ~~unitaire~~, son silence surtout. Seuls les chiffres diraient celui-ci.

Pourquoi faire çà, ~~ce que je veux là~~ ? Quant à moi, ~~c'est~~ pour voir ce que ça ferait en tout, un mur de prolétariat. L'histoire ici serait le nombre et la pureté serait le chiffre. C'est-à-dire le prolétariat dans sa pureté la plus grande. Le chiffre incomparable du nombre, le chiffre pur, ce qu'on appelle le prolétariat.

J'arrête là cette tentation de parler de l'essentiel de la connaissance politique : le chiffre du nombre. C'est à dire Le Nombre Pur.

M. Duras

3

1

1 Marguerite Duras à son bureau, rue Saint-Benoît, devant des brouillons, à l'époque où elle rédige *Yann Andréa Steiner*.

2 Marguerite Duras à son bureau, rue Saint-Benoît, avec Yann Andréa au premier plan.

2

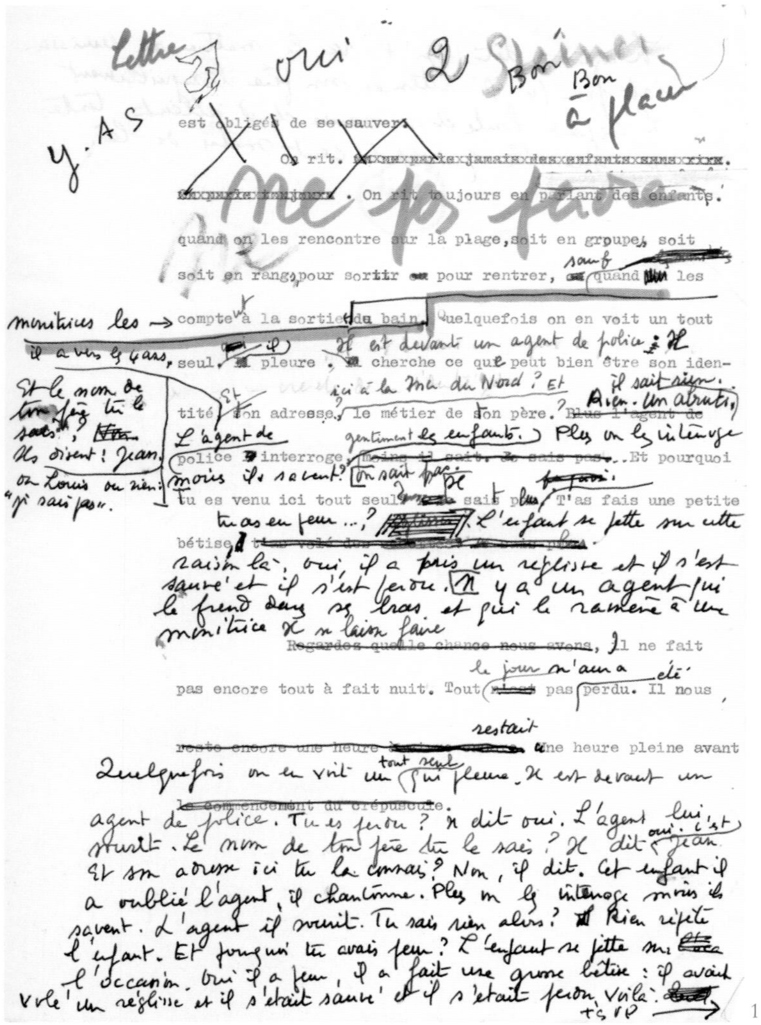
est obligé de se sauver. On rit. ... On rit toujours en parlant des enfants quand on les rencontre sur la plage, soit en groupe, soit en rang, pour sortir ou pour rentrer, ou quand les compte à la sortie du bain. Quelquefois on en voit un tout seul. Il pleure. Il cherche ce qui peut bien être son identité, son adresse, le métier de son père. ... Il ne fait pas encore tout à fait nuit. Tout n'est pas perdu. Il nous reste encore une heure pleine avant le commencement du crépuscule.

Quelquefois on en voit un tout seul qui pleure. Il est devant un agent de police. Tu es perdu ? Il dit oui. L'agent lui sourit. Le nom de ton père tu le sais ? Il dit oui c'est Jean. Et son adresse ici tu la connais ? Non, il dit. Cet enfant il a oublié l'agent, il chantonne. Plus on l'interroge moins il savent. L'agent il sourit. Tu sais rien alors ? Rien répète l'enfant. Et pourquoi tu avais peur ? L'enfant se jette sur l'occasion. Oui il a peur, il a fait une grosse bêtise : il avait volé un réglisse et il s'était sauvé et il s'était perdu voilà.

1

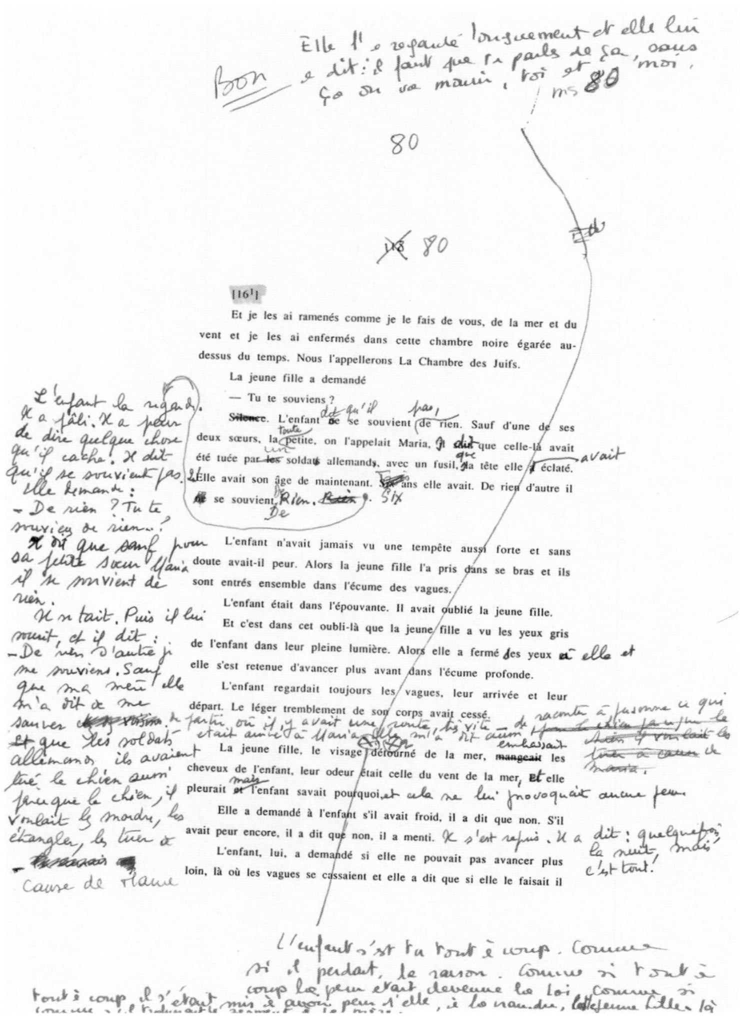
[16¹]

Et je les ai ramenés comme je le fais de vous, de la mer et du vent et je les ai enfermés dans cette chambre noire égarée au-dessus du temps. Nous l'appellerons La Chambre des Juifs.

La jeune fille a demandé

— Tu te souviens ?

Silence. L'enfant ne se souvient de rien. Sauf d'une de ses deux sœurs, la petite, on l'appelait Maria. Il dit que celle-là avait été tuée par les soldats allemands, avec un fusil, sa tête elle a éclaté. Elle avait son âge de maintenant. Six ans elle avait. De rien d'autre il se souvient. Rien.

L'enfant n'avait jamais vu une tempête aussi forte et sans doute avait-il peur. Alors la jeune fille l'a pris dans ses bras et ils sont entrés ensemble dans l'écume des vagues.

L'enfant était dans l'épouvante. Il avait oublié la jeune fille.

Et c'est dans cet oubli-là que la jeune fille a vu les yeux gris de l'enfant dans leur pleine lumière. Alors elle a fermé les yeux et elle s'est retenue d'avancer plus avant dans l'écume profonde.

L'enfant regardait toujours les vagues, leur arrivée et leur départ. Le léger tremblement de son corps avait cessé.

La jeune fille, le visage détourné de la mer, mangeait les cheveux de l'enfant, leur odeur était celle du vent de la mer, et elle pleurait et l'enfant savait pourquoi.

Elle a demandé à l'enfant s'il avait froid, il a dit que non. S'il avait peur encore, il a dit que non, il a menti.

L'enfant, lui, a demandé si elle ne pouvait pas avancer plus loin, là où les vagues se cassaient et elle a dit que si elle le faisait il

2

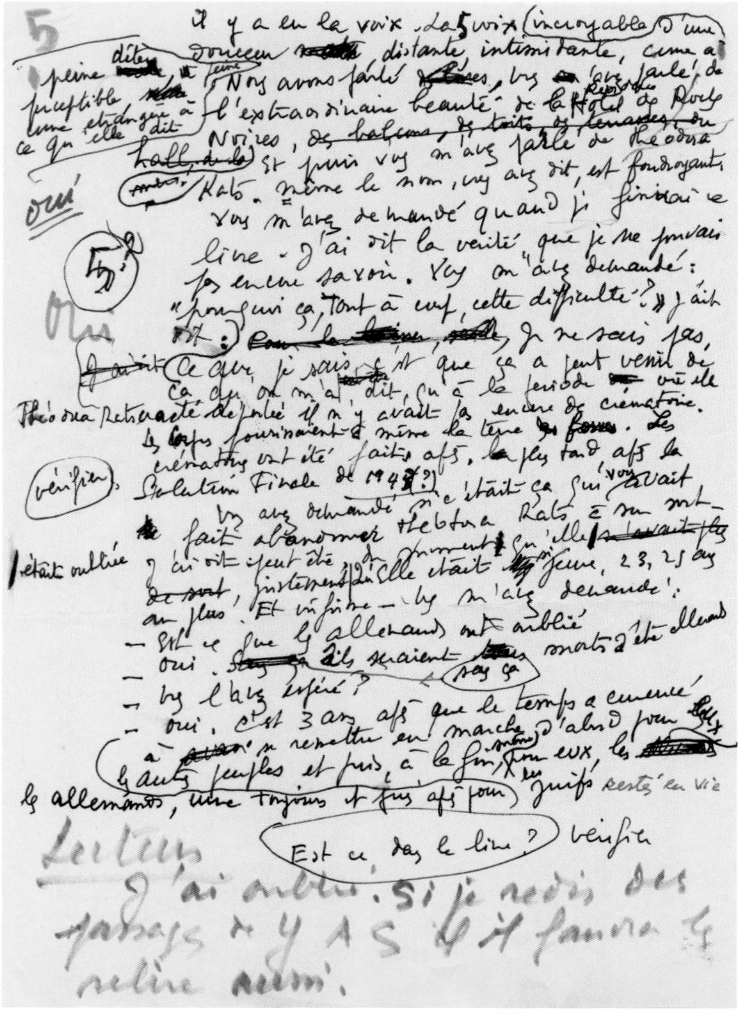
3

1 et 2 Le roman *Yann Andréa Steiner*, publié en 1993, trouve ses sources dans des textes plus anciens de Marguerite Duras, repris par exemple du recueil *L'Été 80*, comme le montre le brouillon dactylographié et annoté par l'auteur évoquant un petit garçon sur la plage.

3, 4 et 5 Dans les brouillons manuscrits du roman *Yann Andréa Steiner* on trouve des lettres entre Yann Andréa et Marguerite Duras qui sont reprises dans le livre. Elles servent de matière à la création du personnage fantasmé de Yann Levée, devenu Yann Andréa, dorénavant héros littéraire : Yann Andréa Steiner.

C'est à Trouville que j'ai arrêté dans la folie le devenir de Lola Valérie Stein. C'est aussi à Trouville que le nom de Yann Andréa Steiner m'est apparu avec une inoubliable évidence. Il y a un an.
Écrire, 1993

Moi aussi j'ai écrit des lettres comme Yann à moi, pendant deux ans, à quelqu'un que je n'avais jamais rencontré. Puis Yann est arrivé. Il a remplacé les lettres. Il est impossible de rester sans amour aucun, même s'il n'y a plus que les mots, ça se vit toujours. La pire chose c'est de ne pas aimer, je crois que ça n'existe pas.
La Vie matérielle, 1987

L'inconnu de ma vie, c'est ma vie écrite. Je mourrai sans savoir cet inconnu. Comment j'ai écrit, je ne sais pas, je ne sais pas comment ça a commencé. On ne peut pas l'expliquer. D'où viennent certains livres ?
Le Monde extérieur - Outside 2, 1993

4

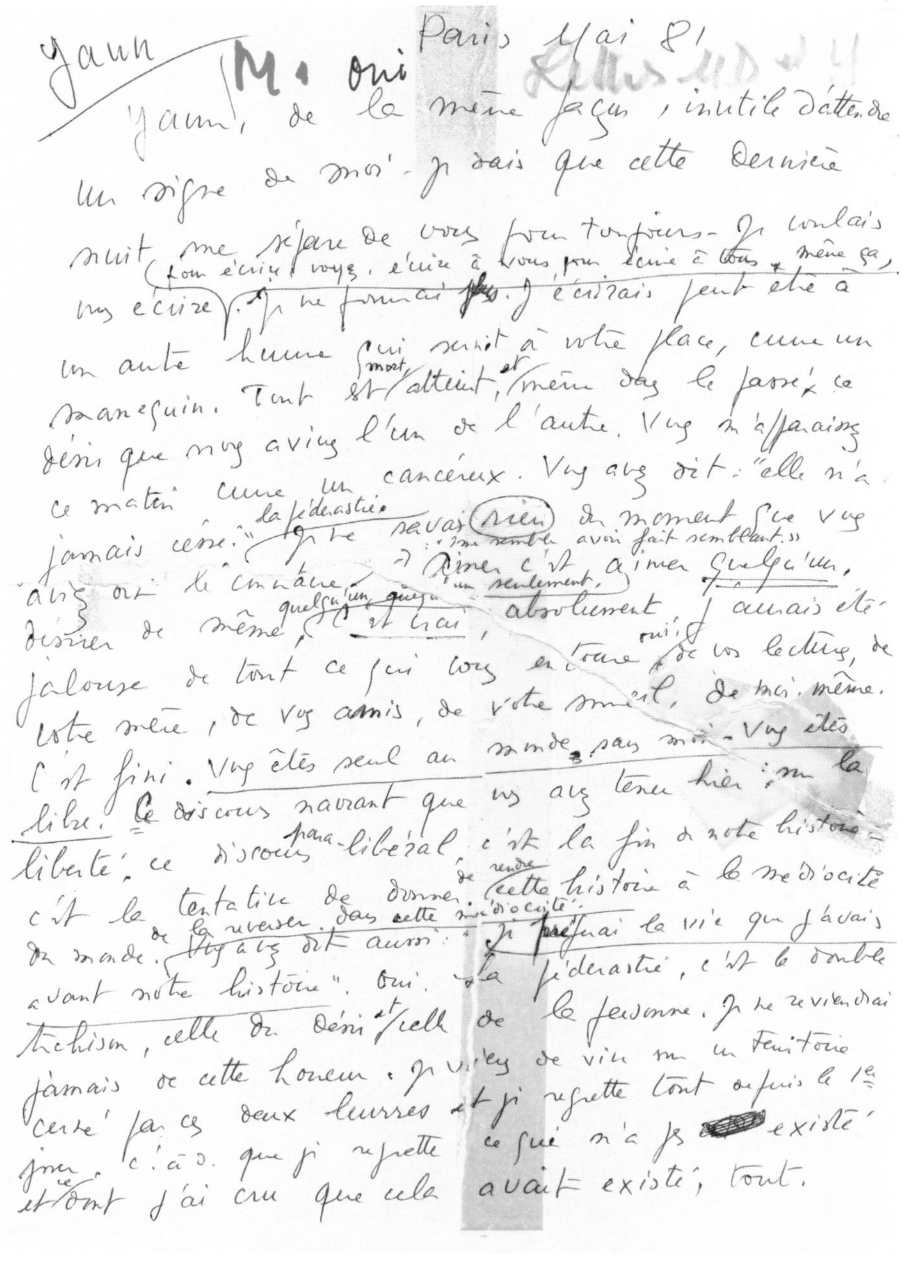

5

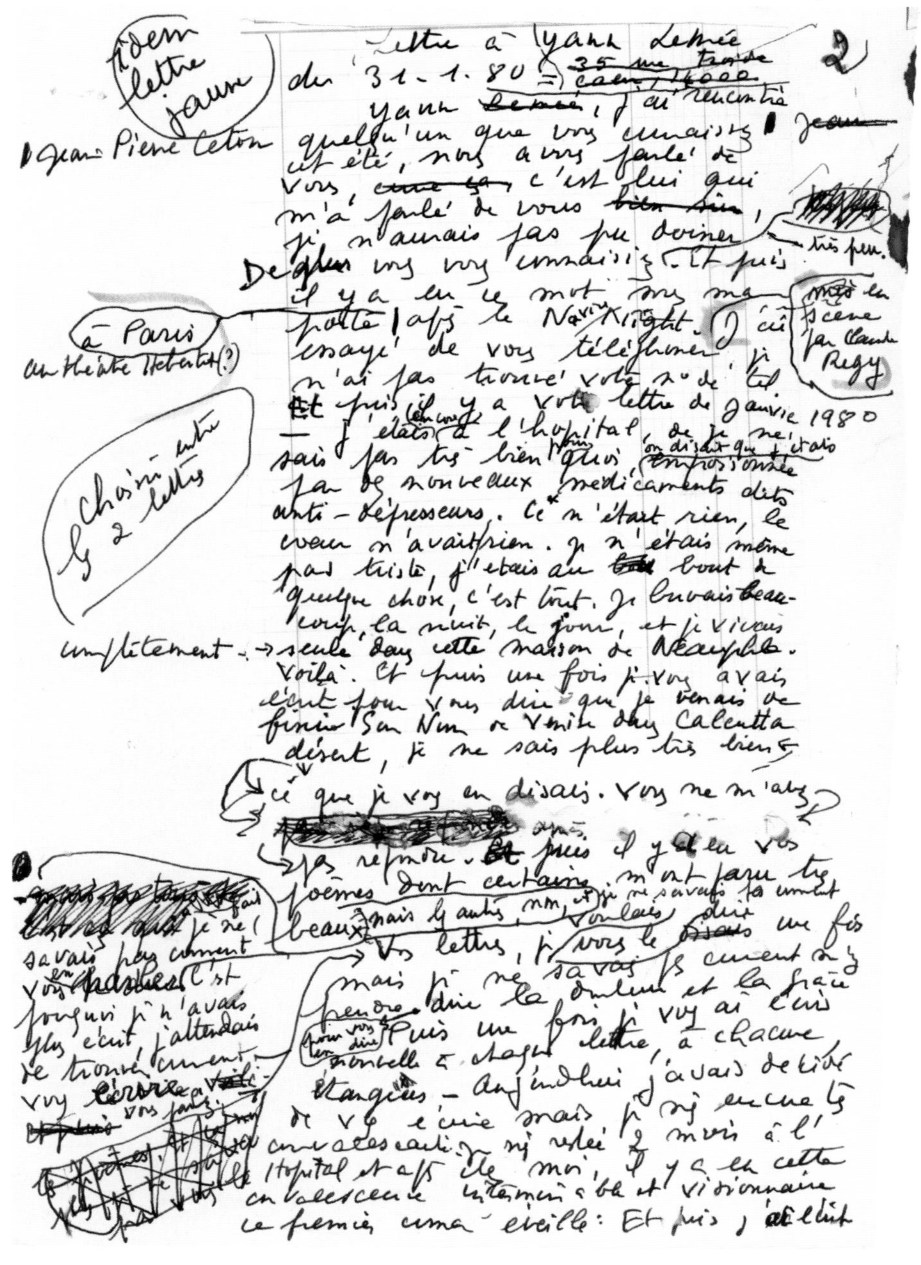

Je ne sais pas où je vais. J'ai peur.
Partons ensemble sur la route. Viens vite.
Je vais t'envoyer des lettres. C'est tout.
Ça fait peur d'écrire. Y'a des trucs
comme ça qui me font peur.

Je n'ai plus aucune notion sur ce que
je croyais savoir ou attendre de revoir.
Voilà, c'est tout.

Quelquefois je suis vide pendant
très longtemps. Je suis sans identité.
Ça fait peur d'abord. Et puis ça passe
par un mouvement de bonheur.
Et puis ça s'arrête. Le bonheur,
c'est-à-dire morte un peu. Un peu absente
du lieu où je parle.

Toute une vie j'ai écrit. Comme une
andouille, j'ai fait ça. C'est pas mal
non plus d'être comme ça. Je n'ai jamais
été prétentieuse. Écrire toute sa vie, ça
apprend à écrire. Ça ne sauve de rien.

Y.A. : Et le paradis, vous irez ?
M.D. : Non. Ça me fait rire. [...]
Y.A. : Et après la mort,
qu'est-ce qui reste ?
M.D. : Rien. Que les vivants
qui se sourient, qui se souviennent.

C'est tout, 1995

Marguerite Duras au bras de Yann Andréa, 1992.

Double page suivante
Marguerite Duras devant les ducs-d'Albe
de Pennedepie, 1980.

Chronologie

1914
4 avril
Naissance de Marguerite Germaine Marie Donnadieu à Gia Dinh, Saigon, en Indochine ; elle a deux frères aînés, Pierre (né en 1910) et Paul (né en 1911), qu'elle appelle son «petit frère». Son père, Henri Donnadieu, originaire du Lot-et-Garonne, est professeur de mathématiques. Sa mère, Marie Legrand, est institutrice. Les parents sont en poste depuis 1905 à Saigon, où ils se sont rencontrés.

1915-1917
La famille Donnadieu séjourne en France.

1918-1921
La famille séjourne à Hanoi. Henri Donnadieu, atteint du paludisme, rentre seul en France afin de se soigner. Il meurt le 4 décembre 1921, à quelques kilomètres de la ville de Duras, dans le petit village de Pardaillan, au nord de Marmande, dans le Lot-et-Garonne.

1922-1924
Marie Donnadieu rentre en France avec ses trois enfants et s'installe à Pardaillan, dans la maison du Platier.

1924
La famille retourne en Indochine, à Phnom Penh. À l'automne 1924, Marie Donnadieu est nommée directrice de l'école de filles de Vinh Long, dans le delta du Mékong. Pierre, le frère aîné de Marguerite, âgé de quatorze ans, rentre en France.

1927
En juillet Marie Donnadieu achète une concession agricole située au sud du Cambodge, à Prey Nop, et que les inondations répétées du Pacifique rendent incultivable. Pierre rejoint sa famille à Vinh Long.
Marie Donnadieu est nommée à Sadec, au bord du Mékong, en octobre 1928.

1929-1930
Marguerite est envoyée à Saigon pour suivre ses études secondaires. Elle est logée à la pension Lyautey et rentre à Sadec chaque fin de semaine. La famille passe toutes les vacances scolaires à Prey Nop, sur les lieux de la concession. C'est au cours de son année de troisième que Marguerite fait la connaissance de l'Amant.

1931-1932
En février 1931, elle quitte l'Indochine avec ses frères et sa mère pour poursuivre ses études en France. Ils habitent au 16, avenue Victor-Hugo, à Vanves, en proche banlieue parisienne.
Elle passe la première partie de son baccalauréat en philosophie.

1933
Elle retourne au lycée Chasseloup-Laubat, à Saigon, pour passer la seconde partie de son baccalauréat.
À l'automne 1933, elle prend le *Porthos* pour Marseille et rentre définitivement à Paris étudier le droit.

1936
Elle est inscrite à la faculté de droit de la rue d'Assas et obtient un DES en droit public et en économie politique. Elle rencontre Robert Antelme.

1937
En juin, elle est embauchée comme secrétaire au service d'information du ministère des Colonies.

1939
Le 23 septembre 1939, Marguerite Donnadieu épouse Robert Antelme.

1940
À la demande de Georges Mandel, ministre des Colonies, elle publie *L'Empire français* aux éditions Gallimard, sous le nom de Marguerite Donnadieu, coécrit avec Philippe Roques.

1942
Décès à la naissance de l'enfant de Marguerite et Robert Antelme.
Paul, le « petit frère », meurt en Indochine.
Elle entre à la Commission de contrôle du papier d'édition du gouvernement de Vichy.
Elle rencontre Dionys Mascolo.

1943
Sous le nom de Marguerite Duras, elle publie son premier roman, *Les Impudents*, aux éditions Plon.

1944
Elle entre dans la Résistance auprès de François Mitterrand (nom de résistant Jacques Morland). Robert Antelme est arrêté par la Gestapo le 1er juin rue Dupin, à Paris, avec sa sœur Marie-Louise et trois autres camarades ; il est déporté au camp de Buchenwald puis de Dachau. *La Vie tranquille*, que Marguerite dédie à sa mère, paraît chez Gallimard.

1945
Marguerite Duras adhère au Parti communiste français et devient une militante active.
En mai, à la libération du camp de Dachau, François Mitterrand « retrouve » Robert Antelme et organise son retour à Paris.

1947
Robert Antelme témoigne de son expérience des camps de concentration à travers son livre *L'Espèce humaine*, dédié à sa sœur Marie-Louise. L'ouvrage paraît aux Éditions de la Cité universelle, qu'il a fondées avec Marguerite Duras au lendemain de la guerre.
Le couple divorce en avril. En juin, naissance de Jean (dit «Outa») Mascolo, fils de Marguerite et Dionys Mascolo.
Constitution du « groupe de la rue Saint-Benoît » (Edgar Morin, Raymond Queneau, Maurice Merleau-Ponty, Georges Bataille, Claude Roy, Jorge Semprun, Louis-René des Forêts, Maurice Blanchot…), qui se réunit désormais régulièrement au 5, rue Saint-Benoît, à Paris, dans le quartier de Saint-Germain-des-Prés.

1949
Marie Donnadieu rentre en France et s'installe dans un petit château délabré à Onzain, sur les bords de la Loire, avec son fils aîné, Pierre, pour y élever des poulets.

1950
Un barrage contre le Pacifique paraît chez Gallimard. Le roman manque de justesse le prix Goncourt. Marguerite Duras, Robert Antelme et Dionys Mascolo sont exclus du PCF le 8 mars.

1952
Parution du *Marin de Gibraltar* chez Gallimard.

1953
Parution des *Petits Chevaux de Tarquinia* chez Gallimard.

1954
Parution du livre *Des journées entières dans les arbres* chez Gallimard.

1955
Marguerite Duras écrit *Le Square*, premier roman « écrit comme une pièce de théâtre ».
Elle prend position et milite contre la guerre d'Algérie.

1956
Décès de Marie Donnadieu en août. Marguerite Duras achète une maison dans les Yvelines, à Neauphle-le-Château.
Première production théâtrale : adaptation du *Square* avec le metteur en scène Claude Martin. La pièce est jouée le 17 septembre au Studio des Champs-Élysées. À l'automne, Marguerite se sépare de Dionys Mascolo (qui habite rue Saint-Benoît jusqu'en 1964).

1957
Elle rencontre Gérard Jarlot, romancier et scénariste, avec qui elle commence une liaison et une collaboration qui vont durer plusieurs années.
Première expérience journalistique à *France Observateur* et *14 Juillet*, revue antigaulliste.

1958
Moderato cantabile paraît aux Éditions de Minuit : Marguerite Duras est désormais associée au Nouveau Roman autour de l'éditeur Jérôme Lindon.
Pendant l'été, elle écrit son premier scénario, *Hiroshima mon amour*, pour le cinéaste Alain Resnais.

1959
Hiroshima mon amour est projeté hors compétition au Festival de Cannes et fait connaître Marguerite Duras internationalement. Emmanuelle Riva y tient son premier rôle au cinéma.

1960
Le 6 septembre, Marguerite Duras signe le « Manifeste des 121 » (déclaration sur le droit à l'insoumission dans la guerre d'Algérie) avec Jérôme Lindon, Claude Ollier, Alain Robbe-Grillet, Françoise Sagan, Nathalie Sarraute, Claude Simon, Jean-Paul Sartre, Simone de Beauvoir, Simone Signoret… Le Manifeste paraît dans le magazine *Vérité-Liberté*.
Moderato cantabile, de Peter Brook, sort en salles, adapté pour le cinéma par Marguerite Duras et Gérard Jarlot. Jeanne Moreau obtient le prix d'interprétation à Cannes pour ce film, où elle donne la réplique à Jean-Paul Belmondo.

1961
Une aussi longue absence, réalisé par Henri Colpi, sur un scénario de Marguerite Duras et Gérard Jarlot, reçoit la Palme d'or au Festival de Cannes. Le livre est publié chez Gallimard.
Marguerite Duras entre au jury du prix Médicis.

1962
L'Après-midi de monsieur Andesmas paraît chez Gallimard. Marguerite Duras achète un appartement dans l'ancien hôtel des Roches Noires, à Trouville.

1963
La pièce *Les Viaducs de la Seine-et-Oise* est mise en scène par Claude Régy.
Marguerite Duras se partage désormais entre la rue Saint-Benoît, Neauphle-le-Château et l'appartement des Roches Noires, à Trouville, où elle rédige *Le Ravissement de Lol V. Stein*.

1964
Le Ravissement de Lol V. Stein est publié chez Gallimard. Marguerite Duras se sépare de Gérard Jarlot. Dionys Mascolo quitte la rue Saint-Benoît.

1965
Création de *La Musica* au Studio des Champs-Élysées, et de *Des journées entières dans les arbres* (avec Madeleine Renaud, mise en scène de Jean-Louis Barrault) à l'Odéon-Théâtre de l'Europe.
Publication du premier tome de son théâtre.
Parution des *Cahiers Renaud-Barrault spécial consacré à Marguerite Duras*, avec les contributions de Jacques Lacan, Raymond Queneau, Madeleine Chapsal.

1966
Marguerite Duras, assistée de Paul Seban, réalise son premier film, *La Musica*, avec Delphine Seyrig, Robert Hossein et Julie Dassin.
Le Vice-consul paraît chez Gallimard.
Elle démissionne du jury du prix Médicis.

1967
Publication de *L'Amante anglaise* chez Gallimard.

1968
Marguerite Duras met en scène *Le Shaga* et *Yes, peut-être* au théâtre Gramont (aujourd'hui disparu).
Elle participe aux événements de Mai 68 en constituant le Comité d'action étudiants-écrivains avec Maurice Blanchot, Jean Schuster, Robert Antelme et Dionys Mascolo. Le 5 mai, avec d'autres artistes et intellectuels, elle appelle au boycott de l'ORTF, propose l'assaut de la Bourse et la suppression de la Société des gens de lettres.
Marguerite Duras prête un petit appartement de la rue de Vaugirard à Paris à Antoinette Fouque qui, avec Monique Wittig et Josyane Chanel, y fondent le MLF le 1er octobre.

1969
Publication de *Détruire dit-elle* aux Éditions de Minuit. Marguerite Duras en fait l'adaptation pour le cinéma et le réalise entièrement seule, pour la première fois.

1970
Marguerite Duras adhère à l'association d'extrême gauche de Michel Leiris et Simone de Beauvoir, Les Amis de *La Cause du peuple*.
Elle publie *Abahn Sabana David* chez Gallimard.

1971
Le 5 avril, aux côtés de Catherine Deneuve, Jeanne Moreau, Simone de Beauvoir, Françoise Sagan…, Marguerite Duras signe le « Manifeste des 343 salopes » dans *Le Nouvel Observateur* pour demander l'abrogation de la loi de 1920 et exiger la légalisation de l'avortement et l'accès aux contraceptifs. Elle publie *Ah ! Ernesto* chez Harlin Quist, et *De l'amour* chez Gallimard.

1972
En avril, Marguerite Duras tourne à Neauphle-le-Château *Nathalie Granger*, avec Jeanne Moreau, Gérard Depardieu et Lucia Bosè. En novembre, elle tourne à Trouville *La Femme du Gange*, avec Benoît Jacquot comme assistant réalisateur et Bruno Nuytten à la photographie.
C'est le premier volet du Cycle indien.

1973
Parution d'*India Song*, chez Gallimard.

1974
Tournage d'*India Song* dans le palais Rothschild de Boulogne, avec Delphine Seyrig et Michael Lonsdale, sur une musique de Carlos D'Alessio. Le film obtient le prix des Cinémas d'art et d'essai au Festival de Cannes. Il est le deuxième volet du Cycle indien.

1975
Le 14 novembre à Caen, au cours de la projection-débat du film *India Song* au cinéma Lux, Yann Lemée, étudiant, fait la rencontre de Marguerite Duras.
Marguerite Duras participe à la revue féministe *Sorcières* dirigée par Xavière Gauthier avec, entre autres, Hélène Cixous, Françoise Dolto, Nancy Huston…

1976
Tournage de *Son nom de Venise dans Calcutta désert* au palais Rothschild à Boulogne, avec Delphine Seyrig, Nicole Hiss et Michael Lonsdale.
C'est le troisième volet du Cycle indien.

1977
Tournage à Neauphle-le-Château du *Camion*, avec Gérard Depardieu. Le film, présenté à Cannes en sélection officielle, fait scandale.
Éden Cinéma paraît au Mercure de France.
La pièce est créée le 25 octobre au théâtre d'Orsay par la Compagnie Renaud-Barrault, mise en scène par Claude Régy avec Madeleine Renaud, Bulle Ogier, Michael Lonsdale.

1979
Marguerite Duras tourne *Le Navire Night*, avec Dominique Sanda, Bulle Ogier, Mathieu Carrière, ainsi que les courts métrages *Les Mains négatives, Césarée, Aurélia Melbourne* et *Aurélia Vancouver*.

1980
En octobre, elle publie aux Éditions de Minuit *L'Été 80*, qui regroupe les chroniques commandées par Serge July durant l'été pour le journal *Libération*. Yann Andréa rejoint Marguerite Duras à Trouville et y reste seize ans.
L'Homme assis dans le couloir paraît aux Éditions de Minuit. Parution en juin d'un numéro spécial des *Cahiers du cinéma*, *Les Yeux verts*.

1981
Marguerite Duras publie la pièce *Agatha* aux Éditions de Minuit puis en tourne l'adaptation, *Agatha et les lectures illimitées*, à Trouville, avec Yann Andréa et Bulle Ogier.

1982
L'Homme atlantique paraît aux Éditions de Minuit, ainsi que *La Maladie de la mort*.
En octobre, Marguerite entame une cure de désintoxication alcoolique.

1983
Yann Andréa publie aux Éditions de Minuit le texte *M. D.*, qui fait le récit de l'hospitalisation de Marguerite Duras durant sa cure et relate la genèse de *La Maladie de la mort*.

1984
Marguerite Duras tourne, avec Jean Mascolo et Jean-Marc Turine, *Les Enfants*, qui reprend *Ah ! Ernesto*, avec Pierre Arditi, André Dussollier et Axel Bogousslavsky. Le 28 septembre, Marguerite Duras, qui publie *L'Amant* aux Éditions de Minuit, est l'invitée unique de Bernard Pivot dans son émission littéraire *Apostrophes*. Le 12 novembre, le roman reçoit le prix Goncourt.

1985
Marguerite Duras publie *La Douleur* chez P.O.L, d'après des textes écrits pendant la guerre et retrouvés à Neauphle-le-Château. Elle écrit pour *Libération* l'article « Christine V., sublime forcément sublime », sur l'affaire du petit Grégory Villemin.

1986
En février, *L'Autre Journal* de Michel Butel publie *Le Bureau de poste de la rue Dupin*, premier d'une série d'entretiens entre le président François Mitterrand et Marguerite Duras réalisés entre juillet 1985 et avril 1986.
Les Yeux bleus cheveux noirs et, à sa suite, le court texte *La Pute de la côte normande* paraissent aux Éditions de Minuit.

1987
Publication chez P.O.L de *La Vie matérielle*, recueil de courts textes rédigés avec le concours de Jérôme Beaujour.
Libération publie un entretien croisé avec Marguerite Duras et la star du football Michel Platini.
Elle soutient la candidature de François Mitterrand aux présidentielles de 1988 et prend part à la campagne.

1988
En octobre, Marguerite Duras est hospitalisée d'urgence à l'hôpital Laennec et plongée dans un coma artificiel pendant cinq mois.

1990
Robert Antelme décède le 26 octobre.
Parution de *La Pluie d'été* chez P.O.L.

1991
L'Amant de la Chine du Nord est publié chez Gallimard.

1992
Yann Andréa Steiner paraît chez P.O.L.

1993
Écrire paraît chez Gallimard. Benoît Jacquot réalise *La Mort du jeune aviateur anglais* sur la voix de Marguerite Duras.

1995
C'est tout, ouvrage regroupant les propos de Marguerite Duras recueillis par Yann Andréa, est publié chez P.O.L.

1996
Marguerite Duras s'éteint le 3 mars rue Saint-Benoît ; elle est inhumée au cimetière du Montparnasse.

Bibliographie

Romans, récits, théâtre, recueils, scénarii, dialogues, entretiens

Les Impudents, Paris, Plon, 1943 ; rééd. Gallimard, 1992.
La Vie tranquille, Paris, Gallimard, 1944.
Un barrage contre le Pacifique, Paris, Gallimard, 1950.
Le Marin de Gibraltar, Paris, Gallimard, 1952.
Les Petits Chevaux de Tarquinia, Paris, Gallimard, 1953.
Des journées entières dans les arbres, suivi de *Le Boa - Madame Dodin - Les Chantiers*, Paris, Gallimard, 1954.
Le Square, Paris, Gallimard, 1955.
Moderato cantabile, Paris, Éditions de Minuit, 1958.
Les Viaducs de la Seine-et-Oise, Paris, Gallimard, 1959.
Dix heures et demie du soir en été, Paris, Gallimard, 1960.
Hiroshima mon amour, Paris, Gallimard, 1960.
Une aussi longue absence, en collaboration avec Gérard Jarlot, Paris, Gallimard, 1961.
L'Après-midi de monsieur Andesmas, Paris, Gallimard, 1962.
Le Ravissement De Lol V. Stein, Paris, Gallimard, 1964.
Théâtre I : Les Eaux et Forêts - Le Square - La Musica, Paris, Gallimard, 1965.
Le Vice-consul, Paris, Gallimard, 1965.
L'Amante anglaise, Paris, Gallimard, 1967.
L'Amante anglaise, Paris, Cahiers du Théâtre national populaire, 1968.
Théâtre II : Suzanna Andler - Des journées entières dans les arbres - Yes, peut-être - Le Shaga - Un homme est venu, Paris, Gallimard, 1968.
Détruire dit-elle, Paris, Éditions de Minuit, 1969.
Abahn, Sabana, David, Paris, Gallimard, 1970.
L'Amour, Paris, Gallimard, 1971.
India Song, Paris, Gallimard, 1973.
Nathalie Granger suivi de *La Femme du Gange*, Paris, Gallimard, 1973.
Les Parleuses, entretiens avec Xavière Gauthier, Paris, Éditions de Minuit, 1974.
Le Camion, suivi de *Entretiens avec Michelle Porte*, Paris, Éditions de Minuit, 1977.
Les Lieux de Marguerite Duras (en collaboration avec Michelle Porte), Paris, Éditions de Minuit, 1977.
Éden Cinéma, Paris, Mercure de France, 1977.
Le Navire Night, Césarée, Les Mains négatives, Paris, Mercure de France, 1979.
Vera Baxter ou les Plages de l'Atlantique, Paris, Albatros, 1980.
L'Homme assis dans le couloir, Paris, Éditions de Minuit, 1980.
L'Été 80, Paris, Éditions de Minuit, 1980.
Les Yeux verts, Paris, Les Cahiers du cinéma, 1980.
Agatha, Paris, Éditions de Minuit, 1981.
Outside, Paris, Albin Michel, 1981 ; rééd. P.O.L, 1984.
L'Homme atlantique, Paris, Éditions de Minuit, 1982.
Savannah Bay, Paris, 1re éd. Éditions de Minuit, 1982 ; 2e éd. augmentée, 1983.
La Maladie de la mort, Paris, Éditions de Minuit, 1982.
Théâtre III : La Bête dans la jungle, d'après Henry James, adaptation de James Lord et Marguerite Duras - *Les Papiers d'Aspern*, d'après Henry James, adaptation de Marguerite Duras et Robert Antelme - *La Danse de Mort*, d'après August Strindberg, adaptation de Marguerite Duras, Paris, Gallimard, 1984.
L'Amant, Paris, Éditions de Minuit, 1984.
La Douleur, Paris, P.O.L, 1985.
La Musica deuxième, Paris, Gallimard, 1985.
La Mouette de Tchekov, Paris, Gallimard, 1985.
Les Yeux bleus cheveux noirs, Paris, Éditions de Minuit, 1986.
La Pute de la côte normande, Paris, Éditions de Minuit, 1986.
Emily L., Paris, Éditions de Minuit, 1987.
La Vie matérielle, Paris, P.O.L, 1987.
La Pluie d'été, Paris, P.O.L, 1990.
L'Amant de la Chine du Nord, Paris, Gallimard, 1991.
Le Théâtre de l'amante anglaise, Paris, Gallimard, 1991.
Yann Andréa Steiner, Paris, P.O.L, 1992.
Écrire, Paris, Gallimard, 1993.
Le Monde extérieur - Outside 2, Paris, P.O.L, 1993.
C'est tout, Paris, P.O.L, 1995.

Posthume
La Mer écrite, Paris, Marval, 1996.
Duras, la cuisine de Marguerite (Michèle Kastner, Jean Mascolo), Paris, Éditions Benoît Jacob, diffusion P.O.L, 1999. Interdit de publication et retiré de la vente.
Le *Cahier de l'Herne - Marguerite Duras*, Paris, Éditions de l'Herne, 2005.
Cahiers de la guerre et autres textes, Paris, P.O.L/Imec, 2006.
Marguerite Duras, La passion suspendue, entretiens avec Leopoldina Pallotta della Torre, Paris, Seuil, 2013.

Filmographie

Réalisation

1967
La Musica, coréalisé avec Paul Seban ; avec Delphine Seyrig, Robert Hossein et Julie Dassin. Produit par Les Films Raoul Ploquin et Les Productions Artistes Associés.

1969
Détruire dit-elle, avec Catherine Sellers, Michael Lonsdale et Henri Garcin. Produit par Ancinex et Madeleine Films.

1971
Jaune le soleil, avec Catherine Sellers, Sami Frey et Dionys Mascolo. Produit par Albina Productions.

1972
Nathalie Granger, avec Lucia Bosè, Jeanne Moreau et Gérard Depardieu. Produit par Moullet et Cie.

1974
La Femme du Gange, avec Catherine Sellers, Christian Baltauss et Gérard Depardieu. Produit par Albina Productions et l'ORTF.

1975
India Song, avec Delphine Seyrig, Michael Lonsdale et Mathieu Carrière. Produit par Les Films Armorial et Sunchild Productions.

1976
Des journées entières dans les arbres, avec Madeleine Renaud, Bulle Ogier et Jean-Pierre Aumont. Produit par Antenne 2, Duras Films et Théâtre d'Orsay.
Son nom de Venise dans Calcutta désert, avec Nicole Hiss, Michael Lonsdale et Sylvie Nuytten.

1977
Le Camion, avec Marguerite Duras et Gérard Depardieu. Produit par Auditel et Cinéma 9.
Baxter, Vera Baxter, avec Claudine Gabay, Delphine Seyrig et Gérard Depardieu. Produit par l'INA et Sunchild Productions.

1978
Césarée (court métrage avec la voix de Marguerite Duras). Produit par Les Films du Losange et le ministère des Affaires étrangères.
Les Mains négatives (court métrage avec la voix de Marguerite Duras).

1979
Le Navire Night, avec Dominique Sanda, Bulle Ogier et Mathieu Carrière. Produit par Les Films du Losange.
Aurélia Steiner, dit Aurélia Vancouver (court métrage).
Aurélia Steiner, dit Aurélia Melbourne (court métrage).

1981
Agatha et les lectures illimitées, avec Bulle Ogier et Yann Andréa. Produit par l'INA et Les Productions Berthemont.
L'Homme atlantique, avec Yann Andréa et Marguerite Duras. Produit par Des Femmes Filment, l'INA et les Productions Berthemont.

1983
Il dialogo di Roma, avec Paolo Graziosi et Anna Nogara. Produit par Lunga Gittata Cooperativa et Rai Tre Radiotelevisione Italiana.

1985
Les Enfants, coréalisé avec Jean Mascolo et Jean-Marc Turine ; avec Axel Bogousslavsky, Daniel Gélin, André Dussolier et Tatiana Moukhine. Produit par Les Productions Berthemont et le ministère de la Culture.

Scénario et dialogues

1959
Hiroshima mon amour (scénario et dialogues) d'Alain Resnais, avec Emmanuelle Riva, Eiji Okada et Stella Dassas. Produit par Argos Films, Como Films, Daiei Studios et Pathé Entertainment.

1960
Moderato cantabile (scénario) de Peter Brook, avec Jeanne Moreau, Jean-Paul Belmondo et Pascale de Boysson. Produit par Documento Film et Iéna Productions.
Une aussi longue absence (scénario et dialogues) d'Henri Colpi, avec Alida Valli, Georges Wilson et Charles Blavette. Produit par Procinex, Société cinématographique Lyre et Galatea Film.

1963
L'Itinéraire marin (dialogues) de Jean Rollin, avec René-Jean Chauffard, Pascal Fardoulis et Michel Lagrange.

1964
Nuit noire, Calcutta (scénario) de Marin Karmitz, avec Maurice Garrel, Natasha Parry et Nicole Hiss.
Sans merveille (scénario) de Michel Mitrani, avec Marcel Bozzuffi, Elizabeth Ercy et Jean-Claude Pascal.

1965
Les Rideaux blancs (scénario et dialogues) de Georges Franju, épisode français du film à sketches *Un moment de paix*, avec Hélène Dieudonné, Michel Robert et Élisabeth Alfhoff. Produit par Film Polski, Norddeutscher Rundfunk (NDR) et Régie française de Cinéma.

1966
La Voleuse (dialogues) de Jean Chapot, avec Romy Schneider, Michel Piccoli et Hans Christian Blech. Produit par Chronos Films et Procinex.
Mademoiselle (scénario, avec Jean Genet) de Tony Richardson, avec Jeanne Moreau, Ettore Manni et Keith Skinner. Produit par Procinex et Woodfall Film Productions.

1993
La Mort du jeune aviateur anglais (scénario et dialogues) de Benoît Jacquot. Ina Productions.

Crédits photographiques

Photo DR : p. 12 (1), 16 (1, 2, 3, 4), 19 (3), 34 (3), 36, 37, 40 (2), 50 (2), 91 (2), 95 (3, 4, 5), 96 (1), 180 (2).

© ANOM : p. 12 (2), p. 16 (3), 18, 24 (2), 42-43 ; Léon Busy : p. 22-23, 24 (3), 27 (2), 30 (1), 31, 33 (1, 2). René Têtard : p. 24 (1), 26-27 (1), 29 (2), 30 (2).

Photo Archives Gallimard : p. 59 (4), 89.

© Hélène Bamberger / Cosmos : p. 203 (2), 240-241.

© BnF : p. 73.

© Les Cahiers du cinéma : p. 204.

© Corbis : Jean-Paul Guilloteau / Kipa : p. 215 (2) ; Thierry Orban : p. 225 (2, 3).

© Mario Dondero / Éd. Minuit / Leemage : p. 115 (3).

© 1969 Éditions Durand (catalogue Ricordi Éditions S.A.) : p. 124.
Avec l'aimable autorisation des éditions Durand
© Fonds Marguerite Duras / Imec : p. 7, 17, 20, 21, 25, 38, 39, 45 (3), 54 (1, 2), 56 (4), 60 (1, 2), 62, 63, 64, 66 (1, 2), 70, 71, 74 (1, 2, 3), 75, 76 (1), 77 (1, 2), 79, 80, 81 (3), 88 (2), 91 (3), 92 (1, 2, 3), 95 (2), 96, 97 (2, 3), 100, 109 (2, 3), 114, 116 (4), 120, 121 (2), 122 (1), p. 123 (3, 4, 5), 126, 127, 128, 130 (1), 131 (1, 2), p 140 (1, 2), 142, 143, 144, 145, 146, 147, 151, 152, 153, 158, 159 (4), 160 (3), 161, 165 (2), 171 (3, 4, 5), 172, 173, 174, 175 (1), 176 (2, 3.), 180 (1), 184, 187 (2), 188, 189, 190 (1), 192 (1), 194 (1, 3), 202, 204 (2,), 205 (3, 4), 206 (1, 2), 207, 208 (2), 210 (3,), 211 (5, 6), 212 (1), 219 (3, 4), 221 (2, 3), 222, 223, 224, 225 (4), 226 (1, 2), 227, 228 (4), 232, 233 (3), 236, 237; Agence Bernand : p. 108 (1), 154 (3), 194 (2) ; Gilles Caron : p. 169 ; Coll. BHVP / Association des régisseurs de théâtre : p. 154 (1) ; Jean-Paul Dupuis : p. 209 (3) ; Estate Gisèle Freund: p. 85 ; Jean Mascolo : p. 111 (4), 101 (2), 166 (2), 170, 177 (5, 6), 186-187 (1), 192 (2), 193, 209 (4), 220, 221 (4).

© Fonds Marguerite Duras / Coll. Jean Mascolo / Imec : p. 15 (2), 32, 35, 40, 57, 65 (2), 72, 82 (2), 83, 88 (3), 105, 166 (1), 180 (3, photo Jean Mascolo) 182-183, 208 (1), 230 (1, photo Marie-Laure de Decker).

© Fonds Jean Mascolo / Imec : p. 104.

© Fonds Edgar Morin / Imec : p. 81 (2).

© Gamma : p. 44 (1), 51, 55, 67, 82 (1), 88 (1, 4), 111 (2), 132 (1), 175 (4), 205 (5) ; Serge Assier : p. 198 ; Botti / Stills : p. 150 (1), 156 (1) ; coll. Jean Mascolo : p. 13 (3), 14 (1) ; Laurent Maous : p. 231 ; Georges Merillon : p. 230 (2) ; Louis Monnier : p. 215 (4), 216 ; Rapho / Keystone-France : p. 117, 137, 191 (3), 214 (1) ; Frédéric Reglain : p. 240-241 ; Daniel Simon : p. 211 (4).

© Man Ray Trust / Adagp, Paris, 2013 : p. 58.

© Coll. Jean Mascolo : p. 8, 9, 19 (2), 34 (2), 44 (2), 47, 54 (3), 65 (3), 68 (4), 229 (1).

© Erik Poulet-Reney : p. 133.

© Rapho : Michel Desjardins : p. 112, 141 (3) ; Robert Doisneau : p. 102, 103 ; François Le Diascorn : p. 199, 238-239.

© Roger-Viollet : p. 50 (1), 68 (1, 3), 72 (2), 76 (2), 78 (1), 90 (1), 98, 101 (3, 4), 106 (1), 110 (1), 111 (3), 118 (3),119 (4), 162 (1, 2, 3, 4) ; © Roger-Viollet / Coll. Roger-Viollet : p. 53, 68 (2), 73 (5) ; Alain Adler : p. 125 ; Jacques Boyer : p. 50 (4) ; Harold Chapman / The Image Works : p. 165 (5); Jean-François Cheval : p. 210 (1, 2), 212-213 (2) ; Albert Harlingue : p. 50 (3), 58 (1), 89 ; LAPI : p. 56 (2), 78 (2) ; Bernard Lipnitzki : p. 160 (1, 2) ; Boris Lipnitzki : p. 52 (2), 84, 93, 94, 129, 130 (2) ; Henri Martinie : p. 56 (1) ; Colette Masson : p. 165 (1, 3, 4) ; Léopold Mercier : p. 56 (3) ; Jean Mounicq : p. 155 (4) ; Janine Niepce : p. 234, 235 ; Jack Niesberg : p. 178-179 ; Gaston Paris : p. 118 (2) ; Jean-Régis Roustan : p. 136 ; Anne Salaün : p. 195, 196, 197 ; © Studio Lipnitzki : p. 99, 150 (2), 155 (5, 6), 159 (5) ; Ullstein Bild : p. 163 (5) ; André Zucca / BHVP : p. 58 (3).

© Rue des Archives : p. 215 (5), 168 (1) ; AGIP : p. 106 (2), 116 (3), 203 (3), 215 (3), 148 (2), 154 (2), 157 (2, 3), 168 (2) ; BCA : p. 177 (4), 218 (1) ; Gérald Bloncourt : p. 107 (3) ; Mary Evans : p. 116 (1, 2), 218 (2) ; PVDE : p. 118 (1) 122 (2), 124 (2) ; RDA : p. 124 (1), 176 (1) ; René Saint-Paul : p. 115 (2), 121 (3), 148 (1), 157 (4) ; Tallandier : p. 107 (4).

© Sipa : p. 34 (1) ; Faux : p. 203 (2), 226 (4) ; Sichov : p. 233.

© Sygma / Corbis : Sophie Bassouls : p. 215 (6) ; Bernard Bisson p. 217 ; Jean Mascolo : p. 41, 46, 52 (1, 3), 61, 69, 113, 132 (2), 181 (4), 190 (2), 206 (3), 226 (3), 228 (1, 2).

© Studio Sebert pour Binoche et Giquello : p. 36, 38-39 (1).

© Catherine Viollet : p. 134-135.

Crédits des citations

Maisons d'édition

© Les Cahiers du cinéma : *Les Yeux verts* : p. 170, 175, 194, 204.
© Éditions Gallimard : *La Vie tranquille* : p. 64, 67 ; *Un barrage contre le Pacifique* : p. 92 ; *Le Marin de Gibraltar* : p. 57, 96 ; *Les Petits Chevaux de Tarquinia* : p. 88, 98 ; *Hiroshima mon amour* : p. 122 ; *Théâtre II, Suzanna Andler, Des journées entières dans les arbres, Yes, peut-être, Le Shaga, Un homme est venu* : p. 160 ; *L'Amant de la Chine du Nord* : p. 42 ; *Écrire* : p. 7, 59, 61, 62, 80, 112, 168, 232, 237.
© Mercure de France : *Le Navire Night, Césarée, Les Mains négatives* : p. 194.
© Les Éditions de Minuit : *Moderato cantabile*, 1958 : p. 114, 116 ; *Les Parleuses*, 1974 : p. 114, 148, 167, 177, 185, 185 ; *Les Lieux de Marguerite Duras*, 1978 : p. 23, 176 ; *Savannah Bay*, 1958 : p. 211, 212 ; *L'Amant*, 1984 : p. 19, 33, 35, 40, 67.
© Éditions P.O.L : *Outside*, 1984 : p. 28, 104, 105, 148, 179, 183, 188, 191, 210 ; *La Douleur*, 1985 : p. 72, 223 ; *La Vie matérielle*, 1987 : p. 27, 31, 68, 110, 133, 134, 141, 144, 157, 202, 207, 225, 226, 229, 237 ; *Le Monde extérieur - Outside 2*, 1993 : p. 88, 106, 120, 151, 153, 181, 185, 209, 219, 220, 231, 237 ; *Cahiers de la guerre et autres textes*, 2006 : p. 13, 14, 16, 34, 40, 45, 54, 64, 72, 75, 77, 82, 83.
© Éditions du Seuil, 2013, pour la traduction française : *La Passion suspendue* : p. 51, 53, 90, 100, 118, 124, 128, 148, 157, 173, 213.

Périodiques

© France Observateur : p. 95.
© L'Express : p. 108.

Télévision

© TF1 / *Pour le cinéma* : p. 193.

L'Éditeur et l'auteur remercient Jean Mascolo pour
sa relecture attentive et le prêt de photographies rares,
Michèle Kastner pour sa précieuse disponibilité,
Albert Dichy, directeur littéraire, André Derval, directeur
des collections, Hélène Favard, responsable du service
des déposants, Caroline Louvet, chargée de production
aux expositions, Yoann Thommerel, directeur de la
programmation et de la valorisation, à l'Imec, pour leur
implication,
Delphine Poplin pour sa participation active
à l'ouvrage,

ainsi que les éditeurs des œuvres de Marguerite Duras :
les Éditions Gallimard, le Mercure de France,
les Éditions de Minuit, les Éditions P.O.L,
les Éditions du Seuil.

**Recherche iconographique, établissement des légendes
et suivi éditorial :** Delphine Poplin
Conception et réalisation graphiques : www.keppyroux.com
Préparation de copies et relecture sur épreuves : Colette Malandain
Fabrication : Murielle Meyer
Photogravure : Point 4, Hervé Garoscio

87, quai Panhard-et-Levassor
75647 Paris cedex 13

N° d'édition : L.01EBAN000327.N001
ISBN : 978-2-0812-9573-5
Dépôt légal : novembre 2013
www.editions.flammarion.com